柳鸣九文集

卷 5

法国文学史（中）

海天出版社（中国·深圳）

图书在版编目（CIP）数据

柳鸣九文集.5,法国文学史.中/柳鸣九主编.
—深圳：海天出版社，2015.6
ISBN 978-7-5507-1320-8

Ⅰ.①柳… Ⅱ.①柳… Ⅲ.①柳鸣九—文集②文学史—法国 Ⅳ.① I217.2 ② I565.09

中国版本图书馆 CIP 数据核字（2015）第 051177 号

柳鸣九文集．卷5
LIUMINGJIU WENJI JUAN 5

出 品 人	陈新亮
项目负责人	于志斌
选题策划	林星海
责任编辑	陈　嫣
责任校对	方　琅
责任技编	蔡梅琴
装帧设计	李松璋

出版发行	海天出版社
地　　址	深圳市彩田南路海天综合大厦（518033）
网　　址	www.htph.com.cn
订购电话	0755-83460202（批发）　0755-83460239（邮购）
设计制作	深圳市斯迈德设计企划有限公司（0755-83144228）
印　　刷	深圳市新联美术印刷有限公司
开　　本	787mm×1092mm　1/16
印　　张	34.75
字　　数	450 千
版　　次	2015 年 6 月第 1 版
印　　次	2015 年 6 月第 1 次
定　　价	118.00 元

海天版图书版权所有，侵权必究。
海天版图书凡有印装质量问题，请随时向承印厂调换。

柳鸣九在工作

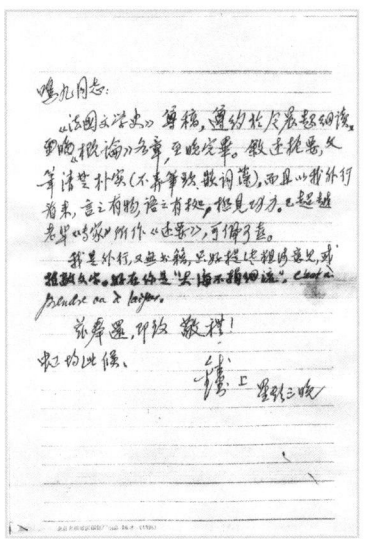 

钱锺书关于《法国文学史》的信札一件　　柳鸣九在图书馆

1987年在美国国会图书馆前

法国文学史(中)

柳鸣九 主编

本卷说明

《法国文学史》中卷由柳鸣九、郑克鲁、吴岳添、赵家鹤、金德全、施康强、郭宏安、张英伦、金志平等九位同志执笔,分工情况如下:

第一章、第二章第一节、第三章、第四章、第八章、第九章、第十章、第十三章第二节,由柳鸣九执笔;

第二章第二至四节、第十一章、第十二章,由郑克鲁执笔;

第五章,由吴岳添、赵家鹤执笔,郑克鲁参加;

第六章,第一节由柳鸣九执笔,第二节由金德全执笔,第三节由施康强执笔,第四节由郭宏安执笔;

第七章,由张英伦执笔;

第十三章第一节,由金志平执笔。

柳鸣九负责全书章节大纲的拟定、学术组织工作与最后修改定稿。

目 录

第五编　十九世纪前期文学

第一章 19世纪前期的社会历史状况与文学发展 …………… 002
　第一节　19世纪前期的社会历史发展及其对文学的影响 …… 002
　第二节　19世纪前期意识形态领域里矛盾冲突的社会思潮
　　　　　及其与文学的关系 ……………………………………… 017
　第三节　19世纪三四十年代前的文学发展与浪漫主义文学
　　　　　运动 ……………………………………………………… 034
　第四节　19世纪三四十年代后的文学发展与批判现实主义
　　　　　文学 ……………………………………………………… 050

第二章　夏多布里昂、拉马丁、维尼及其他 …………………… 073
　第一节　迈斯特尔与波纳尔 ………………………………………… 073
　第二节　夏多布里昂 ………………………………………………… 079
　第三节　拉马丁 ……………………………………………………… 091
　第四节　维尼 ………………………………………………………… 099

第三章　斯塔尔夫人、贡斯当及其他 …………………………… 108
　第一节　斯塔尔夫人 ………………………………………………… 108
　第二节　贡斯当 ……………………………………………………… 130
　第三节　瑟南古与诺迪埃 …………………………………………… 144

第四章　雨果 ………………………………………………………… 153
　第一节　雨果的生平与创作道路 …………………………………… 153

第二节	雨果的文艺理论	……	158
第三节	雨果的戏剧	……	162
第四节	雨果的诗歌	……	167
第五节	雨果的小说	……	178

第五章　大仲马与欧仁·苏 …… 218
  第一节　大仲马 …… 218
  第二节　欧仁·苏 …… 233

第六章　奈瓦尔、缪塞、戈蒂耶、波德莱尔 …… 246
  第一节　奈瓦尔 …… 247
  第二节　缪塞 …… 254
  第三节　戈蒂耶 …… 271
  第四节　波德莱尔 …… 282

第七章　贝朗瑞 …… 300
  第一节　贝朗瑞的生平 …… 300
  第二节　贝朗瑞的诗歌创作 …… 303
  第三节　贝朗瑞影响下的歌谣诗人 …… 316

第八章　乔治·桑 …… 322
  第一节　乔治·桑的生平 …… 322
  第二节　乔治·桑的作品 …… 328

第九章　司汤达 …… 350
  第一节　司汤达的生平 …… 350
  第二节　司汤达前期的散文与小说 …… 355

第三节 《红与黑》 ································· 366
第四节 《巴马修道院》与《吕西安·娄万》 ············ 380

第十章 梅里美 ································· 390
第一节 梅里美的生平 ····························· 390
第二节 梅里美的文学创作 ························· 394
第三节 梅里美的艺术特色 ························· 414

第十一章 巴尔扎克 ······························· 417
第一节 巴尔扎克的生平和思想 ····················· 417
第二节 《人间喜剧》的社会历史内容 ················ 431
第三节 《人间喜剧》的主要作品 ···················· 441
第四节 《人间喜剧》的艺术成就 ···················· 475

第十二章 福楼拜 ································· 486
第一节 福楼拜的生平 ····························· 486
第二节 福楼拜的作品 ····························· 488
第三节 福楼拜的艺术特点 ························· 507

第十三章 文艺批评家与历史散文家 ················· 510
第一节 圣伯夫 ··································· 510
第二节 历史散文家 ······························· 519

第五编
十九世纪前期文学

第一章 19世纪前期的社会历史状况与文学发展

从1789年资产阶级革命到1871年巴黎公社革命，是资本主义在法国取得胜利并向上发展的时期，在文学上，也是资产阶级文学空前繁荣的阶段。这一时期的文学产生于资产阶级与封建阶级、无产阶级与资产阶级关系错综复杂的社会环境中，随着社会历史的不断发展变化，物质文明程度的逐渐改善，各种社会思潮的衍生传播以及文化教育的普及提高，这个时期的文学在思潮、流派、题材内容、艺术形式、表现方法等各方面，都较过去时代更为丰富多彩、变化迅速，从而构成了文学史上的一个高峰。

第一节 19世纪前期的社会历史发展及其对文学的影响

19世纪上半期历史的总特点是——阶级矛盾、阶级斗争极为复杂：旧的矛盾还没有消除，1789年后资产阶级与封建阶级反复争夺政治统治权的斗争仍在继续；新的矛盾也日益尖锐，无产阶级反对资产阶级的革命斗争方兴未艾。随着时间的推移，资产阶级与封建阶级的矛盾逐渐退居到第二位，而无产阶级与资产阶级的矛盾则上升到首要位置。1830年七月革命以后，资产阶级与封建阶级争夺统治权的斗争基本告一段落；而从1848年开始，无产阶级登上了政治历史舞台，它反对资本主义制度的斗争到1870年更发展到新的高度。关于法国这一时期的历史特点，恩格斯曾经这样指出："这三大阶级的斗争和它们的利益冲突是现代历史的动力，至少是这两个最先进国家（指英国与法国——引者）的现代历史的动力。"①

法国资产阶级革命的最高潮是随着1794年雅各宾专政的被推翻而告结束的。雅各宾专政以恐怖手段有效地"打破专制制度、封建制度以及市侩主义"，为资产阶级革命的彻底胜利奠定了基础。雅各宾专政之后的热月政府代表了在革命时期靠投机发财的暴发户的利益，它取消了雅各宾专政的革命措施，打击和镇压了以雅各宾党为首的激进派和民主派，在它统治的时期，骄奢淫逸的资产阶级暴发户使巴黎笼罩着一片放荡奢靡的风气。物价暴涨，工人和农民不堪其苦，连续举行起义。热月政府的白色恐怖摧残了民主派，却助长了保王党的气焰，他们勾结外国势力继续掀起叛乱，妄图复辟。紧张尖锐的矛盾斗争在1795年成立督政府以后仍继续发展，一方面，人民与被镇压下去的民主派酝酿着新的革命危机，巴贝夫的"平等派密谋"团体正从事政变的准备工作；另一方面，保王党暗中策划复辟，与欧洲君主国的反法联盟内外呼应。在两方面的威胁下，督政府的统治不稳，政局动荡。因此，大资产阶级要求建立强有力的军事独裁政权，在对外战争中崭露头角的拿破仑·波拿巴很自然就成了理想的人选。1799年，拿破仑发动雾月十八日政变，独揽政权，1804年正式称帝，是为拿破仑一世。

拿破仑帝国是法国资产阶级革命的最后阶段。拿破仑的军事独裁是资产阶级专政的一种形式，拿破仑的内政外交政策的目的和实质，都在于为资本主义的发展开辟广阔的道路。他制定了保护资产阶级所有制的拿破仑法典，"把刚刚诞生的现代社会的经济生活条件……译

---

① 恩格斯：《路德维希·费尔巴哈和德国古典哲学的终结》，《马克思恩格斯选集》第四卷，第246页。

成了司法法规的语言"①；他建立了中央集权的国家政权，完善了现代资产阶级的国家机器；他在大革命把半农奴制的农民变成自由土地所有者的基础上，"保证农民能够自由无阻地利用他们刚得到的法国土地并满足其强烈的私有欲"②，从而使"小块土地所有制在法国土地上扎下的根剥夺了封建制度的一切营养物"③；他保护贸易自由，大大促进了法国资本主义工商业的发展。拿破仑作为法国资产阶级革命最后阶段的代表，与一贯敌视这次革命的欧洲君主国存在着不可调和的矛盾，对一次又一次的反法联盟进行了斗争，他频繁地对外战争，不能单纯用扩张野心来解释，而是1789年后革命的法国与落后的、封建的欧洲斗争的继续，正如马克思所指出的："他在法国境外则到处破坏各种封建的形式，为的是要给法国资产阶级社会在欧洲大陆上创造一个符合时代要求的适当环境。"④他以卓越的军事才能所向无敌，到1811年，除俄国以外，几乎整个欧洲都慑服于他的军旗之下。他把资本主义的关系带到了这些国家，在这里，他"是革命的代表，是革命原理的传播者，是旧的封建社会的摧毁人"⑤，曾经跟随拿破仑大军转战欧洲的司汤达就曾称颂拿破仑进军意大利"将在人类文明发展史上开辟一个重要的时代"。当然，另一方面，拿破仑的资产阶级帝国对这些国家的掠夺也激起了各民族的强烈反抗。1812年，拿破仑征俄失败，英、俄、普鲁士、瑞典、西班牙、奥地利、葡萄牙趁机组织第六次反法联盟，1814年，联军进入巴黎，拿破仑被迫退位，被囚禁在地中海上的厄尔巴岛。

在联军刺刀的保护下，波旁家族重新掌权，路易十八回到了巴

---

① 恩格斯：《暴力在历史中的作用》，《马克思恩格斯全集》第二十一卷，第523页。
② 马克思：《路易·波拿巴的雾月十八日》，《马克思恩格斯选集》第一卷，第695页。
③ 同上书，第696页。
④ 同上书，第604页。
⑤ 恩格斯：《德国状况——给〈北极星报〉编辑部的第一封信》，《马克思恩格斯全集》第二卷，第636页。

黎,他进入巴黎时,国民自卫军和拿破仑的老卫队列队"欢迎",夏多布里昂在自己的回忆录里记载了他亲眼看到的这个场面:"欢迎者"的脸上充满了"威逼的表情","一些人撇下嘴角两边的肌肉,表现出可怕的轻蔑,另一些人像老虎一样在髭须下露出牙齿,当他们举枪时,动作非常粗暴,发出的声音简直令人战栗"。这个场面就是整个法国对待复辟王朝的态度的缩影。封建王室的卷土重来和它复辟革命前旧秩序的狂热,引起了法国人民的恐惧和愤恨。1815年3月,拿破仑利用这种情绪发动了"百日政变",他离开厄尔巴岛在法国登陆,在宣言中号召"拔去那早已被我们民族抛弃了的白百合花旗帜,把三色国旗高高竖起来",他竟然一弹不发,未遇任何抵抗地重返巴黎。路易十八仓惶出逃,欧洲各国又组成第七次反法联盟,1815年6月18日与拿破仑会战于比利时的滑铁卢。这次会战被后来的法国作家称为"王国集团对法兰西不可驯服的运动的颠覆"。结果是拿破仑遭到失败,被迫第二次退位,流放到大西洋中的圣赫勒拿岛。"对拿破仑的胜利在整个欧洲成了反动派对革命的胜利"[①],从此,欧洲沦于俄、奥、英、普等君主国"神圣同盟"的统治之下,波旁王朝再度获得在法国的政治统治权,1789年以来的历史进程出现了一个反复和倒退,雨果在他的作品里把它称为一次"日食"。

路易十八是大革命高潮中被推上断头台的路易十六的弟弟,面对着经历了资产阶级革命、封建关系已遭到摧毁的19世纪法国的现实,他不得不仿效英国的君主立宪制,把复辟王朝的统治建立在封建贵族与大资产阶级妥协的基础上,他颁布的1814年宪章承认了《拿破仑法典》,认可了大革命以后所形成的新的私有制关系;在权力分配上,国王掌握最高的行政权,议会则有一部分立法权,大资产阶级的政治代表由于符合选举法财产资格规定而能够进入议会。但和英国

[①] 恩格斯:1890年6月5日致保·恩斯特的信,《马克思恩格斯选集》第四卷,第472页。

的君主立宪不同，法国的政治统治权不是主要掌握在资产阶级手里，而是掌握在贵族阶级复辟势力手里，而且，他们并没有放弃恢复革命前君主专制制度与贵族土地所有制的反动愿望，路易十八在1814年宪章上注明的日期是"我朝第十九年"，表明他把自己的王权上溯到路易十六的儿子去世的1795年，正暴露出要把革命时期和拿破仑帝国时期的变化一笔勾销的意图。波旁王朝的阶级本质和复辟的愿望决定了它全部政策的反动性：对外，它仰人鼻息，在联军长期占领下，看神圣同盟君主国的眼色行事，沙皇长期豢养的走狗黎塞留公爵不止一次出任内阁首相，夏多布里昂也因在神圣同盟的会议上迎合亚历山大一世的心意促成法国出兵干涉西班牙革命有功，而成为波旁王朝的外交大臣。对内，复辟王朝大肆镇压拿破仑主义者，白色恐怖猖獗一时，特别是1824年查理十世上台以后，王朝政府更加倒行逆施，相继颁布了一系列反动法案，如：加强教会在文化教育方面的特务统治；赔偿革命期间流亡国外的贵族10亿法郎，把负担转嫁给资产阶级；对报刊出版物严加检查控制等。

正因为波旁王朝是在大革命清扫过的社会基地上复辟的，它自己的社会经济基础已经解体，所以在法国国民中十分孤立，与各个阶级的关系都很紧张。工人为了争取增加工资、降低粮价而不断进行罢工和暴动，农民、小生产者时刻担心革命前的封建土地所有制死灰复燃，资产阶级也不甘心于自己的在野地位。整个复辟时期阶级矛盾的主要内容是复辟与反复辟的斗争，这一斗争仍属资产阶级民主主义性质，是大革命以来封建阶级与资产阶级争夺统治权的继续。复辟势力的核心是以后来成为查理十世的阿图瓦伯爵为首的极端保王党人，反动浪漫主义作家约瑟夫·德·迈斯特·波纳尔、夏多布里昂都是其中的活跃人物。与复辟王朝合作、主张君主立宪，但认为应该实行温和政策的，是立宪派保王党，后来在政治舞台上进行了充分表演的历史学家梯也尔即属于这一行列。资产阶级的反对派是自由党，他们主张民主改革和建立资产阶级的君主立宪制政府,作家本杰明·贡斯当是这一派政治力量的头面人物,1825年,查理十世把赔偿贵族10亿法郎的法案提交议会讨论通过时,他是起来发表演说表示反对的仅有的三个议员中的一个,刊载这篇演说的那一期《立宪报》大受欢迎,不得不再印一版。1830年7月,查理十世下令对报刊出版物进行更严格的管制并实行新的选举法,规定只有大土地所有者才有选举权,更成为了革命的导火线,自由资产阶级起来反对,巴黎工人和贫民走上街头,构筑街垒,起义爆发了。七月革命推翻了波旁王朝,但革命胜利的果实被资产阶级君主立宪派所篡夺,代表金融贵族的奥尔良公爵路易-菲利普登上王位,建立了七月王朝。

马克思指出:"1830年的革命把政权从地主手里夺来交给了资本家。"① 从此,又一次被赶下台的贵族阶级再也没有力量卷土重来,在资产阶级与贵族阶级之间再也谈不上什么严重的政治斗争了。七月革命以前的历史发展表明,资产阶级与拿破仑帝国彻底根除了封建所有制的关系,为资本主义的发展廓清了社会基地,使得旧制度的复辟不可能长久维持下去,而随着资产阶级的七月王朝的建立,法国也开始了工业革命,使资本主义生产获得了巨大的发展。工业革命使无产阶级的人数和力量大为增长,七月王朝贪婪的剥削却促使劳资矛盾日益尖锐。这个王朝"不过是剥削法国国民财富的股份公司;这个公司的红利是在内阁大臣、议会、24万选民和他们的走卒之间分配的。路易-菲利普便是这个公司的经理……"② 因此,无产阶级反对资产阶级的斗争从这个王朝一建立,就作为时代的主要内容而突出起来,正如恩格斯所指出的:"无产阶级和资产阶级间的阶级斗争一方面随着大工业的发展,另一方面随着资产阶级新近取得的政治统治的发展,在

---

① 马克思:《法兰西内战》,《马克思恩格斯选集》第二卷,第372页。
② 马克思:《1848年至1850年的法兰西阶级斗争》,《马克思恩格斯选集》第一卷,第396页。

欧洲最发达的国家的历史中升到了首要地位。"①

七月革命之后不久，爆发了著名的1831年的里昂工人大起义。虽然起义最后被政府镇压下去，但它在法国历史上表明了工人阶级已经作为一个独立的阶级力量出现，并且显示了自己的威力。1831年起义后，法国工人运动出现了新的高涨，工人阶级的斗争逐渐超出了经济斗争的范围。1832年，巴黎工人支持激进的资产阶级民主主义派"人民之友社"反对七月王朝的政治纲领，在巴黎筑起了街垒，竖起了红旗，与政府的军队进行了英勇的战斗。1834年，里昂工人为抗议政府逮捕工人领袖及禁止工人集会的法令，再次举行起义，并提出推翻七月王朝建立民主共和国的口号。19世纪30年代的工人运动的发展，标志着无产阶级觉悟的增长，他们不再是资产阶级所发动的运动的追随者，而是开始有了自己独立的要求。他们的斗争愈来愈具有鲜明的政治性质，并且，在工人运动的内部，在社会主义共产主义思潮流行的基础上，还出现了一些工人的秘密革命团体，坚强的革命家奥古斯特·布朗基（1805～1881）所领导的"四季社"就是其中最著名的一个。这些无产阶级的革命者强烈憎恨资本主义制度，主张推翻资产阶级的统治，他们为此进行了不屈不挠的斗争。布朗基从1830年七月革命到1871年巴黎公社革命，一直从事反对资本主义制度的活动，他一生中一半以上的年月是在监狱里度过的。但是，总的说来，19世纪三四十年代的工人运动是不成熟的，它缺乏科学社会主义革命理论的指引，也没有真正的无产阶级的革命政党作为自己的坚强领导，它虽然愈来愈具有政治斗争的性质，但自己的纲领还不能摆脱资产阶级民主主义革命口号的影响。

七月王朝时期，除了无产阶级与资产阶级的斗争外，还存在着资产阶级内部的矛盾。"在路易－菲利普时代掌握统治权的不是法国资产阶级，而只是这个资产阶级中的一个集团：银行家、交易所大王

---

① 恩格斯：《反杜林论》，《马克思恩格斯选集》第三卷，第65页。

和铁路大王、煤铁矿和森林的所有者以及与他们有联系的那部分土地所有者,即所谓金融贵族,他们盘踞王位,他们在议会中强定法律,他们分配从内阁到烟草局的各种官职。"①金融资产阶级的独揽大权使被排斥在政权之外的工商资产阶级和小资产阶级成了反对派,他们针对金融贵族的专制,树起了实行民主改革和建立共和制的旗帜。代表工商资产阶级利益的是以马拉斯特和浪漫主义诗人拉马丁为首的"国民报"派三色共和党人;它的成员主要是一些具有共和思想的资产者、作家、律师、军官、官吏,他们要求建立共和国;扩大选举权,而反对广泛的社会改革。代表小资产阶级利益的是以赖德律-洛兰(1807~1874)为首的"改革报"派,他们除了主张建立共和国外,还要求进行广泛的社会改革和改善劳动人民的状况,这一派得到了一部分工人群众的支持,小资产阶级社会主义者路易·勃朗(1811~1882)也是这一派的参加者。这样,在七月王朝时期,实际上存在着工业资产阶级、小资产阶级以及工人劳动群众反对七月王朝的君主立宪政体、要求实现共和制的联合战线。因此,是维持金融家专政的君主立宪政体,还是建立较民主的共和国,就成为七月王朝时期政治斗争的焦点。共和派开展反七月王朝活动的普遍形式是建立大量的社团,如"人民之友社"、"人权社"等。从 19 世纪 30 年代初起,共和派就策划了多次反对路易-菲利普的密谋,还组织过起义,雨果在《悲惨世界》中所描写的 1832 年的起义就是共和派社团领导和组织的。共和派的活动和斗争在当时的历史条件下,属于资产阶级民主主义性质,具有一定的进步意义,但是,共和派的右翼"国民报"派三色共和党人只反映了工商业资产阶级要求代替金融贵族掌握统治权的愿望,它的阶级本性决定了它对社会主义思潮、对无产阶级是非常仇恨的,因此,七月王朝在 1848 年的革命中被推翻后,由三色共和党

---

① 马克思:《1848 年至 1850 年的法兰西阶级斗争》,《马克思恩格斯选集》第一卷,第 394 页。

人组成的资产阶级政府就把屠刀指向了无产阶级。

七月王朝的统治到19世纪40年代后期已经危机四伏，1845年和1846年的农业歉收造成了严重的经济困难，工业生产下降，工人大批失业，社会阶级矛盾加剧，下层人民革命情绪高涨，饥饿暴动席卷全国，工人不断举行罢工和游行示威，资产阶级共和派也加紧活动，1848年2月，以路易－菲利普拒绝改革选举制度为导火线，巴黎的工人和革命群众举行了武装起义，推翻了七月王朝。二月革命的胜利果实被资产阶级共和派篡夺，成立了以拉马丁为首的临时政府。掌握了政权的资产阶级共和派对无产阶级在二月革命中所显示的力量感到恐惧，他们使用欺骗的手段独占了政权，并且对工人步步进逼，实行镇压，在这种形势下，巴黎无产阶级举行了六月起义。

1848年六月起义标志着法国无产阶级政治上的觉醒，是19世纪三四十年代法国工人运动发展的必然结果。19世纪40年代，随着资本主义生产的进一步发展，无产阶级的力量更为壮大，社会主义思想在工人中进一步传播。1846年，马克思、恩格斯发起成立"共产主义通讯委员会"，并在巴黎建立支部，开始在法国工人中传播革命理论，1848年2月，《共产党宣言》发表，开辟了世界无产阶级在科学共产主义理论指导下进行革命的新时代。六月起义正是发生在"一个幽灵，共产主义的幽灵在欧洲徘徊"的背景下，它针对资产阶级共和派反对无产阶级的阴谋，提出了解散资产阶级权力机构、成立社会民主共和国的战斗口号，力图在1848年资产阶级民主革命取得胜利的基础上使革命继续深入。这次起义具有划时代的意义，它表明无产阶级第一次作为一个具有自己的要求和纲领的自为的阶级向资产阶级进行了英勇的战斗，马克思指出："这是现代社会中两大对立阶级间的第一次伟大战斗。这是为保存或消灭资产阶级制度而进行的战斗。"[①]

---

① 马克思：《1848年至1850年的法兰西阶级斗争》，《马克思恩格斯选集》第一卷，第415页。

但1848年法国工人运动毕竟还处于不成熟的阶段，小资产阶级社会主义在工人中影响很大，科学的共产主义理论还没有成为运动的实际指导，领导革命的无产阶级政党还没有建立，加之敌我力量悬殊，六月起义在资产阶级的血腥镇压下失败了。

六月起义失败后，取得表面胜利的共和派右翼又与大资产阶级中拥护君主政体的保王派发生了矛盾和斗争。在1848年总统选举中，共和派由于镇压了无产阶级、失去了广大群众的支持而遭到失败，拿破仑一世的侄子，冒险家、政治骗子路易·波拿巴利用法国农民对拿破仑的怀念，以蛊惑人心的手段当选为总统。路易·波拿巴上台后，先利用秩序党排斥了资产阶级共和派和以赖德律－洛兰为首的小资产阶级民主派新山岳党，摧毁了资产阶级民主共和势力；随后，又与秩序党中拥护波旁王朝复辟的正统派和主张恢复七月王朝的奥尔良派进行了权力的争夺。1850年12月1日，路易·波拿巴发动政变，实行专制独裁。著名作家雨果为首的左翼共和派起来反对，号召人民武装起义。但巴黎的无产者在1848年亲身遭到资产阶级共和派的镇压，对它早已失去信任，而且，六月起义失败后无产阶级革命力量也受到了严重的摧残，还没有恢复元气，因而，共和派规模不大的武装反抗没有得到广大群众的支持，在短短几天里就失败了。路易·波拿巴在全国实行了血腥的镇压和恐怖统治。1852年12月2日，波拿巴正式宣布法兰西为帝国（史称第二帝国），自称拿破仑三世。

拿破仑三世的专制政权代表了大金融家和大工业家的利益，它对内镇压无产阶级和革命群众，打击资产阶级民主共和派的力量，施行军事独裁和警察特务统治，第二帝国时期的白色恐怖正如雨果在他的诗里所描写的那样："正直的人被扔进沟壑，政权交给了罪恶，所有的权利都遭受蹂躏"，"马赛曲已经张开翅膀，准备去参加流亡者的行列"，"一切都在这个暴君的统治之下失去了光辉"。拿破仑三世的反动统治不仅在国内阻碍了1789年以来的法国资产阶级民主主义事业的进展，而且，它的大资产阶级专政的实质决定了它对外富于侵略性，终于使法国成为欧洲的一个战争策源地。第二帝国时期，拿破仑三世连续进行了多次对外战争，在战争中牟取暴利的是大资产阶级投机商以及与他们狼狈为奸的政府官吏，而沉重的战争负担却转嫁到广大人民的头上，再加上拿破仑三世的宫廷穷奢极欲，挥霍无度，又有资产阶级、地产所有者、高利贷者层层剥削，因此，捐税繁重，物价上涨，工人农民的生活不断恶化，小资产阶级纷纷破产，国内阶级矛盾日益尖锐，工人运动进一步发展，资产阶级共和派、反对派在群众中的影响也迅速扩大。拿破仑三世为了转移国内的注意力，消除革命危机和满足大资产阶级的掠夺欲，又于1870年挑起了普法战争，战争的惨败导致第二帝国的崩溃和巴黎公社革命的爆发，形成了法国近代史上无产阶级对资产阶级斗争的划时代的新高潮。

19世纪上半期的法国历史是在激烈的阶级斗争中度过的。这一时期虽然充满了复杂的矛盾，但基本上是资产阶级民主运动的时期，资产阶级还处于上升阶段。整个这一时期的历史任务还在于完成1789年所开始的资产阶级民主革命。即使是在1830年以后，封建阶级不再有力量重建统治，政治斗争的内容似乎只是资产阶级内部关于统治形式、国家政体的争执，但七月王朝和第二帝国两次专制政权的相继出现，说明了资产阶级民主主义改革还没有丧失它的必要性和进步性。尽管无产阶级在这一时期政治上日益觉醒并逐渐发展为自为的阶级，它也不可能不参加这一时期资产阶级民主主义性质的运动和革命，并且努力促进这种运动和革命的胜利。因此，在整个19世纪上半期，对待资产阶级民主革命的态度如何，便成为区分历史人物（包括思想家、文学家）进步或反动的重要尺度之一。法国19世纪上半期文学史上一些知名的人物，都或多或少不同程度地参加了这一时期的政治斗争，有不少人还在这一斗争中扮演了重要的角色，斯塔尔夫人、夏多布里昂、贡斯当、司汤达、雨果、拉马丁都是如此，他们在文学上的倾向往往取决于他们在政治上所属的阵营和派别，消极反动浪漫主义的代表人物出自贵族阶级，积极浪漫主义和批判现实主义的作家则往往是资产阶级自由主义者、民主主义者。

这个时期也是法国阶级关系发生深刻变化的历史时期。封建贵族阶级在革命中受到毁灭性的打击，特别是那些最富有最有权势的宫廷贵族、穿袍贵族更是如此，他们一部分逃亡，一部分被杀，余下来的主要是外省的小贵族，这些人有的避开了革命的风暴（作家中的夏多布里昂和拉马丁就属于这一类），有的则搞革命投机；教会被没收了全部财产，并且人数大减。封建阶级虽然在复辟时期"又重整旗鼓"，但"在庸俗的、满身铜臭的暴发户的逼攻之下逐渐灭亡，或者被这一暴发户所腐化"①。资产阶级通过革命从第三等级中分化出来，他们获得了封建阶级的大部分土地，他们的人数不断增加，仅以复辟时期为例，1817年纳营业税的人有84万，到1830年则增加到163万。这个阶级在半个多世纪的时间里，盘剥了大量的财富，控制了整个国家的经济命脉，在国家机器里占据了几乎所有的职位。高利贷资本与地租剥削是法国资产阶级两个重要的特点，也是阻碍法国资本主义迅速发展的重要因素。因此，银行家、大金融家与大土地大森林所有者是资产阶级中最保守最反动的阶层，是1830年以后的当权者，在政治统治形式、权力的分配和资产阶级民主的范围和程度等问题上，往往与代表资本主义发展要求的工业资本家以及在野的中小资产阶级存在着矛盾，他们是资产阶级民主运动的对立面。这种矛盾反映在意识形态上，就引起了某些资产阶级的思想家、作家对统治集团的揭露和批判。

19世纪上半期阶级状况最深刻的变化是大量小生产者的形成。

---

① 恩格斯：1888年4月初致玛·哈克奈斯的信，《马克思恩格斯选集》第四卷，第463页。

广大的农民通过1789年的革命摆脱了封建剥削,获得了土地,成为小土地所有者。1848年,他们的人数达到了750万左右。"土地上的封建义务已由抵押制所代替;贵族的地产已由资产阶级的资本所代替。农民的小块土地现在只是使资本家从土地上榨取利润、利息和地租,而让土地耕作者自己随便怎样去挣自己的工资的一个借口。"①在资本主义的竞争法则和价值规律的支配下,这些小生产者不断分化,有的沦为赤贫,极少数上升到资产阶级的行列。广大小生产者、小资产阶级的存在,对法国的政治生活、社会思潮、意识形态,包括文学艺术的发展,有着深刻的影响。小说的主人公往往不再是贵族,而是小资产阶级青年,他们与社会的矛盾是作者从小资产阶级的要求和愿望的角度去加以描写的,往往会打下这个阶层的烙印。在封建关系被摧毁后,资本主义法则使人与人的关系变成了现金交易,人的尊严、聪明、才智、技艺都变成了交换价值,封建世袭特权消失了,自由竞争给小资产阶级在各个领域里的向上爬开辟了天地。在文学领域里,表现在作家队伍上,大部分人原来都不是富裕的有产者,而是生活穷困的小资产阶级知识分子,正是他们的思想观点决定了文学的基本面貌。由于文学艺术变成了商品,写作成为一种生计和自由职业,资产阶级和小资产阶级的思想家、文学艺术家又取得了一种独立于本阶级的表象,但他们不论提出问题还是解决问题,实际上都超脱不了本阶级的局限。

19世纪上半期最重大的历史内容,是无产阶级的发展壮大。在19世纪初,无产阶级的人数还很有限。到了19世纪30年代,工人的人数有了不少增长。复辟王朝后期,巴黎工人约有24万,占全市人口的34%,但真正的产业无产阶级所占的比例并不大,大多数都是分散的小规模手工工场的工人、作坊的帮工,还有大批在自己家里进行操作加工的零工,而且工厂工人也是从农村流入的破产的小生产者。

---

① 马克思:《路易·波拿巴的雾月十八日》,《马克思恩格斯选集》第一卷,第696页。

随着法国工业革命的发展,无产者的人数和力量有了进一步的发展和壮大,产业无产阶级的比重也大为增加。法国资本主义是在残酷剥削工人的基础上发展起来的,工人在这种压榨和剥削下生活极为悲惨。早在拿破仑一世时期,每一个工人都被戴上"工人手册"的枷锁,手册记载着工人的表现和过失,这个制度后来被资产阶级经常沿用以加强剥削。19世纪上半期工人的工资极低,劳动时间却长达13至16小时,女工与童工很普遍,儿童经常从5岁起就被送去做工。工人经常面临失业的威胁,各种严重的疾病在工人居住的贫民窟流行,工人苦难的生活成为触目惊心的社会问题。由此,文学中经常出现劳动群众、下层人民悲惨命运的主题。而且,在无产阶级逐渐觉悟的过程中产生的空想社会主义思潮,也对文学艺术产生了深刻的影响,在雨果、乔治·桑和巴尔扎克的作品里,都有这种思想影响的痕迹。

19世纪上半期是资本主义生产大发展的历史时期。资本主义近代工业在大革命后到拿破仑专政期间奠定了基础,而在1815年至1848年这一阶段获得了显著的发展,蒸汽机大量使用,机器制造业初步建立,交通运输业不断改观,1848年,铁路总长度已达1931公里。1848年以后到1870年,工业革命进一步完成,重工业特别是煤铁生产发展迅速,铁路建筑进入高潮,轻工业也保持了较高的速度。与此同时,科学技术也有巨大的进步,拉瓦锡论证了能量守恒定律,让-维克多·彭塞莱(1788~1867)发展了力学理论,拉格朗日(1736~1813)和勒威耶(1811~1877)分别对数学和天文学作出了杰出的贡献,拉马克(1744~1829)发展了进化论,马丁父子发明了反射炉炼钢,勒努瓦改进了内燃机,航空术、通讯术已经开始运用,照相术在19世纪30年代有了突破,印刷业和造纸业的技术也有了新的发展。总之,社会生产力、科学技术呈现了欣欣向荣、蒸蒸日上的局面,正如马克思、恩格斯所指出的那样,资产阶级在这个历史时期里,"第一次证明了,人的活动能够取得什么样的成就,它创造了完全不同于埃及金字塔、罗马水道和哥特式教堂的奇迹；它完成了完全不同于民族大迁移和十字军东征的远征"①。这种迅速的发展使法国19世纪前期的社会生活面貌发生了巨大的变化，煤气灯代替了蜡烛，鹅毛笔被钢笔尖淘汰。巴黎的狭窄街道开拓成宽大的马路，街心公园与广场修建了起来，这个城市成了国际的文化都会。所有这一切物质生产、科学文化的成就，也为文学艺术的发展提供了基础。这时资产阶级正处于向上发展、充满信心的阶段，因此，本阶级的思想家、文学家在创作上具有多方面的条件和比较广阔的天地，这就造成了法国文学史上一个最丰富多彩的繁荣时期。

"资产阶级，由于开拓了世界市场，使一切国家的生产和消费都成为世界性的了。"②19世纪上半期法国资本主义的发展与欧洲各国以及美国的进程大体是一致的，因此，它们之间各方面的交往远比18世纪频繁密切。物质生产如此，精神生产也是如此。不仅科学文化的成果及时得到了交流和推广，而且法国19世纪文学艺术也接受了英国、德国和俄罗斯文学的启示；反过来，法国丰富的文学艺术又给欧洲各国文学艺术甚至世界文学艺术以巨大而深刻的影响。很多著名的外国作家、艺术家，如俄国的屠格涅夫、德国的海涅、英国的司各特、波兰的肖邦，都曾被巴黎所吸引，来到这里旅居，并在这里受到熏陶；法国作家也有不少人旅居外国，并且开始有了法国作家定期为外国报刊撰稿的习惯，司汤达的《英国通讯集》就是一例。

在法国，19世纪上半期资本主义发展的过程，也是大规模资本输出、对外殖民的过程。到1869年，法国资本输出的总额已达100亿法郎，仅次于英国而居世界第二位。在这个过程中，法国资产阶级还大力加强了殖民掠夺，1830年开始侵占阿尔及利亚，接着，又在非洲囊括了鲁西贝（1841）、象牙海岸、几内亚和马特约（1843），19世

---

① 马克思、恩格斯：《共产党宣言》，《马克思恩格斯选集》第一卷，第254页。
② 同上。

纪 50 年代至 60 年代，殖民扩张进入高潮，在非洲、亚洲和美洲发动了一连串的殖民战争，多次侵略和掠夺中国，还征服了印度支那，把柬埔寨变为保护国，武装干涉墨西哥，远征叙利亚，并把势力扩张到埃及。1820 年法国拥有的殖民地是 2 万平方公里，到 1860 年增加到 20 万平方公里，成为仅次于英国的殖民主义国家。法国资产阶级大规模的殖民扩张活动在国际上引起了与其他殖民国家的矛盾，如在北非、印度支那与英国激烈的竞争，在卢森堡公国和西班牙与普鲁士的冲突，在国内则大大扩充了大资产阶级的资本与财富，加速了自由资本主义向垄断资本主义的过渡。反映在文学艺术中，则是异国题材的增加以及一部分作家对异国情调的爱好，当然，富于正义感的作家，也对罪恶的殖民掠夺表示了反感和抗议。

第二节　19 世纪前期意识形态领域里矛盾冲突的社会思潮及其与文学的关系

19 世纪上半期意识形态领域里，思潮起伏，纷至沓来，各种学说应运而生，不同的主义互相冲突。这种变化多端的局面，是这一历史时期错综复杂的阶级斗争所决定的，是经济基础和阶级关系发生着迅速而深刻的变化的反映。

19 世纪上半期以资产阶级与封建阶级继续争夺政治统跨权和无产阶级登上政治舞台为主要历史内容，一切斗争都围绕这三个阶级的矛盾而展开。因此，在意识形态领域里，也存在着与此有关的三大思潮，即表现封建阶级复辟旧制度的愿望的宗教神秘主义、教权主义思潮，继承 18 世纪的启蒙思想、以《人权宣言》为根据的资产阶级民主自由主义思潮，反映工人阶级对资本主义制度的憎恨以及它自身的不成熟的空想社会主义思潮。这三大思潮的起伏与阶级斗争的历史进程是一致的。大体说来，1830 年七月革命以前，主要是封建主义的、教权主义的思潮与资产阶级思潮的斗争,而在1830年,特别是1848年以后,是社会主义思潮的兴起及其与资产阶级意识形态的冲突。而这三大思潮又构成了19世纪上半期三种阶级的文学,即封建阶级文学、资产阶级文学和工人劳动人民的文学的条件和思想基础。

宗教神秘主义、教权主义的思潮是对1789年至1794年资产阶级革命的反动,是作为法国大革命深受其影响的18世纪启蒙思想的对立面而出现的。它发端于执政府和拿破仑帝国时期,代表人物是迈斯特尔、波纳尔和夏多布里昂。

1794年雅各宾专政的结束、热月政府的白色恐怖和督政府时期对左翼力量的压制,使封建阶级的残余力量又死灰复燃,他们从大革命的打击下苏醒过来,第一件事便是在思想领域里发动反攻倒算。流亡国外的贵族阶级的思想家由于不受国内政治生活的约束,便首先出来充当制造反动舆论的角色,1796年,迈斯特尔与波纳尔分别发表了《论法兰西》与《论政权与教权》。这两部论著出自两个同样在大革命中受到冲击而逃亡国外的贵族分子之手,都发泄了反革命阶级的仇恨。它们对大革命进行了严厉的谴责和恶意的歪曲,对指导大革命的18世纪哲学大肆攻击。作为反动阶级的思想代表,这两个人物显示出被打倒的贵族阶级在思想文化领域里仍拥有不可忽视的力量,他们是资产阶级思想文化体系的顽强敌人,他们以历史传统的名义重新抬出宗教来对抗资产阶级的社会契约论,用一切手段来败坏启蒙思想的声誉;他们从哲学上把人类认识的整体都归之于神的启示,而又以唯心主义的模式把变化发展着的社会历史,解释为神意所决定的专制王权和等级制的永恒秩序,并把封建的过去加以诗意的美化。他们鼓吹宗教,企图恢复天主教的权威。这种宣传在拿破仑帝国时期得到了有利的发展条件。法国传统的宗教本来在大革命中受到了沉重的打击,教会实际上已被取缔,但拿破仑出于巩固统治的需要,企图把宗教纳入他专制政权的轨道,并于1802年与罗马教皇签订条约,恢复教会,把它变成一种特殊形式的国家机关。几乎与此同时,贵族阶级另一个重要思想家夏多布里昂的《基督教真谛》(1802)也出版了。这部著名的论著表现了夏多布里昂巧妙的宗教宣传家的才能,他竭力挖掘基督教从教义内容到宗教仪式中的"诗意",利用传统的文化和文学艺术形象来唤起对基督教的美感。宣传方式的动人,再加上投合了拿破仑宗教政策的需要,使这部论著大走红运,成为社会思潮中一个引人注目的浮标,它在当时和日后都发生了深远的影响,用当时一个评论家的话来说:"夏多布里昂在1803年左右使得天主教时髦了起来。"

始于执政府时期的这一股社会思潮的逆流,到复辟时期走向了高潮。封建阶级重新获得统治权使教权主义取得了官方舆论的地位,流亡贵族对旧制度崩溃原因的探讨加深了他们对启蒙思想的仇恨,而资产阶级中许多人的丧失信心和从宗教中寻求精神寄托,也使宗教神秘主义思潮更为泛滥。波纳尔的《哲学研究》(1818)、迈斯特尔的《论教皇》(1819)和《圣彼得堡的黄昏》(1821)等臭名昭彰的论著,在这一时期相继出版,壮大了反动思潮的声势。启蒙思想作为大革命的推动力遭到了粗暴的攻击。一切进步事物都遭到指责:自由被嗤之以鼻,民权被否定,代议制也未能幸免。上帝又被宣布为一切权力的赋予者,因而,神授的君主专制又作为一种理想的原则被提了出来;封建等级的压迫被视为当然合理;刽子手被反动思想家尊奉为人类社会的基石,所有这些都构成了复辟时期极端保王党活动的理论依据,并成为他们力图消灭大革命成果的反动纲领的实际内容。1826年,司汤达曾经这样评论夏多布里昂:"夏多布里昂这几年就是施展他的才华,以求把19世纪的法国人改变成17世纪君主专制的忠实臣民。"这一评语同样适用于这一思潮的其他代表。

然而,19世纪的现实与这些反动思想家的复辟愿望之间,毕竟存在着不可调和的矛盾,有的封建阶级思想家不得不转而采取较为现实的态度,在政治上放弃了君主专制的梦想,接受了"一个资产阶级自由主义宪法"①,承认"它是我们时代风俗的结果",如夏多布里昂;而在宗教上,则出现了企图将天主教与现代社会生活加以协调,使教会适应新的社会条件的流派,这就是以拉梅内(1782~1854)为代表的"自由基督教"。这一思潮在复辟初期就已出现,它在力图把宗教与政治区分开来的同时,又不遗余力地鼓吹宗教信仰。

七月革命的胜利使封建教权主义的思潮彻底破产,在封建阶级已经没有力量再与资产阶级争夺统治权,而无产阶级又日益崛起的条件下,这个阶级在意识形态领域里对资产阶级的斗争又采取了新的形式,正如《共产党宣言》所指出的:"为了激起同情,贵族们不得不装模作样,似乎他们已经不关心自身的利益,似乎只是为了被剥削的工人阶级的利益,才声讨资产阶级。他们用来泄愤的手段是:唱唱诅咒他们的新统治者的歌,并向他叽叽咕咕地说一些或多或少凶险的预言。""这样就产生了封建的社会主义。"②在法国,这种思想的代表是维尔纽夫-巴热尔蒙,他在《基督教政治经济学》(1834)一书中,描绘了一幅劳动人民悲惨生活的图画,并且证明是由于波旁王朝被推翻而造成的。同样,在新的条件下,拉梅内的"自由基督教"又有了新的变化,它涂上了民主自由、社会主义的色彩,被称为"基督教社会主义",而其本质"只不过是僧侣用来使贵族的怨愤神圣化的圣水罢了"。③

整个说来,宗教神秘主义、教权主义思潮在理论上是陈腐不堪的,但它对文学艺术的影响却甚为巨大。文学上的贵族浪漫主义就是这个思潮的直接表现。这个思潮中的思想家有的本人就是文学家,如夏多布里昂,有的则对文学研究颇为热心,如波纳尔便写过《论风格与文学》(1806)。他们在自己的论著里,往往把对宗教信仰的鼓吹

---

① 恩格斯:1890年6月5日给保·恩斯特的信,《马克思恩格斯全集》第三十七卷,第410页。
② 马克思、恩格斯:《共产党宣言》,《马克思恩格斯选集》第一卷,第274页。
③ 同上书,第275页。

与对文化传统的论述结合在一起,并别出心裁地以文艺手段诉诸人们的感情,唤起对基督教的美感,因此,当他们从文艺角度进行宗教宣传时,也就给文艺提供了宗教的内容,规定了与这内容相适应的艺术形式的规范。夏多布里昂的《基督教真谛》和巴朗什(Ballanche,1776~1847)的《从与文学艺术关系的角度论感情》(1801)就是这样两部书。它们,特别是前者,为19世纪初的贵族浪漫主义文学奠定了理论基础,是这一文学流派的宣言和纲领。这种文学与封建教权主义一样,充满了神秘主义的世界观、阴暗悲观的人生观,在文学发展过程中,是对18世纪启蒙文学一次强烈的反动,它一直伴随着教权主义思潮,出现于19世纪初,又在贵族阶级复辟了政治统治权的年代里发展到高潮。至于拉梅内的现代基督教,与文学艺术也有关系,它实际上为日后一切保守的带有宗教色彩的文艺提供了世界观的基础。

统治阶级的思想是统治思想。在19世纪上半期的思想文化领域里,占主导地位的是资产阶级的思想体系,而其核心就是资产阶级人道主义。法国资产阶级人道主义思想体系,是从文艺复兴到18世纪反封建的过程中形成的,经过资产阶级革命,这种思想的若干重要原则又写进了《人权宣言》(1789)。《人权宣言》是作为18世纪启蒙思想家所预言的"理性王国"的具体法规而出现的。在这里,资产阶级人道主义关于推崇个人幸福、个人尊严、个性发展的思想是当然的前提。在这个基础上,《人权宣言》规定了自由平等是人与生俱来的天赋之权,这一权利又具体化为获取与支配财产的自由、个人的人身自由、思想以及言论出版自由等等。这些规定延伸到政治领域,就是资产阶级的民权至上思想和共和主义;延伸到民族问题上,就是民族独立、民族自决的思想,是民族意识的发扬和对本民族传统文化的重视。《人权宣言》中资产阶级人道主义的原则,在法国资本主义的上升时期，成为资产阶级的思想旗帜，19世纪上半期的历史，基本上是在这一旗帜下演进的。这一时期的思想家、作家也都是在这一旗帜下从事意识形态的创作，他们的思想、论著和作品归根结底都没有超出《人权宣言》的范围。《人权宣言》的思想是典型的资产阶级思想，它规定了财产是"神圣不可侵犯的权利"，它的自由平等完全是在现金交易、价值规律制约之下的，它的实质在于对价值规律下的自由竞争给予政治上和法权上的保证。

随着资本主义关系的确立、资本主义秩序的巩固，资产阶级社会意识形态在表现资产阶级人道主义思想的《人权宣言》基础上，又有了新的发展，"冷静务实的资产阶级社会把萨伊、库辛、鲁瓦埃-科拉尔、本杰明·贡斯当和基佐当作自己真正的解释者和代言人"[①]。这些思想家从自身阶级的思想体系的基本原则出发，又进一步制造了适应本阶级在自由资本主义发展时期需要的学说和主张，这就是19世纪上半期政治领域里的自由主义思潮、哲学上的唯灵论与实证主义、历史学中的社会学理论以及经济学中的庸俗政治经济学。

自由主义思潮出现于执政府时代，到复辟时期达到高潮，其代表人物是贡斯当和复辟时期的"空论派"思想家。贡斯当是自由主义思潮的左翼，空论派由一些大学教授和作家所组成，是自由主义思潮的右翼。他们的区别仅仅在于对待波旁王朝的态度略有不同。

自由主义思潮表现了法国资产阶级对来自18世纪的自由、平等这一口号的不同解释，它修正了卢梭的民约论思想，认为自由平等不在于政权建立在全体人民的社会契约上，而在于要保证个人自由，即个人独立于国家和社会的约束之外的自由。照自由主义思想家们看来，近代社会最首要的迫切要求就是个人的独立性，因为掌握了财富的个人比其他力量更为现实和灵活，甚至比国家政权更有力量，所以，国家政权应该有所限制，而个人自由则应予以充分的保证。国家

---

① 马克思：《路易·波拿巴的雾月十八日》，《马克思恩格斯选集》第一卷，第604页。

应保证个人的人身、信仰、言论、职业、经营、选举、集会等自由，也应保证宗教自由，即摆脱罗马教廷对国家政治的干预，还应保证工业自由，即取消关税壁垒以及对任何行会与特权的限制。自由主义这一思潮反映了资产阶级关系确立后"自由竞争不能忍受任何限制，不能忍受任何国家监督"[①]的现实，表现了胜利的资产阶级要无限制地发展和扩张的要求，也表现了取得革命胜利成果的资产阶级的矛盾和两面性：它一方面害怕封建专制的复辟，要求彻底消除封建的遗迹，完全实现自由的原则以保证资本的自由发展和自由竞争，因而，在复辟时期，这个思潮的代表人物，特别在内阁的任命与权限问题上，对波旁王朝、极端保王党人进行了斗争，其斗争的实质在于限制国王的权力，反对王朝政府违背资产阶级自由主义宪法实施任何极端措施的企图，以保证资产阶级的民主自由权利；另一方面，这个思潮又敌视民权的原则，企图彻底抛弃资产阶级革命高潮时期的"平民手段"和共和主义的热情，并对人民在政治生活中的作用感到恐惧，从而要求与封建贵族达成妥协，自由主义的代表人物在复辟时期力求把自己对议会民主的热情和对波旁王朝的支持结合起来，原因就在这里。

  自由主义思潮在19世纪前30年中，不仅对政治法律、教育、出版起了显著的作用，而且在文学艺术领域里也有巨大的影响。贡斯当与他亲近的朋友、自由主义思潮中另一个活跃人物斯塔尔夫人，都是世纪之初的重要作家，他们的自由主义论著、作品和文学活动，直接为资产阶级浪漫主义文学提供了理论基础、典型形象和情调风格，他们是浪漫主义文学运动的先驱。更重要的是，自由主义思潮典型地表现了资产阶级个性与资本主义关系的矛盾和不协调，从而构成了资产阶级文学的思想基础。它直接影响了大革命后第一代和第二代作家，他们的社会思想和政治态度不同程度地打上这一思潮的烙印。而且，这种思潮对个人独立、极端自由的强调，实际上是整个19世纪资产

---

① 恩格斯：《英国工人阶级状况》，《马克思恩格斯全集》第二卷，第566页。

阶级个人主义文学的精髓。资产阶级作家往往是从个性的受压抑、个人得不到发展、个人的愿望得不到实现等角度，来表现自己的人物与社会的矛盾，表现人物在这种矛盾状态中的思想感情、行动和他们的悲剧的。19世纪资产阶级文学中以个人的失望与忧郁为内容的"世纪病"，以个人对社会徒劳的对立为表现形式的"个人反抗"，还有对生活、对社会前途的悲观情绪，都是在自由主义思潮的背景下产生的。

19世纪上半期哲学领域中的资产阶级意识形态形形色色，有观念论、唯灵论、折中主义和实证主义。观念论产生于世纪之初，继承了18世纪唯物主义哲学的观点，特别是孔狄亚克（1715～1780）的感觉论学说，代表人物是卡巴尼斯（1757～1808）和德拉西，前者带有庸俗唯物论的倾向，后者则表现了对18世纪哲学的某种背离，预示着法国资产阶级哲学向唯心主义的转折。唯灵论与折中主义是两种相近的唯心主义的哲学思想，盛行于复辟时期和七月王朝时期，是当时法国各大学的哲学课程，具有官方哲学的地位。唯灵论的代表人物是孟·德·比朗（1766～1824）与鲁瓦埃－科拉尔（1763～1845），这种哲学颠倒主体自我与客体物质世界的关系，把神灵赋予自我，推崇宗教而否定唯物论与无神论。折中主义的创始者和理论家是维克多·库辛，它是唯灵论与德国唯心主义哲学的拼凑，还加上笛卡儿和洛克、柏拉图、莱布尼茨等思想家的某些片断，其基本的特点是否定客观物质世界，最后陷入宗教的世界观。实证主义的创始者是奥古斯特·孔德（1798～1857），这种哲学认为只有经验事实或经验现象才是"确实的"，而它们又是由人的主观感觉构成的。实证主义披着科学的、追求"确实的"知识的外衣，但把科学只看成对经验事实和经验现象的复述和记录，认为它根本不可能认识事物的本质，因而，在认识论问题上陷入了不可知论，在哲学的根本问题上是唯心主义的。孔德的实证主义还把人类理智的发展划分为三个阶段：第一，神学阶段，它结束于新教产生之时；第二，形而上学阶段，其顶点是法国大革命；第三，实证阶段，也就是他所处的时代，即"最后的固定"阶段。实证主义把资本主义阶段美化为最高的不可超越的阶段，为资本主义制度永世长存的神话提供了理论武器，更为资产阶级所欢迎，因而，1848年以后，它在法国以及其他欧洲国家广泛传播，极为时髦。它在第二帝国时期是官方的哲学体系，对文学也有很大的影响，它是19世纪下半叶开始出现的自然主义的理论渊源之一。19世纪法国哲学思想的发展变化，清楚地表明资产阶级已经告别了18世纪的唯物主义哲学思想，而开始走向唯心主义和反理性，走向它在革命时期的思想体系的对立面，这正是它从革命阶级变为统治阶级的反映。特别是在工人运动兴起的时代出现和流行的实证主义，更是资产阶级自觉地"用以对抗共产主义狂澜泛滥的思想屏障"（孔德语）。

19世纪资产阶级历史学中的社会学理论出现于复辟时期，列宁曾经指出："法国复辟时代就有一些历史学家（梯叶里、基佐、米涅、梯也尔）在总结当时的事变时，不能不承认阶级斗争是了解全部法国历史的钥匙。"[①]这些历史学家适应意识形态领域里反封建反复辟的需要，特别总结了资产阶级与封建阶级斗争的历史，力图证明法国大革命是必然的、不可避免的，它是一次"伟大的革命"，它产生的"新社会""高于所有的欧洲社会"，属于正义的性质，而复辟则是"倒退运动"。他们揭示了王政复辟的实质和它的必然灭亡，为推翻复辟王朝和资产阶级重新夺回统治权制造舆论。这个历史学派最大的贡献在于把历史的发展描述为阶级斗争的过程，并且认为阶级斗争就是社会历史的内容，虽然他们还没有把"阶级"与"等级"这两个概念加以区别。这个学派的思想家以唯物的观点来看待历史的现象，认为财产关系，主要是土地关系的变化，会引起政治制度的变化，而意识形态的活动也是依赖于财富的发展的。不过，他们没有正确说明财产关系决定于什么，而错误地把它的变化归结为暴力和征服，以暴力论的观

---

① 列宁：《卡尔·马克思》，《列宁选集》第二卷，第587页。

点来说明阶级的形成和国家的出现。这个历史学派的阶级斗争的历史观是极不彻底的，它虽然以阶级斗争观点解释资产阶级战胜和取代封建贵族的历史，却不承认当代无产阶级和资产阶级的矛盾斗争，认为这一斗争是某些人所煽动起来的，并且企图论证阶级斗争完全终止的时刻已经到来，否定历史继续前进的规律，宣扬资本主义社会存在的永恒性。尽管如此，这个学派的理论和方法毕竟使得历史研究在真正的意义上接近了科学，而且，在资产阶级反封建复辟的斗争中也起了一定的积极作用，因此，马克思和恩格斯对它作过很高的评价。

这个学派的理论和方法，对19世纪文学的发展也具有积极的意义。这些历史学家本身都是散文作家或文学史的研究者，更重要的是，他们的历史观和社会学理论给19世纪的资产阶级作家，提供了总结法国历史发展和观察当代现实的比较科学的方法，司汤达、巴尔扎克等杰出的现实主义作家都在自己的作品和评论中使用了"阶级"或"等级"的概念。他们之所以对当代社会生活中的阶级关系有比较深刻的了解，并且使自己的描绘符合某些阶级的本质，也是受到资产阶级历史学派影响的结果，可以这样说，这个学派分析社会生活的观点和方法，是19世纪资产阶级批判现实主义发展的一个条件。

资产阶级的意识形态虽然有上述的发展变化，但在19世纪上半期，它的思想体系的主体仍然是资产阶级人道主义。而且，资产阶级思想新形态的代表人物也并没有超出资产阶级人道主义的范畴，他们的学说和观点，也都或多或少与这种思想体系有继承的关系，这种思想在实际生活中仍然是主导的、流行的思想。资产阶级人道主义原来产生于资产阶级反对封建主义、争取自己地位的历史过程中，但它产生时的历史条件和资产阶级的地位、状况，到19世纪已经有了很大的变化。何况资产阶级人道主义对于资产阶级本身来说，也是理想化的概念，因此，这种思想的某些原则与19世纪资本主义秩序确立以后的社会现实，就存在着明显的矛盾。恩格斯曾经这样指出："我们也已经看到，这个永恒的理性实际上不过是正好在那时发展成为资产者的中等市民的理想化的悟性而已。因此，当法国革命把这个理性的社会和这个理性的国家实现了的时候，新制度就表明，不论它较之旧制度如何合理，却绝不是绝对合乎理性的，理性的国家完全破产了……和启蒙学者的华美约言比起来，由'理性的胜利'建立起来的社会制度和政治制度竟是一幅令人极度失望的讽刺画。"[1]于是，这种与现实形成矛盾对照的原则在实际生活中的作用，也就和它在反封建斗争过程中的作用很不一样了，它作为本阶级革命时期的理想原则已经开始对自己的巩固了的私有制基础具有某种敌对的性质，当思想家以资产阶级人道主义的世界观来观察自己的时代和社会时，就会感到种种不满。这样，资产阶级人道主义在 19 世纪条件下，对于当时的社会现实，就成了一种批判的尺度和标准。这种情况在文学艺术中表现得更为清楚。

19 世纪的资产阶级作家，不论是浪漫主义作家还是批判现实主义作家，他们基本上都是传统的资产阶级思想体系的信奉者，深受资产阶级上升时期人文主义思想和启蒙思想的影响，他们的世界观都是资产阶级人道主义的，当他们以资产阶级人道主义的原则来衡量现实时，自然便会发现种种与原则不符合的弊端。这就使得这些作家在自己的作品中对时代和社会、对统治阶级进行了一些揭露和批判。

资产阶级人道主义思想体系虽然与本阶级的基础有不相适应的一面，但它作为阶级意识形态本质上又是维护这个阶级的。他的维护作用不仅表现在与封建暴政的斗争中，也不仅表现在它为资本主义的自由发展、自由竞争提供了理论根据，更重要的是，在无产阶级革命斗争、社会主义共产主义思潮日益发展和走向高潮的历史条件下，资产阶级人道主义开始具有对抗无产阶级革命斗争、抵制社会主义思潮的性质，它以资产阶级个人主义抵制无产阶级的集体主义，以资产阶级

---

[1] 恩格斯：《反杜林论》，《马克思恩格斯选集》第三卷，第 297~298 页。

唯心主义人性论抵制历史唯物主义的阶级论，以资产阶级的"爱的呓语"来麻痹无产阶级的斗志，以阶级调和代替阶级斗争，以改良主义的神话来取代社会革命。资产阶级人道主义的局限性同样也决定了以这种思想为基础的 19 世纪资产阶级文学的根本局限。这一时期的文学虽然具有强烈的批判精神，但其揭露和批判毕竟不可能是彻底的，更不可能从根本上否定资本主义制度和资产阶级的统治以及意识形态上的资产阶级个人主义、自由主义，而在阶级斗争的关键时刻和关键问题上，它又总是站在本阶级的立场上，对无产阶级抱有敌意。而且，还应该看到，整个资产阶级意识形态在 19 世纪上半期已经开始丧失 18 世纪启蒙思想的锐气，特别是当资产阶级思想家发现本阶级面临无产阶级革命的威胁和资本主义制度的危机，更逐渐减弱了对社会现象进行科学的、冷静的分析的能力，而日益增加了保守的倾向。这种阶级意识的发展变化也鲜明地表现在文学艺术中，如果说，在 1848 年以前资产阶级浪漫主义和批判现实主义对现实的揭露批判还是充满激情的话，那么愈往后，这种激情就愈衰减了。

空想社会主义思潮是法国 19 世纪上半期第三大社会思潮。它与 18 世纪的空想社会主义不同，是 19 世纪资本主义关系确立后无产阶级与资产阶级的矛盾日益发展的结果，它以崭新的社会内容、蓬勃的声势作为无产阶级的"象征、表现和先声"出现于这一历史阶段，其代表人物最早有巴贝夫，而后则有伟大的思想家圣西门和傅立叶。

法国 19 世纪空想社会主义思潮最初萌发于执政府时代，它的倡导者和实践者巴贝夫是一个出身贫苦的坚强的革命者，参加过 1789 年的资产阶级革命，在革命中是一个激进的民主主义者，坚决反对封建土地所有制和封建义务。在执政府年代，他组织了秘密团体"平等派密谋"，进行广泛的宣传活动和反对现存秩序的斗争，直至 1797 年被捕牺牲。巴贝夫的革命主张和活动反映了劳动人民、早期无产阶级对资产阶级革命后现存秩序的不满和谋求解放的朦胧愿望。他对资产阶级革命的结果表示了极度的失望,他抨击资产阶级自由、平等的虚伪性,并号召进行新的革命。新的革命目的在于消灭贫富之间的不平等,他在著名的《平等派宣言》中提出,平等是最重要的自然要求,而一切不平等的根源是私有制,因此,铲除私有制、建立财产公有制是消灭不平等的唯一途径。巴贝夫还表述了无产者不成熟的共产主义理想,要求建立一个消灭了阶级的、"大家共同劳动、共同享受劳动果实"的社会。但这种理想仅仅体现了一种革命的热情,而不是建立在对社会发展规律的正确理解的基础上,按照巴贝夫的设想,大城市消灭了,全国将布满村庄,全体社会成员过着极端平均主义的俭朴生活;并且,实现这一理想也不是靠阶级的力量,而只是靠少数人的密谋。巴贝夫这种"禁欲的、斯巴达式的共产主义",反映了处于萌芽状态的法国无产阶级本身的幼稚,这个阶级还没有成长为真正的产业无产阶级,还带有小手工业、小生产者的特点,因而,它的理想也就不能超越小手工业生产的限度。

无产阶级的发展壮大和劳资矛盾的日益尖锐,是19世纪30年代空想社会主义思潮进一步高涨的社会基础。圣西门和傅立叶的空想社会主义的论著基本上都发表在复辟时期,虽然前者在第一帝国时期就开始了他的理论活动。他们当时并没有使用"社会主义"一词,这个概念直到19世纪30年代,在英国空想社会主义的文献中才第一次出现。法国的这一思潮当时是以圣西门主义、傅立叶主义的名称出现的。

空想社会主义思潮继承了18世纪启蒙思想的某些积极的部分。圣西门世界观的基础是唯物主义的自然观,他虽然在认识论上有时也动摇于唯物主义与唯心主义之间,但他关于方法论的学说,比18世纪的思想家又前进了一步,包含了一些辩证法的因素。傅立叶也遵循了启蒙思想家的传统,从批判以往的哲学理论来阐述自己的世界观,坚决反对不可知论,肯定世界的可知性,不过与此同时,他又表现了自然神论的观点。空想社会主义思想家还沿用了18世纪思想家关于建立"理性王国"和"永恒正义"的主张,但他们填进了自己的革命内容,否定了以18世纪"理性王国"的名义建立起来的资本主义制度,认为它也和封建制度一样是不公正、不合乎"理性"的,应该为新的制度所代替。从这个基本点出发,空想社会主义思想家阐释了他们对于社会改造问题的思想。在圣西门看来,人类社会是不断进步的,后一种社会形态总要比前一种社会形态合理,他以历史发展的观点否定了卢梭关于自然法、自然状态的思想,认为人类美好的社会并不是远古的原始社会,人类不应该回到过去的原始的自然状态,人类美好的社会还在将来。他极为深刻地指出,人类发展的过程实际上是私有财产由一个阶级转到另一个阶级手里的过程,而社会的经济状况则是社会政治制度的基础。但傅立叶在这个问题上的观点具有唯心主义色彩,他认为,整个自然界和人类社会的法则,上帝已经作了规定;人类之所以仍陷于苦难,就是由于尚未认识这一既定的法则,尚未实现"理性"的原则。不论这两位思想家对社会发展的规律认识如何,他们有一个共同点,即对现存的资本主义社会制度做了透彻的批判。特别是傅立叶做得更为出色,他对资本主义社会进行了全面的深刻的揭露:贫富对立、大多数人的贫困和苦难、少数人的寄生与奢靡、民主自由的虚伪、婚姻制度的腐朽、残酷的殖民掠夺等等。空想社会主义思想家在对现存秩序批判的基础上,提出了空想的理想社会的图式。在这里,他们表现了天才的预见。圣西门预言,未来的社会具有强大的工业作为自己的经济基础,保证从各方面满足社会的需要,全体社会成员都各尽所能为社会而工作,再也没有统治者与被统治者的区分,政治权力行使于单纯的生产管理和对全部社会需要进行调节。按照傅立叶的方案,未来社会的基层单位是由一定人数组成的农工团体"法朗吉",在这团体里,劳动分工完全根据个人爱好和能力,劳动成为每个人的需要与享受,社会前进的动力是劳动者之间创造性的竞赛。空想社会主义者这些宝贵的思想得到了马克思、恩格斯的肯定,恩格斯曾经指出,他们"是在正确地认识了过去和现在之后才按照自己的看法想象未来的"[①]。因此,空想社会主义的精华后来成为科学社会主义学说的来源之一。

  空想社会主义也具有明显的局限性,他们和启蒙思想家一样,也是从抽象的"理性"和"永恒正义"出发,在他们看来,资本主义社会不合理就在于真正的理性和正义没有被人认识,而真理现在被认识到,也并不是历史发展的必然,而是个别天才人物出现以后才产生的偶然现象。他们也没有摆脱历史唯心主义的世界观,对资本主义社会的阶级关系还缺乏正确的认识,如圣西门把现代社会划分为寄生者阶级和工业家阶级,前者包括贵族、军人、官吏、食利者,后者包括工人、脑力劳动者、工厂主、银行家,因而他们也就不可能理解无产阶级的历史使命,不可能把实现理想社会的途径建立在无产阶级对资产阶级的斗争和革命上。而且,他们都不相信无产阶级有能力领导新的社会,他们都反对阶级斗争和暴力革命,而试图通过各阶级的协调一致、和平合作来实现他们的社会改革计划。圣西门认为改造社会的主要手段是在有产者中宣传改革方案和新道德,期望"工业家"阶级的"真正代表"——工厂主、银行家、商人来实践他的计划,他甚至寄希望于法国国王和神圣同盟的君主,相信王权也是实现社会改革的工具。傅立叶的理想也是建立在阶级合作的基础上的,他的"法朗吉"就是各阶级和平共处的典型图式,"法朗吉"的基金靠有产者投资,"法朗吉"内的生活靠人的自然欲望来调节,而全部的产品则按资本占十二分之一、劳动占十二分之五、天才占十二分之三的比例来进行分配。不论是圣西门还是傅立叶,他们都主张在未来的理想社会里保持私有财产。空想社会主义的方案之所以是空想,就是因为完全脱离

[①] 恩格斯:《〈傅立叶论商业的片断〉的前言和结束语》,《马克思恩格斯全集》第二卷,第658页。

现实生活、脱离社会发展的客观规律。这是19世纪初期的社会历史条件所决定的。在这个时期,资本主义生产方式以及随之而来的资产阶级与无产阶级之间的对立还没有充分发展,"不成熟的理论,是和不成熟的资本主义生产状况、不成熟的阶级状况相适应的,解决社会问题的办法还隐藏在不发达的经济关系中,所以只有从头脑中产生出来。……它愈是制定得详尽周密,就愈是要陷入纯粹的幻想"①。空想社会主义的唯心主义的性质和它的脱离无产阶级革命运动,决定了它没落的历史命运。在圣西门和傅立叶之后,他们的弟子更把空想社会主义学说的弱点加以发展。圣西门主义者把社会主义说成是一种"爱的宗教",力图以此作为教义来组成一个有自己的教皇的新教会,并鼓吹两性关系的极端自由;而傅立叶主义者的社会实验,也在日益激化的劳资矛盾中遭到了破产。正如恩格斯在1843年所指出的,这个思潮"很像一颗闪烁的流星,在引起思想界的注意之后,就从社会的地平线上消失了"②。

空想社会主义随着历史的发展而日益丧失其进步作用,但它对19世纪上半期法国文学的影响却甚为巨大深远。它与这一时期工人和劳动大众的文学紧密联系在一起,这种文学的主要形式是诗歌,代表作家有万萨尔(Vinçard,1796~?)、路易·菲斯托(Louis Festeau,1793~1869)、皮埃尔·杜蓬(Pierre Dupont,1821~1870)、查理·吉尔(Charles Gille,1820~1856)。在科学社会主义尚未在工人中深入传播的时期,空想社会主义作为反映劳苦群众求解放的愿望的意识形态,很自然地成为这种文学的思想基础。与空想社会主义思潮一致,这种文学对资本主义的剥削压迫提出了强烈的抗议,对资本主义社会的黑暗、不正义进行了无情的揭露和抨击,无产阶级、劳动人民的苦难生活在这里被作者以真情实感表现得甚为动人,但同时,空想社会主义对解决社会

---

① 恩格斯:《社会主义从空想到科学的发展》,《马克思恩格斯选集》第三卷,第409页。
② 恩格斯:《大陆上社会改革运动的进展》,《马克思恩格斯全集》第一卷,第577页。

矛盾的软弱无力和对阶级调和的幻想也在这种文学上打上了烙印,并且它和空想社会主义一样,还残留着一些资产阶级人道主义思想的痕迹。总之,空想社会主义决定了这种文学在思想内容上的长处与弱点,它也是作为政治上尚未成熟的无产阶级的呼声而出现的,是巴黎公社时期无产阶级文学的前身。此外,空想社会主义对资产阶级文学也有很大的影响,这是因为空想社会主义本身还不成熟,在某些点上与资产阶级人道主义还有相通之处,因而可能为资产阶级作家所接受,空想社会主义对资本主义黑暗现象的揭露引起这些作家共鸣,特别是空想社会主义关于阶级调和、阶级互爱的思想,在他们看来更不失为解决社会矛盾的好办法。有的作家如乔治·桑,一直与空想社会主义者关系密切,其作品具有明显的空想社会主义的色彩。其他一些作家,如雨果、巴尔扎克,也曾在自己的作品里,用空想社会主义的方案来构想调和阶级矛盾、解决社会矛盾的图景。

19世纪40年代,在国际无产阶级革命运动的基础上产生了伟大的马克思主义。马克思主义继承了人类在19世纪所创造的优秀的精神成果,其中包括法国的空想社会主义。马克思主义是在与资产阶级意识形态的斗争中发展起来的。由于小资产阶级在法国大量存在,必然出现从小生产者的立场出发批判资本主义的小资产阶级社会主义思潮。而且,保守的或资产阶级的社会主义也在工人群众中有不小的影响,前者的创始人和主要代表是西斯蒙第(1773~1842),后者的代表人物是蒲鲁东(1809~1865)。西斯蒙第一方面非常精辟地分析了资本主义社会生产关系中的矛盾,指出资本主义经济危机不可避免,另一方面又从小生产者的观点提出错误的解决方案,否定资本主义大生产,主张回到自给自足的田园生活去,呼吁政府调节各阶级的矛盾,建立一个消灭了大资产者和无产者、人人都是私有者的社会。蒲鲁东在前期对资本主义制度有所批评,但他同时又鼓吹阶级调和,主张把资本主义私有制与共产主义公有制撮合起来,消灭私有权,保存领有权，认为资本主义矛盾的解决和无产阶级取得解放的根本办法是信用改革，创办"交换银行"，他反对工人进行罢工和革命活动，对1848年的二月革命也持否定态度，并宣扬"打倒政党，打倒政权"的无政府主义。到后期，他在政治上和理论上更为堕落，向路易·波拿巴献媚，并竭力证明这个独裁者是法国工人可以接受的人物。马克思、恩格斯对所有这些在法国流行过的资产阶级、小资产阶级以及封建阶级的冒牌社会主义思潮，都进行了批判。马克思主义在法国的传播标志着法国无产阶级革命运动的新阶段，导致了伟大的巴黎公社革命，同时，马克思主义也给文学艺术提供了新的世界观，构成了巴黎公社时期无产阶级文学艺术第一次高潮的思想基础。

第三节　19世纪三四十年代前的文学发展与浪漫主义文学运动

从资产阶级革命后到1830年七月革命这一时期的文学，充满了不同思想、不同流派的对立和冲突，这是该历史时期的阶级斗争的反映。浪漫主义是这一时期主要的文学现象。浪漫主义在思想内容上并不是统一的，其中存在着不同的阶级流派，即贵族浪漫主义和资产阶级浪漫主义。法国19世纪上半期浪漫主义运动的实质就是资产阶级浪漫主义对贵族伪古典主义的斗争，这构成了19世纪前30年文学发展的基本内容。

从艺术创作方法的意义上说，法国19世纪浪漫主义文学同样也具有一般浪漫主义文学共有的特征，如对理想的追求、对幻想和奇特事物的爱好、感情的泛滥、形象和语言的夸张等等，不论贵族浪漫主义还是资产阶级浪漫主义都是如此。这些特点不仅是一种阶级文学的特征，而且也为两个阶级的文学所共有，以致成为几十年间具有普遍性的文学现象，这当然有着深刻的社会根由。它决定于资产阶级革命后的社会生活条件。

最直接的一个原因是资产阶级与贵族阶级在大革命中的经历。在革命期间，不论贵族还是资产阶级都经历了作为"平民手段"的法兰西恐怖时期的可怕岁月。贵族们不仅失去了自己的天堂，还要为自己的头颅胆战心惊。资产阶级在激烈的斗争中也并不安宁，每当前一个党派被后一个更激进的党派推开并送上断头台的时候，他们也经历过"这一个起床就被逮捕……另一个以微温派的罪名被告发"的日子。这两个争夺政治统治权的阶级，都开始疲于这种酷烈的搏斗，因而，在雅各宾专政结束之后，贵族的残余力量和资产阶级都力图忘记革命的内战和革命的恐怖，而耽于一种解脱后的狂欢。在文艺方面，"人们通过阅读来忘却别的一切"，并且追求"那些充满出人意料的事件、残酷的场面以及硫酸性的热情小说"。

更深刻的社会原因则是，资产阶级革命之后，《人权宣言》宣布了在升官发财方面人人平等的权利，资本主义社会自由竞争的法则，代替了封建社会世袭制所造成的固定、停滞的状态，资产者、小资产者都企图通过投机取巧而在某一天早晨突然达到权力和财富的顶峰；在革命中破产落魄的贵族阶级分子，也力图利用新的社会法则来改善自己的地位或捞取更多的东西。人们对飞来好运的期望和垂涎欲滴的野心因被生活环境阻挠、束缚而变得更加炽热，耽于好梦和理想成为普遍的社会心理状态，因而在文学中，也就很自然去"寻求虚幻荒诞的国土，或谎话与诗歌的世界"。再一方面，资产阶级革命的胜利、资本主义秩序的建立，直接为资产阶级个性的产生提供了社会条件，资产阶级社会的现实又不断使这种个性的发展和大量衍生有了良好的温床，而资产阶级个性自我意识的发展、自我感情的膨胀、自我之爱、自我崇拜的盛行，正构成了浪漫主义文学作品不断产生和深受欢迎的社会心理的基础。而且，对贵族阶级来说，大革命使他们失去了天堂，启蒙思潮也冲垮了封建的上层建筑，沧海桑田，变化令人难以置信，于是，悲观颓唐、消沉阴暗的情绪，人生虚幻、命运多蹇的感慨以及对神秘彼岸的热烈向往，都杂然而生；而对资产阶级、小资产阶级的成员来说，启蒙思想家所描绘的理性社会的图景在资本主义现实面前的破灭，不免使他们失望、苦闷和彷徨，特别是在资产阶级与封建阶级斗争过程中出现反复或历史性曲折的时候，他们的苦闷更甚，并且还充满了不满与愤慨。总而言之，这两个阶级都有"情"可抒，不抒不快，而采取文艺形式的抒发又能引起广大同类的共鸣，这样便造成了法国文学史上持续多年的自我感情表现的高潮。正因为上述的社会条件为浪漫主义文学的盛行提供了肥沃的土壤，法国土产的中世纪文学中浪漫的遐想和形象，卢梭那种感情奔放、个性不羁的风格和对大自然的诗化，才为19世纪浪漫派文学所继承，而略早于法国的德国与英国的浪漫主义文学才有可能在法国产生难以想象的巨大的共鸣和影响。

浪漫主义文学盛行的征兆在大革命刚刚过去的头几年里就已经很明显了。刚度过恐怖时期的人们乐于陶醉在一种非现实主义的描写和带有刺激性的小说里，于是，情节紧张、内容怪诞、味道浓辣的浪漫通俗小说应运而生。在执政府年代，这种小说多如牛毛，数量简直令人难以置信，甚至每天出版五六本之多。有些是鬼怪小说，如《天鹅骑士录——历史与道德的故事》（1796）共三卷，每卷四百页，书中女主人公在第一卷第三十页就死了，小说的大部分描写她血淋淋的尸体夜夜从坟墓中出来去找她的丈夫。有些是宗教神秘主义的作品，如受到夏多布里昂推崇的《修道士》（1797），它除了写主人公修道士的"艳情"外，就是写他如何"祈求撒旦，唤醒死人，遍游世界，和流浪的犹太人一样被魔鬼赶来赶去"。有些小说虽然没有神怪，而且自称"写生"，但离奇怪诞，极度夸张，如《哀耐丝妲》（1797）写一个残忍的丈夫，专事虐待自己的妻子，把自己的小女儿也"一脚踢向城墙"，最后被坏女人刺死，临终宣布他的发妻是一个女圣者。除了这类神怪通俗小说以外，几乎与此同时，浪漫情调十足的心理小说和言情小说也时髦起来。英国作家葛德文（1756~1836）"奇特而有力"的小说《凯莱布·威廉斯》引起了当时法国通俗心理小说的繁衍。这一时期的德国文学的影响更大，法国通俗言情小说的盛行就是从《少年维特之烦恼》开始的，人们还把德国那些情调感伤、眼泪汪汪的通俗小说大量翻译介绍过来，进行仿制。这些流行的言情小说不外是才子佳人的俗套，再加上怅惘欲绝的感情纠葛和伤感怨苦的情调。当时受到疯狂欢迎的《巴尔密拉》（1801）就是这类作品的典型。所有这些通俗小说虽然朝生暮死，但它们大量而广泛地流行，反映了当时人们喜爱奇特浓烈的文学描写的普遍社会心理，浪漫主义文学正是在这种社会心理的温床上发展起来的。

在19世纪初的这种社会背景下，出现了贵族浪漫主义与资产阶级浪漫主义各自最早的代表夏多布里昂与斯塔尔夫人、贡斯当。他们在相同的浪漫主义的"曲调"中，填进了各自不同的"歌词"——不同的阶级内容，不仅各自在理论上提出符合本阶级要求的美学主张，而且用使当代人受到强烈感染的艺术形式，诗化了本阶级的愿望、心境、思想情感、精神状态，成为本阶级浪漫主义文学的先驱。

夏多布里昂对贵族浪漫主义的意义首先在于，他适应了贵族阶级逆启蒙思想而动的需要，重新树立了基督教的权威，特别是树立了它对文学艺术的指导，在这基础上建立了一整套消极浪漫主义的美学思想。他与同时进行这一理论活动的迈斯特尔、波纳尔有所不同，他不仅用理论的文字来论证，而且通过形象的言词来讴歌。他用北美洲原野的落日景象与宁静的夜景来表现上帝的存在，用哥特式的教堂和宗教的文艺形式来说明基督教的诗意，力图唤起对基督教的美感。他美化了中世纪，唤起了对中世纪的向往，使19世纪贵族浪漫主义文学在内容上具有了基督教的"真谛"。夏多布里昂对贵族浪漫主义文学另一个最大的意义在于，他在著名的小说《勒内》和《阿达拉》中，塑造出了穿着传奇式外衣的贵族，集中表现了贵族人物经过大革命丧失了自己的一切之后，在现实生活里找不到自己地位时的悲观绝望的精神状态、阴暗的心理和郁郁寡欢的情怀。著名的勒内是一个破落贵族的典型，是法国浪漫主义画廊中第一个使当代人着迷的艺术形象，在当时具有普遍的社会意义，"勒内之流在上一个世纪末多得遍地皆是"。这个人物身上贫乏而反动的阶级内容，如牢骚满腹、游手好闲、耽于遐想以及摆脱不了的孤独感和忧郁感，炽热的欲望和对死亡的向往等等，都被作者饰以华丽的充满情感的词藻，用诗情画意来加以表现。这样，作者就同时为没落的本阶级提供了一部富有诗意的自传和一种用华美的形式表现腐朽阶级内容的文学方法。夏多布里昂对贵族浪漫主义文学的第三个意义在于，他发展了本阶级对自然美的描绘。对自然美的描绘始于卢梭，继而有贝那丹·德·圣皮埃尔，夏多布里昂并不是开创者，但他别具特色的是，他把贵族阶级那种没落颓废的感情深深渗透在对大自然的描绘之中，在19世纪浪漫主义文学中，最先表现了对废墟之美、萧条之美的爱好。

总之，夏多布里昂为贵族阶级的思想感情找到了最美丽、最有迷惑力的艺术表现形式，从而给贵族浪漫主义文学提供了具有典范意义的形象、情调、方法和形式。19世纪初所有在君主政体和天主教原则下进行写作的人，莫不以他为旗帜，早期的雨果也把他当作榜样。而且，由于夏多布里昂是用浓郁的诗意和华美的外衣裹着他的主人公，着力于描绘主人公那种无可救药的忧郁的情状，而竭力把这种忧郁的阶级内容和根由深深藏在浪漫主义的情调后面，这就使得同时代其他阶级对现实也有所不满的读者有可能只听"曲调"而不注意"词句"，从而对勒内式的感情产生强烈的共鸣。勒内成了一个被普遍接受的人物形象，他具有广泛的魅力，甚至在资产阶级浪漫主义文学中也引起了一系列勒内式人物的产生，勒内式的孤独和忧郁，成为一切在现实生活中找不到位置而与社会不协调的个性的同义语，它被笼统地称为"世纪病"。由此，形成了法国文学史上的一个假象：似乎存在着一种统一的浪漫主义文学，而夏多布里昂则是这种文学的先驱。

在贵族浪漫主义文学中，拉马丁和维尼也占有相当重要的地位。像夏多布里昂一样，他们都出身于贵族阶级，而且本人的经历与这个阶级在19世纪前30年的最后挣扎也紧密地结合在一起。他们的文学活动开始于复辟时期，并在反动的年代里达到了其最高"成就"，拉马丁成为"波旁王朝的桂冠诗人"，维尼也被巴黎日耳曼区的贵族社会称赞为"拜伦最有才华的后继者"。但到1830年以后，他们的文学声望就迅速下降，不久，他们就在创作中无所作为，甚至销声匿迹。如果说，拉马丁通过他那些忧愁的沉思、感伤的回忆、死亡的咏叹和及时行乐的感慨，给这个没落阶级的郁闷情怀提供了真实的诗的写照，那么，维尼则用他诗中那些处于极度痛苦中的孤傲坚忍的形象，企图鼓舞这个垂死阶级的意志，坚定它在危难困境中的决心，至于他们所写的历史题材的作品，对大革命以来的历史进程显然有着非难和歪曲，正表现了贵族阶级倒退的历史观和阴暗的心理。但是，一到资本主义秩序的巩固已经不容怀疑的时候，他们却又迅速变换了色调，拉马丁成为资产阶级政治的代表人物，鼓吹调和与泛爱，维尼则在《查铁敦》中以贫贱者代言人的身份来揭露资本主义现实的不合理。这种奇特的似乎已经不再关心自身阶级利益的现象，标志着贵族阶级文学的生命在19世纪已经喜剧性地告终，从此以后，再也没有出现过鲜明突出的代表人物，而这两个最后的富有才能的代表，虽然成功地换上了像样的新装，毕竟未能掩盖"他们臀部带有旧的封建纹章"。

资产阶级浪漫主义的先驱是斯塔尔夫人，与她活动在同一时期并具有相同倾向的作家有贡斯当、瑟南古和诺迪埃。他们都出身于与旧阶级多少有些联系的阶层，有的出自资产阶级上层，有的出自贵族，但在思想上都是 18 世纪启蒙思想的信徒。他们在法国大革命火热的岁月中度过了青年时代，这次激烈、彻底而又复杂的社会变革，难免对他们的家庭和他们本人有所冲击和伤害，他们的生活中都有或长或短的流亡经历，特别是在拿破仑帝国时期，更为当局所不容。由此，他们深切地感受到了个人与新建立起来的资本主义秩序的尖锐矛盾，而他们所受到的 18 世纪哲学家的思想影响，则使他们不是从没落阶级的立场而是从启蒙思想的角度来观察新秩序下的弊端，从而在自己的作品里揭示了革命后资产阶级关系的不协调，抒发了革命后的失望和不满，最先表现了资产阶级个性与社会的矛盾，他们把自己对这种矛盾的感受赋予笔下的人物，于是，在 19 世纪初的文学中就出现了一批与社会对立着的资产阶级个性：斯塔尔夫人的黛尔菲娜、柯丽娜，贡斯当的阿道尔夫，瑟南古的奥贝曼，诺迪埃的沙尔等。

这些人物基本上都是资产阶级个性自由原则的产物，他们接受了"人生来自由"的思想，追求个性解放、精神独立和自由发展。然而，已经建立起来的资产阶级秩序，并没有为他们所要求的自由提供广阔的天地，而是"设定了各方面的限制"，特别是社会习俗、风气、偏见与他们格格不入，社会生活中那些与过去时代相联系的、带有封建残余的规范，更成为他们的束缚与障碍。我们可以看到，就是由于这个原因，黛尔菲娜、柯丽娜的个人幸福遭到了破坏，阿道尔夫陷于不可解脱的矛盾之中。因此，这些人物自然是以社会习俗、偏见的反对者的姿态出现的。与社会的对立和破裂，是他们共同的特点。这种基本的状态，一方面使他们向社会发出了指责，因而具有某种反抗性；另一方面又使他们自认为特别不幸，把生命看做一种苦难，轻则陷入不能自拔的绝望，重则轻生自戕，因而又具有某种颓废的因素。这样，从 19 世纪初的文学一开始，资产阶级个性就显示出了它的两重性，积极的反抗性与消极悲观。而对于这些形象的塑造者，即一批最先在资本主义秩序下出现的资产阶级作家来说，一方面他们通过这类形象与社会的矛盾，对当时的资本主义现实作了某种程度的揭露和批判，显示出一定的进步性；另一方面，他们又不得不让这些形象带有浓厚的悲观主义色彩，流露了自己的失望和迷惘。

资产阶级个性与社会矛盾的题材，并非19世纪初资产阶级浪漫主义文学所特有，后来在资产阶级现实主义文学中也有表现。然而，它在资产阶级浪漫主义文学这里，无疑具有与后者不同的特点。斯塔尔夫人、贡斯当、瑟南古等处理这种题材的方式，显然深受《少年维特之烦恼》的影响，不论从情调和体裁来说都是如此。他们都是让自己的主人公通过自叙或通信的形式，来抒写自己的思想情绪、印象观感。于是，感情的倾泻和渲染就成为作品的主要内容，自怜自爱和言过其实当然也就不可避免，并构成整个作品感伤的基调。在这里，人物都是一团团感情，而不是体现真实社会关系的栩栩如生的血肉之躯；同样，作品里充满了倾诉、呼号和呻吟，而不是对现实社会生活广阔而生动的描绘。这些正标明了它们的浪漫主义风格。

这些作品几乎是以最大的密度出现在19世纪之初，从1802年到1807年之间，《黛尔菲娜》《萨尔兹堡的画家》《奥贝曼》《阿道尔夫》《柯丽娜》，几乎每年一部，相继问世或脱稿。一股如此集中、如此强劲的潮流本来可以造成一次文学高潮，把浪漫主义文学运动提前20年，然而它却生不逢时，它出现的时候正是拿破仑走上权力的顶峰、在法国建立铁的统治的年代。出于军事专制的需要，拿破仑加强了对整个意识形态领域的控制，凡不符合他的政策的，都受到了禁止和干预，1805年出版物管理局的成立就是一个标志。于是，"法国的哲学沉默了；拿破仑时代的史学则拄着官方的拐杖一拐一拐地跛行"。这种没有自由空气的统治对当时出现的感情奔放的文学当然更为敌视，在最初几年之中，斯塔尔夫人、贡斯当被驱逐，诺迪埃遭监禁，瑟南古过着韬晦的生活，他们的作品几乎都写于放逐或隐居之中，而这些作品或遭到焚禁，或进一步给作者带来了麻烦，或一时得不到出版的机会。因此，这一充满活力与激情的文学，竟然没有在法国掀起热潮，恰巧相反，拿破仑治下的巴黎，正如史家所描述的那样，只有古典的颂歌在流行："诗人们唱着勉强而空洞无物的调子。"

资产阶级浪漫主义文学的风起云涌，倒是发生在"法国革命的最后阶段"已经完全结束、波旁王朝又恢复了统治权的反动年代。这在社会历史和文学发展两方面都有其必然性。在政治方面，波旁王朝的复辟和倒行逆施的政策，在新的历史条件下又使两个阶级的斗争激化起来，资产阶级自由主义思潮在意识形态领域里对旧阶级及其统治的冲击，就是这一斗争的组成部分。对资产阶级来说，在旧阶级的政治统治下取得思想言论、出版创作的自由，并对这个阶级的统治进行批判，加以否定，是一项首先必须完成的事情。资产阶级浪漫主义文学就是在这种社会的、阶级的要求下获得新的活力的。这种文学完全是资产阶级自由主义思潮的一部分，即使是在当时，投身于这一文学运动的人，也已经明确地认识到"浪漫主义……不过是文学上的自由主义而已"，其目的"只求带给国家一种自由，即艺术的自由或思想的自由"。

正是在强大的资产阶级自由主义思潮的冲击下，复辟时期反倒比拿破仑帝国时期多几分自由主义的气息，并且成为法国19世纪历史中议会民主的"黄金时代"，这就给资产阶级浪漫主义文学的繁荣提供了土壤。从文学形式来说，17世纪古典主义的趣味、标准和方法，在18世纪启蒙时代并没有被彻底淘汰，甚至在某些方面还为伏尔泰这类作家所遵循；在大革命时期，借用"久受崇敬的服装"的需要，使得古典的、庄严的文学风格进一步得到尊重；同样，在帝国时期，那种抑制个人情感、维护整体利益、歌功颂德的古典主义文学，又受到了拿破仑的重视，这个资产阶级皇帝曾经这样讲到高乃依："如果他活着，我要封他爵位。"到了复辟时期，这种陈旧的文学标准又受到官方的支持，用来表现和美化复辟了统治权的旧阶级，正如斯塔尔夫人所说:"戏剧中的因袭性是与政治等级中的贵族阶级密不可分的。"在官方的支持下,向死人顶礼膜拜、因袭守旧成风,形成了文学上的伪古典主义。因此,虽然法国社会已经向前跃进了一个历史时期,但戏剧和诗歌仍束缚于旧的形式之下,这就形成了"19世纪的法兰西"与"古老的诗歌形式"的矛盾。随着对复辟王朝斗争的发展,法国的浪漫派在19世纪20年代终于提出这样的问题:"既然我们从古老的社会形式中解放出来了,那么我们为什么不从古老的诗歌形式中解放出来?"把矛头指向了伪古典主义。由于伪古典主义是一种拥有深厚传统势力的半官方文学,新文学要克服巨大的阻力,自然就形成一种运动,并且不可避免地采取了激烈的革命的形式。

这次运动的中坚人物和积极成员,不再是世纪初出现的那些作家(他们之中只有诺迪埃是一个承上启下的人物),而换了一批充满活力的文艺青年。他们绝大多数不是来自社会上层或与前统治阶级有联系的阶层,他们基本上出身于中产阶级家庭,在两个阶级的斗争中,更多地置身于资产阶级的营垒,而从他们的思想观点来说,则几乎毫无例外都是18世纪启蒙思想家的精神之子,这就决定了他们共同的反封建、反复辟的政治思想倾向。值得注意的是,在运动的行列里不仅有公认的浪漫主义文学的代表:雨果、缪塞、戈蒂耶、大仲马等,而且还有后来成为现实主义作家的巴尔扎克、司汤达、梅里美。因此,这个运动既是一次统一战线的联合行动,表现了共同的反封建复辟的政治倾向,又是一所探求如何摆脱旧的文学形式、创造"使今人愉快"的文学的大学校。19世纪上半期文学中几乎所有的杰出人物都是从这个学校出来的,甚至其他艺术部类中的佼佼者,如著名的画家德拉克洛瓦也是如此。

在时间上,资产阶级浪漫主义运动的发展是与资产阶级自由主义思潮的日趋高涨紧密联系在一起的。它兴起于19世纪20年代中期,到七月革命前夕发展到最高潮。在19世纪20年代初,后来的浪漫主义者还没有文学革新的自觉意识，虽然在1823年司汤达最先在《拉辛与莎士比亚》中以浪漫主义的名义提出了要抛弃古典主义、创造19世纪文学的主张，但并未得到响应。这一年成立的第一文社也没有提出明确的文学纲领，这个社团以诺迪埃为中心，以他家的沙龙为聚会地点，参加的不仅有后来的浪漫派，而且还有维护伪古典主义的文人，而在浪漫派中，又混杂着拉马丁与维尼。1824年查理十世上台后，情况有了改变：这时国内政治更趋反动，在资产阶级自由主义思潮加强反击的局势下，原来有保王倾向的雨果在政治上开始转变，明确地站到了波旁王朝的对立面。政治态度的变化为新的文学主张和新的文学创作提供了思想基础。1827年，雨果发表了讨伐伪古典主义的檄文——著名的《〈克伦威尔〉序》。于是，浪漫派有了自己的宣言和领袖人物。1828年，以雨果为首成立了第二文社，参加者有：大仲马、诺迪埃、圣伯夫、戈蒂耶、奈瓦尔，此外，还有几个热衷于新文艺的青年画家，都是清一色的浪漫派，后来为《欧那尼》而斗争的那支战斗队伍，主要就是由他们组成。短短几年之内，他们聚集在《〈克伦威尔〉序》的旗帜之下，和雨果一道，造成了他们自称的"一个类似文艺复兴的运动"，以一大批使人耳目一新的作品显示了浪漫主义文学的巨大声势。这一股强大的文学新潮流，有力地冲击着传统的文学观念。随着政治形势的发展，两种文学思潮、两个文学派别的斗争也日益尖锐，到1830年雨果的著名浪漫剧《欧那尼》上演时，斗争就达到了白热化的短兵相接的地步。这一有名的战斗发生在七月革命前夕，正如这次革命以资产阶级的胜利告终一样，《欧那尼》突出的成功标志着资产阶级浪漫主义运动发展到高潮。这一时间和进程的巧合一致，清楚地表明了浪漫主义文学胜利的性质和意义。从此以后，浪漫主义文学又经历了若干年的繁荣，到19世纪40年代初才走向衰落，一般都把1843年雨果的浪漫剧《城堡里的伯爵》上演失败视为这一界标。

资产阶级浪漫主义文学运动具有明确的纲领，也相应地提出了一整套创作理论和批评标准。反对因袭前人、反对按古人的趣味标准进行创作、主张创造符合19世纪人们思想感情的新文学，是这次运动的中心目标。运动的锋芒横扫那些抄袭模仿、墨守成规、对死人顶礼膜拜的伪古典主义者。正因为运动的主将把"文学自由"与"政治自由"联系了起来，所以能够把运动提高到政治斗争的水平，使它达到了相当彻底的程度。这种彻底性不仅表现在对波旁王朝的敌视上，而且也表现在对古典主义作为一种文学创作方法进行了一次历史上前所未有的总清算，包括反对戏剧创作中的"三一律"、悲喜剧之间严格的界线、题材问题上的"高雅趣味"、文学语言的种种清规戒律等等。创造19世纪文学的任务也被明确地提了出来，这种文学不仅被规定要适合"米拉波为它缔造过自由、拿破仑为它创建过强权"的19世纪的法兰西，而且必须是"个人的"，即作为自由个性的自由表现；拉辛这一传统的文学创作的偶像被否定了，莎士比亚成了学习的对象；古典主义的严谨、整齐、明晰的美学标准被抛弃了，而代之以对丰富、自然、复杂的追求。因而，丑怪与粗俗在文学中也获得了地位；灵感得以强调，个性受到尊重，情感被提到首位，理想和美被认为是文学创作的灵魂。如果说，在创作论方面，资产阶级浪漫派与古典主义针锋相对，那么，在文学的社会功能问题上，它又与贵族的消极浪漫主义泾渭分明。它认为诗人应该是"教化者"，诗歌必须担负道德教育的任务，而且应该参加政治斗争。法国资产阶级浪漫派这一系列的观点和主张，既是特定的文学流派的思想材料，也具有一般浪漫主义文艺理论的意义。雨果是法国资产阶级浪漫主义文学运动的发言人，他的文学理论全面阐释了法国浪漫派的思想观点，因而在批评史上既是文学运动的历史文献，也是浪漫主义文学理论的样品。

正因为资产阶级浪漫主义文学是在政治斗争和文学斗争中产生的，所以无论在内容或形式上都显示出革新的意义。首先，它适应了19世纪20年代资产阶级向贵族阶级夺回统治权的斗争的需要，带有强烈的反封建色彩。雨果的政治态度转变以后所写的第一个浪漫剧《玛丽蓉·德·洛尔墨》就是反封建的，剧本一上演就遭到了禁止。此后，他的戏剧作品《欧那尼》《吕伊·布拉斯》《国王寻乐》《玛丽·都铎》，小说《巴黎圣母院》，都无不充满了反封建的精神。大仲马的剧本《亨利三世和他的宫廷》也属于这类性质。这些作品一般都是通过历史题材或异国题材，表现专制主义时代的黑暗、封建统治阶级的残酷与腐朽，虽然并没有直接触及复辟时期的矛盾和斗争，但都明显地贯穿着资产阶级浪漫派否定旧阶级旧制度的创作意图，是对封建社会、封建阶级的一次清算，客观上配合了资产阶级最后一次从贵族手里夺回统治权的斗争。这是资产阶级浪漫主义文学在当时的战斗作用，也是它最主要的进步历史意义。其次，它受到了当时欧洲各民族争取独立自由的斗争的影响，对这一斗争作出了热情的反响，对强权者、压迫者表示了愤怒的抗议，对"爱尔兰被人变成一块墓地，意大利成为一个监禁所，西伯利亚成为波兰人的流放地"表示了不平。这些民族解放斗争之所以引起法国资产阶级浪漫派的同情，是因为它们都属于资产阶级民主主义性质，是法国大革命在整个欧洲大陆所引起的余波，并且是在法国革命的思想原则和口号下进行的。其中19世纪20年代希腊独立战争更特别激起了法国浪漫派的灵感，由此，法国文学中出现了对这一解放斗争的热情歌颂，雨果《东方集》中的希腊组诗就是其中杰出的诗篇。英国浪漫主义诗人拜伦死于希腊解放斗争中，当然也引起了法国浪漫派的伤悼，并且使法国文学中留下了不少纪念他的诗篇。再次，法国资产阶级浪漫主义文学也接触到了19世纪上半期资本主义社会的现实问题，并且表示了不满和抗议。这批在19世纪20年代开始活动的作家，是资产阶级秩序奠定后的第二代作家，他们思想中的理想原则仍然是资产阶级的自由、平等、博爱，这构成了他们一切热情的思想源泉、一切爱憎的根本出发点，以这些原则为标准，他们在作品中对资本主义现实表示了不满。在这方面，他们的成就远远不能和批判现实主义作家相比，但面对着资产阶级政府的强暴、资产阶级法律的不公、司法制度的腐朽，浪漫派作家也发出了愤怒的抗议，并难能可贵地把同情寄予受迫害、受摧残的普通人民，雨果的《克洛德·格》和《死囚末日记》就是这样的作品。最后，资产阶级浪漫主义文学普遍充满了个性解放的精神和自我的自由表现。在一个特定的时期中，有这样多的诗人在这样多的诗里对自己的感情作了如此充分的倾诉、渲染和描绘，在法国文学史上还是第一次。这是一个感情大发扬、大解放的时期，一切感情都可以入诗，并且得到美化，这就在法国文学中增添了不少很有真情实感的篇章，不仅有对真挚爱情的歌唱、关于人生意义的咏叹，而且也有诗人面对着不正义的事物用"青铜之弦"发出的高亢声音。

  总起来说，这一时期的法国浪漫主义文学中，历史的、民族的、社会的题材比起个人的题材更为令人瞩目，政治色彩比个人色彩更浓。和19世纪初的浪漫主义文学比较起来，它更充满了一种对旧事物的义愤的基调，更表现出一种战斗的姿态。它与19世纪二三十年代资产阶级的进步性是密切不可分的，它所表现的反封建的主题思想实际上是资产阶级民主革命在文学上的反映。这种超出狭隘文学流派的意义，使得有的现实主义作家如司汤达、梅里美等，也都在浪漫主义文学运动的旗帜下，写出了具有强烈反封建精神的作品，如《红与黑》与《雅克团》。

  在艺术创作上，资产阶级浪漫主义文学运动在戏剧、诗歌、小说三个方面都取得了相当大的成就。戏剧领域是浪漫派与伪古典主义者斗争的主战场，浪漫派在这里获得了彻底的胜利，他们埋葬了"三一律"，举起了莎士比亚的旗帜，引进了奇情剧、感伤剧的因素，贯彻了美丑对照的原则，再加上异国情调和地方色彩，使得法国舞台五光十色，非常热闹。虽然浪漫剧由于风格的夸张而在艺术上缺乏持久的生命力，但它毕竟从19世纪30年代初起，统治了法国剧坛达10多年之久，而且也出现了接近莎士比亚风格的作品，如缪塞的《罗朗萨丘》。在诗歌方面，19世纪的浪漫派显然开辟了法国诗歌的黄金时代，留下了比任何一个时代数量更多的著名诗集，如雨果的《东方集》《秋叶集》、缪塞的《四夜》、戈蒂耶的《珐琅与雕玉》等，他们在抒情、写景、叙事上都显示了出色的才能和圆熟的技巧，并且在充分自由地抒发自己的个性与情感的时候，突破了古典主义的诗法，以丰富的诗韵、绮丽的想象、多彩的色调使这些诗歌格外生色。在小说方面，资产阶级浪漫派也写下了法国小说中的新篇章。他们完全脱离了上世纪小说的传统，把哲理性和思辨性加以排除，而追求奇特的故事和非凡的人物。他们的技巧显然有一个发展过程，初期的浪漫主义小说流于怪诞，往往求助于刺激性和廉价的感伤，后来在艺术上日趋成熟，形成了以不平凡的事件、理想化的人物、奇妙的构思、浓烈的色彩来表现浪漫主义激情的艺术风格，从《冰岛凶汉》到《巴黎圣母院》就典型地表明了这一过程。这种艺术风格对现实主义作家也不无影响，他们往往在对现实作真实的描写时，又力图表现出某些不平凡的事物，巴尔扎克、司汤达、梅里美都是如此。而另一方面，对浪漫主义小说家来说，愈到后来也愈加吸收了现实主义小说的某些因素，在表现理想化的事件和人物时，也注意对现实生活场景作真实的描写，他们在这样做的时候，实际上是把浪漫主义与现实主义结合了起来，从而使浪漫主义小说发展到一个新的高度，创造出历史上一切浪漫主义文学中也许是最辉煌的杰作，如《悲惨世界》。

19世纪资产阶级浪漫派是一个集合体，其中存在着不同的类型，并由此形成浪漫主义文学中的不同倾向。这一文学主潮的伟大代表是雨果。他在浪漫主义文学运动中起了领袖和主将的作用，是他团结了浪漫派进行文学斗争，是他全面提出了文学运动的纲领，也是他，在戏剧、诗歌、小说各方面都创造出一系列出色的作品，奠定了浪漫主义的胜利,显示了这种文学的实绩,他的文学活动经久不衰,一直延续到 19 世纪七八十年代,并继续产生巨大的影响。他在政治上是资产阶级民主主义者,世界观上是资产阶级人道主义,在他身上结合着斗士和作家,他向强权作过不屈不挠的斗争,他对资本主义社会的不平发出愤怒的谴责,对劳动人民的苦难寄予深切的同情,他以磅礴的气势、雄浑的笔力、巨大的艺术力量表现了这些进步的内容,而在世界文学中占有了一个第一流的位置。

与雨果有点相似,也充满了浪漫主义理想和热情的作家是乔治·桑。她出现在法国文学中比雨果迟,在浪漫主义文学运动高潮之后才开始文学生涯,从 19 世纪 30 年代到 50 年代非常活跃。她完全是一个自觉的浪漫主义者,她从民主主义的热情出发,接受了空想社会主义的影响,满怀对未来社会的理想,并以表现这种热情和理想为己任。她不仅继承了斯塔尔夫人的题材,把资产阶级妇女个性解放的主题加以诗化,而且还作为卢梭的信徒,用淳朴的田园生活来对照资产阶级的庸俗,给法国文学增添了描写农村景象的清新的篇章。

大仲马是浪漫派的另一种类型。他是浪漫主义运动中的"元老"和积极分子,经历过第一文社、第二文社和《欧那尼》之争所有重要的事件,早在《欧那尼》之前,就为新文学写出了《亨利三世和他的宫廷》,然而,在资产阶级浪漫派中,他也许是格调最不高的一个。他主要活动在 19 世纪 40 年代,大量从事商业化小说的创作。他的小说仅以编织得巧妙、引人入胜的故事取胜,既无浪漫主义的理想,又无浪漫主义的激情,社会意义不大,不过是浪漫风格的通俗小说而已。与他同一类型的还有欧仁·苏,他的小说与大仲马的十分相似,只是在复杂曲折的情节之中,添加了一些"爱"的说教。当然,从他们的小说里也都多少可以看到时代和社会现实的某些侧影,而且,他们的兴味盎然的故事毕竟显示了他们出色的技巧。

还有一种特别值得注意的类型,那就是缪塞和戈蒂耶。缪塞无疑是浪漫派中最富有才情的一个。他纤弱、敏感，在文坛活动的时间并不长，其作品基本上都创作于19世纪三四十年代，但他才华横溢，在抒情诗、戏剧和小说方面都有出色的成就，特别是他在著名的小说《一个世纪儿的忏悔》中，着眼于青年一代与社会现实的矛盾，表现了他们在生活中得不到自由发展而产生的忧郁、苦闷、愤激和颓唐，为在19世纪上半叶具有普遍社会意义的资产阶级青年"世纪病"提供了生动而深刻的写照，而他本人也正是一个典型的"世纪病"患者。他对社会不满，也有所指责和嘲讽，然而，他又以游戏人间的态度去对待，他缺乏理想、信仰、热情和某种人生的严肃性，还有几分颓废，散发出资产阶级浪子的气息，在浪漫派中一直有"顽皮的孩子"之称。戈蒂耶也是一个富有艺术才能的诗人，而且他作为浪漫主义文学运动的勇士，其功劳是不可磨灭的，他的《浪漫主义史》一直是这次运动的可贵的历史文献。但他缺乏道义感和严肃性，并带有颓废的倾向，这一方面又与缪塞相似，因此，他在浪漫主义运动高潮过后不久，就成了唯美主义的鼓吹者。与缪塞、戈蒂耶的颓废倾向一脉相承的，是波德莱尔，他比他们更进了一步，已经完全作为雨果、乔治·桑的理想主义的对立面出现，并把颓废的倾向发展到惊世骇俗的地步，由此，他开了19世纪下半叶颓废派文学的先河。由缪塞到戈蒂耶到波德莱尔，反映了与社会现实矛盾着的资产阶级诗人的变化和发展的一种规律，是19世纪重要的文学现象之一。

第四节　19世纪三四十年代后的文学发展与批判现实主义文学

19世纪上半期，除浪漫主义文学之外，还有另一种强大的文学潮流，它以资产阶级人道主义、人性论为思想基础，以真实描写现实为创作原则，对自己的时代社会进行了揭露和批判，虽然各种文学史家对它曾有不同的概括和称谓，但从其思想内容和艺术创作特点来说，其确切的名称应该是资产阶级批判现实主义文学。它是19世纪上半期最重大的文学现象，包括了巴尔扎克、司汤达、梅里美、福楼拜这一系列光彩夺目的名字以及一大批长久以来以不朽的艺术魅力吸引着千万读者的杰作。它的意义显然不限于19世纪上半期，它是资产阶级时代文学中最有分量的一部分，在整个法国文学发展过程中迄今为止仍高居顶峰；并且它还具有全世界的意义，在人类文学遗产的宝库里占有显著的重要地位。它在法国出现后不久，就受到了马克思、恩格斯的重视，他们给予它崇高的评价，把它的伟大的代表巴尔扎克视为现实主义文学的最高典范。

正像任何一个文艺高潮的出现都取决于当时的社会历史条件一样，法国19世纪批判现实主义文学的繁荣，完全是法国近代社会现实生活条件所造成的。如果说，法国资产阶级浪漫主义文学运动是与19世纪二三十年代资产阶级对封建贵族阶级的斗争分不开的话，那么，批判现实主义文学则是资本主义秩序巩固以后社会生活的产物。

批判现实主义文学兴起于19世纪三四十年代，19世纪四五十年代达到高潮。这正是法国历史的一个转折时期。资产阶级对封建阶级最后一次严重的斗争胜利结束，资本主义关系已经完全确立、巩固，价值规律和自由竞争成为统治社会的法则，资本主义工业化迅速发展，生产不断革新，社会关系、财产的占有和分配也相应地不断变动，在这千变万化的社会中，不仅封建时代一切固定的古老的关系以及与之相适应的素受尊崇的观念和见解都被清除掉，而且，资产阶级革命高潮中的英雄主义、理想和热情也都烟消云散，在价值规律的作用下，"资产阶级社会完全埋头于财富的创造与和平竞争"[①]，冷静务实成为时代的精神、社会的习俗，而且，正因为一切神圣的东西都被亵渎，浪漫的感情都被抛弃，"人们终于不得不用冷静的眼光来看他

[①] 马克思：《路易·波拿巴的雾月十八日》，《马克思恩格斯选集》第一卷，第604页。

们的生活地位、他们的相互关系"①。这种共同的社会心理和思想方式反映在文学艺术上,就成为对浪漫遐想的否定和对真实描写的追求。在19世纪20年代,拉马丁耽于幻想的浪漫主义描写还曾使人们着迷,他的"文学光荣"也是不少作家羡慕的对象,但到1857年福楼拜的小说《包法利夫人》中,拉马丁的作品已经被作为散布了有害的遐想、造成女主人公失足的读物来加以描写了。与此同时,"真实"被当作文学的首要标准,并日益为更多的作家所强调,司汤达规定小说只应该是如实映照现实的"一面镜子";巴尔扎克主张作家"严格摹写现实","照世界原来的样子表现世界",并宣称:"法国将要作为历史学家,我只能当它的书记";福楼拜也认定"只要是真的就是好的",并且针对浪漫主义的夸张,提出了"不要妖怪,不要英雄"的口号。即使是雨果这样一位浪漫主义大师,也甚至早在19世纪30年代就曾标榜过"真实",以此来提高他的浪漫剧的价值。19世纪上半期文学发展的事实表明,批判现实主义是作为对浪漫主义的否定而出现的,正如过去浪漫主义是作为对伪古典主义的否定而出现的一样。而批判现实主义文学之所以取代浪漫主义而成为占压倒优势的文学主潮,正是资本主义秩序稳定后冷静务实的社会风尚和精神状态所决定的。

在这样一个时期,人们所看到的社会生活的情景、自身的地位和处境以及相互之间的关系又是怎样的呢?是卑污阴暗的资本主义现实代替了对理性王国的幻想。关于19世纪早期这种理想的破灭,恩格斯曾经作过经典性的论述:"当法国革命把这个理性的社会和这个理性的国家实现了的时候,新制度就表明,不论它较之旧制度如何合理,却绝不是绝对合乎理性的,理性的国家完全破产了……富有和贫穷的对立并没有在普遍的幸福中得到解决,反而由于沟通这种对立的行会特权和其他特权的废除,由于缓和这种对立的教会慈善设施的取消而更加尖锐化了;工业在资本主义基础上的迅速发展,使劳动群

---

① 马克思、恩格斯:《共产党宣言》,《马克思恩格斯选集》第一卷,第254页。

众的贫穷和困苦成了社会的生存条件。犯罪的次数一年比一年增加。如果说,以前在光天化日之下肆无忌惮地干出来的封建罪恶虽然没有消灭,但终究已经暂时被迫收敛了,那么,以前只是暗中偷着干的资产阶级罪恶却更加猖獗了。商业日益变成欺诈。革命的箴言'博爱'在竞争的诡计和嫉妒中获得了实现。贿赂代替了暴力压迫,金钱代替了刀剑,成为社会权力的第一杠杆。初夜权从封建领主手中转到了资产阶级工厂主的手中。卖淫增加到了前所未闻的程度。婚姻本身和以前一样仍然是法律承认的卖淫的形式,是卖淫的官方的外衣,并且还以不胜枚举的通奸作为补充。总之,和启蒙学者的华美约言比起来,由'理性的胜利'建立起来的社会制度和政治制度竟是一幅令人极度失望的讽刺画。"[1]面对着这样冷酷无情而在当时看来又永无尽头的现实,人们普遍感受到的是失望和不满,这种失望和不满早在19世纪初已经出现,那时的代表人物就发出了"全是盼望,没有应验"的感慨,小说中也出现了宣称自己"看穿了人生和社会"的主人公,对时代社会的否定精神已露端倪,只不过在19世纪初,人们由于刚刚体验到"种种希望如今都已幻灭",因而更多的是情绪激昂地发出抗议或表示愤慨;而到19世纪三四十年代,与务实的精神结合起来,人们对这不合理的社会现实就有了深刻的观察、冷静的分析和无情的批判了。司汤达把当时的现实看做是"一堆发臭的烂泥","泥泞的大路",认为在小说里看到"路上的泥沼",并不是小说的错,不应该给小说"加以不道德的罪名",而应该"去责怪这泥泞的大路"。巴尔扎克更是全面而深刻地认识到了自己时代社会的弊病,要为它开出"恶习的清单"。这样一种对现实的批判精神构成了19世纪批判现实主义的灵魂,而它正是资本主义现实压碎了整整一代人的理想的后果。一位作家对巴尔扎克曾有过这样的评语:"他从高处看到了法兰西从1789年以来的瓦解……他看出了1789年的纲领中的谎言,

---

[1] 恩格斯:《反杜林论》,《马克思恩格斯选集》第三卷,第297~298页。

这个纲领用大个的钱代替了伟大的名字,把公爵换成银行家,如此而已。"这一评语同样也适合其他批判现实主义作家,恰当地指出了他们对现实的那种清醒的批判的认识。

仅仅这种批判精神当然还不能必然造成批判现实主义文学而不是别的文学,这种文学之所以在 19 世纪的法国蔚然成风,和当时自然科学的发展、科学精神的发扬也是密不可分的。

在 19 世纪,细胞的发现、对能量转化的认识和达尔文进化论的提出,这三大科学成就使人们对自然过程的相互联系的认识大踏步地前进了,正如恩格斯所指出的:"不仅能够指出自然界中各个领域内的过程之间的联系,而且总的说来也能指出各个领域之间的联系了……以近乎系统的形式描绘出一幅自然界联系的清晰图画。"[①]这就使得上一个世纪末的自然科学从"搜集材料的科学、关于既成事物的科学",到 19 世纪发展成为"整理材料的科学,关于过程、关于这些事物的发生和发展以及关于把这些自然过程结合为一个伟大整体的联系的科学"[②]。自然科学如此,"社会历史的一切部门和研究人类的(和神的)一切科学的情况也是这样"[③],出现了类似的各学科互相联系的趋向,而且,还明显地接受了自然科学的影响。这种情况对于文学来说,一方面使作家们在科学长足发展的社会生活中日益受到科学精神的感染熏陶;另一方面,也给那些务实求真的作家提供了对人、对客观现实,特别是对社会生活的比较科学的认识和比较切实的分析,同时也给他们提供了符合客观事物本身规律的艺术表现方法。在科学精神的影响之下,准确、精微开始成为文学描写的标准,作家也更为自觉地以科学性来指导创作。司汤达在"数字"日益得势的时代,养成了对"精确科学"数学的爱好和对"虚假"的憎恶,并力图

---

① 恩格斯:《路德维希·费尔巴哈和德国古典哲学的终结》,《马克思恩格斯选集》第四卷,第 241~242 页。
② 同上书,《马克思恩格斯选集》第四卷,第 241 页。
③ 同上书,《马克思恩格斯选集》第四卷,第 242 页。

把这种追求精确的精神，贯彻在自己的作品之中。巴尔扎克也广泛地研究过自然科学的各部类，并且曾经宣称，他之所以把当时的社会写成一个整体并表现了社会环境对人的决定作用，正是18世纪以来动物学研究的新发展"深入我心"的结果。1831年，法国动物学家、比较解剖学家居维埃（1769～1832）与博物学家、胚胎学的奠基者圣伊莱尔（1772～1844）之间"轰轰烈烈的争论"，曾引起了巴尔扎克关于"社会与自然相似"的思考，特别是后者"统一图案"的学说更启发了他像布丰"写一部书讲述全体动物"那样，"替社会写一部类似的作品"的创作意图，最后就导致了他那几乎无所不包的19世纪法国社会风俗史、伟大的《人间喜剧》的诞生。至于批判现实主义另一个杰出的代表福楼拜，他不仅在社会时代潮流中受到了18世纪末和19世纪初的生理学家的影响，而且，作为一个世医家庭的后代，还直接"从父亲方面得到他的实验主义倾向"，培养了"对事物周密的观察"，往往"用最多的时间去理解最小的细节"，由此，他才可能明确提出"小说是生活的科学形式"，"文学将越来越采取科学的姿态"。

总之，资本主义关系确立以后冷静务实的社会风气、在资本主义现实面前理性王国的破产以及科学对文学的影响，构成了19世纪批判现实主义文学产生的主要社会根由。当然，批判现实主义文学的兴盛发达，和历史上现实主义的传统也是不可分的。在整个欧洲文学史中，法国历史上的现实主义传统无疑是较为强大的。中世纪市民文学中的小故事和笑剧，最早提供了描写世态、讽刺人情的样本；16世纪反映市民意识的短篇小说是这一传统的继续；17世纪则出现了强大的市民写实文学，其写实逼真的程度显然超过了以往，特别是出现了莫里哀的杰出的反映现实的喜剧，他那些在某些方面达到了现实主义高度的剧作，给19世纪的批判现实主义作家提供了丰富的营养，司汤达早期喜爱的作家中就有莫里哀；在18世纪，"描写人生，贴合真相"成为更多作家追求的目的，勒萨日在广泛描写社会生活面上，狄德罗在小说的细节真实上,都较以往有了明显的突破,对19世纪现实主义的发展有着直接的影响。在这源远流长的现实主义文学的发展中,不仅积累了丰富的真实地描写现实生活的创作经验,而且也形成了一系列明确的现实主义的创作思想,特别在狄德罗那里更得到了深化和提高。这些都为19世纪批判现实主义作家所继承。此外,其他艺术部类中的现实主义传统也是不可忽视的历史因素,17世纪荷兰绘画中的写实精神、18世纪法国画家夏尔丹(Chardin,1699～1779)对日常生活的描绘,都曾为法国19世纪现实主义的绘画和文学提供了借鉴。正因为具有传统的现实主义文艺的肥沃土壤,19世纪批判现实主义文学才得以开花结果。

在法国历史上,现实主义文学更多的是与资产阶级联系在一起的,它在市民阶级兴起之后产生,在以后几个世纪里,又往往较多地反映了资产阶级的意识,因此,可以理解为什么在资本主义的黄金时代即自由资本主义时期,出现了现实主义文学的高峰。在这里,处于上升阶段的资产阶级有足够的勇气正视资本主义现实的不合理,第一次理想破灭后的失望感又是那样锐利、痛苦、出自内心,资产阶级自由、平等、博爱的民主主义旗帜还没有陈腐,还放射着相当迷人的理想主义光辉,因而使作家们心里还怀有正面的神圣的感情、这种或那种向往,足以对不合理的事物表示强烈的憎恶和义愤;而自由资本主义的条件又为作家创作个性的自由发展提供了广阔的天地,使他们在科学精神的影响下,在文学传统的基础上,创造出了前所未有的批判现实主义文学。时代、阶级、个人的种种条件在这里是如此恰当地搭配在一起,这样一个时期在资本主义的历史阶段之内,也许是"千载难逢"、一去不复返了,因而,作为这一时期特定产物的批判现实主义文学,迄今仍作为资本主义时代文学的最高峰而保持着不朽的魅力。

19世纪上半期批判现实主义文学的代表人物,以他们登上文学舞台的先后为序，是司汤达、梅里美、巴尔扎克和福楼拜。虽然他们都生活在自由资本主义向上发展的时期，但各自活动的年代有不同的历史的内容，决定了他们在创作上各有特点。司汤达是最早出现的一个批判现实主义作家。他生逢资产阶级革命的火热年代，活动在资产阶级为建立自己的秩序与封建阶级进行殊死较量的时期。司汤达本人深深卷入了这一斗争，他的生活紧密地和拿破仑对欧洲封建君主联盟的斗争结合在一起，既经历过帝国时期的节节胜利，也随着拿破仑的垮台而经历了波旁王朝复辟这一历史的曲折。因而，他对1789年以来这个历史时期的矛盾斗争有直接的观察和深切的体验，而且，始终鲜明地置身于进步的阵营之中，自觉地进行了反封建阶级的斗争。他不仅在政治上是一个反封建的斗士，在文学上也向伪古典主义打响了发难的第一枪；作为开拓者，他还致力于探索19世纪文学所应遵循的道路。在理论批评方面，司汤达要算是批判现实主义作家中见解至为精深、论述亦较成系统的一个，他实际上最先提出了批判现实主义文学的纲领。在文学创作上，因为他生活在两个阶级激烈地争夺政治统治权的年代，自己又是当时斗争的直接参加者，长期形成了既善于从政治角度来观察和理解问题，又善于从日常事物中发掘政治涵义的能力，所以，政治性强、政治色彩浓，是他的作品在思想内容方面的一大特点。他的作品表现了对阶级关系和政治斗争的深刻理解，是关于19世纪前期社会政治斗争的最可宝贵的文献。和巴尔扎克不一样，司汤达主要不是资产阶级社会现实的揭露者，而是封建残余势力的批判者，他的两部主要作品《红与黑》与《巴马修道院》都是这种性质。只是在他创作的后期，当他得以对新建立的金融家的统治秩序进行了一个时期的观察之后，他才在《吕西安·娄万》中，更多地把笔锋转向资本主义现实。他是1815年至1830年的复辟时代的杰出的描写者，他在《红与黑》中，通过一个即使跻身于世界文学最著名的典型人物之列也特别突出的艺术形象——于连·索黑尔，极为深刻地反映了那个时代,他以对现实政治关系透彻的理解、对阶级斗争规律明智的洞察、对小资产阶级青年悲剧命运典型化的描写取胜,从而使他在表现复辟时期的政治阶级关系这个领域,处于可以与巴尔扎克相匹敌的地位。就全部创作整体来说,巴尔扎克宏伟的《人间喜剧》无疑超过了司汤达小说创作的总和,但就单个作品来说,《红与黑》表现社会政治关系的深度、塑造人物形象典型化的高度,却是巴尔扎克《人间喜剧》中任何一部小说所未能达到的。

与司汤达同时登上文学舞台的是梅里美。他虽然是在司汤达的影响下成长起来的,但他的重要作品的问世早于《红与黑》,其从事文学活动的时间也长于他的这位师友。他分属于两个不同的时期,在19世纪20年代以浪漫主义为旗帜的战斗年月里,他作为浪漫派的同路人表现了一个批判现实主义者的反封建的政治热情;而在七月革命之后到巴黎公社之前这一段资本主义秩序相对稳定的和平发展时期,他则成为这个"萧索时期"的"一朵很典型同时又很独特的奇花"。在前一个阶段里,他以两部批判旧时代旧阶级的作品《雅克团》与《查理九世时代轶事》,为当时反封建反复辟的新文学增添了声势;在后一阶段里,他对资本主义现实进行了一定的批判。但是,他前一阶段对封建阶级的批判显然不及司汤达那样深刻,他后一阶段对资本主义的揭露也远不能与巴尔扎克相比。作为一位现实主义作家,他并没有显示出广阔的社会视野,他无意去鸟瞰和表现国家或社会的普遍状态,他没有在作品中广泛触动资本主义现实的丑恶和畸形,甚至很少去正面揭露资本主义社会中不合理的现象,像《塔曼戈》那样尖锐的作品几乎可说是绝无仅有的了。他往往是通过赞赏那些粗犷、剽悍、多少带有原始气息的人物,曲折地表现自己对鄙俗、灰暗的资本主义现实的否定,他这种独特的否定,当然不乏深刻而丰富的社会内容,再加上他在艺术上以精致的技巧见长,因而在19世纪批判现实主义文学中独具一格。

法国19世纪批判现实主义文学最伟大的代表是巴尔扎克。他经历了拿破仑帝国、复辟王朝与七月王朝三个历史时期。他从19世纪20年代初开始文学活动,到20年代末才写出成熟的作品。而后,创作生活的高潮一直持续了20年之久,直到1850年(正当他创作的盛年),过度的劳累夺去了他的生命。巴尔扎克不仅是法国文学史上,也是世界文学史上的奇迹,他以顽强的毅力、令人惊异的充沛精力,通过他纯粹个体的劳动,完成了一座金字塔式的巨著《人间喜剧》。这一规模宏大、包括了将近一百部小说的创作,从历史的长度而言,它汇集了法国从1789年革命到七月王朝末期的全部历史,特别是"用编年史的方式几乎逐年地把上升的资产阶级在1816年至1848年这一时期对贵族社会日甚一日的冲击描写出来"[①],从社会的广度而言,它描绘了现代社会生活的各个方面:巴黎的上流社会和贫苦的下层、外省的城镇生活和乡村景象、政界官场、战争军旅、财政金融、工商贸易、法律监狱、文学艺术、新闻出版;《人间喜剧》中的人物有两千多个,囊括了现实生活中的各种类型:内阁大臣、法官、将军、律师、金融家、贵族、商贩、教士、医生、农民、工人、新闻记者、文艺家、收藏者、贵妇闺秀、流氓娼妓,等等。总之,《人间喜剧》本身就是一个无所不包的完整的国度,这样大规模的艺术图景,在迄今为止的文学史上显然还是绝无仅有的。特别具有重大意义的是,《人间喜剧》不仅以其宏伟的气势著称,而且它是法国整整一个历史阶段的社会生活的高度真实的再现,它以一幕幕有声有色的生活场景,表现了这个社会阶段的历史风貌和本质特征,以一个个有血有肉、栩栩如生的人物形象,体现了社会历史发展中的社会阶级关系。巴尔扎克在他伟大的作品中实现了他要为法国社会充当书记的志愿,为它提供了一部卓越的现实主义的历史,这是巴尔扎克伟大的贡献。

---

① 恩格斯:1888年4月初给玛·哈克奈斯的信,《马克思恩格斯选集》第四卷,第462页。

巴尔扎克主要是活动在七月王朝时期，资产阶级向封建阶级争夺统治权的斗争已成过去，眼前是金钱万能、人欲横流的资本主义秩序，这就使得他更多地把注意力集中在那个社会里决定着事件和人物命运的财产关系。如果说司汤达善于从政治角度来进行观察，并把19世纪前30年的阶级关系表现得非常深刻的话，那么，巴尔扎克则善于从人们的经济生活、经济状况来理解人们的心理活动、思想情感，来洞察那个社会里一幕幕惨剧、一幕幕喜剧的最深的根由，并且在他的《人间喜剧》里，形象地表现了1789年以来法国社会生活中财产关系的变化，甚至比历史学家、经济学家提供了更多的准确的经济细节，从而对法国近代社会生活的进程作出了最深刻的解释。巴尔扎克以他卓越的巨著极大地充实了法国19世纪批判现实主义文学的内容，这种文学作为世界文学发展中的一个高峰，如果没有巴尔扎克，那是难以想象的。巴尔扎克的伟大成就在他生前就已经得到了承认，雨果在他的葬礼中称颂他为"最伟大的人物中第一等的一个"，马克思、恩格斯对巴尔扎克也作过崇高的评价，直到今天，巴尔扎克仍是世界文学史上居于最重要地位的巨匠，他对人类具有永恒的价值。

继巴尔扎克之后，福楼拜出现于19世纪中叶，而其后期已进入19世纪下半期的历史阶段，是前期批判现实主义向后期自然主义过渡的代表人物。从生活经历来说，福楼拜属于资本主义秩序完全巩固了以后成长起来的一代，没有经历过反封建的斗争，也没有再遇到对这种历史斗争表示关心的现实必要性，因而，19世纪以来的重大历史事件完全在他的创作视野之外。不过，他倒是比司汤达、巴尔扎克有更多的时间看到了资本主义秩序建立后一直发展到19世纪七八十年代的结果，这有助于他成为资产阶级社会日常生活细致的观察者。他两部最出色的长篇《包法利夫人》和《情感教育》，都着力于展示资本主义社会繁荣昌盛外表下灰暗、丑恶的现实生活和腐败、庸俗的社会风习，并在艺术上取得了高度的成就。福楼拜对现实生活的描绘不及司汤达的图景那样深刻，更不及巴尔扎克的画卷那样广阔辉煌，但他善于从浩瀚的社会生活中，选取某一局部、片段，或一个常见的外省小资产阶级妇女堕落的故事，或一个淳朴的女仆平凡的经历，或一个资产阶级青年人平庸的日常生活，进行精雕细刻，把细部绘制得极为准确精微，给19世纪中叶的法国现实生活，提供了虽然并不全面但却非常真实和典型的写照。福楼拜代表着批判现实主义的新阶段，在他身上，有着不同于其先行者的特点：一方面，因为他已经完全是资本主义秩序稳定巩固时期的文学代表，并且比司汤达和巴尔扎克更清楚地看到了资产阶级的敌人、资本主义社会的掘墓人无产阶级的兴起，所以在他身上，资产阶级上升时期的朝气和批判现实的锐气都有所减弱；但另一方面，由于当时实证主义哲学的风行，自然科学对文学的进一步影响，他对真实性的强调又更甚于巴尔扎克和司汤达，几乎达到一丝不苟的地步。

在司汤达、巴尔扎克的时期，"现实主义"这个概念并未流行，虽然他们实际上是运用了这种创作方法，他们却从未自称"现实主义者"。"现实主义"一词的广泛使用并发展成一种口号和运动，则是19世纪50年代的事。这时，整个文艺领域里，对理想、对美、对粉饰的厌弃，比任何时候都更为强烈，对艺术描绘中绝对真实的要求也比任何时候都更为严格，甚至对丑恶、难堪的事物，也要求绝对如实地加以描写，并以触犯资产阶级上流社会的"高雅趣味"为乐。不仅福楼拜表现了这种倾向，即使是像波德莱尔这样的浪漫诗人也受到了这种影响，他著名的《兽尸》就是这一类型的代表作。

这种新的发展趋向特别突出地表现在绘画领域里。19世纪中叶，出现了以现实主义的风景画闻名的巴比松派，与他们关系密切的，是两个农民出身的杰出画家米勒（1814~1875）与库尔贝（1819~1877）。米勒在他一系列名作如《拾穗者》《晚祷》《播种者》中，怀着深厚的同情，以精确的现实主义笔法描绘了农民的日常生活；库尔贝也从劳动者的生活中寻取创作素材，他著名的画幅《石匠》真实地摹写了工人从事繁重劳动的情景，至于他的其他名作，如1851年的《奥尔朗的殡葬》和1853年的《浴女图》，更以真实大胆著称，前者毫无葬礼的肃穆感和宗教的庄严气氛，无情地把小市镇上参加葬礼的各种人物鄙俗、丑陋的状貌如实表现出来，因而引起资产阶级"正派人"的反感，后者以大胆不雅的画面触怒了学院派以至拿破仑三世的皇后。于是，这种绘画被人用"现实主义"这样一个过去并不常见的词语来加以讥讽，当时的意思是指为"追求真实"而不惜描写丑陋鄙俗，甚至流于难堪不雅、使人厌恶，等等。1855年，巴黎万国博览会上举行画展，库尔贝的画作全被展览会拒绝。为表示抗议，他在展览会旁边开了一个个人画展，在目录上故意标出了"现实主义"的字样，又在目录的前言里作了这样的说明："现实主义者的名称被强加于我，正如浪漫主义者的名称被强加于1830年的艺术家们一样。"从此，一批与上流社会对立的新派文艺家开始以"现实主义者"这一被鄙薄的称呼自诩，他们除库尔贝以外，还有小说家、艺术史家尚夫勒利（Champfleury，1821~1889）、批评家兼小说家杜朗蒂（Duranty，1833~1880），与他们为伍的，还有著名的资产阶级社会主义者、作为文艺理论家的蒲鲁东。1856年，杜朗蒂创立了以《现实主义》为名的杂志，1857年，尚夫勒利又出版了以《现实主义》为名的论文集，一个月以后，福楼拜的《包法利夫人》问世，对此，圣伯夫曾经指出"此书整个地带着它出现时的时代的戳记"。也是在这时，巴尔扎克被这些批评家正式追认属于他们的现实主义行列，虽然他们不忘指出："他没有时间正确地看，正确地描写。"19世纪50年代的这一系列事件清楚地表明了，"Réalisme"（现实主义）一词的通用是在福楼拜的时期，但从文学史发展的实际而言，则完全有理由而且也应该以它来概括从司汤达的《拉辛与莎士比亚》以来的这种文艺思潮和创作的发展，只不过，当这个名称正式通用的时候，被司汤达、巴尔扎克早已发展到高峰水平的这种现实主义文学，却开始出现了批判锐气大为减弱而流于单纯追求细节真实的倾向了。

从思想意义来说，整个19世纪批判现实主义文学无疑具有很可贵的进步的内容，它不仅对过时的封建阶级进行了批判，而且对新建立的资本主义秩序进行了揭露，与此同时，它又把同情寄予下层人民和劳苦大众。

正因为批判现实主义文学最初萌发在资产阶级与封建阶级的矛盾还是社会主要矛盾的时期，当时封建阶级还是资产阶级重要的对手和障碍，所以，它作为资产阶级上升发展时期的阶级意识形态，一开始就带有鲜明的反封建的色彩，在七月革命前后出现的一批作品更是如此。

批判现实主义反封建的思想内容表现在两个方面。一方面，它从历史生活汲取题材，往往通过历史上具有典型意义的事件，揭露封建时代的反动黑暗，封建统治阶级的残酷暴虐、贪婪腐朽。在这里，正像在资产阶级浪漫主义文学中一样，作家是站在资产阶级的立场上，从当时还构成一项严重任务的反封建斗争的需要出发，力图表现出中世纪社会的野蛮、古老的封建关系的不合理、贵族阶级的腐朽无能以及他们的等级、特权、门第观念的荒谬，从而根本否定贵族残余力量继续在19世纪法兰西政治生活中存在的理由。所不同的是，批判现实主义作家更多的是以历史上实际存在的事件，而不是像浪漫主义文学那样以纯粹想象的故事为题材，并通过逼真的而非奇特的描写，以具有一定典型意义的政治生活和经济生活的细节来进行批判，如梅里美的小说《查理九世时代轶事》和戏剧《雅克团》，通过中世纪农民悲惨生活的真实画面，揭露封建的超经济剥削的残酷；通过对上流社会风习、宫廷生活情景的生动描写，揭露封建贵族阶级的腐朽、阴险、狠毒；通过历史上著名的农民大起义的故事，全面地批判了封建制度；通过震动了整个法国的宗教大屠杀惨案，向封建统治者、反动教会提出了控诉和谴责。这种文学把自己的批判建立在真实描写社会阶级关系的基础上，而不像浪漫派的作品那样单纯出于激情、表示抗议，因而具有更高的认识价值。

批判现实主义文学反封建的思想内容的第二个方面，是直接以复辟时期的社会现实为题材，尖锐地表现当前的矛盾斗争，揭露封建贵族卷土重来的反动性质，抨击这股残余的反动政治势力的倒行逆施以及他们变本加厉的复辟企图，自觉地为资产阶级反复辟斗争服务。有的作品，如《罗马·那不勒斯·佛罗伦萨》，是出色的当代社会政治见闻录，在对1814年后欧洲资产阶级革命低潮时期的社会面貌的真实描写之中，体现了鲜明的批判倾向，充满了对封建复辟、历史倒退的愤慨；有的作品，如《阿尔芒斯》，直接揭露了波旁王朝1825年颁布的赔偿革命时期流亡国外的贵族10亿法郎的反动法案；有的作品，如《红与黑》，更以极大的尖锐性针对查理十世直接插手的政治阴谋，把封建反动势力、极端保王党的复辟狂热和天主教会的猖獗横行揭露得淋漓尽致。这些作品反映了当时各阶层对复辟王朝的憎恶，把资产阶级革命以后进步的历史进程，特别是辉煌盛极的拿破仑帝国时期，与反动黑暗的复辟时期加以对照，集中地表现了在当时社会生活中甚为流行的拿破仑崇拜，因而带着强烈的政治色彩介入了现实的阶级斗争。其中特别深刻的，如《红与黑》，不仅对复辟时期的社会生活作了揭露批判，而且反映出了两个阶级、两种制度、两个时代的斗争中某些带根本性的问题：在政治上，反映了两个阶级争夺统治权的斗争以及这一斗争在19世纪20年代的中心问题、变化规律和发展趋势；在经济关系上，表现了封建大土地所有制与大革命后产生的小土地所有制的不可调和的矛盾；而在法权问题上，则反映了资产阶级法权与封建阶级特权的激烈冲突。

19世纪批判现实主义文学的主要思想内容，还在于对资本主义社会现实的揭露和批判，这是它最主要的特色和最可贵的价值。所有的批判现实主义作家，在这方面都作出了自己的贡献，而达到了最高成就的，当然是巴尔扎克。

这种文学反映了整整一代人在理性王国破产以后的失望与不满，以表现自己时代社会的弊端、黑暗与罪恶为己任。揭示出新秩序的建立只不过是资产阶级的统治代替了封建阶级的统治（《吕西安·娄万》）；在这种秩序下，"所谓一切法兰西人都在法律面前平等，只是写在大宪章前头的一句谎话"（《驴皮记》）；贫富对立，社会下层充满苦难，新的统治阶级过着骄奢淫逸、腐朽不堪的生活，"没有一个讽刺作家，能写尽金银珠宝下的丑恶"（《高老头》）；政府机构里一幕幕营私舞弊、贿赂敲诈的丑剧，政治就是对老百姓的巧取豪夺；人与人的关系极为残酷，弱肉强食，"你吞我，我吞你，像一个瓶里的许多蜘蛛"（《高老头》）。在批判现实主义文学中，就是这样一幅幅极其阴暗的画面，作家们通过这样的画面，深刻地说明了这样一个真理：新建立的资本主义社会仍然是一个极不合理、充满了罪恶的社会。

特别值得肯定的是，批判现实主义文学的揭露批判准确地抓住了资本主义社会的特征：金钱的罪恶作用和卑劣的金钱拜物教。黄金能颠倒黑白的题材，19世纪以前的作家早已写过，但直至19世纪批判现实主义作家才把金钱的支配力量和种种罪恶作用揭露得如此深刻透彻：它与阶级的贪婪结合在一起，并且成为阶级统治的一种手段。批判现实主义作家不仅讽刺了资本主义社会中金钱拜物教的丑恶世态，而且揭露了金钱对政治、法律的控制，揭露了资产阶级政府只不过是"富人之间制定的对付穷人的保险契约"，是银行家手里的工具；揭露了法律是为富人服务的，监牢专为贫苦者而设；揭露了整个社会是"一部由金钱开动的机器"，一切都可以出卖：新闻报纸、文学艺术以及一切神圣的感情。批判现实主义批判的锋芒遍及资本主义社会上层建筑的各个方面，它揭示了整个这一建筑堂皇的外表下，一切取决于罪恶的金钱、取决于金钱的人格化即资产阶级这一真相，从而把社会黑暗的根源、资产阶级统治的实质暴露在读者的面前。

批判现实主义文学对本阶级的揭露是相当尖锐的。它通过高布赛克、葛朗台老头、银行家纽沁根、商人勒乐、金融家老吕西安·娄万这一系列人物，表现了资产阶级的贪婪、狠毒、冷酷、虚伪、丑恶、腐朽，特别是这个阶级从来不会满足对金钱财富的占有欲。它以人性的名义批判这个阶级的欲望已发展到偏执的程度，以致窒息了人类一切正常的感情，批判资产者唯利是图而不择一切手段，以至造成骇人听闻的罪行。批判现实主义小说经常以家庭悲剧为故事题材，它擅长从家庭这一本来亲密的关系中，表现这个阶级的成员为争夺金钱财富而进行的酷烈的争斗。巴尔扎克的许多小说，都描绘了这种令人触目惊心的情景。

批判现实主义文学对现实的揭露批判具有重大的意义，它提出了当代现实生活中一系列重大的问题，而这些问题又集中为19世纪上半期一个最根本的问题，即新建立的资本主义社会是否具有永世长存的价值。对此，批判现实主义文学的形象描绘给予了否定的答案。特别应该提出的是，这种文学在这样进行揭露批判的时候，正是资本主义上升发展的时期，资产阶级中一派乐观情绪，在他们看来，"夜晚安眠，忽闻警钟齐鸣、惊骇而起的时期已经一去不复返了"，资本主义秩序似乎是永恒的。然而，批判现实主义文学却通过真实的描绘，暴露出它惊人的矛盾与黑暗，这在当时客观上有助于"打破关于这些关系的流行的传统幻想，动摇资产阶级世界的乐观主义，不可避免地引起对于现存事物的永世长存的怀疑"①。正因为如此，这种文学往往被当时的资产阶级当权派所敌视，在19世纪50年代，拿破仑三世手下的一个部长就这样宣称："如果艺术抛弃伟大匠师的传统而信从现实主义的新派理论，那么，艺术就临近它的灭亡了。"

---

① 恩格斯：1885年11月6日给敏·考茨基的信，《马克思恩格斯选集》第四卷，第454页。

批判现实主义文学在思想内容上还有一个值得注意的方面，即对劳动人民的同情。19世纪上半期工业化的后果之一，就是无产阶级、劳动人民的贫困化。批判现实主义作家本着真实反映生活的态度，几乎都在自己的作品里反映了这一社会现实，巴尔扎克、司汤达、福楼拜的小说里，都有描写下层人民悲惨生活的片段，或表现他们在残酷剥削下被榨干了的形象，如福楼拜的《包法利夫人》；或使人听到贫困者饥饿的哀号，如司汤达的《红与黑》。与资产阶级正统派所散布的劳动人民苦难的原因在于他们的"怠惰"、"愚昧"的滥调不同，批判现实主义文学在怀着同情心刻画劳动者悲惨生活的时候，也在一定程度上赞美了他们的优秀品质和无穷的创造力，巴尔扎克曾在不止一篇作品中，用道德高尚的下层人物和卑劣的资产阶级作鲜明的对比，并且在有的作品里歌颂了劳动人民的聪明才智。虽然批判现实主义作家与无产阶级在思想感情上有很大的距离，但他们之中的有些作家却能在自己的作品中指出：无产阶级、劳动人民以其善良、淳朴的本性和所担负的社会劳动，不应该遭受如此悲惨的命运。因此，他们经常带着愤慨来描写劳动人民的不幸。更值得注意的是，有少数作品还把资本主义的剥削和压迫、有产者的贪婪，表现为下层人民不幸的根源。批判现实主义对无产阶级、劳动人民悲惨处境的真实描绘是它以前的文学中所没有的，尽管它还很不充分，但毕竟不失为关于无产阶级生活状况的较早的真实写照，而且，它的这种描写带有明显的同情，这在当时是有进步意义的。

批判现实主义文学作为阶级意识形态，其反封建的思想内容，反映了19世纪上半期资产阶级与封建阶级的矛盾；而它对刚刚巩固了的资本主义秩序的揭露批判，则反映了资产阶级内部不同阶层、不同地位的成员之间"某种程度的对立和敌视"。19世纪法国的批判现实主义作家们，在现实生活中的政治、经济、社会地位不同于资产阶级当权派，他们大都属于中小资产阶级阶层，他们的经济地位是不稳固的，他们之中有一部分甚至经常生活在穷困之中。巴尔扎克一生为债务所苦，始终处于期票债券的威胁之下；司汤达也在相当长的一段时期里过着"每天只能吃一顿正餐"的清贫生活。他们从事写作，往往是为了谋生。批判现实主义作家这种社会地位，一方面使他们和下层人民比较接近，得以了解下层的痛苦和人民的思想感情；另一方面，也比较易于站在非官方的立场，以冷静的眼光观察统治阶级的政治法律制度及社会习俗，由于他们在生活中找不到自己的地位，更使他们对那些在生活中占据尊贵地位的本阶级的"积极成员"、当权者，充满了妒羡之中而又夹杂着愤慨的复杂感情，他们在对自己的幻想中自视为正义的代表，并且在作品中塑造了与他们的处境和精神状态相仿的人物形象——对社会不满并进行某种个人追求和反抗的青年，批判现实主义作家或把这种人物当作自己作品中的正面形象，或把自己的某些思想情感赋予他们，这样，他们的作品就往往带有鲜明的个人反抗的色彩。

批判现实主义文学的思想基础是资产阶级人道主义，因此可以说，这种文学实际上也是一种在当时尚未丧失其青春魅力的理想与现实生活尖锐矛盾的产物。批判现实主义作家基本上是革命后的第一、第二代，资产阶级革命时期的理想和英雄行为对他们之中一些人来说还记忆犹新，他们都是在启蒙思想的熏陶下成长起来的，他们继承了自己前辈的资产阶级人道主义思想体系，以这种思想的原则为其理想，当他们带着这种思想去观察新建立起的资本主义秩序时，就遇到了理想与现实的矛盾，并对现实产生了种种不满。从资产阶级人道主义的自由观出发，他们对资本主义社会中人变成了金钱的附庸、人的自然本性在金钱作用下的异化产生了不满，他们看到金钱代替了封建的血统和门第，成为一切事物的杠杆，人的自由发展事实上已不可能，因而经常在自己的作品里表现一些才情出众的青年与势利的资本主义社会的矛盾；从资产阶级人道主义的平等观出发，他们对资本主义秩序下的财富、地位的不平等和社会的不正义表示自己的愤慨;从资产阶级人道主义的博爱观出发,他们对资本主义社会中冷酷的人与人之间的关系感到痛苦,并对生活中那些被侮辱与被损害者表示怜悯,可怜的小人物常常是他们作品描写的对象;也正是从这种资产阶级人道主义思想出发,他们对劳动人民的悲惨生活寄予了某种同情。因此,资产阶级人道主义在批判现实主义作家们那里,就成为一种批判的尺度,而且,正像18世纪启蒙者在写作的时候"完全真诚地相信共同的繁荣昌盛"[①]一样,批判现实主义作家对于他们自己所信奉的思想原则也是深信不疑的,他们像自己的那些精神向导以全民代表的姿态出现一样,也以全人类"正常人性"的名义,对资本主义社会进行揭露和批判,这就使他们的作品有时具有一种激情的力量,并且披上了一层社会正义与超阶级的外衣。

19世纪上半期批判现实主义文学的艺术形式主要是小说。批判现实主义作家一般都与诗歌无缘,也很少写戏剧,而是专注于小说,特别是长篇小说的创作,在这个领域达到了几乎可以说是迄今最高的艺术水平。

法国批判现实主义文学作为世界文学的高峰,在艺术上最重大的成就,就是除了细节的真实以外,还真实地再现了典型环境中的典型性格。细节的真实,在18世纪现实主义的小说中已经有一定的发展,但比起19世纪批判现实主义文学,则还只是幼苗,19世纪的大师把真实的细节描写发展到高度水平,在这里,生活进程中每一个细小的环节、生活场景中每一个具体的物件,人物的姿态、形貌、动作,衣着的每一个细部,都是以精确的笔法描绘出来的,从而提供了一幅幅酷似现实、栩栩如生的画面。在这方面,批判现实主义文学一方面以其摹写的真实性区别于浪漫主义;另一方面,在对细节的精心

[①] 列宁:《我们究竟拒绝什么遗产?》,《列宁选集》第一卷,第128页。

选择上、在细节的表征意义及其对事物本质的表现力上，特别是细节所蕴含着的作者思想倾向上，则又和19世纪下半期自然主义那种纯客观的、无选择的罗列迥然不同，从而显示出巨大的艺术力量。

批判现实主义文学重大的艺术贡献，在于对人物的典型化的描写，在这里，人既是"社会关系的总和"，是社会的、阶级的，又是具体的、个别的、特定的，总之，是一个个有血有肉、活生生的社会人的典型。同是贪婪的资产者，葛朗台与高布赛克不同；商业资本家中，赛查·皮罗多与高老头不会相混；而在青年形象的画廊里，于连、拉斯蒂涅、莫罗、雷翁又都有各自的形貌、个性和特征。在人物塑造上，19世纪批判现实主义文学显示出高度的艺术技巧，它对人物的形貌、举止、言谈、风度的描写，比过去的文学更细致、更生动、更传神，它善于在人物的行动中、发展中展示其性格，它还善于运用心理分析的手法，挖掘人物的内心，揭示其灵魂中最隐秘的层次和最复杂的变化。司汤达在这方面的成就更为出色。但是，19世纪批判现实主义文学又和那些单纯的心理分析小说不同，它对人物内心的刻画，总是和人物的行动结合起来，并且还和对生活事件、生活场面的描写交织在一起，表现了人物的心理活动与客观环境之间的"辩证法"。心理分析的手法在批判现实主义文学里，显然是第一次被运用到恰如其分的程度，它比以前在贡斯当那里富于行动，比雨果的科学，比后来左拉的丰富，比更后的意识流小说明晰。更重要的是，批判现实主义文学的大师非常自觉地把人物看做是环境的产物，特别是社会环境的产物："社会不是按照人类展开活动的环境，把人类陶冶成无数不同的人，如同动物之有千殊万类么？"他们把这种认识贯彻在艺术创作实践中，着力于表现人物性格与社会环境之间的有机联系，把社会环境如何造就成不同的人物，特别是把社会环境如何影响着人物性格的发展变化，描写得十分精彩动人。如：一个对平民充满敌意的社会、一个没有小资产阶级青年的出路的时代使得于连形成了双重人格；一个声色犬马、人欲横流的社会环境，燃起了拉斯蒂涅炎炎的欲火，烧尽了他一切神圣的感情。

在社会环境的描写上，批判现实主义同样也力求艺术的典型化，它的作品中所呈现出来的环境图景，并不是作家任意摹写的结果，而是经过了选择、取舍和加工，成为社会生活的某种缩影或具有某种代表性的写照，本身就具有一定的典型性。维立叶尔这个小城虽然实际上并不存在，却典型地概括了复辟时期充满了鄙俗、狭隘、唯利是图气氛的外省城市；德·拉摩尔侯爵的客厅虽属虚构，但集中了复辟时期贵族上流社会中的形形色色；巴尔扎克笔下的伏盖公寓本身就是充满了争斗和罪恶的巴黎生活的一个侧面；福楼拜所描写的农展会的场景又包含着多么丰富的时代社会内容！所有这些典型环境的描写，已经在世界文学中成为著名的篇章。也正由于19世纪法国批判现实主义文学在环境描写和人物描写上达到了高度典型化的水平，以典型环境中的典型性格极其出色地反映了自己的时代社会，恩格斯才把这种文学视为历史上一切现实主义创作文学的最高典范，并从中总结出了现实主义的经典定义。

要进行批判现实主义这样一种性质、这样一种高水平的艺术创作，在艺术实践中无疑有更多的关系需要处理，有更复杂的问题需要加以解决。事实上，法国19世纪批判现实主义作家们对艺术创作中的各个环节，较之前人都有更科学、更深刻的认识，并形成了从观察生活、选取题材、构思情节，一直到塑造人物、安排结构、描绘细节、修辞炼句，都贯彻着如实地认识、把握和表现客观现实这一要求的思想原则及艺术方法，这就是成熟的现实主义创作方法。现实主义创作方法虽然并非始于19世纪，但它在19世纪巴尔扎克等批判现实主义大师手里，的确发展到了空前的高度，并且在这些作家的文学创作活动中，已经形成了一种独立的、强大的力量。当然，这些作家的创作一般是决定于他们的世界观的，但在某些时候，当世界观中消极的部分可能妨碍作家真实地描写现实时，这种力量就发挥了它的作用，使得作家不是根据自己的某些思想见解行事，而是按照这种艺术方法的规定和要求，对现实作出真实的描绘。这就是现实主义的胜利。批判现实主义作家们的身上往往都不同程度地存在着这种胜利：巴尔扎克违反了自己对贵族的同情，现实主义地表现了"他心爱的贵族们灭亡的必然性"，"把他们描写成不配有更好命运的人"[①]；司汤达对人民群众虽也有偏见，但仍真实地描写了他们悲惨的生活；福楼拜宣称自己"憎恨人们一致称之为现实主义的东西"，而他实际上却是一个严格的现实主义者。现实主义的胜利，是19世纪批判现实主义文学中的重要现象，它反映出现实主义艺术方法在19世纪的高度发展，如果没有这一发展，现实主义的胜利显然是不可能的。

---

① 恩格斯：1888年4月初致玛·哈克奈斯的信，《马克思恩格斯选集》第四卷，第463页。

第二章　夏多布里昂、拉马丁、维尼及其他

19世纪上半期的教权主义思潮和贵族浪漫主义文学的代表人物是：迈斯特尔、波纳尔、夏多布里昂、拉马丁和维尼。他们在当时激烈的阶级斗争和社会变革中，是作为注定要消亡的阶级的文学代表而出现的，他们承袭了法国文化中根深蒂固的旧传统，并以相当出色的个人才能来加以宣扬，以此来抵制历史前进的潮流，在当时由于有一定的社会基础而影响甚大，构成了文学史上强大的贵族浪漫主义文学流派。

第一节　迈斯特尔与波纳尔

迈斯特尔与波纳尔是19世纪初封建教权主义的理论家，贵族浪漫主义在理论上的代表人物。他们的影响从19世纪初一直持续到19世纪30年代。他们虽然不从事文学创作，但他们掀起的思潮为19世纪贵族浪漫主义文学的出现开辟了道路，他们的宗教理论和美学理论对这种文学有着直接的影响，他们是这一文学的理论奠基人。

1. 迈斯特尔

迈斯特尔（Joseph de Maistre，1753~1821）生于天主教贵族家庭，其父法朗索瓦-爱克查维叶是萨瓦城上议院的议长，萨瓦位于法

国东南与意大利接壤之处，直到1860年才划归法国。19世纪初，这个城市是君主制的撒丁王国的一部分。由于父亲的职务和家庭的影响，迈斯特尔从小就接受了封建卫道者的社会政治观念，具有本阶级孝子贤孙的特点，他在居南大学念法律期间，甚至阅读某一本书也要事先写信征求父母的同意。耶稣会的教育进一步培养了他宗教神学的世界观和对18世纪启蒙运动及理性论的怀疑。1774年，他进入萨瓦政界，从此一帆风顺，看来大有希望接替他父亲担任过的职务。他由于好奇，曾与新神秘主义教派有所接触，但法国革命一爆发，他马上就改变了态度，宫廷人士把他称为"雅各宾党人"，确是一个莫大的误会。1792年，法国革命军进驻萨瓦，宣布它划归法兰西，迈斯特尔出逃，于1793年来到洛桑，继续从事反对革命的活动。1797年他回到居南，居南被拿破仑军队攻陷，他又灰溜溜逃到威尼斯。不久，被苏沃洛夫扶上台的撒丁国王对他又加以重用，1803年，他作为撒丁王国驻彼得堡的全权代表出使俄国，在那里一直待到1817年。波旁王朝在法国复辟后，他回到居南，在王国政府里担任大臣。迈斯特尔以毕生的精力为君主制度效劳，然而，在现实面前，他最后不得不悲哀地看到，他和自己阶级的逆潮流而动纯属徒劳无益，临终时他无可奈何地对自己的同伴承认了本阶级的必然崩溃："先生们，大地在颤动，而你们还想建设！"

迈斯特尔的写作生活与他的政治生涯是紧密相连的。在大革命前，他只写过两篇在官方典礼上诵读的词章华丽的演说词，其一是1775年在王太子婚礼上的颂词，其二是1777年的《论行政长官的风度》(*Le Caractère extérieur du magistrat*)。有的批评家把它们视为迈斯特尔早期自由主义、卢梭精神的表现，但前者只不过对中世纪的宗教迫害和宗教法庭残酷的火刑有所非议，后者在论述社会起源的段落中使用了当时已经广泛流行的卢梭《社会契约论》中的词汇。一旦法国革命波及萨瓦，迈斯特尔就完全抛去自己薄薄的自由主义外衣，暴露出反动的本质。1793年,他离开萨瓦时写了《萨瓦军人的亲人们致法兰西国民公会的请愿书》(Adresse de quelques parents des militaires savoisiens à la Convention nationale des Français),对革命的法兰西为粉碎欧洲君主国的干涉和包围而进行的战争提出控诉。同年,他发表《一个萨瓦保王党人致同胞的四封信》(Quatre lettres d'un royaliste savoisien à ses compatriotes),大肆鼓吹要恢复被革命冲垮了的正统秩序,颂扬撒丁王国统治者的"红爱"。他在1794年写的《致柯斯达侯爵夫人关于她的公子的生与死的陈词》(Discours à Mme la marquise de Costa sur la vie et la mort de son fils),在悼念为撒丁王国战死的贵族公子的同时,在儿童教育问题上借题发挥,宣扬必须建立以上帝观念为基础的道德,防止信仰自由的精神的"毒害",他向精神上已分崩离析的封建阶级发出号召:"风暴呼啸,已达高潮,让我们在人类的大动荡之中抛锚,保持我们的道德,决不许任何人把它夺走",作为阶级的思想家竭力维系本阶级精神上和意志上的一致。他在1795年的《献给N侯爵夫人的五篇奇谈》(Cinq paradoxes à la marquise de N.)中,又通过对人类社会起源和语言文字起源的论述,露骨地亮出了他反对18世纪启蒙思潮的立场,并且在美学问题上与启蒙思想家的论述相对立,提出了"美,就是约定俗成,就是习惯传统"这一形而上学的标准,在美学领域里为旧传统的复兴鸣锣开道。

迈斯特尔最先准备写的一部有体系的著作是《论君权》(De la souveraineté)。他于1794年开始写作,全书包括两大内容:论君权的起源和论君权的本质,但该书并未完成,只有一个全书的大纲。没有完成的原因在于,在迈斯特尔这样一个狂热的反动思想家看来,纯理论的《论君权》还不能满足他反动的政治要求,他热衷于在意识形态上展开更直接的攻击,他中断了《论君权》而开始写《论法兰西》(Considérations sur la France),该书于1796年同时在伦敦和洛桑出版,这是在大革命高潮刚一过去之际反动的封建主义思潮对资产阶级革命的第一次大反击。该书出版后,流亡国外的路易十八向迈斯特尔表示了热烈的祝贺。

在《论法兰西》中,迈斯特尔把法国大革命丑化为谁也不理解的怪物,他认为革命成功了,但公理和道德却失败了,革命犯了两大罪,即弑君罪与渎神罪。为了彻底否定革命,他提出这样的问题:如果这次革命是天意安排的话,那么究竟上天本来的意图是什么?他解释说,这场革命不过是一场大屠杀,而这正是上帝对整个有罪的法兰西的惩罚。革命的两大罪也是整个民族的罪行,因为从来没有一桩罪行有这么多同谋犯。在这里,他把矛头指向了大革命中的广大人民群众,污蔑他们的"卑鄙龌龊"造成了可怕的罪行。迈斯特尔在发泄对大革命的仇恨的同时,也看到了革命的高潮已经过去,于是他诅咒共和国不能长存,并且欣喜若狂地宣称革命的灾祸已经完结,现在是法国国王回到法兰西、恢复正统秩序的时候了!与《论法兰西》有关的另一论著是《论政治结构和人类其他机构的普遍原则》(*Essai sur le principe générateur des constitutions politiques et des autres institutions*,1809)。在这里,迈斯特尔站在反动的封建主义立场上对资产阶级共和国的政治形式和宪法进行了批判。他针对启蒙思想家,竭力证明政治制度并不如他们所说的,是人类的创造,是人类的精神产物,而是一种神意的体现,是人作为神的工具来建立的。

波旁王朝复辟后,迈斯特尔于1817年开始写他最主要的著作《论教皇》(*Du pape*),该书于1819年出版,是封建教权主义思潮高度泛滥的一个标志。《论教皇》全书共分四大卷。第一卷论述教皇的至高无上,教皇的这种权威不仅是精神方面的,而且也是法权方面的,教会像一个君主国,而教皇就是这君主国的君主。其他各卷则依次论述教皇的神权与世俗的王权的关系、"与文明和人民幸福的关系",以及与异教教会的关系。在这里,迈斯特尔又是以启蒙思想家为对立面,反驳他们所揭示的天主教教会是违反人民的利益,甚至与王权的利益有矛盾的事实，把启蒙思想家所揭露的教会在中世纪和16世纪野心勃勃、权势炎炎、专制暴虐、横行跋扈的大量事实一笔抹杀，他竭力掩盖教会的罪恶，粉饰它贪婪的本质，说它拥有的领地数量不大，仅够它自己维持经济独立，它从不为扩大自己的领地去进行兼并或者与世俗的王权进行争夺；他大肆吹捧历史上那些教皇既是王权的节制者又是君主制权威的支持者，因而他们创建了整个欧洲的文明，是这种文明的保护人和大救星。迈斯特尔这些论述完全歪曲了历史的真相，为教会的黑暗统治和它在历史上的反动作用大翻案，在意识形态领域里和历史学范围里，掀起了一股反启蒙思潮的逆流，在19世纪起了很坏的作用。作为天主教教会狂热的卫道者，迈斯特尔在《论教皇》第四卷中，进一步维护宗教的"纯洁性"，鼓吹天主教教会的唯一合法的权威地位，批判一切与天主教的教义和教会分离的宗教学说和宗教派别。在他看来，这些宗教学说和宗教派别是一种叛逆，它们不可能与科学划清界限，最后必然陷入混乱。这里，迈斯特尔表现出了宗教蒙昧主义对科学的仇视和轻蔑，他甚至把科学和人类的探究精神视为一种有害的东西，他认为只有天主教超脱于科学与人类的探究精神之上，因而是唯一能抗拒科学的侵蚀和毒害的宗教。最后，迈斯特尔在该书的结语部分向那些离宗的教派发出了呼吁，他表现出与16世纪以来宗教改革的进步精神相对抗的反动倾向，对一切背离天主教会的宗派予以彻底否定，又用诱人的言词劝说这些教派归附天主教，归附于罗马教廷这"科学与智慧的不朽之母"。

迈斯特尔最后一部重要的作品是《圣彼得堡的黄昏》（*Les Soirées de Saint-Pétersbourg*，1821）。这部作品采用文艺的形式。书中有三个人物：圣彼得堡的参议员T先生，法国的青年贵族B先生，还有迈斯特尔本人，他们在涅瓦河上的黄昏时刻谈论政治和宗教问题，全书共包括十一篇谈话。通过这三个人物的交谈，迈斯特尔表述了一系列极为反动的思想：人民的生活要依靠王权和教会；天意决定着世人的命运；不公正是宇宙的规律，全世界的生物彼此不断残杀，以此来维持各自的生命；人类要靠自己屠杀自己，这就是战争；战争既是神意和宇宙规律的一种体现，又是人类赎罪的一种方式；通过战争，无辜者用自己的生命来补偿人类的罪恶；人类赎罪的另一种形式是死刑，刽子手是神的秩序的永恒体现；世界是一个血流遍地的大祭坛，这是对人不信神的惩罚，等等。《圣彼得堡的黄昏》没有最后完成，但这部反动作品在当时已经流毒甚广。

迈斯特尔全部理论活动的目的，都是为了把启蒙思潮和大革命的成果从现实生活中消灭掉，使历史发展的车轮倒转，恢复中世纪封建教权的统治。极大的疯狂性和顽固性是迈斯特尔的反革命理论的特征，他宣扬反理性主义、蒙昧主义、神秘主义达到了肆无忌惮的地步，他以极大的狂热公然赞颂封建统治的残暴。他全部理论的反动本质决定了它的虚弱性，因此，他在论述中必然求助于形而上学与诡辩。迈斯特尔精于此道。他还善于使用一些漂亮的词汇、周密的论述、机智的言词、细致的思辨来装饰他那些反动透顶、荒谬绝伦的观点，再加上他为本阶级的利益而战的热情和旁征博引的学识，他可以说是 19 世纪资产阶级在意识形态领域里所碰到的武装得最齐全，因而也是最可怕的敌人。

2. 波纳尔

波纳尔（Vicomte Louis de Bonald，1754～1840）贵族出身，大革命时期逃亡国外，参加过孔代反革命军队反对共和国的战争。执政府期间，他于 1810 年回到法国，在拿破仑的要求下，担任大学委员会成员。作为君主制和宗教的鼓吹者、极端保王党的理论家，他在复辟时期大受欢迎，1816 年根据复辟王朝的命令，法兰西学院选举他为院士。复辟王朝被推翻后，他坚持自己的正统保王主义的政治立场，拒绝与金融资产阶级的七月王朝合作，从此过着退隐的生活。

波纳尔的理论活动在他流亡国外的时期就已开始。他比较著名的论著是《政治权力与宗教权力的原理》(*Théorie du pouvoir politique et religieux*, 1796)、《社会秩序的自然法之分析》(*Essai analytique sur les lois naturelles de l'ordre social*, 1800)和《哲学研究》(*Les Recherches philosophiques*, 1818)。在这些著作中,他激烈反对18世纪的启蒙思想,在哲学上宣扬宗教神秘主义,认为人类社会、家庭以及文化艺术都起源于神,人的全部认识也都是神的启示,人没有任何创造力和独立的思维能力,因而只应该努力领悟神的思想,听命于神意。在政治上,他赞颂君主专制是神意的安排,是最合理的秩序,鼓吹恢复已被革命推翻的绝对君主政体,恢复神权即教会的统治。在所有制上,波纳尔竭力维护贵族的特权,力图证明这种特权合乎正义。在文学艺术上,他要求作家忠于君主专制和宗教,并在自己的作品里表现出这种态度以引导人类,也就是把文学艺术变为君主政治和宗教神学的宣传品。和迈斯特尔一样,波纳尔的论著全面表述了封建贵族残余势力在资产阶级关系已经确立的条件下,想要复辟失去了的政治统治权和所有制的反动愿望,因而也是19世纪上半期反动保守势力的理论武库,他不仅是贵族浪漫派的精神导师之一,而且对巴尔扎克这样的作家也产生过一定影响。

第二节 夏多布里昂

1. 夏多布里昂的生平

夏多布里昂(François-René de Chateaubriand, 1768~1848)是法国19世纪上半期最重要的贵族浪漫主义作家,没落贵族阶级在文学上最主要的代表人物。

夏多布里昂于1768年9月4日出生于布列塔尼一个没落的贵族

之家。他的父亲曾一度重振家业,买下了贡堡的领地。夏多布里昂从小被父母托给乳母照管,他在多尔的中学念书时,接受了耶稣会教士的熏陶。作为幼子,他没有继承父母遗产的权利。中学毕业后,他遵父母之命到布雷斯特进入海军,后又改变主意,声言"坚决要从事教职"。在教会学校里,他学会了希伯来文。但他不堪学校生活的艰苦,不久就回到贡堡的领地,在那荒野的环境和中世纪的古堡中,他常沉溺于孤独的冥想,只有姐姐吕西尔同他性情相合。1786年,他的家庭给他谋得少尉的职位。在哥哥的引荐下,他踏入巴黎的沙龙和文艺圈子,还进入宫廷,陪同国王路易十六行猎。

他眼见法国大革命爆发,为避开革命的冲击,便想实现早已萌发于心中的到美洲探险的计划。他于1791年4月初出发,三个月后到达巴尔的摩,又往北直至尼亚加拉大瀑布。当年12月从美洲启程返法。夏多布里昂并未到过美洲南部,但他后来撰写的游记却描述自己曾在南部周游。

路易十六企图出逃被捕后,夏多布里昂忽然匆匆返回法国,不无勤王之意。他回国后娶了一个有钱的女子,不久便把财产挥霍净尽。在巴黎,他极力逃避当时开展的控诉贵族的活动,一面又胆战心惊,怕当同情贵族的嫌疑犯而装出革命的姿态。1792年7月,他同哥哥一起跑到布鲁塞尔,参加贵族叛乱队伍,受伤后好不容易辗转逃到伦敦。在伦敦,他靠翻译和教书过活,开始写作《革命论》(*Essai historique, politique et moral sur les révolutions*,1797)。这部著作以古今各国的革命与法国大革命相比较,说明革命古已有之,事出有因,但面对革命,他又满怀着忧郁惆怅,自称这是一部"怀疑和痛苦的书"。

1798年6月,他得知母亲出狱后病死,据说死前看到了他的《革命论》,对他的不信教颇感痛苦。于是他不等《革命论》墨迹稍干,摇身一变,又以护教者的面目出现,开始写作《基督教真谛》。1800

年 5 月，他改名换姓回到法国，不久，认识了拿破仑的兄弟姊妹和一些赞同拿破仑恢复基督教的上层人物。1801 年，作为"试探气球"，他发表了《基督教真谛》中的一个插曲《阿达拉》，次年《基督教真谛》问世。此书和拿破仑与教皇签订"政教协议"的时间相近。1803 年再版时夏多布里昂加进了给"第一执政公民"的献辞："3000 万法国人在祭坛脚下祈求他将祭坛还给他们。"《基督教真谛》投合了拿破仑复兴天主教的意图以及人们在大革命的动乱之后又要求恢复宗教生活的社会心理，因而引起强烈反响。夏多布里昂也由此得到拿破仑的赏识。继 1803 年任命他为驻罗马使馆一秘后，拿破仑又任命他为驻瓦莱公使。可是，夏多布里昂的护教与拿破仑复兴天主教的出发点并不相同。夏多布里昂是要维护旧制度旧秩序，而拿破仑只是想利用天主教会加强自己的统治。因此，夏多布里昂同拿破仑的矛盾很快便激化起来。1804 年因某公爵被帝国当局枪决，他便提出辞职以示异议。1806 年他到近东去旅行，回来后写成《殉教者》（1809）和《从巴黎到耶路撒冷纪行》（*L'Itinéraire de Paris à Jérusalem*，1811）。

此后，夏多布里昂越来越多地参与政治活动。1809 年他的一个堂兄弟被当作保王党处决。他与帝国当局更加结下不解之仇。1811 年他进入法兰西学院时撰写的演讲稿对当局旁敲侧击，引起一场纠纷。1814 年 4 月他出版了一本小册子《论波拿巴和波旁王室》（*De Bonaparte et des Bourbons*），发泄了他对拿破仑的不满，这是他对波旁王朝的一份觐见礼。果然，波旁王朝返回之后，夏多布里昂成为驻瑞典大使。在拿破仑卷土重来的"百日时期"，他跟随路易十八流亡。波旁王室再度复辟后，他成为贵族院议员、内政大臣。1816 年 9 月他发表了《按宪章建立的君主政体》（*La Monarchie selon la Charte*），并常在《保守者报》上发表文章，阐发自己的"独立"见解。1821 年他进一步获得波旁王朝的重用，先后被任命为驻柏林大使和最引人注目的驻伦敦大使。1822 年他代表法国出席维罗那会议，讨论西班牙王室被共和党推翻的事件,是会议上的活跃人物,曾要求让法国单独处理这一事件。1823年他出任外交大臣,马上发动了侵略西班牙的战争。1828年出任驻罗马大使,最后"他在波林尼雅克刚刚当了大臣之后,便突然吵吵嚷嚷地提出辞呈,借口是认为这样就葬送了'自由'①。"在复辟王朝的最后几年,他发表了几部作品:表现他对"自然人"的理想的《纳戚人》(*Les Natchez*,1826)、描写中世纪西班牙摩尔王国的骑士的短篇历史小说《阿邦塞拉奇末代王孙的奇遇》(*Les Aventures du dernier Abencerage*,1826)和记录他游历北美时见闻的《美洲游记》(*Le Voyage en Amérique*,1827)。

七月王朝时期,夏多布里昂仍然忠实于波旁王室。《关于贝里公爵夫人被捕的备忘录》(*Mémoire sur la captivité de Mme la duchesse de Berry*,1832)就是他为企图煽动叛乱的贝里公爵夫人辩护的小册子。此后他两次到国外谒见流亡的查理十世。在此期间,他继续撰写他早已着手的《墓外回忆录》。1844年发表了宣传忏悔与苦修的《朗西传》(*Vie de Rancé*)。晚年他缠绵病榻,死于1848年镇压六月起义的枪声沉寂下来之际的7月4日。

2.《基督教真谛》

《基督教真谛》(*Le Génie du christianisme*,1802)是夏多布里昂的代表作。全书共分四个部分。第一部分《教理和教义》,论述自然的完美证明了上帝的存在,宇宙的美使人趋于信仰。第二部分《基督教的诗意》,论证基督教所孕育的文学艺术作品较异教诗歌优秀,并把他著名的小说《勒内》作为例证,他还把古代诗歌和现代诗歌、把荷马的作品和《圣经》加以比较,以赞美基督教对文学艺术的影响。第三部分《美术和文学》,谈论音乐、绘画、雕刻、哥特式的教堂建

---

① 马克思:1854年10月26日给恩格斯的信,《马克思恩格斯全集》第二十八卷,第406页。

筑、哲学，论证"基督教的和谐"，尤其是那些咏唱遗迹的诗歌的和谐，中篇小说《阿达拉》作为例证收入这一部分。第四部分《信仰》从教堂装饰、祈祷、宗教仪式、坟墓谈到传教、骑士团、教会对社会的功绩等等。《基督教真谛》囊括了各种考证、哲学论述、旅行回忆、艺术评论和穿插性的小说，其主旨在于从各方面去论证基督教的"真谛"所在，指出基督教诗意的美，"使人热爱基督教"。

单从文学的角度来看，《基督教真谛》有它特殊的重要性，夏多布里昂实际上在书中提出了贵族浪漫主义的文学主张，即把天主教看做文学创作的源泉，要求文艺同天主教结成一体。夏多布里昂认为："在一切现今存在过的宗教中，基督教是最富于诗意的，最人道的，最利于自由和文艺的；现在的世界一切都得之于它，从农业一直到抽象科学。""众所周知，欧洲的文明，一部分最好的法律，差不多所有的科学和文艺都来自宗教。"在他看来，文艺创作的成功与否也取决于基督教："它促进了天才，使趣味纯净，发展了美好的情感，使思想充满活力，给予作家以崇高的形式，给予艺术家以完美的楷模。"他进一步以基督教的精神去衡量一切文学作品，认为历史上的杰作都体现了基督教精神。夏多布里昂在这里所提出的论据完全是似是而非的。的确，欧洲许多文学的发展同宗教有着密切关系，文艺复兴以来，有不少优秀的文艺作品确也采用了宗教传说或宗教题材，但这并不能得出天主教是文学作品的源泉的结论。历史上的优秀作品虽然采用了宗教传说或宗教题材，反映的却是当时的社会现实，社会生活才是它们根本的源泉。夏多布里昂似乎振振有词地指出，《神曲》"这部奇异的创作的魅力几乎就来自基督教；它的缺点则来自时代和作者的坏趣味"。但事实上《神曲》的魅力并不在于宣扬了宗教思想，而在于暴露了社会的黑暗面，表现了当时的社会矛盾以及时代的精神，而且恰恰是抨击了天主教会。夏多布里昂认为是"缺点"之处，却正是这部作品的精华所在。总之，夏多布里昂硬把天主教同文艺创作说成具有因果关系，无非是企图为文艺宣扬宗教观念制造理论根据，给宗教文学开辟道路而已。

《基督教真谛》对贵族浪漫主义文学的题材内容也提出了要求。书中充满了对历代帝王的陈迹旧习的描绘和赞颂，对中世纪衰朽事物的无限缅怀和崇拜，以及对坟墓、废墟，对人生虚无、命运无常之感的爱好和欣赏。在夏多布里昂看来，忧郁是文学的第一要素。他认为天主教发扬了忧郁的倾向，而忧郁是对天国思慕向往的表现。他认为描绘出自己忧郁、虚空的心灵才算是美的作品，才达到"高贵"体裁的标准，因而主张在文学中追求"模糊的思慕之苦"和孤独感。正是在夏多布里昂的这种主张之下，复古、颓废的情调成为贵族浪漫主义文学的典型特征。为了给这种反映没落阶级的消极精神状态的内容提供论据，夏多布里昂提出作家要追求非尘世间的"真正的"美的主张，说什么艺术家的使命不在于反映现实，而在于"超乎世界之上"，即离开现实，进入梦幻一般的境地。

夏多布里昂的文学理论带有明显的没落贵族阶级的烙印。他所主张的逃避社会和现实，沉湎到内心孤独或古代异域之中，都集中反映了没落贵族对大革命后社会现实的不满，对被摧毁了的旧制度的眷恋，对往昔花柳繁华生活的无限向往。他鼓吹宗教和中世纪，敌视18世纪启蒙思潮，正暴露了他的文艺思想的阶级倾向。

3.《阿达拉》

《阿达拉》（*Atala*，1801）是一部中篇小说，故事发生在18世纪初北美的印第安人部落中。小说采用回忆手法，由一个印第安人沙克达斯叙述往事。沙克达斯年轻时参加了同世仇部落的一次战争，他的部落打了败仗。他落荒而逃，来到圣奥古斯丁，被一个西班牙人罗佩兹收留。罗佩兹待他情同父子，他仍一心想回到美洲的荒原，在归途中不幸被世仇部落俘虏。按照习俗，他应被烧死，但酋长的女儿阿达拉爱上了他，偷偷将他放走，沙克达斯却因爱她而不愿离去。阿达拉的母亲临死曾立下誓愿，要她信奉基督教并献身天主，她眼见自己不能与信奉异教的沙克达斯结合，内心十分痛苦，看到沙克达斯因为爱她甘愿赴死，又十分感动，在执行火刑的前一晚，她贿赂了巫师，灌醉了看守，与沙克达斯一起逃走。他俩来到原始森林，在那里躲避雷雨。阿达拉告诉沙克达斯，她的父亲是一个白种人，叫罗佩兹，即沙克达斯的恩人。这时传来了悠扬的钟声，接着出现了一个传教士奥布里神甫，传教士把他俩领到一个新开辟的居民点。阿达拉忠于自己的宗教信念，服毒死去。若干年后，沙克达斯靠了一只受过传教士救助的母鹿"指点"，在乱草丛中找到了阿达拉和神甫的墓穴。

夏多布里昂在《阿达拉》中所要表现的主题是，基督教才是文明人类的归宿。他把阿达拉塑造成一个为宗教信念而殉身的人物，制造了所谓"爱情和宗教信仰的矛盾"。阿达拉的母亲是个虔诚的基督教徒，她虽然是印第安人，生活在印第安人的部落之中，但已完全接受欧洲文明人的信仰。阿达拉忠于母亲的誓愿，宁死也不背叛天主，她对沙克达斯说："我信仰的宗教使我同你永远分开"，"如果你是爱我的，那你就信仰基督教，将来同我会合"。她克制自己心中的爱情，用生命来维护宗教信念。最后，她如同殉教者一样，受到隆重的安葬。在作者笔下，阿达拉是一个崇高的殉教者形象。她的行动启迪了沙克达斯，沙克达斯终于也改信了基督教。宗教战胜了爱情，虽然付出了惨重的代价，却使野蛮人改变了信仰，夏多布里昂以此歌颂基督教的神圣，赞美为天主献身的精神。作品中另一个人物奥布里神甫也是作者为了赞美基督教的圣洁而制造出来的。他到美洲传教已30年，仅在山洞里就住了22年。每逢风雨天，他总要出外援救遇难的人。他出现在阿达拉和沙克达斯的面前时，"他的胡子和头发湿漉漉的，他的脚、手和脸都被荆棘划破，流着血"。他不怕猛兽袭击，"怕的是有人在危急中，而我对他们没有用"。再一看，他的手指被人切掉了,原来是神甫初来传教时,被印第安人切掉的。他说:"上帝有朝一日会启迪这些可怜的瞎子,看到他们对我犯下的罪孽,我甚至更加怜爱他们。"他经过长期努力,使印第安人的风俗"逐渐淳化"了,人们见到他便马上放下手里的活计,跑到他跟前,有的吻他的袍子,有的扶着他走路。作者写道,这是"基督教对野蛮生活的胜利",展现了"印第安人在宗教感召下文明起来"的画面。整篇小说充满了宗教色彩,传教士的小狗在恶劣的天气里居然知道密林里有迷路的行人,好像有神灵在指点它似的;一只受过传教士抚养的母鹿也会给来人指出主人的墓穴,以此来报恩,仿佛是神灵在起作用。作者就是这样通过人物形象和细节来宣扬基督教对人们精神的感召力量、对社会生活的改造作用、对万事万物的指引威力,渲染一种宗教的神秘力量,为基督教精神的复活大吹法螺。

小说中的人物都具有贵族浪漫主义的形象的特征。小说的男女主人公虽然都是印第安人或有印第安人的血统,其实都是乔装打扮的现代欧洲人。阿达拉被写成一位法国化的小姐。尽管她生活在印第安人之中,却瞧不起印第安人:"我环顾四周,只看见一些不配和我订终身的人。"完全是一副白人的傲慢态度。沙克达斯不仅具有19世纪初欧洲人的特点,而且具有受到大革命冲击的人的特点。他谈到人世间一切东西都十分易逝和空虚时,非常悲戚忧郁,认为这是不可避免的,"我的心灵整个儿处于孤独之中"。在他身上毫无印第安人的特征,而更像一个没落贵族。小说的另一个人物也这样说:"伟大的情感是孤独的。"这些人物都感叹自己的命途多舛,其精神状态与受到大革命冲击的贵族十分相似。小说结尾这样写道:"人啊,你只是一枕转瞬即逝的梦,痛苦的梦;你生活着就要遭逢不幸;你存在着就要忍受心灵的忧郁和思想永恒的忧愁!"这就是所谓"世纪病"患者对人生的病态的感喟,生活在莽原丛林中的"野蛮人"不可能患上这种忧郁症,而只能是特定时代特定阶层——没落贵族对失去旧日美好时光的反应。

在表现形式上,《阿达拉》已具备贵族浪漫主义的种种特征。最突出最鲜明的一点就是以极端华丽并富有诗意的形式或语言去装饰病态内容,因而必然暴露出浮夸虚饰的弊端。夏多布里昂以北美作为小说背景,是为了迎合当时的社会风气,不惜以杜撰的手法描绘人们所未见过的自然和异域风光,什么"吃葡萄吃醉了的熊"、"留着高贵而庄严的长须的野牛"、"气味如龙涎香一般的鳄鱼",等等;他嫌密西西比河这个词太司空见惯,而且会使人想起臭名远扬的密西西比股东,就采用了古名梅夏塞贝河;当时拿破仑的大军越过阿尔卑斯山的雪峰,流传着教士援救了不少迷失在山岭中的士兵的故事,夏多布里昂便改头换面,安上这类教士救人的情节;为了赶时髦,他让女主人公的名字用元音"阿"的音结尾;他还迎合大革命后散文开始诗化的趋向,竭力使自己的散文具有诗的韵律,大量使用花哨得过分的文字。

4.《勒内》

《阿达拉》的浪漫主义特征在短篇小说《勒内》(*René*,1805)中又有显著的发展。

《勒内》描写的是一个破落贵族子弟的飘零命运。勒内来到纳戚人的部落,为了同印第安人的风俗相适应,娶了一个妻子,却不同她一起生活,他常常独自到森林深处,度过忧郁的时光,后来他对沙克达斯和老传教士说出了自己的身世。他出身于法国一个贵族之家,因为不是长子,不受家庭重视,从小不在家中抚养。他的母亲在他出世时难产而死,他只有在姐姐阿美莉身边才感到些微温暖。父亲死后,根据长子继承权,家产全部归了哥哥,勒内和阿美莉只能住到亲戚家去。勒内为了摆脱愁闷的心境,出国周游,但是他越来越感到渺茫绝望,想要自杀。阿美莉接到他的信后,赶来劝慰他。阿美莉对勒内一直怀有"罪恶的激情"——她爱着勒内。这种感情终于压抑不住,她给勒内留下一封信,自己悄然进了修道院。勒内追踪而至,阿美莉约他在自己献身受洗时同他见面。勒内同阿美莉隔绝以后,决意离开这纷嚣的人寰,到遥远的北美去,临走时徘徊在修道院的围墙下。不久,勒内得知姐姐病故的消息。最后勒内在路易斯安那州的大屠杀之后去世。

勒内是法国文学史上著名的"世纪病"的典型,忧郁、孤独、厌世是他性格的特征。他感到自己身世不幸,这个世界没有他的容身之处,或者说他与这个世界格格不入,因此,郁郁寡欢,难以排遣,在他眼里,甚至"在一切地方,人的自然歌声都是忧郁的"。他追求孤独,在孤独中寄托自己的忧思,整日"迷茫于巨大的灌木丛中",对着"一片枯叶被风追逐"发出无穷的遐思,或者在他蛰居巴黎郊外时,时常"伫立在桥上,观看落日西沉,并且想着,在那许多屋顶底下,就没有一个知心人",他觉得自己像在沙漠中一样孤寂,由此进一步对生活失去了信心,并发展成为一种极端厌世的思想,"越来越讨厌事物和人们"。他发出这样的哀鸣:"唉!我孤零零,孤零零,活在人间!……对于生活我重又感到恶心,而且比从前更甚。"以致觉得"在社会里的每一小时都打开一个坟墓"。

勒内的"世纪病"就是大革命后没落贵族阶级消极颓废、悲观绝望的精神病,它的形成有着阶级和时代的根由。勒内出身于破落贵族家庭,他眼见资产阶级暴发户的阔绰豪华,不禁对家中的败落景象感到羞辱,心中愤愤不平,这种内心骚动完全是由于个人欲望得不到满足而引起的。像勒内这样的破落贵族的幼子,既无财产,又不具备谋生的本领,他从小鄙视任何工作,认为从事任何职业都是不幸中之不幸,因此,他只愿过着无所事事的寄生生活。这种生活给他带来的只能是消极的精神状态。如果说,阶级出身和阶级地位是产生勒内的"世纪病"的根源之一,那么,时代的变动则是更直接的原因。法国大革命的来临如晴天霹雳,使勒内这样的贵族子弟受到极大的震动,勒内惊呼"在一个民族中从来没有发生过更惊人更突兀的变动了",他诅咒大革命改变了对宗教的尊崇和风俗的淳厚。他的哥哥把祖屋变卖了,他对着自己曾经生活过的地方的破败景象发出感叹。贵族阶级的天堂犹如这座老屋已经颓败倾圮,一去不再复返。勒内动情地哀叹旧王朝的覆灭。他感到无亲无友,孑然一身,"在我的祖国比在外国更感孤独"。法国大革命摧毁了贵族阶级的一切,属于这个阶级的青年自然感到举目无亲,一切希望都破灭,因而更增加了他们的没落感和绝望感。

但在小说中,勒内的感伤情怀被作者披上了诗意的外衣。勒内表面上是一个温情脉脉的柔弱的青年,仿佛是一个被命运所抛弃的不幸者,其实,就这个形象所代表的当时的贵族青年来看,这一类人物面对不如意的现实,远不是作者所描写的那样"清高",而是千方百计进行投机,到处钻营。勒内出国周游,后来去了北美,实际上也是寻找出路的一种表现。《勒内》这篇小说,正是大革命后像夏多布里昂这样一些"野心勃勃的家伙们的大言不惭、浮夸虚饰,然而却是有深刻的真实意义的自传"。勒内这一类患着"世纪病"的"畸零人",正是后来波旁王朝实现复辟的反动社会基础。这一类青年患上忧郁症是因为失去了旧制度的依傍,他们盼望着波旁王朝的返回,好重新找到自己的归宿。因此,虽然《勒内》这篇小说刚出版时不像《阿达拉》那样受重视,却在复辟王朝时期受到了欢迎。

夏多布里昂的其他作品以《殉教者》和《墓外回忆录》较为重要。

《殉教者》(*Les Martyrs*,1809)是一部宗教历史小说,曾收在《基督教真谛》中。故事发生在公元3世纪末的罗马帝国。荷马神庙教士的女儿西莫多塞在树林里迷了路,得到基督徒于多尔的救助。她的父亲为了向于多尔致谢,特地领女儿登门造访。西莫多塞和于多尔一见钟情,于多尔要西莫多塞也改信基督教,这样两人才能结合。于多尔应客人要求讲述了自己的生平:他曾在高卢作战,受伤被俘,做了奴隶；他还到过埃及，镇压过土著的暴动。后来他受到基督教的启示找到了真正的信仰。在于多尔的感召下，西莫多塞决定改信基督教，并到耶路撒冷去接受洗礼。加利里乌斯上台后，大肆杀戮基督教徒，西莫多塞被捕后本已获释，但她赶到斗兽场，和于多尔牺牲在一起。这时上天的神秘声音宣布天主来临，得胜的康斯坦丁宣布基督教为国教。

小说对基督教的讴歌有着明显的政治含义。夏多布里昂极力影射的是第一帝国，他把加利里乌斯写成暴君，借此影射拿破仑。作者选取了基督教即将在欧洲盛行的前夕基督教徒受迫害的史实，意在同当时法国封建贵族纷纷被逐出国外、酝酿着卷土重来的现实联系起来。夏多布里昂歌颂基督教的殉教者，也就是要歌颂那些亡命国外进行反革命复辟活动的贵族。他笔下的男女主人公都是奴隶主后代，小说中的奴隶主都被赋予各种美德，他们施恩于奴隶，收获时有意在地里丢下许多麦穗让奴隶们拾取。歌颂走向没落的奴隶主阶级，是一个借花献佛的手法，以此歌颂没落的封建贵族。这部为贵族阶级唱挽歌的小说出版后，受到第一帝国当局的指责。

《墓外回忆录》（*Les Mémoires d'outre-tombe*，1850）是夏多布里昂的自传，可能从19世纪初就开始动笔，断断续续写了几十年。1838年夏多布里昂曾发表了关于维罗那会议的一部分，后来又曾在《新闻报》上连载了两年，作者死后在布鲁塞尔出版，1899年全书问世。《墓外回忆录》分四部分。第一部分记叙夏多布里昂的童年生活和青年时期，从1768年写到1800年。第二部分记录他的文学生涯，他同密友的往来，以及同拿破仑的会见和破裂，从1800年写到1814年。第三部分是政治生涯，写他在整个复辟王朝时期的活动。第四部分回忆他在七月王朝时期的经历。

在这部自传里，夏多布里昂把自己写成一个英雄人物，将自身置于末日审判的天使的地位，甚至自比拿破仑。他认为他的生活是不幸的，却是典范的。他极度夸大自己的作用，如认为《论波拿巴和波旁王室》这本小册子使路易十八得到的好处胜过10万军队的威力；他任大臣的时间似乎远远超过两年，并使欧洲震颤；他常常大言不惭地说："如果我在这时死去，如果夏多布里昂先生不存在了，世界会有多大变化啊！"他对自己的一生作了美化，他喜欢卖弄、狂妄浮夸的品格使这部回忆录有不少失真的地方，特别是全书还贯穿着作者维护贵族阶级的思想。不过，这部回忆录毕竟是了解夏多布里昂的必不可少的著作，而且，其中有关复辟时期的篇章，也提供了一些历史资料。

马克思曾经对夏多布里昂进行过严肃的批判："这个写起东西来通篇漂亮话的家伙，用最反常的方式把18世纪贵族阶级的怀疑主义和伏尔泰主义同19世纪贵族阶级的感伤主义和浪漫主义结合在一起。自然，从文风上来看，这种结合在法国应当是件大事，虽然，这种文风上的矫揉造作有时一眼就可以看出。"[①]他在文学史上的地位之所以重要，主要是因为他代表了没落贵族阶级的文学思潮，无论在内容上、在形式上都构成了一种相当精致的阶级文学的典型。

第三节 拉马丁

1. 拉马丁的生平

阿尔封斯·德·拉马丁（Alphonse de Lamartine，1790~1869）是19世纪法国贵族浪漫主义的第二个代表作家。同夏多布里昂一样，他在法国政治舞台上也扮演过极不光彩的角色。他的诗歌创作在复辟时期表现了没落贵族的思想情绪，而在七月王朝时期则反映了资产阶级反对人民革命的思想观点。

[①] 马克思：1854年10月26日给恩格斯的信，《马克思恩格斯全集》第二十八卷，第401页。

拉马丁生于一个顽固的保王党家庭。他的父亲是个骑士,有"旧贵族的完美典型"之称,法国大革命爆发后,他跑到巴黎企图保卫路易十六,与他的两个伯父同时被捕,直至热月政变才被释放出狱。拉马丁的母亲也是贵族出身。拉马丁从小在耶稣会教士开办的神学院念书,对宗教十分虔诚,常常在傍晚潜入教堂祈祷。在神学院里,他读到夏多布里昂的小说,深受影响。从神学院出来后,他思想十分苦闷,如他母亲所记叙的那样:"1812年和1813年是他青年时代最阴郁的时期,混杂着无所事事、烦闷、疾病……"他常到伯父们的保王党社交场中鬼混,越发刺激了他的低沉情绪:"我烦恼到不可想象的程度,我要因此而得病。"他的家庭不允许他效力于拿破仑。波旁王朝返回法国后,他于1814年7月被征入王家禁卫军。百日时期,他曾跟随路易十八逃亡,最后只身流亡到瑞士。路易十八第二次复辟后,他又回到禁卫军。这个时期,他进入了巴黎贵族上流社会,在那里朗读自己的诗作,得到贵族头面人物的保护,并受到贵族思想的进一步熏陶。1820年3月,他先后被任命为驻意大利那不勒斯使团的随员、秘书,开始了他在政治上与复辟王朝合作的生涯。

在被任命为随员之后不几天,他的《沉思集》出版了。诗集受到贵族上流社会的欢迎,他在1823年又发表了续作《新沉思集》。1825年5月他写了长诗《加冕礼曲》,肉麻地吹捧查理十世登位是"法国幸福的曙光"。他的献媚使他得到了升迁,终于当上代办。1828年回国后,查理十世接见了他。他虽不愿再在复辟王朝中任职,却并没有停止政治活动。1829年他被选入法兰西学院。1830年6月中旬,他发表了《诗与宗教和谐集》。

七月革命对他来说是一个重要事件。开始他还徘徊在保王党的营垒中,提出反对判处贵族政治犯死刑等主张。1832年他到中东去旅行,回来后政治态度开始发生变化,此后逐渐从保王党转变到资产阶级自由派。1833年他成为议员。1836年发表长诗《若斯兰》,1838

年又发表另一部长诗《天使谪凡》。1840年他创办了《公益报》，积极参与政治活动。1847年出版的历史著作《吉伦特党人》，为他在1848年资产阶级二月革命中掌权打下基础。二月革命后他出任临时政府外交部长，实际上是临时政府首脑。他赞同卡芬雅克对六月工人起义的镇压，暴露了自己的反动面目。在总统选举中，他惨败于拿破仑三世。

从这时起，他的诗歌创作实际上也结束了。1849年他发表了小说《格拉齐耶拉》(Graziella)，稍后又发表另两部小说《热奈维艾芙——一个女仆的故事》(Geneviève, histoire d'une servante，1851)和《圣普安的石工》(Le Tailleur de pierres de Saint-Point)。此后20多年里，他除了编辑一些政治、文艺杂志以外，还写了一些历史著作和回忆录，以应付累累债务。1869年2月28日拉马丁死于巴黎。

2.《沉思集》及其他

《沉思集》(Méditations poétiques，1820)是拉马丁的代表作，它的续作《新沉思集》(Les Nouvelles Méditations，1823)和稍后的《诗与宗教和谐集》(Les Harmonies poétiques et religieuses，1830)属于同一类作品，都写于复辟时期，而且思想倾向相同。这三部诗集构成拉马丁第一个时期的创作。

由抒情诗组成的《沉思集》，表现了没落贵族对自身命运悲观绝望的思想情绪。诗歌主题完全师承夏多布里昂的作品。《沉思集》所反复咏唱的消逝的爱情和时光、孤独、忧愁、对人生的悲观绝望、虚无、冷漠、死亡、宗教虔信等内容，无不可以在夏多布里昂的作品中找到。

《沉思集》最重要的一首诗是《湖》(Le Lac)。这首诗用第一人称描述诗人在湖边的回忆：他望着波光粼粼的湖水，万分忧伤地想起去年的一个夜晚他和情人在湖上泛舟的情景，如今这一切都消逝了，他们永远不能相会了，诗人绝望地发出叹息："就这样我们一直被推送到新岸，被永不复返地带往永恒的黑夜，难道我们永远不能在岁月的汪洋中抛锚，停留一日吗？"他呼喊道："相爱吧，相爱吧！让我们及时行乐，享受这转瞬即逝的时光！人没有停泊的港湾，时间没有可抵达的岸边；我们的生命倏忽即过！"《湖》所描绘的景色和所表达的情调，同《阿达拉》的男女主人公泛舟于美洲丛林的大河中那一节十分相似，只不过《湖》表现得更"诗意"一些罢了。《湖》不论在形式和内容上，都是贵族浪漫主义诗歌典型的代表作，它鼓吹的及时行乐和流露的忧郁感伤，反映了贵族阶级没落颓废的人生观和精神状态。诗歌运用回忆的手法也正是贵族阶级留恋往昔的感情在艺术上合适的表现方式；尽管作者力图把情感表现得自然些，但仍然流露出雕砌造作的痕迹。

诗集中的其他篇章，都可以看作《湖》所表现的思想内容的补充和延伸。《人》（*L'Homme*）一诗比较集中地反映了作者对人生的悲观看法。在他看来，"人"的欲望是无限的，而他的能力却有限；"他想探索世界，他的眼力却很衰弱"；他总是口渴，但总解不了渴；他就像"遗落在虚无边缘的一颗原子，或者像被风卷走的一粒尘沙"；诗人提出这样的问题："与命运斗争有什么用呢？"对此，他只能发出绝望的呼喊，不知何去何从，甚至认为："我们的罪孽就是做人，就是想认识。"拉马丁在这首诗里极力宣扬的是虚无悲观的思想。除了虚无悲观，诗集还宣扬孤独感："我像游荡的幽灵俯视着大地……从这山到那山，从南到北，从早到晚，我的目光徒劳地寻视着，我跑遍无垠无际的地域，我要说，哪儿都没有幸福等待着我……我冷漠地注视着太阳的行程……我对时日一无所求……我犹如枯叶，狂暴的北风呀，像卷走枯叶一样把我带走吧！"（《孤独》）。死亡，更是作者赞颂的主题，它被说成"天国的解放者"和上帝拯救人类痛苦的使者，作者认为正是"死亡""为我打开了一个更美好的世界"（《永生不死》),"卸下了人类苦难的重负"(《垂危的基督徒》)。因此,他表白:"要是征询我的话,那我是要拒绝出生的","我的最后一天,是我最美好的一天"。(《信仰》)《沉思集》中的"我"和"他"实际上都是没落贵族的写照,这种充满了虚无悲观、孤独绝望,想脱离尘世的人物在拉马丁的诗歌中出现,是有着深刻的社会原因的。在复辟时期,虽然法国贵族凭借外国反动势力实现了复辟,但资本主义仍在发展,贵族阶级不可避免地走向末日,历史的发展表明,它是没落的、没有前途的、行将灭亡的阶级。拉马丁诗歌中所表现的这种悲观绝望的感情,正是贵族阶级精神状态的反映。

宗教虔信的主题在《沉思集》中也占有重要的篇幅。拉马丁的诗歌里诚然常常出现一些宇宙科学的术语,但丝毫没有一点科学的气味,在他手里只是一种宣扬宗教的新词汇。他大肆宣扬宗教神秘主义的思想:"他存在着,一切都在他之中:无边无际的空间和时间,就是它无限存在的最纯的分子;空间是他居住的地方,永恒是他的年龄;日光是他的目光,世界是他的形象",总之,他是无所不能,无所不包的,"了解他的人是幸福的,热爱他的人就更幸福"。(《上帝》)拉马丁认为宗教信仰能给未来"投射一线希望",祈祷能给人以无穷的力量(《祈祷》),等等。这些关于宗教的"沉思"已经没有多少诗意,而纯粹是一种说教了。

《沉思集》出版后在贵族上流社会得到很高的评价,拉马丁在一封信中说:"国王对这本诗集作了极誉之词,所有竭力反对诗人的人……都阅读这些诗篇,并当众朗诵。"有的反动报纸认为他"从宗教中吸取灵感",成就已在拜伦之上。在这种舆论的推动下,拉马丁写出了《新沉思集》。

《新沉思集》重复着《沉思集》的主题。拉马丁特别吟咏了人生短促,命途多舛,及时行乐的内容。《杏枝》一诗写道:"杏树开花的枝头,啊,美的象征,生命的花朵像你一样,花开花落都在夏天来到之前……品尝这短暂的欢乐吧……风儿夺走的每朵花都对我们说：快快享受吧。"另一首诗写道："我自言自语说：总要消逝的幸福，只不过是一场梦。"《哀歌》一诗又重复了同样的及时行乐的思想："采摘吧，在生命的早晨采摘玫瑰吧……人就这样在岁月的重压下弯着腰，向着一去不复返的温馨的春天哭泣……快快饮干生命的酒杯吧，趁它还在我们的手里。"这首诗模仿16世纪诗人龙萨的诗作《致爱伦娜》十四行诗第四十三首，但内容显然颓废得多。《垂危的诗人》又进一步发挥说："我们生命的酒杯一斟满就破碎了；我的生命随着每一下呼吸就离开我胸怀一步。"《新沉思集》流露的颓唐情绪比《沉思集》更为明显，随着复辟王朝后期革命危机的加深，拉马丁的"沉思"显然更堕入了悲观的深渊。与此同时，拉马丁又在《新沉思集》里抒发了贵族阶级反动的政治情绪。如《波拿巴》一诗，描述在圣赫勒那岛拿破仑墓穴的像旁，"苍蝇在这暴虐的额头上嗡嗡叫着"，讽刺拿破仑"在人间只要听长剑的碰击声和雄浑的喇叭声"，奚落他的石像如今只能倾听海浪拍击礁石的单调声音了。封建贵族势力对刚刚去世的拿破仑的憎恨心理，在这首诗里表现得颇为露骨。

  在七月革命前夕发表的《诗与宗教和谐集》在内容上没有多大变化。有的诗通过描写一粒橡实随风飘落到山坡上，受到雨露的滋润，成为一棵参天大树，企图表现"造物主"的"智慧"和"意志"（《橡树》）。有的诗通过内心的感叹抒发"自然的永恒，人生的短暂"，"我的心灵已像死亡一样忧愁"。在《返家》一诗中，作者描写一个流亡者回到祖居，面对断垣残瓦，感怀往昔美好的天堂般的生活，流露了对贵族流亡者的同情。对拉马丁来说，现实社会存在着尖锐的阶级斗争，是决然并不和谐的，他幻想通过恢复往日的秩序和宣扬宗教来创造一个"和谐"的世界。联系到诗集发表在七月革命前半个月，它的内容的反动性就显而易见了。

3. 七月王朝时期的创作

七月革命前拉马丁在诗中宣扬"和谐世界",这成为他以后创作的一个新出发点。七月革命的爆发促使他的观点产生变化,在七月王朝时期,他的诗歌创作的主要倾向是鼓吹阶级调和论,反对人民革命。《若斯兰》和《天使谪凡》是代表这种倾向的两部作品。

《若斯兰》(*Jocelyn*,1836)是一部叙事长诗。全诗以日记体的形式写成,从1786年一直写到19世纪初。主人公若斯兰出身贵族,为了让他的姐妹结婚,他放弃继承财产,进神学院读书。大革命的政治变动使他不能如愿当上神甫。雅各宾党专政时期,革命冲击到教会,他不得不逃到阿尔卑斯山的一个岩洞里。一天,两个逃亡者来到这里。年老的因伤重死去,年轻的是个女扮男装的贵族女子罗朗丝。他俩终于相爱了。若斯兰下山到监狱里会见主教,主教下令要他当教士,不许他恋爱和结婚,他只得和罗朗丝分手。若斯兰于1797年做了本堂神甫。罗朗丝的婚姻很不幸,她到处流浪,死于贫困。若斯兰在宗教熏陶下差不多成了圣人。他死后埋在罗朗丝旁边。

《若斯兰》的内容是反对法国大革命,特别是雅各宾专政的。长诗谈到1793年法国人民处决路易十六时这样写道:"王国的土地吸饮了国王的鲜血……无辜就是他的罪行!噢!沉醉在血泊之中的人民。"对路易十六之死表示了无限的同情,对人民的革命行动进行了责难。作品写到法国大革命对教会的扫荡时这样说:"人民相信了谣言诡辩,被鼓动起来闯入神圣的门槛,殴打我们和追捕我们。"作者哀叹:"祈祷本身也成了一桩死罪。"他又进而对法国大革命进行了直接的攻击,把这场革命形容为"血腥的深渊"、"罪行的顶点",充满了"恐怖的屠杀",到处是复仇、焚烧、抢劫,全是"血和泪的日子",与此同时,拉马丁又对热月反革命政变表示十分赞赏。拉马丁在长诗中表明这种态度不是偶然的,一方面,他看到随着七月王朝的建立，金融资产阶级掌握了政权，于是像当时许多保王党分子一样，摇身一变，跻身到资产阶级政党之中，把政治当作"一门为当代提供机会的科学"，企图通过它往上爬；另一方面，他又害怕和仇视社会革命，反对当时流行的圣西门主义，认为"无产者问题可能在当今社会造成最恐怖的爆炸事件"，污蔑无产者"盲目、无理性，对一切社会上层嫉妒成性，怯懦而残暴"。他害怕无产者、人民群众起来推翻现存秩序。正是站在这样的立场上，拉马丁反对法国大革命和雅各宾专政时期的革命暴力。

《天使谪凡》（*La Chute d'un Ange*，1838）是根据《圣经》题材写成的叙事长诗。它写一个天使西达尔爱上了一个游牧部落酋长之女达依达。为了救她，他下到人间，结果做了奴隶。他俩相爱的真情败露后，达依达被囚禁在饥饿塔中。她在塔中生了一对双生子，西达尔设法把她和一对双生子救出来。在逃跑途中遇见一个隐士，隐士给他们讲述一部古书。后来他们被巴尔贝克国王捉去，国王的宠姬爱上了西达尔，骗他逃走。他醒悟过来后又返回，鼓动人民起来反对残暴的统治者。最后，他和达依达被国王派来的人引进沙漠，达依达和双生子饥渴而死，他则投身于烈火之中。这时，《圣经》所说的酿成滔天洪水的大雨开始降落。

《天使谪凡》宣扬超阶级的爱。在作者笔下，一个天使和一个远古时代的凡人相爱，这种爱超越一切时代和一切限制；作者认为只有这种爱才是最崇高的，才能产生力量去克服一切困难。但从作品描写的具体内容来看，达依达生活的地方恰恰不是一个脱离社会历史发展的、虚无缥缈的世界，而是一个奴隶社会。西达尔下凡后成了一个奴隶，作为奴隶的西达尔同酋长之女恋爱，在这个奴隶社会里是不允许的，作者便只能求助于上帝赋予的"神力"，让西达尔有可能救出达依达和两个孩子，并携带他们潜逃。另一方面，拉马丁却把奴隶们写得非常残酷，他们把统治者的内脏血淋淋地挖出来，"以复仇来满足他们的官能感受"，他们奸尸，进行大屠杀，"被扼杀的羔羊变成扼杀者，干出的坏事超出了他们要复仇的程度"。西达尔呼喊道："难道人总是以罪还罪吗？"为了结束人间这种"残忍的杀戮"，拉马丁提出了自己的方案。在诗中，隐士那部"古书"被拉马丁描写得像《圣经》一样，它认为"最神圣的法则"就是要实施博爱，它宣扬："你决不要举起手反对你的兄弟，你不要把任何鲜血洒落在地，无论是人血，是家畜的血，是鱼类的血，还是鸟类的血。一个听不见的声音在你心里响着，禁止你抛洒鲜血，因为血就是生命，而生命是你所不能偿还的。"它呼吁用仁慈和宽恕作为"正义"的准则来代替"复仇"，"愿人人互相友爱吧"。拉马丁通过这一部"古书"，大力鼓吹超阶级的爱，显然是针对七月王朝时期新的阶级矛盾，力图维护资产阶级的统治秩序。

拉马丁鼓吹阶级调和、反对社会革命的活动在19世纪40年代最为活跃。《吉伦特党人》(*Histoire des Girondins*，1847)继续发挥他在上述两部长诗中的主题："我在书中的每一页都指出，革命屠杀处决了许多受害者，从而扼杀了革命。"

第四节 维尼

1. 维尼的生平

阿尔弗雷·德·维尼（Alfred de Vigny, 1797~1863）是贵族浪漫主义文学中有哲理思想的一个作家，他认识到旧制度不可挽回的灭亡命运和资本主义制度取得胜利的历史必然性，他的所有作品是对封建制度的一曲挽歌。

维尼的经历是一个旧制度维护者所走过的生活道路。他出身贵族，受的是天主教的教育。父亲是个骑兵军官，舅父参加过舒昂党人叛乱，他的家庭"是替国王把这个孩子培养大的"。1814年波旁王朝复辟时，不到17岁的维尼便进了王家宪兵队，从此成为一个狂热的保王党人。1815年他参加护送路易十八出奔，1816年成为禁卫军少尉，1823年任散兵团上尉，曾随军开往西班牙前线，1827年退伍。七月王朝时期他对现实不满，1836年隐居在自己的庄园里。1845年进入法兰西学院。1848年参加国民议会竞选，结果惨败落选。此后一直到死，很少再抛头露面。

维尼从1816年起开始创作诗歌。1822年出版了第一部诗集，随后于1826年、1829年、1837年又加以补充，1864年他的后期诗作被题名为《命运集》出版。19世纪20年代末他开始翻译莎士比亚的戏剧《威尼斯商人》(1828)和《奥赛罗》(1829)，获得成功。1831年上演了他的第一个剧作《昂克尔元帅夫人》(La Maréchale d'Ancre)，1835年又上演了《查铁敦》。作为小说家，他于1826年发表长篇小说《散-马尔斯》，后来又写出《斯岱洛》(Stello, 1832)、《军人的屈辱与伟大》(1835)等。他的著作中还有一本《日记》。

2. 维尼的诗歌

维尼最早是以诗人的身份登上文坛的。但他的诗歌不多，只有二三十首，然而名声很大，可见他对诗歌是十分讲究形式，不肯轻易发表的。他写于复辟时期的长诗《摩西》(Moïse, 1826)、《爱洛亚》(Eloa, 1824)、《洪水》(Le Déluge, 1826)和后来的《命运集》(Les Destinées, 1864)是他的代表诗作。

维尼的诗歌具有浓厚的悲观主义色彩。他开始发表诗作是在拉马丁之后，拉马丁笔下孤独、悲观、绝望的主题在维尼手里进一步发展了。同拉马丁一样，维尼面对贵族阶级的日趋没落和旧制度的崩溃怀有一种无比孤独和绝望的心理。维尼的长诗大部分采用《圣经》题材，故事发生在远离人间的地方，写的是悲剧结局的孤独。《摩西》

的主人公是个先知，维尼描写他怎样变得与人们格格不入，十分孤傲，最后他祈求上帝让自己死去。《爱洛亚》和《洪水》的主题也大同小异。在维尼笔下，世界或上帝对人类的厄运是无动于衷的；人类社会是仇视个人的；他的人物面对自己的厄运，唯有用沉默来回答，或者逃避到寂寥的孤岛上去，或者是去寻求死亡。《牧羊人之屋》(*La Maison du Berger*，1844) 这样叙述"宇宙"的讲话："我是冷漠无情的剧场，演员的脚并不能使它颤动……我听不见你们的呼喊，也听不见你们的叹息；我只感觉到在我身上正演出一幕人间喜剧。"这里，"宇宙"的态度，乃是维尼所理解的历史发展的必然趋势。维尼把贵族阶级的没落看做人类遭遇到噩运，他的绝望感和悲观感正是由于认识到这种必然灭亡的命运而产生的。基于这种哲理的认识，维尼的诗歌往往表现为抽象观念的拟人化，并在故事中插入哲理的思考。他把不幸写成无时无刻不在纠缠着人的恶魔，把命运写成主宰人类的神灵，认为邪恶不可避免，人们只得听天由命。在维尼笔下，人类就像抛入海中的浮瓶一样，无法主宰自己的命运，只能任凭海浪的摆布和上帝意志的驱使（《海上浮瓶》，*La Bouteuille à la mer*，1854）。维尼特别指出，在现今世界上，天才和优秀人物生不逢时，注定要孤独和蒙受苦难。实际上，这是对贵族飘零子弟诗意的美化。

维尼在诗歌中为自己和本阶级提出一种处世哲学，这就是面对厄运死不回头的所谓"坚忍精神"，亦即至死坚持贵族阶级立场。《狼之死》(*La Mort du loup*，1843) 是维尼的重要作品，它从猎人打猎写起，描述一条老狼为了保护幼狼，同猎人搏斗的情景：它咬住第一条冲上来的猎犬的喉咙，子弹打在它的身上，猎刀穿透它的身躯，它仍不松口，它不屑知道自己为什么而死，只睁大眼睛，不叫一声地死去。这条老狼的命运，使人联想到垂死的贵族阶级的命运。维尼充满激情去歌颂这种"高度坚忍的骄傲"，他认为"呻吟、哭泣、祈求都同样是怯懦的"。提倡"在命运已要召你前去的道路上，奋力履行你漫长而沉重的职责吧。然后，像我一样，默默地忍受痛苦而死去"。这首诗是对面临死亡的族类的一首哀歌，这种"坚忍的骄傲"的哲学贯穿于维尼的诗歌创作之中，使他的诗作带上强烈的悲剧色彩。

3. 维尼的戏剧与小说

维尼的戏剧代表作是《查铁敦》（*Chatterton*，1835）。这是一出三幕剧。剧本以资产阶级革命后的英国为背景，故事发生在伦敦。诗人查铁敦十分贫穷，一身是债，他寄居在富商约翰·贝尔家里，对生活已是十分绝望，唯一支持着他的，是他心里爱着贝尔的妻子吉蒂。他外出散步时遇见旧日的同学，其中一个是市长的亲戚。他原想躲避他们，他们却找上门来。贝尔原来看不起查铁敦，这一来便敬他三分。市长亲自来找查铁敦，建议他去当自己家里的仆役长。这时，查铁敦在报上看到一则消息，说他的作品不是他写的，而是抄袭一个10世纪作家的作品。他受不了这接二连三的打击，服鸦片自杀了。一直爱着查铁敦的吉蒂，发现他自杀后，也痛苦死去。

在剧本中，维尼通过庸俗、粗鄙、自私、专横的资产者贝尔，抨击了资产阶级的拜金主义，并通过查铁敦的经历，力图表明诗人在资本主义社会里毫无地位。查铁敦徒有天才，这个资产阶级社会不给他发挥才能的机会，社会舆论也对他造谣中伤，他受到人们的冷眼对待，更谈不上满足自己的爱情愿望。他的死是社会造成的。剧本尖锐地提出了人在资产阶级社会中的命运问题。然而，维尼是站在贵族阶级的立场上来指责这一切的。他说："我力图写出唯灵论的人怎样被一个唯物论的社会所扼杀。"在维尼看来，诗人查铁敦是专门从事精神活动的，而资本主义社会则充满了"自由竞争"，崇尚发财致富，一切都成了商品，必然扼杀诗人的精神。但是查铁敦却是一个维尼式的精神贵族，他感到那个社会里的一切都与自己"格格不入"，感到它们会扼杀他的想象和他的诗情，认为这是"命运"在为难他，他把自己的绝望当作人类的通病，最后以死来摆脱一切烦恼。因此，维尼是从消极的方面，以时代落伍者的眼光去批判资本主义的。他甚至摆出一副同情工人的姿态，描写一个工人因出了工伤事故而被解雇，工人们便集体向贝尔请愿。维尼使用的笔法正是当时贵族阶级所使用的。马克思和恩格斯指出：贵族阶级在七月革命中再一次被打败后，他们只能对资产阶级进行文字斗争，而且也不可能重弹老调，"为了激起同情，贵族们不得不装模作样，似乎他们已经不关心自身的利益，似乎只是为了被剥削的工人阶级的利益，才声讨资产阶级"[①]。在维尼声讨资本主义社会的谤文中，恰好可以清楚地听到这种旧的封建阶级的音调。

维尼创作的消极倾向在他的小说中有着露骨的表现。写于复辟时期的《散-马尔斯》(*Cinq-Mars*，1826) 和写于七月王朝时期的《军人的屈辱与伟大》(*Servitude et Grandeur militaires*，1835) 是两部流传很广的小说。这两部小说反映了维尼对资产阶级大革命和对资本主义代替封建主义的历史必然性的认识。

长篇小说《散-马尔斯》是一部"历史小说"，小说描述了17世纪路易十三统治时期，1639年至1641年由贵族青年散-马尔斯所组织的一次反对首相黎塞留的阴谋叛乱的失败经过。散-马尔斯出身于大贵族之家，家庭里充满了反对黎塞留的敌对情绪。散-马尔斯进入宫廷之前听到巴松皮埃尔元帅的一席激烈言论。元帅当晚被捕。散-马尔斯到卢登城拜访他的老师基耶神甫时，见到了黎塞留主使进行的审讯和火刑的场面。散-马尔斯想到宫廷谋职，受到黎塞留的冷落，却被国王看中，当了盾士长。他四处奔走，动员国王、王后、国王的弟弟一起参加推翻黎塞留的活动。优柔寡断的路易十三受到黎塞留的奸细的挑唆，临时又改变了主意。散-马尔斯不顾一切地要发动叛乱，企图引进西班牙和意大利的军队，以便夹攻黎塞留。他的阴谋全

---

① 马克思、恩格斯：《共产党宣言》，《马克思恩格斯选集》第一卷，第274页。

被黎塞留知悉，他派往西班牙去联络的人也被截住，连订下卖国条约的文本也被夺回。散-马尔斯在四面楚歌之下仍硬充好汉，同他的密友德·图一起前去自首，并拒绝他的同伴搭救他的企图，像殉难者一样上了断头台。

《散-马尔斯》是一部鼓吹维护封建旧制度的作品。维尼选取路易十三统治时期作为小说背景，绝不是偶然的。他把黎塞留巩固绝对君权的政策看做是动摇贵族社会大厦的开端，认为法国资本主义的发展，是由于黎塞留执行重商主义政策的结果。他站在推行分立主义的大贵族一边，完全赞同大贵族反对黎塞留的阴谋活动。小说中，巴松皮埃尔元帅认为黎塞留要是完成他的全部业绩，"大贵族就得离开和丧失他的封邑"。德·图要散-马尔斯向国王解释，说大贵族反对的是黎塞留，而不是国王，国王同大贵族是同根所生，打击了大贵族，就动摇了整个民族，国王便会被孤立起来，"犹如一棵老橡树，当围绕着它和支持着它的森林被掀倒以后，在原野的风劲吹之下，就会晃动起来，摇摇欲坠"。散-马尔斯在动员叛乱时也说："如果我们胜利了，法兰西就有赖于我们而留存下它古老的风俗，安然无恙。"维尼在小说结尾通过英国诗人弥尔顿指出，黎塞留"创立了未来共和国的基础"，把黎塞留同克伦威尔并列起来。黎塞留既然被写成一个对摧毁封建制度起过作用的人物，于是就成了一个具有野心、想当摄政王，甚至想当国王的反面形象。作者无非企图以此来衬托散-马尔斯进行叛乱的"正义性"。甚至对他引入外国军队的叛变行为也加以美化，似乎是为推翻野心家的统治而必须采取的手段。在小说中，即使西班牙籍出身的王后也断然反对这样做，即使有人向散-马尔斯指出，如果向外国军队让出要塞，就永远不会归还了，他的名字将会被后人所诅咒，但这个贵族阶级的英雄仍一意孤行。作者越是要表现这个人物的"坚决果断"，反而越暴露出他卖国者的面目。其实，散-马尔斯并不像作者所标榜的那样大公无私，他在为大贵族的利益奔走时，还怀着个人的目的：他因没有资格和自己所爱的玛丽·德·贡扎格公主结婚，就企图干出一番"轰轰烈烈"的大事业，获得国王封赐公爵的荣誉，以达到与公主结婚的目的，这种个人目的使他不惜走上叛国的道路。散-马尔斯还十分鄙视人民，他发觉自己处于底层人民之中便感到"脸红"；他和他的同伴要把反对黎塞留的活动同人民的"反对情绪"区分开来，以保持他们纯粹的贵族观念不被玷污。显而易见，散-马尔斯是贵族阶级的代表人物。作者把他写成为了"崇高事业"而献身的殉难者，正暴露了自己的阶级立场，而他之所以把一个卖国者当作正面形象，也反映了当时复辟王朝对外投靠"神圣同盟"的卖国政策的需要。

为了替自己的作品辩护，维尼提出了一套艺术创作原则。他在小说再版序言《论艺术的真实》中说，艺术真实"是观察人性的真实，而不是事实的真实"，就是说，作家可以根据自己的需要来歪曲历史事实，用不真实的情节来代替历史真实。维尼企图以此来为他笔下的黎塞留的不符合历史真实的形象辩解。然而，这一主张倒也表现了贵族浪漫主义的一个基本创作原则。

《军人的屈辱与伟大》由三个故事组成。第一个故事讲述督政府时期的一个船长按照政府的指令，把一个政治犯带往美洲的卡依安纳，途中却同政治犯及他的妻子结成好友。到达卡依安纳以后，拆开公文信封一看，是命令他把政治犯枪决掉。船长执行了命令。他答应了政治犯生前的请求，把政治犯发了疯的妻子收留在身边。第二个故事发生在资产阶级革命前，一个弹药库保管人幼时受一个神甫的抚养，与神甫女仆之女相爱。她被路易十六的妻子选中做绘画的模特儿。王后表示只要他去当兵，就把她嫁给他。他果然去当了兵。最后在王后成全下他俩结了婚。第三个故事讲述一个军官的故事。他从小就崇拜拿破仑。他的父亲被英国人俘虏后改变了对拿破仑的看法，还写信指点儿子。一次，这个军官亲眼看到拿破仑同教皇庇特七世的一幕谈话，使他更了解到拿破仑是怎样一个人。后来，他也被英国人俘虏了，而且正好碰上俘虏过他父亲的那条军舰。他循规蹈矩，没有逃跑，被宽大放回法国。由于拿破仑不喜欢当过俘虏的人，他受到冷遇。他在一次夜间行动中带领士兵杀死了一队俄国兵，还亲手杀死了一个年仅14岁的小孩。1830年7月28日，即在七月革命的三天战斗中的一天，他在巡逻时，被一个14岁的小孩打伤死去。

这部小说集，带有明显的政治色彩。第一篇故事显然是指责督政府的"惨无人道"。那个政治犯年仅19岁，他的妻子只有17岁，他们结婚刚4天，他因相信政府对新闻出版自由的许诺，写了三个讽刺督政府的剧本，却遭到逮捕，先判处死刑，后改判流放，不料最后仍是枪决。作者把他写成无辜的受害者。第二个故事美化路易十六的妻子和她的女伴，后者是一个公主，在法国大革命爆发时被愤怒的群众扼死了。作者企图通过他的人物——王后和公主的"善良"品性，抨击法国大革命的"残暴"。第三个故事极力丑化拿破仑的形象。作者通过一个从小对拿破仑崇拜得发狂的军官一生的经历，企图表明这种狂热是一种历史误会。在维尼笔下，拿破仑是一个置民情于不顾、暴戾、狡黠、给人民带来苦难的暴君形象，他得意扬扬地宣称："我掌握着你们所有的人：教皇、各国国王和人民。"但小说里掌握在拿破仑股掌之中的教皇却显出"神圣的高贵和无比的善良"，他指斥拿破仑是个喜剧演员，又是个悲剧演员。维尼还把拿破仑描写成一个喜怒无常、内心空虚的人物。"一坐下来，就烦恼欲绝，三天不在枫丹白露打猎，就厌倦得要死。"正因为拿破仑代表了资产阶级的利益，是资产阶级的英雄人物，所以站在贵族立场上的维尼便极力对他进行诋毁和歪曲。

三篇小说都带有浓厚的宿命论色彩。三篇小说的主人公，一个在滑铁卢战役中被炮弹打死；另一个死于弹药库的突然爆炸；第三个更是应了因果报应，死于小孩之手。第一篇故事的开头是在1814年路易十八出奔的途中，阴雨连绵，色调灰暗。第二篇故事一直延伸到复辟王朝时期，弹药库爆炸的景象被写得惨不忍睹。第三篇故事一直写到1830年七月革命的头两天，对这次革命的描写充分反映了作者阴暗的心理。这三篇故事所写的三个片段，代表了复辟王朝从产生到灭亡的过程，特别是反映了作者对旧制度灭亡的悲哀心理。

第三章　斯塔尔夫人、贡斯当及其他

斯塔尔夫人、贡斯当、瑟南古、诺迪埃是资本主义秩序在法国建立后,活动在19世纪初的第一批资产阶级作家。他们处于资产阶级与封建贵族阶级争夺政治统治权的斗争尚未完全结束的历史阶段,其本身的经历就反映了这一斗争的尖锐和复杂。他们作为18世纪思想家精神上的第一代儿女,站在启蒙思想的立场上,最先感受到了资本主义秩序的矛盾,在文学中致力于发掘自己的资产阶级个性所感受的矛盾和痛苦,并把它们加以艺术化,从而成为19世纪法国文学中第一批资产阶级浪漫主义者。

第一节　斯塔尔夫人

1. 斯塔尔夫人的生平

斯塔尔夫人(Mme de Staël,1766~1817)本名热尔曼娜·内克(Germaine Necker),出身于18世纪末一个显赫的名门世家,祖上是爱尔兰血统,信奉新教,曾流落德国,后来定居于日内瓦。她的父亲雅克·内克完成学业后进入银行界,由于金融业务的关系来到巴黎,成为拥有大量财富的金融巨头。作为一个温和的资产阶级上层的代表人物,他被封建政权看中,曾于1777年、1788年两度被任命为财政大臣，其任务就是挽救已经面临崩溃的专制政体，前一次，他因为触犯了腐朽的宫廷贵族集团而被迫下台；后一次则正当革命风暴来临之际，几乎成了封建专制制度的殉葬品。

热尔曼娜·内克生于1766年，她的幼年时代正值她父亲在巴黎显赫一时，内克夫人的沙龙是当时名流聚会的所在，在这里，热尔曼娜·内克不仅在政治见解、文化修养等方面受到了一般家庭所难以得到的熏陶，而且以她的聪慧和见识在这个闻名全欧的沙龙里成为一颗明珠。她自幼深受卢梭的影响，以这位思想家崇尚自然的学说为信仰。但她的母亲是一位古板的拘泥传统的妇女，在她的严格管束下，热尔曼娜颇感痛苦，她与参加过美国独立战争的青年子爵玛奇·德·蒙莫朗西的初恋，就是在家庭的干预下被破坏的，后来她把这种受压抑的部分感受写进小说《黛尔菲娜》中。1786年，20岁的内克小姐顺从母亲的愿望，与比自己的年龄大一倍的瑞典驻巴黎大使斯塔尔男爵结婚。男爵是瑞典国王居斯塔夫三世的宠臣，一个典型的以逸乐为业的贵族。斯塔尔夫人的沙龙开始成为巴黎社交生活的一个中心，她本人则是当时沙龙生活中最卓绝的人物，以机敏的应对和才华横溢的谈吐著称，来到她的沙龙的基本上都是一些自由主义贵族。

斯塔尔夫人早在15岁就开始写作散文、小说和诗体悲剧。1788年，她发表了《论卢梭的著作及其书信集》，这本文风夸张的著作对卢梭作了高度的赞颂，在这里，作者所深爱的既不是卢梭的政治理论，也不是他对大自然的描绘，而是他对感情至上的宣扬。这本书并没有全面提供关于卢梭的知识，倒是有助于了解斯塔尔夫人本人的思想，它包含了斯塔尔夫人在日后的作品和论著里将要加以阐发的那些思想的萌芽。她在书里把自己的父亲和卢梭等量齐观，她欢呼三级会议的召开，相信法国可以通过和平而不是流血的途径获得福祉，并且已经面临壮丽的前景。为此，她告诫人们必须保持举国的团结一致。她这种政治立场，带有上层资产阶级在革命危机前所特有的明显的改良主义色彩。

1789年革命爆发后不久,内克作为资产阶级自由派还拥有很高的声誉,斯塔尔夫人也沉醉在她父亲所享有的光荣之中,她所期望的是按照英国方式建立君主立宪制,因此,革命初期的形势显然很合她的口味。但随着革命一步步深入发展,她的切身利益也受到了冲击,首先是她所崇敬的父亲被迫流亡国外,尔后,与她关系密切的那批自由主义贵族纷纷逃亡,她的密友纳尔蓬也从国防部长的职位上掉了下来,只是因为她的搭救才保住了性命。1792年8月10日革命行动之后,革命队伍中的温和派完全被清除,斯塔尔夫人自然也站到了雅各宾专政的对立面。她尽力援救那些被捕者,甚至还为王室的出逃制订了一个计划,最后,她眼见难以自保,也不得不逃出了法国,先在瑞士的科佩,后又来到英国。她是一个力图在法国政治生活中打下自己的烙印的妇女,当她不能在巴黎的政治舞台上扮演角色的时候,她就用笔来顽强地表现自己。1793年,她发表了一个小册子,为在革命中被处死的路易十六的王后玛丽-安东奈特辩护,竟然颂扬这个女人"天性善良"、"为人正直"、"临危不惧"、"母性深厚",她这样做既不是出于私利也不是因为与王后有旧,而完全出于一个温和派的热情。雅各宾专政被推翻后,她于1794年、1795年先后发表了《关于和平问题向庇特先生与法国同胞提供的意见》与《关于国内和平的意见》,主张欧洲和平和法国国内政治的稳定,她还提出自己的政治设想:在法国成立一个立宪制的政府,以保王党中拥护自由的一派与共和党中维护秩序的一派的联盟为基础,而宪法所规定的选举权则完全属于有产者。所有这些活动和论著清楚地表明了斯塔尔夫人在政治上作为一个资产阶级温和派的实质。也是在这一时期,斯塔尔夫人开始了作家的生涯,在1794年发表了第一个短篇《聚尔玛》(*Zulma*),1795年、1796年又相继发表了三个短篇小说《米尔查》(*Mirza*)、《阿兑拉意德与泰奥多尔》(*Adélaïde et Théodore*)、《波里纳的故事》

(*Histoire de Pauline*)和理论著作《论激情对个人幸福与民族幸福的影响》(*De l'influence des passions sur le bonheur des individus et des nations*)。

  1795年，斯塔尔夫人回到巴黎，这时正是执政府时期，对政治的热衷使她又打开自己的沙龙，并把它变成了政界温和派人士活动的一个中心。她在1794年结识的本杰明·贡斯当就是这个派别的领袖，同时也是她的众所周知的情人。1800年，她重要的文学理论著作《论文学》出版，据她自己回忆："该书的成功使我完全成了上流社会的宠儿。"但是，在这个时期，她与拿破仑之间产生了矛盾。当拿破仑光彩夺目地出现在政治舞台上并逐渐得势掌权时，斯塔尔夫人几乎是带着崇敬的心情设法同他接近，"每次我听他讲话，都被他的超群卓绝所感动"，甚至在拿破仑和她谈话时，她由于"赞赏备至"慌乱得"找不到言词来回答"。但她并没有得到拿破仑的友谊。失望之后，她由崇拜转为怨恨，很快成为拿破仑的敌人，她的沙龙变成了反拿破仑舆论的制造所。斯塔尔夫人与拿破仑的冲突，并不如有些文学史所记载的那样仅仅由于私人的原因，而是有社会的必然性。她作为资本主义新秩序下的第一代资产阶级妇女，强烈地要求表现自己，力图对当代政治施加影响，而拿破仑却要排除一切干扰，实行军事专制；她代表资产阶级上层知识分子的利益，要求享有充分绝对的自由，而拿破仑则要建立铁的秩序。于是，斯塔尔夫人自由化的思想和言论、不能忍受任何束缚的资产阶级个性，就与拿破仑的内外政策发生了尖锐的矛盾。当拿破仑得知斯塔尔夫人的敌意而派人去问她需要什么代价才能停止攻击时，她回答说，问题不在于她要求什么而在于她的思想。不久，贡斯当在立法院公开提出反拿破仑的建议，斯塔尔夫人的父亲又在《对政治和经济的新观察》一书中表示了反对个人独裁的思想，这两件事最后使拿破仑下令将斯塔尔夫人驱逐出巴黎。1803年10月，斯塔尔夫人接到命令，不许居住在巴黎方圆40里以内的任何地方，被迫离开了她心爱的舞台，这对斯塔尔夫人来说是一次沉重的打击。

1803年，斯塔尔夫人出版了她重要的文学作品《黛尔菲娜》，同年12月，她获得拿破仑的允许访问德国。访德期间，她与歌德、席勒有了直接的交往。1804年底至1805年初，她在意大利旅行，研究意大利的文物和艺术，考察当地的风俗习惯，获得了写作另一部重要小说《柯丽娜》的灵感。《柯丽娜》出版后获得了很大的成功，但拿破仑又下了新的命令，把作者驱逐出法国。斯塔尔夫人回到科佩，作为拿破仑的反对派，她的家又成为欧洲封建君主国那些著名的王子和贵族名流经常造访的中心。此后，她还到德国、奥地利短期居留，继续研究德国的语言文学，并开始写作她重要的理论著作《德意志论》，该书于1810年完成。虽然斯塔尔夫人获准在巴黎出版这部著作，并得到许可居住在离巴黎100里的地方，但该书发行的那一天却又遭销毁，因为官方认为它"丝毫没有提到皇帝"，因而"不是法兰西的"。斯塔尔夫人又一次被勒令在24小时之内离开法国。这一次她的自由受到更严格的限制，只许在科佩方圆6里以内的范围活动，而她的一些社会联系也都被无情地切断，凡是到科佩来访问过她的人，都遭到了拿破仑的惩罚。有人曾通知她，只要她在自己的著作里对拿破仑采取逢迎的态度，就可以得到重返法国的权利，但被斯塔尔夫人拒绝。

经过一个时期的策划，斯塔尔夫人逃出了科佩，途经奥地利、波兰，到达了圣彼得堡。在俄国她当然受到了沙皇政府的欢迎，而在拿破仑进攻俄国的时候，她的思想感情也自然地站在法国军队的对立面。1812年10月至1813年6月，她旅居瑞典的斯德哥尔摩，在这里与反拿破仑的势力结合在一起，并开始写她流亡生涯的回忆录《流亡十年》，记述了1800年她出版《论文学》以后的种种经历。1813年她来到英国，在这里发表了《德意志论》一书。随着拿破仑的失败和联军攻入法国，她的感情发生了复杂的变化，她既希望拿破仑的军队获胜又希望拿破仑本人死去。波旁王朝的复辟使她感到悲哀，流亡贵族卷土重来的行径使她产生反感。她对拿破仑的东山再起并不感到意外，但拿破仑在百日统治时期聘请她几次，她又予以拒绝。正是在法国革命的浪漫史彻底告终的时刻，她带着矛盾复杂的心情写作了《论法兰西革命》（Considération sur la Révolution française）。在该书中，她对大革命初期的贵族自由派集团和温和的共和派作了高度的评价，并宣扬应该把英国的政治制度作为法国仿效的模范。波旁王朝第二次复辟后，她到国外旅居，1816年秋回到巴黎，第二年夏天逝世。

斯塔尔夫人是资本主义条件下由启蒙思想哺育出来的第一代资产阶级个性的一个典型。她的出身和经历决定了她在政治上是一个温和派，思想上是一个自由派，追求妇女的个性自由、崇尚个人热情是她思想中最突出的内容。因此，她必然与拿破仑政权发生冲突，而这种对立又使她在当时欧洲两大势力的斗争中，身不由己地落到了不论从政治理想还是从思想倾向来说都不是她所属的那个封建主义阵营一边，这对于一个资产阶级思想家来说，多少具有悲剧的意味。

2.《黛尔菲娜》

斯塔尔夫人一开始发表她的小说创作，无疑就意味着19世纪的法国文学中将出现一个新型的作家。她最初的三个短篇悲剧故事《米尔查》《阿兑拉意德与泰奥多尔》与《波里纳的故事》，都表现了作者本人青年时代早期的热情，就像她后来的主要作品《黛尔菲娜》与《柯丽娜》一样，都是以女主人公的死亡告终的。在这几个短篇的前面，有一篇名为《论虚构》（Essai sur les Fictions）的序言，作者在这里把感伤小说的地位提在一切艺术虚构的作品之上，把卢梭的《新爱洛绮丝》视为一切小说之冠。可见斯塔尔夫人一开始就显示了对浪漫主义文学的兴趣，她是以一个上承卢梭的传统、下启19世纪浪漫派之先河的姿态出现在 18 世纪末期的。如果说斯塔尔夫人的政治论著表现了她作为一个温和派在一次彻底的革命中难以避免的缺陷,那么她的文学创作则显示了与资本主义条件矛盾着的个性所具有的某些进步意义,如《黛尔菲娜》与《柯丽娜》;而她的文学理论著作则又充满了对新文学的向往和激情,如《论文学》和《德意志论》。这两个方面,构成了她在法国 19 世纪浪漫主义文学运动中先行者的地位。

斯塔尔夫人的一位亲近的朋友曾经说过:"可以说,她的作品就是她自己生活的回忆录。"这一评语虽然过分,但也说明了斯塔尔夫人的确把自己的思想感受、经历处境写进了自己的作品。《黛尔菲娜》与《柯丽娜》都是如此。

《黛尔菲娜》(*Delphine*,1802)的故事发生在 18 世纪末巴黎的上流社会,和年轻的斯塔尔夫人所处的时期和环境完全一致。主人公黛尔菲娜就是艺术加工后的斯塔尔夫人的化身。她年轻貌美,富于才情,性格热情,思想高超,在父亲死后嫁给了自己的监护人,但 20 岁时就成了寡妇。她出于好心把自己的一部分财产送给了自己的亲戚凡尔龙夫人的女儿玛蒂尔达做嫁妆,以便促成她与一个西班牙贵族雷翁斯·蒙德维尔的婚姻,但黛尔菲娜与雷翁斯一见倾心,彼此相爱。黛尔菲娜把自己的秘密告诉了凡尔龙夫人,后者为了女儿的利益,企图进行破坏。恰巧黛尔菲娜的好友爱尔婉夫人与自己的情人瑟尔伯纳勒在黛尔菲娜家幽会时被丈夫抓住,两个男人进行了决斗,结果情人杀死了丈夫。黛尔菲娜为了保护爱尔婉夫人的名誉未透露事情的真相,外界以为决斗是因争夺黛尔菲娜引起的,因此,黛尔菲娜的名誉蒙受不白之冤。她只把真相告诉了凡尔龙夫人,以为她会转告雷翁斯,凡尔龙夫人却利用这个机会向雷翁斯撒谎,加深他对黛尔菲娜的误解。于是,雷翁斯作出了娶玛蒂尔达的决定,虽然他并不爱她。不久,凡尔龙夫人去世,临死前忏悔了自己对雷翁斯的欺骗。雷翁斯明白真相后继续与黛尔菲娜交往,他们虽从无越轨行为,但整个上流社会却戴着有色眼镜加以看待。黛尔菲娜的亡夫的朋友瓦罗尔布也热恋黛尔菲娜，为了挽回她的名誉决定娶她为妻。黛尔菲娜虽表明自己并不爱瓦罗尔布，但热恋者的意图毕竟引起了雷翁斯的嫉妒。一夜，瓦罗尔布为躲避警察来到黛尔菲娜家，被雷翁斯撞见，雷翁斯要求与他决斗，此事又被讹传为丑闻，黛尔菲娜因此名声更坏，玛蒂尔达也要求她断绝与雷翁斯的来往。黛尔菲娜不得不离开巴黎来到瑞士，寄居在修道院。瓦罗尔布追到瑞士，由于黛尔菲娜再次坚决拒绝而精神崩溃并死去，他死前向雷翁斯说明了自己与黛尔菲娜清白的关系。雷翁斯在自己的妻子死去后赶到瑞士来娶黛尔菲娜，但她在雷翁斯赶到之前宣誓当了修女。法国大革命爆发后，修女们的宣誓全部作废，黛尔菲娜还俗回到法国，准备与雷翁斯结婚，但人们对她侧目而视，她不愿给雷翁斯带来损害，改变了原来结婚的决定。革命深入发展后，雷翁斯卷入了保王党，被捕后判处死刑。戴尔菲娜营救无效，绝望之下，她服毒后跑到刑场，死在雷翁斯被枪杀之前。

小说写的是一个不平凡的女性的悲剧命运。她之所以遭受这种命运，并不是由于她自己的缺点和过错，而完全是社会一手造成，甚至可以说，如果不是那样热情、高尚、慷慨大度，她也许不至于屡招损害。她为了孝心埋葬了自己的第一次爱情，铸成了她一生不幸的根源；她出于对别人的善意，却促成了以自己的幸福为牺牲品的婚姻；而她高尚的性格又使她不断遭到诽谤和中伤。社会是那样卑劣、庸俗、敌意，而她却是那样缺少心计，毫不介意，完全按照自己的品德行事，因此，她必然被那个无情的社会压得粉碎。斯塔尔夫人在小说里把社会的传统、偏见、舆论描写成个人幸福、高尚情操和热烈感情的对立面，表现出了一种妇女对个性自由、对个人幸福的向往以及在追求过程中的受压抑感。这种情绪和她本人的经历分不开，她这样一个才情卓越的妇女，在个人生活上也不止一次感受到社会传统对自己的压抑。她的初恋的不幸结局，她因为与丈夫分居在名誉上所受到的损失，因为与贡斯当的尽人皆知但又不合法的关系而遭到的非议，使她自然而然把自己的感受和情绪移植在她笔下的艺术形象黛尔菲娜身上，只不过黛尔菲娜在私人生活方面比作者本人更纯正、更无可指责。斯塔尔夫人就这样通过黛尔菲娜不断遭到社会的中伤和迫害的故事，提出了个人与社会矛盾的问题，特别是妇女命运与社会的矛盾问题，第一次表现了资产阶级女性在资本主义条件下的感受。

作者笔下的这种感受已不只是一种笼统模糊的情绪，而是有着具体的社会内容，她把揭露的笔锋指向了社会，这就使得《黛尔菲娜》一书具有了一定的社会价值。在这里，导致女主人公不幸的那些人和事，都被描写成卑劣、狡诈、冷酷和怀有恶意，在这个上流社会里，人们专以损人利己、中伤他人、破坏他人的幸福为能事，他们用伪君子的道德掩盖着说不尽的丑恶，而把矛头集中指向真正具有高尚的品德，但却敢于藐视这种伪道德的人物，黛尔菲娜就遭到了这种待遇。就其本质来说，她比那些先生太太不知要高尚多少倍，然而，反倒是她成为一个名声不好的女人，遭到了社会的唾弃！同样，教会在小说里也受到了揭露：当黛尔菲娜受到中伤和诽谤不得不前往瑞士进修道院时，她实际上是投进了另一个伪善阴险的罗网。为了破坏黛尔菲娜与雷翁斯的婚姻，那位修道院院长一方面向黛尔菲娜隐瞒了雷翁斯的妻子将要去世的消息，另一方面又玩弄阴谋，使黛尔菲娜不按常规经过一年预备期就提前宣誓当了修女，在这对情人之间设置了不可逾越的障碍。斯塔尔夫人这些描述的目的并不仅仅是要写出面目可憎的个人，而是要表现出一种社会习俗、舆论和制度的荒谬，因此，这些描述和作者通过人物之口对"疯狂的、野蛮的社会制度"的抨击，就构成了这部小说"向社会宣战"的基调。当然，斯塔尔夫人在小说中所批判的还是资本主义社会初期妨碍个人幸福的某些封建性的残余，但她对这个社会中可能出现的、不久也即将出现的新的社会桎梏也加以反对，她通过一个人物之口这样说："法兰西这次革命，虽然不幸有许多过激行动的污点,但它给法国带来了自由,后人便要颂扬它。如果这次革命以后又产生了新的奴役形式,这个奴役时期便是人类历史中最可耻的时期了。"

从这部小说中还可以看到,黛尔菲娜的悲剧还有一个重要的根由,那就是不合理的婚姻制度。在天主教法国,虚伪的宗教道德标准给婚姻带来了严重的弊病,在这里,婚姻与真正的爱情是分割的,婚姻并不决定于爱情,而决定于宗教道德所维护的社会的和阶级的规范,因而自然也就正如恩格斯所指出的:"一夫一妻制所固有的矛盾得到了最充分的发展:丈夫方面是大肆实行杂婚,妻子方面是大肆通奸。"[1]即使是像斯塔尔夫人这类资产阶级中的优秀人物,她本人的婚姻生活也没有超越这种规律。她作为一个资产阶级妇女不仅在小说中表现和美化了这种社会现象,即男女在婚外的互相吸引和结合,而且很自然地从自己的切身感受出发把这个社会问题和由此产生的悲剧归咎于不合理的婚姻制度。她的女主人公是这种制度的受害者,雷翁斯也因为在婚姻中没有爱情而另有追求,爱尔婉夫人则在不满意的婚姻之外找到了补充。斯塔尔夫人第一次自觉地用艺术形象把资产阶级社会中不合理的婚姻制度作为杂婚现象的根源表现出来,这是她对法国文学的贡献。正因为她有这种自觉的意识,所以她在小说中鼓吹离婚自由。她把离婚看做是从不满意的婚姻中解脱出来的唯一可行的道路,通过一个人物的一封信,对维护不合理婚姻制度的天主教提出了批评,对禁止离婚的法律进行了激烈的指责:"当社会的法律既不能惩罚滥用权威的父母,也不能惩罚行为不端的丈夫或妻子,而只是禁止离婚的时候,那法律只是对受害者严厉而已,只是给受害者钉上镣铐……这种社会似乎在说:'我不能保证你们的幸福,但我至少可以使得你们的不幸持续下去。'"这封著名的信所标明的日期是1791年9月2日,它带给了黛尔菲娜一个"福音":"一个月之内,立法会议

---

[1] 恩格斯:《家庭、私有制和国家的起源》,《马克思恩格斯选集》第四卷,第66页。

就要颁布离婚法了。"然而，在现实生活中，当斯塔尔夫人这部作品出版的时候，拿破仑已经于1801年与教皇签订了协议，承认天主教是"大多数法国人的宗教"，并重新制定了天主教婚姻的法规。拿破仑的政策标志着在新的资本主义秩序下不合理的婚姻制度问题并没有解决，也不可能解决，而斯塔尔夫人在这种背景下指出的婚姻制度的弊端，也就具有一定的社会意义。

《黛尔菲娜》是书信体小说，整部作品充满了感伤的情调，不论从思想内容或艺术形式，都可以看出卢梭的《新爱洛绮丝》的影响。从风格来说，它在1802年已经显得过时了。

3.《柯丽娜》

从某种意义上说，《柯丽娜》（*Corinne*，1807）是一部比《黛尔菲娜》更有独创性的作品，更充满了浪漫主义的精神和色彩。

主人公柯丽娜也是一个追求个人幸福，但在社会偏见面前遭到失败的悲剧人物。她是一个英国贵族与一个罗马贵妇人的女儿，父亲再婚后，她由继母教养成人，住在英国的乡间。因与继母不和、不能忍受英国社会狭隘的偏见和鄙陋环境的习俗，她来到意大利的罗马，以其灿烂的才华成为一个享有巨大声誉的诗人。正当她达到光荣的顶点、被公众抬到神殿去的时候，她遇见了英国青年奥斯瓦尔德。奥斯瓦尔德的家庭与柯丽娜的家庭原来就有交往。奥斯瓦尔德在父亲死后来到意大利旅行排遣哀伤，与柯丽娜认识后彼此相爱。不久，他被召回英国服役，回国后逐渐忘了柯丽娜，并与柯丽娜的同父异母姊妹吕茜尔缔结了婚约。柯丽娜在忧郁中追随奥斯瓦尔德来到苏格兰，当她知道了奥斯瓦尔德的婚事后，便为青年未婚夫妇的幸福牺牲了自己的爱情，她回到意大利的佛罗伦萨，最后悲哀地死去。

这并不只是一个负情的故事，柯丽娜与奥斯瓦尔德的爱情悲剧有着比这深刻得多的根源。这种根源就在于资本主义条件下最初的职业妇女与社会偏见之间不可调和的矛盾冲突。女主人公与文学艺术中传统的妇女形象有着很大的不同，她不是关闭在狭小范围的闺秀，也不是作为男子的附属物、依赖着家庭、点缀着家庭的"花瓶"，与那些在沙龙中成为社交中心的贵妇也有根本的区别，她是一个走向了社会、维持着独立的生活、面向着广大的公众、为他们所了解所爱戴的女诗人，她的精神境界和社会视野显然大大超出了任何贤妻良母、淑女命妇，她炽热的感情、高超的才智、广博的学识更是一般妇女所不能比拟的。这是斯塔尔夫人以自己为蓝本所塑造出来的理想化的职业妇女的形象，一个在资本主义条件下才可能出现的新型的妇女。她不仅是过去时代所没有的，即使在当时也只可能是凤毛麟角，因此，她必然与社会环境以及周围大量存在的那些凡夫俗子处于一种矛盾的状态。以她焕发的才华和姿容来说，她的确使那个鄙俗狭隘的社会黯然失色，由于这一点她强烈地吸引了奥斯瓦尔德，然而，也正因为如此，她为社会所不容，社会以传统的偏见孤立了她，甚至延伸到她所热爱的一个青年身上，并通过这个年轻人在个人幸福的问题上给了她致命的一击。她与奥斯瓦尔德的爱情悲剧实质就是如此。

奥斯瓦尔德这个人物，斯塔尔夫人赋予了他以复杂的性格，他具有爱情小说中男主人公一般都具有的特点：出身高贵、富于教养、才貌双全。虽然他是负心的情人，但他并不轻薄卑鄙、自私自利，有时他还具有一种侠义的心肠和舍己为人的热忱，当城市发生火灾时，他奋不顾身去扑灭大火，甚至冒着极大的危险闯进正在燃烧着的疯人院去救那些随时都可能威胁他自己生命的狂暴的疯人，由于他壮烈非凡的行为，城市的居民把他当作了英雄和恩主。他抛弃柯丽娜既不是由于功利也不是出于玩弄，而是因为对妇女的传统偏见牢牢地控制了他。

他来自狭隘的充满偏见的英国上流社会，在这里，妇女的规范就是局限在家庭这狭小的范围，妇女的美德就是忠于家庭的义务，上等家庭子弟的理想妻子的标准是谦逊、温顺、专注于家庭。奥斯瓦尔德完全是这种传统偏见的奴隶,柯丽娜这种已经完全走向了社会的女性显然和他对配偶的理想不一致。他虽然被她的才智和美貌所征服,但一直忧虑柯丽娜并不适于做一个英国上等家庭的主妇。父辈的传统总像幽灵一样纠缠着他的头脑,他常假设自己的亡父是否会对他和柯丽娜的婚姻感到满意,用死人的陈旧了的标准去衡量眼前这个生气勃勃的女性,他得出的当然是否定的答案。而且,柯丽娜在意大利的独身生活、没有亲属、精通多种语言等等,也是他的庸人哲学所难以理解的,他总以正人君子所特有的审慎,怀疑柯丽娜的身世是否有某些隐私。因此,柯丽娜要获得自己的幸福,就必须和它的敌人即社会偏见作斗争,她作了很多的努力,用意大利这个明朗的国家动人的艺术、诗歌和音乐来帮助奥斯瓦尔德摆脱旧传统的影响,这个英国青年主观上也作了相应的努力来解放自己,真诚地与柯丽娜恋爱。然而他作为英国上流社会的一员,"虽然在短期内对外国的方式和习惯可能感到快乐,可是他的心总要折回到他童年的印象里去",乡土的影响、家庭的影响是那么根深蒂固,奥斯瓦尔德总不能理解柯丽娜"怎么会离开贞淑而道德的家乡",也不能想象柯丽娜这种女性"要是到了家里究竟有什么用处",因此,当他一回到英国,又生活在自己国家的偏见和雾气之中,很自然就遗忘了柯丽娜而选择了符合英国上等家庭的规范和他的理想妻子标准的吕茜尔。斯塔尔夫人的目的显然并不是要把罪责放在奥斯瓦尔德的身上,在她笔下,这个青年作为传统的奴隶也带有几分悲剧的性质。最后,在柯丽娜死后,他陷入了深深的悲伤和难以自拔的忧郁。斯塔尔夫人的目的是,用这样一个悲剧故事,表明社会偏见的贻害,在这里,爱情悲剧既不是由于封建暴力,也不是由于等级门第观念,更不是由于贵族子弟的无行造成的,而只是由于对妇女的理想的褊狭、对新型妇女的不适应而造成的。这样一个问题,只可能在斯塔尔夫人所处的历史条件下提出,也只可能由斯塔尔夫人这样一个才能卓越的妇女提出。

《柯丽娜》是一部向一切偏见宣战的作品，斯塔尔夫人在这里所揭示的社会偏见事实上远远超出了妇女问题的范围。在奥斯瓦尔德的身上，不仅可以看到对妇女的传统观念，而且还可以看到其他的社会偏见。这个英国人顽固地保持着狭隘的民族观念，把自己的国家视为天下第一，把英国那种拘谨、古板、固执的社会习气当作唯一的标准，因此，在他眼里，意大利这个与英国大不相同的国家简直就是"堕落的"。他还具有新教的宗教偏见和典型英国式的褊狭的道德观念，而这又使他丧失了对新鲜事物的敏感和对艺术美的鉴赏力。他在爱好音乐的意大利人民之中竟感到很不习惯，他把古希腊古罗马题材的艺术视为异教的产物而予以敌视，因为米开朗基罗的绘画不符合宗教的教义和传统而感到愤怒。除了奥斯瓦尔德之外，斯塔尔夫人还描写了另一个法国贵族青年戴尔佛伊伯爵，让他代表法国人常有的偏见。作者并没有把这个人物加以丑化，在她笔下，这是一个颇有文化教养、骑士风度和某种高贵性格的青年，然而，他也有着盲目的民族自大狂，对其他民族的新鲜事物一概采取鄙视和排斥的态度。他在德国住了几年，从来也没有想学一句德国话；来到意大利，计划中也没有学意大利语这一条；面对着意大利优美的风景和名胜古迹，他认为根本不值得一看，居然以为法国乡下的市镇比古文化之都罗马有更好的剧场。至于文学，他把路易十五时代以来的矫揉造作的诗歌当作标准，把缺乏生命力的古典主义的戏剧视为"形式美和高雅的典范"，而把其他国家的文学看得毫无价值：希腊的戏剧是粗野的，莎士比亚缺乏艺术形式，德国人野蛮，意大利作家是风格的破坏者，因此，他认为如果"把外国的观念介绍给我们，就等于把我们投进野蛮的状态"。戴尔佛伊虽然是一个流亡贵族，但他却十足地代表了拿破仑时期目空一切、藐视全欧的法国优越感。斯塔尔夫人在小说中有意识地以这些偏见为对立面，通过艺术形象对它们加以否定。她的小说的副标题是《意大利》，柯丽娜在某些方面就是意大利的人格化，作者把意大利热情的性格、灿烂的色彩、光辉的文化和动人的诗情赋予她的女主人公，使她成为一种光彩焕发的象征，她本身就是对奥斯瓦尔德和戴尔佛伊的偏见的一种否定。而且，她为了把奥斯瓦尔德从偏见中引拔出来、吸引在自己的身边，就带领奥斯瓦尔德去享受意大利明媚的自然风光，凭吊古希腊古罗马的遗迹，欣赏意大利灿烂的艺术和诗歌，于是，随着故事的进展，斯塔尔夫人也就引导着她那些带有偏见的同时代读者走出了自己的国土，打开了眼界，发现了其他民族的美。在这部小说里，作者不是作为一个狭隘的法国思想家出现的。放逐的生活使她的足迹几乎遍及整个欧洲，也扩大了她自己的眼界，因而她才能在作品里显示出全欧的眼光，用艺术形象批驳了那些盲目自大的民族优越感和精神文化上的虚荣心。在19世纪，随着统一的世界市场的形成，"各民族的精神产品成了公共的财产，民族的片面性和局限性日益成为不可能"，斯塔尔夫人的作品和见解正反映了这种必然性，无疑是这一历史发展趋势中较先出现的思想材料。

在《柯丽娜》中，斯塔尔夫人还通过女主人公之口，广泛地对社会问题发表了自己批判性的见解。她反对法国上流社会中人们的感情和行为完全受那种唯恐"人家会怎么说"的虚荣心理的支配，认为有这种心理就会沽名钓誉，就会追求某种虚名而窒息自然的感情，她通过柯丽娜这样诘问："我们活着难道只是为了让社会说我们什么吗？别人的想法和感觉一定要成为我们的指导吗？如果真是这样，如果永远彼此模仿，我们还要一个灵魂做什么？"她也不赞成残暴的法律和严酷的道德，而主张"宽大的同情"。她批判宗教的偏见和压制，反对信仰问题上的强制、一种宗教消灭另一种宗教，而主张宗教"打出爱情的旗帜"，成为"人生中一切快乐的组成部分"。她宣扬博爱的理想，感叹理想与社会的矛盾："在太阳和星光的天空下，人类最需要的是互相爱慕，互相同情；但是，社会啊，社会啊，它把人心弄得多么坚硬，把精神弄得多么轻浮！"这些都说明了斯塔尔夫人在思想上是18世纪启蒙作家的继承者,她在《柯丽娜》中正是站在启蒙思想的立场上,对新的资产阶级秩序下不合理的社会现象进行了一次清算,这也许是19世纪初期法国文学中最早的一次全面的清算。

整部作品是以高超而积极的思想以及奔放的感情为基础的,同时也充满了一种感伤郁悒的情调,这是斯塔尔夫人在被放逐中、在与社会环境的矛盾中心情的反映。这两方面构成了小说积极的浪漫主义的性质,并使它在19世纪这股文学潮流中居于领先的地位。

4.《论文学》与《德意志论》

《论文学》(*De la littérature considérée dans ses rapports avec les institutions sociales*,1800)与《德意志论》(*De l'Allemagne*,1810)是斯塔尔夫人两部奠定她思想家、文艺理论批评家地位的论著,它们较之她的两部小说,在文学史上具有更为重要的意义。《论文学》的全名是《论文学与社会建制的关系》,共分两大部分:第一部分"论古代与近代的文学",论述了从古希腊古罗马时代一直到18世纪西欧各国的文学发展;第二部分"论法兰西当前的光明及其前景",论述了法国文学应该遵循什么道路。《德意志论》共分四部分:第一部分"论德意志与德国人的风俗",第二部分"论德国的文学与艺术",第三部分"论哲学与道德",第四部分"论宗教与热情"。这两部著作,特别是《德意志论》,虽然所论的范围很广泛,涉及了社会学的各个方面,但主要的内容和论述的中心是文学问题,因此都是文艺批评论著;《德意志论》虽然在时间上与《论文学》相距10年之久,内容也颇不相同,但其中基本的文艺思想和批评方法却与《论文学》完全一致,它们构成了斯塔尔夫人的文艺史观和批评思想的体系。

文学理论批评家斯塔尔夫人,素以从社会环境考察文学著称。她接受了18世纪启蒙作家,特别是孟德斯鸠的影响,在文学批评上运用了社会分析的方法。她的文学理论最重要的一个内容,就是对文学与社会条件之间关系的考察。《论文学》与《德意志论》是批评史上较早的两部历史主义的社会学的文学批评专著,《论文学》一书的全名就清楚地显示出这种性质。她在这部专著的绪论中这样声明:"我想要考察宗教、风俗和法律对文学的影响究竟如何,而文学对宗教、风俗和法律的影响又是怎样。"这实际上就是她这两部专著的理论基础。虽然斯塔尔夫人也论述"文学与美德"、"文学与光荣"、"文学与自由"、"文学与幸福"之类比较抽象的关系,但她主要还是系统地说明了西欧各国不同时代的社会条件对该时代各国文学的影响。

斯塔尔夫人比她以前以及她同时代的文艺理论家较为深刻的是,她并不把作家个人的天才和个人的生活当作说明文学现象的根据,她与资产阶级文学批评中常有的天才迷信划了界限,明确地指出:"最罕见的天才的水平总是相应于同时代人的文化水平的","荷马无论如何伟大,并不是高出于所有其他人之上的一个人"。她力图以唯物主义的理解,阐述时代社会如何造就一种文学、一个作家。如在论莎士比亚悲剧的时候,她从"英国民族精神"考察"莎士比亚作品中的美与奇特",从英国12世纪以来长期内战的影响,论述莎士比亚悲剧中"严酷的痛苦",在她看来,莎士比亚之所以能对悲剧人物的痛苦恐怖的感情作出深刻细致的描写,把它们表现到了最动人的程度,都是和英国民族的处境、社会条件和由此而来的心理状态分不开的,正像希腊悲剧从内容到形式都决定于当时的社会条件一样,莎士比亚的悲剧完全是社会环境的产物。为了说明她的社会决定论而不是天才决定论,斯塔尔夫人还进一步强调,即使是同等的天才,在不同的社会条件下便会有不同的结果,她这样指出:"莫里哀在他的喜剧中表现的那种精致的情趣和高超的哲理,人类非得经过好几个世纪才能够达到,如果一个与莫里哀天分相等的人生活在雅典的时代,他也许会辨不出喜剧的好坏。"

正因为斯塔尔夫人认定是社会环境决定文学而不是作家的天才

决定文学，所以在她看来，文学作品中的形象有着十分具体的时代社会内容，而并不具有一种抽象的、永恒的人性的意义。譬如，同是悲剧中所表现的痛苦，希腊悲剧中的与莎士比亚悲剧中的就有很大的不同。她指出："在希腊人的宗教里，处置罪人悔恨的权力属于众神，这种宗教用最可怕的色彩表现犯罪者的痛苦"，所以"这种悔罪的故事在剧场里总引起一种极度的恐惧"；同时她又指出，由于希腊的多神教"用各种描绘、图景和叙述使彼岸世界栩栩如生"，"大大减轻了对死亡的恐怖"，甚至"地狱也被他们的神话填满了"，因此，在他们的悲剧中，"人们总期待着奇迹"，"希望总也不会全部毁灭"，这就使得"对痛苦的感受较为轻微"。而在莎士比亚的悲剧中，人物的痛苦则远为尖锐深刻，无可缓解，毫无出路，"叫人痛断肝肠"。照斯塔尔夫人看来，这正反映了英国民族"被长期不幸的命运所造成的性格"，是民族的思想"曾经强烈地被内战恐怖激荡过"的结果。因此，她认为："不幸者落入其中的深渊、莎士比亚描写过的痛苦的打击，希腊人是描写不出来的，而且根本就体验不到。"斯塔尔夫人就这样在自己的专著中把不同时代的文学加以比较，指出它们各自的特点和彼此之间的差异，并且从中总结出这样的规律："它们之间不可磨灭的差异在极大程度上取决于各自政治和宗教的体制。"她既然达到这一认识的高度，自然对与此有关的一系列问题具有了比较深刻的见解：就文学的认识作用而言，她不是从一个国家的文艺去探求抽象的人性，而是从其中"清楚地看到这个国家的风俗、宗教和法律的情形"；就美感问题而言，她也指出了在不同的时代存在着不同的美学标准，由于社会条件不同，人们在美的趣味上、在审美力上也有差异，这一切就构成了斯塔尔夫人的社会分析的文学批评思想体系。而运用这种社会分析的方法，就使她对一些重大文艺现象能够作出精辟的分析和论述。如她从希腊当时所处的社会发展阶段的特点、荷马"生时存在的传统"、当时社会对英雄主义的需要以及文艺创作的规律,说明了古希腊文学"在最初的一次诗情的迸发中达到了以后不能超过的某种美",从而对"理解希腊艺术和史诗……何以仍然能够给我们以艺术享受,而且就某方面说还是一种规范和高不可及的范本"[①]这一复杂的艺术史问题,提供了富有启发性的解释。

斯塔尔夫人所论述的文学与政治制度、宗教、道德、风俗的关系,实际就是文学作为高耸入云的上层建筑与其他上层建筑、意识形态的关系,她用文学发展过程中丰富的例证说明了这种关系,这是她对文学批评的一个贡献。但是,斯塔尔夫人所考察的社会条件中,却并不包括最为根本也最具有决定性的条件,即物质生活的生产方式、社会生产力与社会生产关系所构成的社会经济基础。她接受了孟德斯鸠的地理环境决定论的影响,把地理和气候条件视为决定民族性格、社会建制、风俗习惯乃至文学艺术的主要条件,因而,她也就不可能认识到"物质生活的生产方式制约着整个社会生活、政治生活和精神生活的过程"[②]。另一方面,虽然斯塔尔夫人对不同时代、不同民族的文学作了细致的区分,但是她却不能够进一步作出阶级的区分。这些都是斯塔尔夫人与历史唯物主义的差距。而且,即使是在资产阶级历史主义的范围里而言,斯塔尔夫人所作的考察也只能说是初步的,带有相当大的随感的成分,往往只是现象的罗列、现象的联系,缺乏严密的理论性和论证,其中有些论断也并不完全是建立在严格的、准确的史实上的。

真正标志着批评家斯塔尔夫人的特点、显示出她独特见解的另一个方面,则是把整个西欧文学划分为南方文学与北方文学两种。在法国批评史上,这两个名称是斯塔尔夫人所特有的范畴和概念。她早在《论文学》中就作了这种区分,后来又在《德意志论》中继续加以论述。南方文学是指希腊、罗马、意大利、西班牙以及路易十四时代法

---

① 马克思:《〈政治经济学批判〉导言》,《马克思恩格斯选集》第二卷,第114页。
② 同上书,第82页。

国的文学，它崇尚古典，情调欢快，充满民族和时代精神，荷马史诗是这种文学的"鼻祖"；北方文学包括"英国作品、德国作品、丹麦和瑞典作品"，"由苏格兰行吟诗人、冰岛寓言和斯堪的纳维亚诗歌肇始"，其特点是感情强烈，富于哲理，崇尚想象，气质阴郁。这两种不同的文学形成的原因是什么？斯塔尔夫人认为归根结底是地理环境：南方有"清新的空气、茂密的丛林、清澈的溪流"、"生动活泼的自然界"，人们容易感受生活的乐趣，因而"兴趣更广，而对同一思想的强烈程度却较逊"，比较习惯于奴役而以"对艺术的爱、气候的美"作为补偿。北方民族则由于"土壤的硗瘠和天气的阴沉"而"趋于忧郁的气质"，由此产生"心灵的某种自豪感以及生活乐趣的缺乏"，其想象惯于"超出他们居住于其边缘的地球"，"指向未来，指向来世"，因而，他们的诗歌"色彩阴沉"、"更富有灵的倾向"，"足以使人们的思想进行最深刻的沉思"。斯塔尔夫人这种划分是地理环境决定论极端化的运用，突出地暴露出她的文学理论中历史唯心主义的方面，它显然是不科学的，不能概括欧洲文学发展过程的实际。

但是值得注意的是，斯塔尔夫人赋予这种划分以现实的意义，她把南方文学与北方文学当作古典诗与浪漫诗的同义语，并且态度鲜明地褒浪漫诗而贬古典诗，表现出自己对北方文学的偏爱。她认为这种文学并没有摒弃古希腊的文化，而是从中"汲取了有益的教训"，但又具有自己"独创的美"，它的感情复杂强烈，哲理深刻，具有"伟大的气魄"、"真正的诗的灵感"，而其成就最高者就是英国文学与德国文学。她称赞"莎士比亚的作品具有头等的美"，而在《德意志论》中，则对以歌德、席勒为代表的德国浪漫派文学倍加赞扬。她指出了路易十四时代以来法国文学缺乏北方文学的优点，批评了法国古典主义文学的"好些严格的规则"以及仍然被古典主义传统所统治的文学现状，并分析了法国人对北方文学的态度"为什么不正确"，她向法国文学提出了走什么道路的问题，引导人们去思考"悲剧性格究竟是从回忆中吸取,还是在想象中产生,是从人类的生活而来,还是根源于理想之美"。在她的两部专著里,斯塔尔夫人清楚地表明了这种态度:否定古典主义文学的传统而主张向外国的浪漫主义文学学习借鉴。在她看来,古典诗以古代文学为楷模,根本上是外来的、移植的,如果对它进行模仿,"既不会获得作为古人的特色的那种原始的力量,还会失去我们的心灵所能感受的亲切而复杂的感情";而浪漫主义文学"在我们这里则是土生土长的文学,是由我们的宗教和我们的一切社会状况使之生长出来的文学","它表现我们自己的宗教,它引起我们对我们历史的回忆,它的根源是老而不古的"。在这个问题上,斯塔尔夫人也并非缺乏具体分析的精神而对北方文学毫无保留地加以肯定,她指出了这种文学中的一些缺点,如莎士比亚作品中的"无用的重复、不连贯的形象"、德国文学的"隐晦"、缺乏"风趣和轻快之感"等,并主张"应该在法国诗人的因袭和北方作家趣味的缺乏之间探索一条中间的道路"。斯塔尔夫人自己是进行这种探索的作家,她的理论就是为19世纪法国浪漫主义文学开辟道路的先声,她对北方文学的划分及其有关论述的现实意义就在这里。

斯塔尔夫人在自己的两部专著里,还对她所向往的浪漫主义文学以及如何创作这种文学,提出了自己的标准和原则。她提倡各民族文学互相交流:"各国的天才们生来是要彼此理解和相互尊重的";她主张作家充分发挥自己的创作个性:"每一个作家都可以自由地为自己开拓一个新领域";她反对模仿:"只去模仿前人的模仿之作,就不会有自己的特色,也就不会有依法自然而描绘的天才";她也反对随俗:"一个戏剧诗人要达到他的才能所容许的那种完美的程度,就必须不依赖观众的评语";她强调"艺术中的灵感是一个不竭的源泉",认为诗不应该只是"美丽的诗句",应该是"感情的神化",而"爱情、国家、信仰都是一首歌里的神性";她把"人类命运之谜"、"死之观念"、"自然之美"和"灭亡的恐怖"都作为诗歌的重要内容,推崇"忧郁的诗歌",强调"忧郁是才气的真正的灵感的源泉:谁要是不感觉到这种情操,谁就不能期望取得作家的伟大荣誉"。所有这些主张都预示着将要产生的法国浪漫主义文学的特点。与此同时,斯塔尔夫人又特别强调文学的积极社会作用,她对当时的法国现实社会表示了一种批判的立场,无情地指出这是一个"道德最败坏的时代",明确给文学提出了这样的纲领:"为了使想象的作品收效……当风俗败坏的时候,唯有把道德表现得严峻些才行。在我们这个时代,尤其需要严格执行这个格言。"具体到创作中,她一方面要求具有正面的教育作用:"要把德行置于生活之上,赋予内心的一切情操以巨大的价值,以充分发扬最崇高的情操——对善和对人的爱";另一方面要求揭露反面事物:"今天在舞台上应该攻击那些可以说是消极的恶行,也就是那些由于缺乏优秀品质而产生的恶行,应该使道德败坏的人的自尊心受到打击,应该把嘲笑指向一个新的方向。"这些论点都表现了斯塔尔夫人进步的民主主义思想,与后来以夏多布里昂为首的贵族浪漫派划清了界限,显示出上升时期的资产阶级浪漫主义的基本倾向。因此,从多方面的意义来说,斯塔尔夫人的批评专著是法国资产阶级浪漫主义文学最早的理论著作。

斯塔尔夫人的文学理论带有德国浪漫主义文学影响的痕迹,它又反过来影响了德国的浪漫派,弗·史雷格尔就沿用了斯塔尔夫人的文学分类法,在斯塔尔夫人的两部专著之后,出版了《论北方文学》一书。至于斯塔尔夫人历史主义、社会分析的文学批评,对后来西方文学理论的发展更有深远的影响,泰纳所主张的文学由种族、环境和时代三种因素决定的理论,就是继承斯塔尔夫人文学思想的结果。

第二节　贡斯当

1. 贡斯当的生平

贡斯当（Henri Benjamin Constant de Rebecque，1767~1830）生于瑞士洛桑城一个法裔贵族家庭。他的先辈原来是法国新教徒，南特敕令废除后，为躲避宗教迫害而逃到瑞士。贡斯当幼年丧母，父亲很注意对他的文化教育，给他提供了良好的学习条件，他接受了不止一个家庭教师的培养，在12岁就开始写作。贡斯当青年时代在瑞士、荷兰、美国、比利时、德意志、苏格兰等国都旅居过，1780年，还曾跟随其父来到英国的牛津大学作过短暂的游学。1782年，他进入德国的埃尔那根大学，1783年至1785年又在苏格兰的爱丁堡大学完成了自己的学业，在这期间他以巨大的热情积累了丰富的学识。1785年，他第一次来到巴黎，此后又行踪不定地居住在洛桑、布鲁塞尔和布伦斯维克等地，而他那不安定的短暂即逝的热情又反复无常地倾注在不同的女性身上。从1789年到1794年，他在布伦斯维克的德意志小朝廷领有侍从的头衔，虽处于贵族上流社会对法国革命的一片恐惧和攻击声中，他却难能可贵地对这次伟大的社会变革保持着公正的、独立的见解。也正是在这个时期，他开始写他生平最主要的理论著作《论宗教》，其目的在于以资产阶级自由主义的精神在革命后的法国恢复宗教信仰，这部著作他断断续续几乎写了一生，直到30年后才完成。

1794年，他在瑞士结识了斯塔尔夫人，从此他们之间充满感情风暴、不断反目又不断和好的亲密关系持续了14年之久。这一关系对贡斯当一生的政治信仰、文学创作以及私人生活都有深刻的影响。1795年，他伴随斯塔尔夫人来到巴黎，从此参与了法国的政治生活，他是斯塔尔夫人著名的影响极大的自由派沙龙里的中坚人物。从1796

年开始，他相继发表了一系列重要的政治论著：《论当前法国政府的力量和支持它的必要性》(*De la force du gouvernement actuel de France et de la nécessité de s'y rallier*，1796)、《论政治反动》(*Des réactions politiques*，1797)、《论恐怖时代的后果》(*Des effets de la Terreur*，1797)、《论英国一六六〇年的反革命》(*Essai sur la contre-révolution d'Angleterre en 1660*，1798)。拿破仑执政后，贡斯当作为拿破仑热烈的赞美者，被任命为立法院的委员。当拿破仑日益抛弃自由主义的外衣、走向专政独裁的道路的时候，贡斯当变成了拿破仑的反对派，他从资产阶级自由主义立场反对拿破仑的行为，与欧洲君主国对拿破仑的斗争悲剧性地偶合在一起，因而被整个欧洲反拿破仑的阵营视为光荣的斗士。1802年，他被拿破仑赶出立法院，1803年，斯塔尔夫人也被拿破仑勒令离开巴黎，他们两人于10月离开法国，开始过流亡生活。

在流亡期间，贡斯当大部分时间居住在德国和瑞士，也曾到过英国和意大利，他断断续续与斯塔尔夫人生活在一起或一道旅行，直到1811年才最后分手。在此时期，他继续写作他的理论巨著《论宗教》，还写出了奠定他的文学家地位的小说《阿道尔夫》以及另一篇自传体小说《瑟茜尔》，翻译了席勒的剧本《华伦斯坦》。

1814年，他随着波旁王朝的复辟回到了巴黎，成为一个很有影响的政治人物，与沙皇亚历山大一世也有直接的交往。他赞助复辟，同时为宽大处理拿破仑、争取君主立宪制的自由而作了努力，他发表了一系列著名的政论：《论征服与篡夺的精神》(*De l'esprit de conquête et de l'usurpation*，1814)、《论小册子、时论与日报的自由》(*De la liberté des brochures, des pamphet et des journaux*)、《论宪法、君主立宪制中的权力分配与保证机制》(*Réflexions sur les Constitutions, la distribution des pouvoirs et les garanties dans une monarchie constitutionnelle*)、《论政府大臣的责任》(*De la responsabilité des* ministres》等,他还应他当时所迷恋的雷卡米叶夫人之请,为拿破仑的姻亲、帝国大元帅缪拉撰写回忆录。1815年拿破仑百日政变时,他先逃到旺代,后又回到巴黎同拿破仑合作,他接受了议员的职位,为拿破仑制定一种宪法,还发表了《论适用于一切政府的政治原则》(*Principes de politiques applicables à tous les gouvernements*,1815)。

拿破仑在滑铁卢遭到最终失败后,1815年6月,贡斯当作为临时政府的代表与神圣同盟君主国进行了谈判,7月,波旁王朝第二次复辟,他差一点被流放出境。8月,他公开到监狱去探望百日政变时最先转到拿破仑方面,因而被波旁王朝恨之入骨的拉贝多依上校,10月他离开了巴黎,先到布鲁塞尔小住,次年又去英国。在这里,他把《阿道尔夫》付印出版,不久,小说就被译成了英文。这年秋天,他回到法国,从此作为资产阶级自由派的领导人,向波旁王朝的反动复辟政策进行长期斗争。他的政论小册子《论能够把法国一切党派联合起来的纲领》(*De la doctrine qui peut réunir les partis en France*,1816)很快就获得了巨大的成功。1817年春,他着手改组《法兰西水星》杂志,发表了《论即将来到的选举》(*Des élections prochaines*,1817)。《法兰西水星》被政府取缔后,他又立即创办了新的刊物《法兰西智慧女神》(*La Minerve française*)。1819年,他当选为议员。1820年,他在关于贝里公爵被刺案件的论争中发挥了重要的作用,因此,《法兰西智慧女神》被警方封闭。对此,他进行了斗争,在议会讨论出版法时发表了重要的演说,争取出版、言论的自由。1822年,他撰写了《百日政变回忆录》的第一、二两部。同年,他卷入了反波旁王朝的密谋,被判处罚款并被拘禁6个星期。1824年,他当选为巴黎出席议会的代表,不久,他发表了多年的研究成果《论宗教》。查理十世上台后,波旁王朝的政策更趋反动,贡斯当在议会中进行了有力的抨击,其中最有名的是1825年2月13日抨击赔偿流亡贵族10亿法郎的演说和1827年春关于查禁出版物法案的多次演说。1828年,他发表了议会演说两卷集和一系列文学评论和政治评论文章。1830年6月,他因病离开巴黎到乡间休养。七月革命前夕,参加过美国独立战争的著名的拉法耶特将军从巴黎写信给他说:"一场令人害怕的生死斗争在这里开始了,我们的头颅都冒着危险;来吧,把你的头颅也参加进来!"他不顾个人安危回到巴黎参加了七月革命。七月革命的胜利果实被大资产阶级的代表奥尔良公爵窃取,贡斯当为他的上台颇出了一些气力,曾公开发表声明对他表示支持。7月30日,奥尔良公爵和他的拥护者的游行队伍向市政厅凯旋行进的时候,贡斯当是走在最前列的人物之一。他还受命与基佐共同起草了宣布奥尔良公爵为"法国国王路易-菲利普"的告人民书。很快他就得到了报酬,新王任命他为国务会议中一个部门的主席,还送给他20万法郎让他偿还赌债。

贡斯当逝世于1830年11月,虽然法兰西学院在他生前曾多次拒他于门外,但最后巴黎却为他举行了国葬。

2. 贡斯当的理论著作

长期以来,在一些文学史家的眼里,贡斯当只不过是小说《阿道尔夫》的作者,但实际上,贡斯当作为一个作家,他的作品并不如一般人所认为的那样贫乏。他不仅是小说家,而且更主要的是政治思想家、理论家,在他的全部作品中,理论著作比小说的比重大得多,其中有在19世纪上半期发生了重大影响的政治理论著作和政论、渊博的宗教史的论著、颇有见解的文艺批评,至于他作为政治活动家所撰写的回忆录,如《百日政变回忆录》《雷卡米叶夫人回忆录》,更是关于当时的政治斗争和社会生活的第一流的历史资料。

贡斯当的政治思想代表了19世纪资产阶级思想发展的一个阶段。它是资本主义秩序已经基本建立但还面临着封建复辟危险的时期的产物,因而,它混杂着资产阶级开始作为统治阶级最初的保守倾向及其作为打倒了贵族阶级的斗士尚未完全消失的反封建的锐气。摇摆性和两面性是贡斯当的政治理论的特征，他最初的著作就充分表现了这一点。这些著作写于大革命高潮之后、拿破仑建立军事专制之前，一方面反映了对封建阶级卷土重来的恐惧；另一方面又否定了资产阶级的革命精神。他的《论政治反动》和《论恐怖时代的后果》就是这样两种思想倾向相混合的代表作，前者批判封建阶级的反动统治和封建贵族的特权，力图维护大革命之后形成的新的资本主义土地关系和资本主义秩序，反对封建专制主义政治和封建贵族所有制的复活；而后者则清算了法国资产阶级革命中彻底的民主主义和群众运动，否定了国民公会那样的全权会议和雅各宾专政时期的恐怖手段。贡斯当在理论上的这种两面性，反映了他所代表的阶级正在脱离革命状态而进入"冷静求实的资产阶级社会"。

贡斯当政治理论的根本出发点是资产阶级自由主义。"自由"是他全部理论的核心。他在《文学与政治杂论集》的序言中曾经这样说过："我为同一个原则战斗了40年，那就是要在各个领域里实现自由。"他是自由资本主义时期资产阶级思想体系的代表人物，提出了资产阶级在资本主义关系基本奠定之后自由发展的要求，他的著作就是这种阶级要求的理论形态，基本上都贯穿着争取政治自由、个性自由、宗教自由、出版自由的精神。他在第一帝国末期写的《论征服与篡夺的精神》里，站在资产阶级自由主义的立场上反对拿破仑的军事独裁，批判了独裁专制的政治统治形式，指出独裁者必然要进行征服和掠夺的战争，而军事征战的体制则又危害人类的进步。在这里，贡斯当对不同的政治统治形式作了一些考察，认为在任何政府形式下都可能存在专制暴政和民主政治，而要保障自由则需要相应的立宪政治。拿破仑帝国崩溃后，面临着两个阶级争夺统治权的斗争，贡斯当在他的主要理论著作《论宪法、君主立宪制中的权力分配与保证机制》《论适用于一切政府的政治原则》以及《论能够把法国一切党派联合起来的纲领》里，致力于维护资产阶级自由主义的原则，并寻求资产阶级与封建贵族妥协的途径。贡斯当的资产阶级自由主义原则的核心是对个人自由的强调，他对卢梭关于自由主要在于全民的民主、在于由全体社会成员达成社会契约而掌握政权的思想作了重大的修正，而把自由视为个人离开国家政权而独立，在此基础上，他竭力宣扬个人在人身、言论、居住、支配财产、政治和宗教信仰、工商业竞争等各方面的自由，充分反映了自由资产阶级对于最大限度自由竞争的渴求。贡斯当既然抛弃了卢梭的人民主权学说，在政权问题上就不拒绝君主制而拒绝共和制，只不过主张在君主制下要有某种宪法来限制权力的范围和保障自由主义原则的实行，因此，他是君主立宪制的拥护者和赞助者，在他看来，政权由谁来掌握是不重要的，重要的是要对政权的范围作出明确的规定。他把权力划分为王权、行政权、经常代表权、公众意见代表权和审判权以及地方自治权等几个方面，这就为拿破仑垮台后资产阶级与封建阶级的分权、妥协提供了具体方案。也正因为贡斯当具有这种政治思想，所以他对待历届政权的态度上往往就表现出反复无常和缺少气节，他由热烈拥护拿破仑到反对拿破仑，由与波旁王朝合作又转而支持拿破仑的百日政变；而在波旁王朝第二次复辟后，他并不是以反对波旁王朝本身为其政治目的，他只是在波旁王朝的反动政策损害了自由资产阶级的利益、违反了资产阶级自由主义原则的时候，才成为一个反对派。他作为这样一个自由资产阶级反对派的立场观点，都集中表现在他在议会发表的那些著名的演说中。这些演说不论从历史文献的意义来说，还是从思想内容和表达技巧来说，无疑是贡斯当理论批评中的精华。它们向复辟王朝的倒行逆施发出了抗议，具有鲜明的反封建的精神，它们立论明确，论证严密，充满嘲讽而又具有一种矜持的风度，遣词用句准确而富有感染力。当时有人曾经这样回忆他发表演说时的情况："人们一连好几个钟头听他演说而不感到厌倦。"这些演说在当时引起过热烈的反响，并使贡斯当获得了巨大的声誉。

在贡斯当的理论活动中，对宗教史的研究也占有重要的地位。从他回忆青年时代的《红色笔记本》中可以知道，他从 18 岁开始研究宗教问题，一直持续到他的晚年。他的《论宗教》直到他逝世前不久才发表了最后两卷，而他的《论罗马多神教》（*Du Polythéisme romain*）则在他死后于 1833 年发表。

贡斯当的宗教思想主要都集中在《论宗教》一书中。他在这部专著里，从心理学和社会学两个方面论述了宗教的起源、形成和发展。他既不同意封建神学把宗教解释为神的启示、制造宗教迷信和宗教狂热，更反对罗马教廷、反动教会进行精神统治，甚至操纵政治；他不同意无神论完全排斥宗教而企图代之以一种伦理体系，也不同意自然神论的思想。他认为人与宗教是不可分的，宗教的根源就在人的心灵中，在他看来，"人是宗教的，因为人就是人"。他提出："不论是人所征服的自然界、人所建立的社会组织、人所宣告的法律制度、人所得到满足的各种需要、人使之花样翻新的享受，都不能满足人的心灵。"因此，人必然产生宗教感情，必然需要宗教。然而，贡斯当这里所说的这种不满足感、空虚感，实际上并不是抽象的，超阶级、超时代的，它是资产阶级革命以后第一代人的幻灭感和迷惘感的一种反映，他自己就是深深陷于其中的一个。他这样自白："我比以往更加感到一切事物的空虚；全是盼望，没有应验。"他面对不合理的现实产生了一种困惑不可知的思想："关于我们所谓世界这种蠢东西，我们越多加思索，也就越想不出它有什么理由要存在……这个黑暗的小地球，我不知道它有什么不可见的力量，不管我愿意与否，总是叫我在它的上边跳，当我从这个地球上消失的时候，我能够透彻地理解吗？"正是在这种思想感情的基础上，贡斯当转向了宗教。在宗教问题上，与 18 世纪启蒙思想家相比，贡斯当无疑是后退了一步，但与封建的教权主义不同，他把宗教说成是人类精神的原始要素，赋予它一种个人的、心理的色彩,对宗教作出了符合自由资产阶级需要的解释。贡斯当作为这个阶级的思想家,他对宗教的肯定,正反映了这个阶级在革命胜利后保守倾向的抬头。贡斯当的宗教论著在理论上也有一些缺陷,如某些概念模糊不清、从预定的图解出发而不是从事实出发等,不过,他旁征博引,材料丰富,论证不带偏见,学风冷静稳重,在当时显示了最高的水平。他是宗教史的先驱作家,对后来的学者如勒南、杜尔克莱因都有很大的影响。

贡斯当在文学批评方面的成就一直被文学史家所忽视。事实上,他是19世纪初最先开拓通向浪漫主义之路的批评家之一。他的《文学与政治杂论集》中收集了一些文学评论文章,其中有为他改编的席勒的《华伦斯坦》所写的序言,此外,他的《对于悲剧的思考》(*Réflexions sur la tragédie*,1829)也是19世纪初文艺批评方面一篇重要的论著。贡斯当在文艺问题上,显示了他超脱本民族旧文学传统狭隘范围的广阔的眼光,他认为虽然法国古典主义悲剧"比其他民族的悲剧完美得多",但向其他国家戏剧学习借鉴也大有必要,指出"轻视邻近各民族的文学""是一种失算"。在他看来,特别是向德国戏剧学习有助于使法国戏剧摆脱对"三一律"的"幼稚的盲从",抛弃那种"浮华雕琢的诗风",更接近于生活的真实,扩大戏剧人物的行列,表现出地方色彩,描绘出"一种完整的性格"和"一种包罗万象的生活"等等。贡斯当所指的德国戏剧,就是德国的浪漫主义戏剧。贡斯当的这些论述显然包含了对过时的古典主义的清规戒律的批判,表现了对伪古典主义顽固守旧的不满,并通过引进德国浪漫主义戏剧提出了新的文学主张,响应了斯塔尔夫人为浪漫主义文学发出的呼号。但贡斯当在文学上如在政治上一样,不是革新者而只是改良者,他这样宣称:"我对一切激烈的改革都很厌恶。我一直认为对待过去应该客气一些,首先因为在过去,并非一切都不好,其次,客气一些可以使过去比较和平地隐退。"因此,他在文学上毕竟没有正式向伪古典主义宣战，他只是浪漫主义文学运动的一个不引人注目的先行者。

3.《阿道尔夫》

贡斯当在文学创作方面一直被视为一个自传体作品的作者，他的小说，不论是最著名的《阿道尔夫》(Adolphe，1816)，还是他死后很久才问世的《瑟茜尔》(Cécile，1907)，都带有浓厚的自传性质，而他的《红色笔记本》(Le Cahier rouge)则完全是他早年生活的自述。

几乎可以说，贡斯当的文学家地位全是靠《阿道尔夫》奠定的。这部中篇小说固然带有自传性质，但并不完全是一部自传小说，它只不过利用了贡斯当本人生活中某些片段的素材，特别是他情感生活的经验，在这基础上写出了大大超出狭隘个人意义的阶级个性。

小说的故事是一个爱情悲剧。主人公阿道尔夫从出身到教养都与贡斯当本人十分相似：家庭颇有地位，其父是普鲁士某个小公国的廷臣，他22岁在哥廷根大学完成学业后，按父亲的安排进入政界，面前正展现着美妙的前程。这时他遇见了女主人公爱蕾诺尔，她本是波兰一个大贵族的女儿，由于政治动乱，父亲被放逐，母亲带她到法国避难，母亲逝世后，她在伶仃之中成为P.伯爵的情妇，在与伯爵多年的共同生活中，有了两个孩子。阿道尔夫对她进行了热烈的追求，爱蕾诺尔起初坚决拒绝，但在阿道尔夫不顾一切、锲而不舍的追求下，终于成了他的情妇，并对阿道尔夫产生了一种甚至不能忍受片刻分离的强烈的爱情。她毅然与P.伯爵断绝了关系，公开与阿道尔夫生活在一起。然而，她那种必欲把对方的全部生活都据为己有的热爱，却使阿道尔夫开始感到是一种束缚和负担，他对爱蕾诺尔产生了厌倦，渴望与她分手，好几次都几乎抛弃她出走，虽未能成行，但他准备断绝关系的计划完全暴露。爱蕾诺尔在精神上受到如此沉重的打击后，不久就痛苦地死去。

这是一出新式的爱情悲剧，在法国文学史上还是第一次出现。以往的爱情悲剧往往是外部的、社会的因素阻碍和破坏了情人的结合，而这里却是内部的、情人之间的心理差距和感情矛盾侵蚀和破坏了两人已经达到的结合。在这出悲剧中，一对情人的命运竟然是矛盾的，一个是"春蚕到死丝方尽"，一个却由此得到了渴望已久的解脱。然而，从其内容来说，它并不是新鲜的，它和当时已经在法国现实生活中产生影响的《少年维特之烦恼》属于同一种类型，写的也是典型的浪漫主义的热情。这种热情的体现者就是爱蕾诺尔。

这位女主人公作为浪漫主义的人物并不在于她的经历，她那种爱情的转移和婚外的结合，在贵族和资产阶级上流社会的妇女身上、在小说中风流美艳的贵妇身上都并不少见，她绝不是一个轻佻逸乐的典型。她的特点在于感情的真挚热烈和感情的深度，可以说，这个人物就是一团感情，什么社会道德法律她都可以弃之不顾，个人利益她也可以牺牲。她的第一次爱情就是毫无功利之心的献身，她把自己献给了处于逆境的P.伯爵，"高高兴兴以一种热忱分担了他的灾难和穷困，即使从最严格的观点来看，她动机的纯洁、行为的无私，都是不能不公正地加以肯定的"。然而，她的这种无私的感情并没有得到幸福的结果，P.伯爵没有和她正式结婚，不合法的身份、不体面的地位使她长期"陷入了一种和她的教养、习性、性格中突出的骄傲都格格不入的生活"，即使如此，她在多年的共同生活中忠贞不渝，作为实际上的妻室帮助伯爵渡过了逆境，为他生育和教养了两个孩子。她的第二次爱情更是充满了一种不顾社会舆论、家庭利益以及个人利害的热情的力量。阿道尔夫承认，这是"一种超脱一切计较、一切功利的纯洁的爱情"。爱蕾诺尔也很清楚，自己与阿道尔夫的爱情会使她身败名裂："我不知道我的前途会怎么样"，但她还是不顾后果地走下去，为此，她牺牲了自己的家庭和孩子，遭受了社会的鄙视和指摘，最后付出了生命的代价。爱蕾诺尔既是一个理想化了的超功利的热情的形象,又是一个和社会对立的形象,她的热情性格使她和那个充满了偏见的社会环境,和阿道尔夫的父亲这一类外表道貌岸然、内心肮脏卑劣的正人君子以及她周围那些感情冷漠的庸人发生尖锐的矛盾,"她一直与她的命运作斗争,她以她的每一行动、每一句言词向她自己所属的那个阶级表示抗议"。这两方面的特点使得爱蕾诺尔具有浪漫主义典型少年维特的性质。这位女主人公可以说就是妇女中的维特,一位文学史家曾经这样指出:"维特用爱情的名义所发动的战斗,现在由爱蕾诺尔来发动了,而所得的结果同样是悲剧性的。"

尽管《阿道尔夫》是妇女版的《少年维特之烦恼》,但《阿道尔夫》中爱情悲剧并非社会通过情人周围那些鄙俗的人们之手造成的,却恰巧是通过新的资本主义社会条件所形成的资产阶级个性,即恋爱的一方阿道尔夫的个性而造成的。阿道尔夫作为有产者家庭的子弟,享有优裕的生活条件,可以"无所事事",把自己的时光"分别消磨在经常中辍的学业、从未付诸实现的计划以及不能引起我兴趣的娱乐之中"。他"从未走过一条固定的道路,从未完成任何一桩有益的事",他对任何事情都"厌倦",就像一般生活优裕的资产阶级青年那样,把年轻人的兴趣和精力集中在妇女身上,如果说他还有什么"热情"的话,那就是"渴望有女人爱我"。这种"渴望"的阶级性质是十分明显的,不仅"在这种需要中有很多虚荣心的成分",而且,还是以"关于女人的一整套不道德的看法"为基础的,他从父亲那里接受了这种看法:"一个年轻人应该谨慎地避免干出人们称之为疯狂的那种事,就是和一个在财产、出身、社会地位各方面都配不上自己的女人结成持久的关系;但是,所有的女人,只要不涉及结婚问题,那么都可以先加以占有而后再加以抛弃……因为这不会给她们造成多大痛苦,却会给我们带来不少快乐。"他与爱蕾诺尔的关系,实际上也就是这样一回事。他追求这个有夫之妇并非出于纯正真挚的爱情,而是由于"爱蕾诺尔出现在我面前的时候,正当我的感情需要恋爱,我的虚荣心渴望成功,在我看来,她正是一个值得我去征服的对象"。于是,他"走向预定的目标","设想出有效的计划",使出了浑身的解数,从在对方面前"表现得聪明可爱"以达到取悦的目的,到以死威胁以动摇爱蕾诺尔的坚贞:"我马上就要抛弃我的国家、我的家庭、我的朋友、我的父亲,断绝一切社会联系,背弃我的社会责任,随便到一个地方尽快地结束我这条你拿来毒害取乐的生命。"他得寸进尺,在得到友谊之后又要求私情:"友谊难道没有它的秘密,在大庭广众之下,在喧闹的场合之中,难道不会怯生生躲藏起来?"终于他成了这个妇女的情人。这时,在他看来,"她已经不再是一个目的,而成为了一种关系",并且,由"一种关系"变成了一个负担,他处于这种关系中,甚至感到"没有片刻自由的时候,连安静地呼吸一个小时也不可得"。于是,他就处心积虑地谋求解脱,这正是他过去那种征服的动机和出发点的必然归宿,他这种完全资产阶级式的追求和征服,必然使他对一个贤良的妇女"始乱之,终弃之"。造成了爱蕾诺尔的爱情悲剧的,就是阿道尔夫这种资产阶级个性。

然而,阿道尔夫的复杂性在于,他并不是一个淫棍流氓,不论在他与爱蕾诺尔的关系中还是在他与本阶级的关系中,都有着更为深刻的矛盾因素。他在文化修养、智力水平上,大大优越于他周围的同类,他瞧不起那个平庸的社会环境:"我没有发现任何足以吸引我注意力的东西";他与本阶级的一般成员一直处于一种格格不入的状态:"不愿去分享那些庸人们无聊的乐趣";他对上流社会的习俗规范甚为敌视:"当我听见那些庸人恭恭敬敬地谈论关于道德、宗教、礼仪方面的既定的不容争辩的原则时,我就想要唱反调……我对他们那种呆板、顽固的信仰感到不耐烦。"正因为他对自己的社会有着某种程度的不满,但又没有找到正当的道德和从事有益的事业,所以他"对任何事物都漠不关心,烦闷厌倦",形成了一种完全消极的人生观,觉得"没有任何目的值得我们作出努力",并且还有"一种命运无常的感觉";而他与周围环境的不协调,又养成了他孤独的习惯:"惯于把自己所感受的一切向别人封闭起来,形成一些孤独的主意,只靠自己来想办法付诸实现,而把旁人的意见、关心、帮助,甚至旁人的在场,都视为一种妨碍。"阿道尔夫性格的各方面都反映了一个优越于平庸社会环境的人与这个环境的矛盾,反映了青年一代理想破灭后的失望和彷徨,也反映了智力上杰出的人物在生活中找不到自己位置的苦闷。阿道尔夫是19世纪初资产阶级社会的第一代青年,他那种与客观社会矛盾着的、强调个性自由的性格,正是特定的社会环境的产物,并且又反过来作用于现实生活。在这里,他孤独的习惯、他与现实环境的格格不入、他对个性自由的重视,在他的爱情生活中又成为了破坏性的因素。正是因为爱蕾诺尔想要完全占有他的那种热情已经妨碍了他的日常生活,已经束缚了他自由的个性,已经给他招致若干社会的非议和麻烦,所以他那不能忍受任何束缚的个性感受到了类似"别人,就是地狱"这样一种极为尖锐的矛盾,因而,他与爱蕾诺尔的破裂就具有一种深刻的阶级个性的根由。虽然他是带着征服和逢场作戏的动机开始追求爱蕾诺尔的,但他想要摆脱她却并非出于功利的考虑,相反,他为了爱蕾诺尔也放弃了美好的前程,也遭受了社会舆论的非议、亲友的责难,并且,在这个过程中,他对爱蕾诺尔在爱情上的痛苦也不无同情和怜悯,因而,总不忍毅然决然一刀两断,而处于一种反复、犹疑、矛盾和痛苦的状态之中,特别是在感情上抛弃了爱蕾诺尔之后,"他并没有减少他的不安、他的激动、他的抑郁","他以那么大的痛苦、那么多的眼泪换来的自由,对他并没有用处",他不仅没有得到解放,反而郁郁不乐,难以排遣,到处游荡,对自己的生命已经很不感兴趣了。在小说中,作者十分有意识地表现出,阿道尔夫本人其实也是他的性格的"牺牲品",指出了"他没有任何方向目标,只是任兴之所至,他没有任何力量,只是激怒,这样他耗尽了他的才能",最后"只剩下了残生,可耻的败坏了的残生",并且向读者这样说明:"阿道尔夫使得自己该受别人的谴责,也使自己该得到别人的怜悯。"在作者笔下,阿道尔夫就是这样一个复杂的形象,整篇小说所写的就是这样一个复杂的资产阶级个性所造成的悲剧以及这种个性本身不可避免的悲剧。这是小说价值的所在,深刻的所在。

贡斯当在小说里也具有相当明确的批判意识,他揭示了社会对爱蕾诺尔的悲剧应负的责任,他这样说:"爱蕾诺尔的不幸证明了最热烈的感情也敌不过事物的规矩。社会是太强有力了……它在它没有许可的爱情中掺进痛苦……那些冷淡无情的人都特别起劲地以道德的名义去非难别人,以对美德的热情去损害别人……当他们有某个借口可以夸耀的时候,便去攻击爱情,毁灭爱情。既然所有的人都联合起来毒害这种感情,既然当社会没有被迫尊重这种感情并把它视为正当的时候,就以人心中最恶毒的一切武装起来去抑制人心中一切美好的东西,去反对这种感情,于是完全依从于这种感情的女人就倒了霉。"在小说里,作者通过上流社会那些正人君子对爱蕾诺尔的敌视,表现了还具有某些封建残余的社会环境对个性解放的妨碍和束缚,并对此采取了批判的态度,在这一点上是具有进步意义的。此外,贡斯当还有意表现了他对资产阶级男女关系的某种道德感,他自称写这部小说的目的是要"说明这一类不正常关系的危险性",他也的确写出了最初的资产阶级社会中由于资产阶级子弟的轻薄负义而造成的新型的爱情悲剧,他说:"假如这个故事包含一个有益的教训,那么这个教训是给男人们看的。"由此,他批判了阿道尔夫这个人物,表现了他身上的种种弱点:虚荣、轻率、自私、软弱和不务正业等等。但是,贡斯当本人就是典型的阿道尔夫,整部小说在某种程度上带有自传的性质,其中有着他与斯塔尔夫人以及另一个英国贵妇林德赛夫人恋爱生活的心理经验,在爱情的反复无常、容易厌倦而又充满犹疑和矛盾这些方面,他所写的几乎就是他自己。可以说,阿道尔夫就是作者在自我剖析的基础上进行艺术虚构的结果。通过这个人物，贡斯当的确相当深刻地分析了他自己性格中的缺陷和弱点，作出了相当中肯的批判。然而，这一切又丝毫没有改变贡斯当本人一贯的特点，不论在政治上还是在爱情上，他仍然是反复无常，是一个"安贡斯当"（"好变的人"，inconstant），这是他自己的资产阶级个性所决定的。因此，贡斯当与他自己的小说《阿道尔夫》本身，就在法国文学史上最先提供了资产阶级个性的一个典型例证。

《阿道尔夫》在艺术上的特点是细致的心理分析。这本小说既无特别引人入胜的故事情节，也没有五光十色的生活场景，人物基本上只有两个，但并不缺乏艺术吸引力。作者在"第三版序言"中自称，他写这本小说是要使人们相信"在一本只有两个人物、只有一种情境的小说里，也可能别具一种趣味"。他做到了这一点。小说对男女主人公感情的刻画层层深入，细致入微，如果说对爱蕾诺尔那种热情性格的描写还带有浓厚的浪漫主义色彩的话，那么对阿道尔夫感情的变化、内心的矛盾、反复的动摇等描写则完全达到了现实主义的真实，塑造出了一个既是那个社会的产物又与那个社会矛盾、既自私冷酷又易于冲动、既充满虚荣心和个人打算又任性而不务实、既富有才智又一无所用的资产阶级第一代青年的形象，并且通过社会环境与阿道尔夫的内心活动、客观现实与人物主观意识的相互影响，表现出了资产阶级个性发展变化的辩证规律。因此，贡斯当仅以这部中篇小说而在文学史上占有一席不容抹杀的地位。

第三节　瑟南古与诺迪埃

瑟南古（Etienne Pivert de Sénancour，1770~1846）与诺迪埃（Charles Nodier，1783~1844）是19世纪初出现的两个虽然并不重要但却值得注意的作家，与斯塔尔夫人、贡斯当具有某些共同点。他们的意义在于：在他们的小说里出现了资产阶级统治秩序确立之后人与社会矛盾的主题，他们在斯塔尔夫人的小说之后，写出了与社会环境格格不入的资产阶级个性，为资产阶级浪漫主义的人物画廊，提供了虽然还不够鲜明但却是较早的标本。

1. 瑟南古

瑟南古贵族出身，父亲是一个年金审计官。他早年深受卢梭和百科全书派的影响，信仰唯物主义，家庭为他安排了教会的前程，他为了摆脱这可厌的职务，跑到了瑞士。资产阶级革命期间，由于出身，他作为"流亡贵族"一直待在瑞士，直到三执政时期才回到巴黎。他在巴黎过着隐居的生活，靠为自由主义的报纸撰稿为生。他很早就开始写作，第一部作品《默默无闻的幸福》（*Aldomen ou le bonheur dans l'obscurité*）表现出他作为早期浪漫主义者的特点，这部作品他生前并未发表，直到1925年才公之于世。他第一次发表的论著是《对人的原始性质的沉思》（*Les Rêveries sur la nature primitive de l'homme*，1799），文中充满卢梭主义的思想。1804年，他的小说《奥贝曼》（*Oberman*）出版，并未引起特别的注意，后来再版多次，影响很大，人们把它与歌德的《少年维特之烦恼》相提并论。此后，他又相继发表了《从现实法律与两性结合的社会形式论爱情》（*De l'amour considéré dans les lois réelles et dans les formes sociales de l'union des sexes*，1805）和《对〈基督教真谛〉的批判考察》（*Observations critiques sur le Genie du Christianisme*，1816），后者对在复辟时期高度泛滥的封建教权主义和反动浪漫主义思潮的代表作进行了批判，十分清楚地表明了作者和夏多布里昂之流在政治、思想和文艺上泾渭分明。1833年，他还发表了一部小说《伊萨贝尔》（*Isabelle*）。1846年，他在圣克鲁去世。

瑟南古最主要的作品是《奥贝曼》。这是一部书信体小说，没有故事情节，只是记录了一个在瑞士漫游的法国青年的心情和感受，而且这些书信也缺乏内在的联系，似乎是信笔写来，完全取决于主人公一时的心境。因此，作为一本书，它的结构是松散的，与其说是一部小说，不如说是一部抒情的日记。不过，它的文学价值并不在于形象的描绘和艺术的形式，而在于它抒发出了一种对19世纪文学说来相当典型的思想感情，即个人与社会环境对立的思想感情。在这里，读者通过主人公的自我感情的迸发和倾泻，通过他的痛苦的自杀和愤世嫉俗的议论，可以看到19世纪法国资产阶级文学中最早的一个个人反抗的形象。

主人公奥贝曼是一个在生活中找不到位置的青年，他不从事任何职业，也没有自己的向往和理想，他既不知道自己是什么，也不知道自己应该干什么、应该把自己摆在什么地方以及自己应该走向何处，他甚至根本就没有考虑这些，只是在最后才准备去从事写作，当一个作家。他无所事事，完全沉浸在自己痛苦的沉思之中。他的痛苦似乎无边无际，整个社会都使他难以忍受，社会现实中的种种事物都触痛了他敏感的神经，使他反感，他作为一个社会人本身就是使他痛苦的一个根由。他自怜自爱地说："我需要幸福，我生来却注定要受苦受难。"他用这样的描述来象征自己的一生："您知道，在那些临近严冬的阴沉的日子里，即使是太阳初升的时候，也浓雾重重，只从那堆积的云层中投射出一条条可怕的灼热的光线，穿隆阴暗，狂风阵阵，日光苍白，树木在风啸中弯曲颤抖，风声像不祥的呻吟；这就是我生命的早晨；到了中午，暴风雨更为寒冷，经久不息，而到晚上，黑暗则更为浓厚，一个人的一天就此终结了。"

在这种自怜自爱、浮夸的描述后面，他痛苦的真实根源是什么？最突出的原因是个性与社会的矛盾。他追求绝对的个性自由，不愿意选择或从事某一种职业，认为职业必然带来对个人的束缚。他对不符合个性自由的统一和规则一概表示反感，有人每天做同样的散步或有某种规律性的习惯,他也视为凡夫俗子而加以轻视。他甚至对个人的感情和心境也主张采取自由放任的态度,反对加以任何自觉的控制和调整,"要把心情从规定的劳役下释放出来"。

奥贝曼痛苦的另一个重要的原因是他对社会现实深刻的不满。他像作者本人一样,以卢梭的平等观来观察新建立起来的资产阶级秩序,对这秩序下的社会不平等发出了这样的指责:"在这个社会里,从上到下存在着许多侮辱人的等级,上至自称仅次于上帝的王公,下至要租一床草垫子过夜就得向女店主低声下气的最贫穷的拾荒者,再没有什么比这些等级划分更荒唐的了。"而他自己则力图自外于这种新的不平等的秩序,他说:"我不愿意一级一级往上爬,为了在社会里获得地位,强迫自己向上级逢迎奉承,而以轻蔑下属作为补偿。"然而,使他感到寂寞的是,他周围的人们,包括他的朋友所持的思想见解却完全与他不一样,他们都沾染了那个社会的偏见、迷信、传统观念,这又使他在一些问题上表示出愤世嫉俗的思想。他以整个社会为对立面,对社会的偏见习俗加以激烈的反驳和批评。他否定宗教信仰,认为人从事正当行为是出于道德法则而不是出于宗教信仰,因而应该靠道德来维系德行而不应靠宗教迷信;他反对对妇女进行宗教的愚昧教育,表示对此不应保持沉默;他还对剥夺个性自由的社会原则发出强烈的抗议,批判"捏造出来的这种社会原则是多么丧心病狂!"作者赋予了奥贝曼这些思想特点,使这个人物成为法国19世纪资产阶级文学中最早的一个个人反抗形象。

《奥贝曼》作为19世纪初的一部作品,对于后来的文学特别具有表征意义的地方还在于,它表现了这种特定历史条件下个人反抗的特点和方式。奥贝曼既然认为整个社会关系都是对人的束缚,他必然把遁世独立视为个人的解脱和对社会的反抗。他追求孤独,这就是他厌弃社会、对社会表示反感的一种方式。在他看来,在那个社会里,孤独是生活的唯一意义,这种孤独愈充分愈好。必须脱离一切社会事物,远离城市和村庄,遁入荒无人烟、浓雾弥漫的原始森林,逃到深夜中寂无人声的瑞士湖畔,才能有真正意义上的生活。他住在瑞士山谷里,这还不能满足他的孤独欲,只有当他爬上远离人间的山顶时,他才得到了自由自在的感觉。在这里,作者以抒情的描写,把孤独的主题加以诗化,描写他的主人公在现实生活中所体验不到的欣喜和狂欢,奥贝曼赞美这脱离尘嚣的冰冷的山顶上的美妙境界,"是言语所不能形容、幻想所不能召唤的";他特别高兴的是,"这时不会想到别人,也不会想到过去和将来,这是一个清静无为的时刻:不用根据人为的规范、社会的舆论甚至公众的利益去思考,这时,人才更为自然……思想不再活动,不再循规蹈矩,而是陶然感受,自由自在"。作者还通过奥贝曼之口对脱离了尘世、处于孤独的自然状态的人进行了礼赞:"人在幻想,人悠然自得;他这时深邃而不卖弄才情,伟大而并不兴奋,顽强而没有谋划。"《奥贝曼》中这些描写颇有卢梭关于自然人的思想色彩,只不过卢梭用来反对传统的封建文明的武器,在瑟南古这里就指向了资产阶级社会。瑟南古在世纪之初开辟了新社会条件下孤独的主题,把它作为人厌弃社会的一种反抗方式来加以描写,对19世纪文学无疑是一种先导。

这种厌弃再进一步必然发展为对现实生活的彻底抛弃,因此,《奥贝曼》中就有了另一种对社会表示抗议的方式,即自杀。主人公关于自杀的议论,其意义并不在于对这种抗议方式的提倡,而是把它作为一种自由地对抗社会的方式来加以维护,他激烈地反问:"如果我在自己的生死问题上都毫无决定权,那么谁又把这一权利交给了社会?"他针对拿破仑战争和帝国时期的社会现实提出了这样的指责:"有些人对我说,自觅短见是一种罪恶,但就是这些禁止自杀的诡辩家们,却要我去死,送我去死……当我们热爱生命的时候,他们要我们去死,说这是光荣,当我们在战场上杀死一个希望活下去的人的时候,他们说这合乎正义;而当我们想要死的时候去找死,他们就说这是一桩罪恶！你们用种种诡辩的或荒谬的借口玩弄着我的生命，却偏偏只有我自己无权支配我自己！当我热爱生命时，你们叫我轻生；当我生活幸福时，你们送我去死；但当我希望死的时候，你们却不许我死，把我所厌恶的生活强加于我。"这里，矛头完全指向了社会，指向了拿破仑时期的资产阶级军事专政的秩序。正因为奥贝曼这番议论表现了资产阶级个性与资产阶级秩序的深刻矛盾，他所思考的消极的个人反抗的方式也集中反映了那个社会里资产阶级个性所共有的弱点。在资产阶级社会与个性的矛盾问题刚刚出现的世纪之初，自然会在同一类的读者圈子里引起强烈的共鸣，因而，这部作品在传播自杀的狂热上，不下于《少年维特之烦恼》在德国的条件下所起的作用。

然而，实际上《奥贝曼》最后的结论并不完全是消极的反抗，主人公本人最后也并没有自戕，他要去从事写作，还要求自己"把真实的话说出来，而且竭力要说得令人信服"，表现了一种积极的精神，最后突破了全书沉郁和呻吟的基调。至此，奥贝曼原来那种无所事事、在生活中找不到自己地位的性质就比较清楚了，它反映了主人公面对不合理的社会现实的苦闷和彷徨，而且是一个启蒙思想的信徒在理性王国破灭后的苦闷与彷徨。虽然这个人物由于缺乏行动而站不起来，但他的思想感情在19世纪初是具有代表意义的。这就是这部作品的主要价值。

2. 诺迪埃

诺迪埃在19世纪初的文学中，并不是一个很有成就的作家，但却是一个很有影响的文学活动家。他出生在一个律师的家庭，父亲是18世纪启蒙思想的忠实信徒，大革命期间成了贝尚松地方革命法庭的庭长，他以卢梭的教育思想培养自己的儿子，使诺迪埃受到了启蒙思想的哺育。诺迪埃从小在革命气氛中长大，并亲眼见到了革命高潮时期严酷的阶级斗争和九三年的法兰西恐怖时代。他从少年时代起就在贝尚松中心学校担任图书管理员,开始从事自然科学的研究,并且在19岁的时候写出了一本关于昆虫的著作。他的文学创作活动开始得也较早,从1801年到1804年,他相继发表了论文《莎士比亚的思想》(Les Pensées de Shakespeare,1801)、小说《被放逐的人们》(Les Proscrits,1802)、《萨尔兹堡的画家》(Le Peintre de Salzbourg,1803)、诗集《一个青年抒情诗人的随笔》(Essai d'un jeune barde,1804)。诺迪埃是一个独立不羁、充满浪漫的冒险精神的自由主义分子,和每一届当权政府格格不入是他的特点之一。早在执政府期间,他就是一个与官方作对的"危险人物"。拿破仑专制开始后,他在22岁的那年写了一首题为《拿破仑小姐》的讽刺诗,为此蹲了几个月监狱,此后一直受到拿破仑政府的监视和追踪。他隐遁在故乡汝拉山中,过着不安定的生活,他最初的文学创作就是在这种条件下写出来的。1812年,他任一家地方报纸的主笔,不久被拿破仑的警务大臣解职。复辟时期,他在巴黎继续写作,发表的作品有小说《让·斯波卡》(Jean Sbogar,1818)、《泰莱斯·阿贝尔》(Thérèse Aubert,1819)、故事集《罗尔·吕特温或吸血鬼》(Laure Ruthwen ou Les vampires,1820)、《斯玛拉或黑夜里的魔鬼》(Smarra ou les démons de la nuit,1821)、批评文集《文学批评杂论》(Mélanges de littérature et de critique,1820)、《论文学中的幻想》(Du fantastique en littérature,1832)等,其中的小说和故事充满浪漫主义低廉的怪诞,流于一般的通俗作品。1823年,他开始任职于阿瑟纳勒图书馆。从此,他著名的阿瑟纳勒沙龙成了文艺聚会的场所,每个星期天,他在这里招待青年作家,一直到1830年。在这一阶段,特别是在1828年以前,他的沙龙成为当时浪漫派活动的中心,他自己也成为浪漫派第一文社的中心人物。

诺迪埃在文学创作上的成就不高,他的作品都已经丧失了艺术生命力,但他早期的小说《萨尔兹堡的画家》却是一本值得注意的书。诺迪埃自称这部小说是《少年维特之烦恼》的"模仿之作",但它本身的形象意义远不及歌德的这部作品,其中充满了浅薄的廉价的感伤。主人公青年画家沙尔是一个敏感多情的维特型的人物,连国籍也与维特相同。他因为政治原因被逐出自己的家乡巴伐利亚,在欧洲过着流亡的生活,一直怀着对恋人欧拉丽的爱情。他后来回到了巴伐利亚,但欧拉丽已经与另一青年斯普龙克结婚。小说于是大肆渲染主人公那种维特式的痛苦,悲叹和呻吟,追忆和妒火,还加上一点绝望之中对妨碍爱情自由的法律、习俗和偏见的抗议。但是,欧拉丽的丈夫并不幸福,他原来另有爱人,她死去后他一直未能忘情;他知道了自己妻子和沙尔之间的关系后,为了成全他们,感伤地服毒自尽了,欧拉丽也同样感伤地遁入空门,沙尔最后决定退隐到多瑙河畔的修道院,但不久,多瑙河的泛滥使他葬身鱼腹。

这个浅薄的感伤故事的思想意义和艺术格调都不高,但它显示出 19 世纪初期浪漫主义小说的一般特点:感伤的爱情、痛苦呻吟的主人公和夸张的艺术风格,还显示出德国文学对法国浪漫主义的巨大影响。特别值得注意的是,这本书也提出了个人与社会的矛盾问题。本书有这样一个副标题:"烦恼心情的日记",在第一版中,作品的后面还有一个附录:《关于修道院的沉思》。在这里,作者实际上是为他的小说作了一个注解,他通过一个独白者之口,表白这一代人的痛苦:"我还那么年轻,可又那么不幸,我很早就看穿了人生和社会。"这种痛苦的原因在这里也讲得十分清楚:"我们是用狮子的血和骨髓喂养长大的",但是,偏偏遇见了"一个不给人以任何机会却决定了未来的政府",并且它还"给青年人的权力的危险发展设定了各方面的限制,这样对他们说:'到此为止,不得再进。'"于是,就形成了从小受到 18 世纪启蒙思想的哺育,并经历过严酷的革命时代的青年一代要求自由发展的愿望与限制这种自由发展的资产阶级秩序的矛盾。这一新的秩序使这一代人深感失望,独白者的另一句话:"以前哄骗我的种种希望如今都已幻灭",正表现了他们的这种失望。诺迪埃在这里点出了整个资产阶级浪漫主义文学中烦恼和愤慨基调的一个社会根由,他还寻求解脱烦恼的道路,但这时他就流于消极,要求社会提供"一个烦恼的避难所",即恢复修道院,青年画家的故事就是用来表现这一主题的。这种对宗教生活的要求,出于用启蒙思想的"血和骨髓"喂养大的一代人之口,看起来似乎是矛盾的,但反映了一代人的理想破灭后无可缓解的苦闷和对社会前景的悲观,这对19世纪初资产阶级浪漫派文学来说,又是具有代表意义的。

第四章 雨果

第一节 雨果的生平与创作道路

维克多·雨果（Victor Hugo，1802～1885）是法国资产阶级浪漫主义文学运动的领袖人物，他的一生几乎跨越了整个19世纪，随着法国历史的进程，他在诗歌、戏剧、小说、文艺理论、政论等各方面进行了大量的创作，并产生了巨大影响。不同的历史时期在他的文学活动中打下了自己的印记，从而使他的全部作品构成了19世纪法国政治、社会的变化和动态的一个侧影。

雨果于1802年2月26日生于贝尚松，他的父亲布鲁特斯·雨果系平民出身，大革命时期参加革命军，在拿破仑时期曾转战南欧，得过将军头衔。雨果幼年跟随父亲的行旅到过意大利、西班牙，在西班牙开始受小学教育。雨果的母亲是波旁王朝的拥护者，对少年雨果影响颇深。波旁王朝复辟后，雨果的父亲又宣誓效忠新统治者，雨果跟随母亲回到了巴黎。在中学时代，雨果就爱好文学并开始写诗，他在当时波旁王朝的桂冠诗人、贵族浪漫主义作家夏多布里昂的影响之下，立下了这样的志愿："成为夏多布里昂，除此别无他志。"由于其家庭在复辟王朝统治下的政治利害，也由于他母亲的影响，雨果初期的创作有保守甚至反动的倾向，如《读书乐》一诗因辱骂拿破仑是"蹂躏世界的暴君"而获得了官方的奖金。1819年，他与维尼等共同创办《文学保守者》(*Le Conservateur littéraire*)周刊，公开站在伪古典主义一边。他初期的诗作都在这刊物上发表，后于1822年收集成第一部诗集。这些诗很多都是反对革命、拥护波旁王朝、歌颂保王主义和天主教的，由此，雨果相继两次获得路易十八赐给的年俸。1825年，他被授予荣誉勋章并参加了查理十世的加冕典礼。1826年，他把第一部诗集加以补充，编为《颂歌与吟唱集》出版。在这一时期，雨果还开始写作戏剧和小说，1822年，他与别人合作，写出了模仿英国浪漫主义作家司各特的剧本《阿尔·罗布沙尔》，1823、1826年，先后发表中篇小说《冰岛凶汉》与《布格－雅加尔》，前者是一篇情节恐怖、充满了荒诞想象的低劣之作，后者以1791年法国殖民地圣多明各黑奴暴动为题材，但思想艺术都不成熟，对贵族人物加以美化，对起义者有所歪曲，流露了青年雨果保守主义信仰的偏见。

查理十世上台后变本加厉的反动使革命危机逐渐酝酿成熟，在自由主义思潮日趋高涨的背景下，雨果的政治态度开始有了转变。1826年，成立于1823年、缺乏明确纲领的浪漫派第一文社解散，雨果与维尼、缪塞、大仲马、诺迪埃另组第二文社，开始明确反对伪古典主义。1827年，他在《铜柱颂》一诗中缅怀了拿破仑时代对欧洲封建君主国家的武功。同年，他又发表了著名的战斗性的浪漫主义宣言《〈克伦威尔〉序》，成为这一运动的领袖。从这一年起一直到1840年，他以丰富的戏剧、诗歌以及小说创作显示出浪漫主义文学的实绩。1828年，浪漫主义戏剧《玛丽蓉·德·洛尔墨》由于批判专制王权而遭到禁演。1829年，他同情和歌颂希腊解放斗争的诗集《东方集》问世，并出版了批判不合理的法律制度的小说《死囚末日记》。1830年，他写作了具有鲜明的反封建思想内容和新颖的浪漫主义艺术手法的《欧那尼》，这个剧本在七月革命前夕初次演出时，浪漫主义与伪古典主义的两派拥护者在剧场进行了激烈的斗争，演出最后得到极大的成功，标志着浪漫主义戏剧对伪古典主义戏剧的胜利，成为法国文学史上的重要事件。

1830年七月革命爆发后，雨果以欢迎的态度写作了热烈的颂诗《年轻的法兰西》。1831年他完成了浪漫主义文学中著名的长篇小说《巴黎圣母院》，上演了剧本《玛丽蓉·德·洛尔墨》，发表了抒情诗集《秋叶集》。1832年以后，他相继发表的作品有剧本《国王寻乐》《留克莱斯·波日雅》(*Lucrèce Borgia*，1832)、《玛丽·都铎》(1833)、《昂日洛》(*Angelo*，1835)、《吕伊·布拉斯》(1838)，诗集《黄昏之歌》(1835)、《心声集》(1837)、《光与影集》(1840)，小说《克洛德·格》(1834)以及杂文《文学与哲学杂论》(*Littérature et philosophie mêlées*，1834)。七月革命以后这一时期雨果的戏剧与小说作品，充满了强烈的反封建反教会的精神，对旧制度和封建统治阶级的激愤的控诉是这些作品的基调。

金融家王朝的建立与巩固，使雨果逐渐在政治上采取了和现实妥协的态度，1841年，他被选为法兰西学院院士，在就职演说中，他虽然称颂了法国大革命，但表示拥护君主立宪制，不赞成共和政体，他1842年出版的游记《莱茵河》(*Le Rhin*)再次表现了这种立场。1845年，路易-菲利普授予他"法兰西世卿"的称号。这一时期他在文学上的声望有所下降，1843年他以德国中世纪历史为题材的剧本《城堡里的伯爵》上演遭遇失败，浪漫主义戏剧从《欧那尼》开始，经历了十几年的繁荣，至此宣告衰落。1845年后，雨果在文学创作方面比较沉寂，在政治舞台上却很活跃。1848年以前，他一直在君主立宪制与共和政体之间摇摆，巴黎的无产阶级在二月革命中提出推翻七月王朝、建立共和国的口号后，他才坚决站在共和的立场上。他被选为制宪会议的成员，巴黎无产阶级的六月起义中，他对被镇压的起义者抱同情态度。1848年底的总统选举中，他投票支持路易·拿破仑·波拿巴，不久又成为这个野心家的反对派，他是1849年至1851年间国民议会中社会民主派的领袖。1851年路易·波拿巴发动反革命政变，宣布帝制，大肆镇压人民，雨果和他的政派发表宣言试图反抗，但遭到失败，政变后的12月11日，他被迫流亡国外。

19年的流亡期间，雨果先后居住在比利时的布鲁塞尔和大西洋中英属杰西岛和盖纳西岛，始终对拿破仑三世的独裁政权进行坚决的斗争。1852年他出版了辛辣嘲骂拿破仑三世的小册子《小拿破仑》，并写成了揭露政变过程的《一个罪行的始末》(*Histoire d'un crime*, 1877年发表)。1853年，他"充满革命气势"的政治讽刺诗集《惩罚集》出版。1859年，他拒绝拿破仑三世的"大赦"。在流亡时期，他的其他文学创作有诗集《静观集》(1856)、《历代传说》(1859)、《街头与森林之歌》(*Les Chansons des rues et des bois*, 1865)，长篇小说《悲惨世界》(1862)、《海上劳工》(1866)、《笑面人》(1869)以及文艺批评专著《莎士比亚论》(*William Shakespeare*, 1864)。

1870年，拿破仑三世垮台，雨果结束了长期流亡生活，凯旋式地回到巴黎，受到巴黎人民的热烈欢迎。普法战争爆发后，他持反战的态度，但普鲁士军队侵入法国、围困巴黎时，他以激昂的爱国主义热情投入斗争，他发表演说鼓舞人民的斗志，他报名参加国民自卫军，他捐款铸造抗战的大炮，其中的一尊就以"雨果"命名。1871年2月，他被选为国民议会议员。巴黎公社时期，他在布鲁塞尔，他既同情公社又对公社不理解，但公社失败后反革命刽子手大肆进行屠杀时，他就挺身而出，保护被迫害的公社社员，宣布开放他在布鲁塞尔的住宅作为他们的避难所，并积极为被判罪的公社社员辩护，争取对他们的赦免。1872年，他刊行了1870年至1871年法国人民艰难时日中写的诗体日记《凶年集》。1877年以后，他完成了四部诗集《当祖父的艺术》(*L'Art d'être grand-père*, 1877)，《历代传说》二、三集(1877~1881)，《自由自在的精神》(*Les Quatre vents de l'esprit*, 1882)；两部政论：反对天主教的《教皇》(*Le Pape*, 1878)和批判封建君主权力的《至高的怜悯》(*La Pitié suprême*, 1879)以及一部戏剧《笃尔克玛》(*Torquemada*, 1882)。

1885年,雨果逝世于巴黎,法兰西举国志哀,巴黎举行了规模宏大的葬礼,参加的有巴黎公社的战士和穷苦的人民群众。他被安葬在伟人公墓。

雨果的一生正值法国从19世纪上半叶自由资本主义逐步发展到19世纪下半叶垄断资本主义。在复杂激烈的阶级斗争中,他的政治态度与立场经常表现出矛盾与反复,这是他复杂的世界观和作为小资产阶级思想代表的动摇性所决定的。他的哲学思想,最初由信奉天主教到自然神论再到疑神论,最后又是泛神论者。他的政治信仰由保王主义发展到民主共和主义,其最高限度从没有超过1848年时的资产阶级民主主义水平。他指责资本主义的不正义,其批判的尺度则不过是资产阶级人道主义;他是资本主义黑暗社会的愤怒揭露者,同时又迷信可以通过法律和教育改善人类的处境;他维护被压迫民族的尊严与自由,谴责沙皇、梅特涅、俾斯麦这些民族压迫者,对英法联军侵略中国、烧劫圆明园表示愤慨,他反对帝国主义战争,热切希望"战争将有一天消灭,人类将更为美好",但他终究只是一个和平主义者,并不理解民族奴役和殖民战争的社会根源在于资本主义制度;在无产阶级登上了历史舞台并对资产阶级进行英勇斗争的时候,雨果一方面站在资产阶级营垒中反对无产者的暴动起义,另一方面对劳动人民的悲惨处境又充满了同情,对资产阶级的阶级压迫表示了强烈的憎恶。雨果在政治上曾经有过动摇与反复,但总起来说,他随着时代不断进步,并且在法国社会开始向垄断资本主义过渡的历史条件下,继承和捍卫了1789年法国革命以来的资产阶级进步的思想传统,成为文学上和政治上的一位资产阶级民主主义的卓越代表。

第二节　雨果的文艺理论

19世纪二三十年代的浪漫主义运动，是在和伪古典主义激烈的斗争中发展壮大的，新的文学运动要为自己开拓道路，就必须批判过时的伪古典主义，也必须为自己的文学主张和创作理论而"大声疾呼"。雨果担负了这个任务，成为浪漫主义运动的理论家和发言人，他的理论阐明了浪漫主义创作方法与批评方法的一般特征，是浪漫主义文艺理论的典型标本。

1826年以前，雨果在文艺思想上经历了由保守派发展为调和派再发展为革新派的过程。他早期是古典主义的拥护者。1823年左右，他力图在当时已尖锐冲突的两种文学思潮中充当调停人，想找到一种"彼此谅解的办法"。然而，他这时期所写的理论文章已开始表现出他倾向于浪漫主义的态度。1823年所写的《论司各特》（*Sur Walter Scott*）肯定了这个英国浪漫主义小说家的丰富想象，次年所写的《论拜伦》（*Sur Lord Byron*），更把这位浪漫主义诗人视为与自己血肉相连的同道，高度赞扬他作品中的"理想的境界"、炽热的感情、强烈的个性、"狂放不羁的想象"，并且认为"过去时代的文学早就应该隐退"，新时代需要新的文学流派，而19世纪的新文学是"在风吹雨打的土地上长出来的百花"。在《〈颂歌与吟唱集〉1824年序》里，他虽然还没有承认"浪漫主义"这个名词，但承认了"一种广阔而深刻的运动正在暗暗地作用于本世纪的文学"。这些论述说明雨果的文艺观点正随着时代而向前进步，并且已经蕴含了重视理想、情感、个性和想象的浪漫主义创作论的一些原则。

从1826年开始，雨果旗帜鲜明地投入了浪漫主义与伪古典主义的文艺论争。他的《〈颂歌与吟唱集〉1826年序》中就显示了这种新的姿态，而他在1827年发表的《〈克伦威尔〉序》（*La Préface de 'Cromwell'*），更成为声讨伪古典主义的檄文、浪漫主义文艺理论的经典，浪漫主义流派的旗帜。这一新文学运动的积极参加者戈蒂耶后来这样回忆说："那真是奇妙的年代。《〈克伦威尔〉序》在我们眼里发出灿烂的光辉，在我们看来，它的论证是无可辩驳的，它引起了一个类似文艺复兴的运动。"

《〈克伦威尔〉序》是一篇洋洋洒洒、文辞华丽的雄文，不论其内容、作用或文采，都可以称得上批评史上的重要文论。整个序言有三个主要的部分，第一部分是关于浪漫主义文学的起源和特点，作者把人类社会划分为原始时期、古代和近代三个阶段，认为近代文学由于基督教的启示而体现了美与丑、崇高优美与滑稽丑怪对照的原则，这是浪漫主义文学的标志；第二部分论述对照原则在戏剧中的运用、戏剧反映现实的特点、戏剧的地方色彩以及人物塑造等问题；第三部分论述戏剧的风格和语言。整篇序言都贯穿了对伪古典主义的批判和对浪漫主义对照原则的鼓吹，其中的主要思想，后来雨果又在其他作品的序言中加以阐述和补充，构成了一整套浪漫主义的文艺理论。

雨果对伪古典主义进行批判时，首先针对其对古人的顶礼膜拜、盲目模仿。他把"模仿"称为"艺术的灾祸"，批判伪古典主义作家"把车辙当作了道路"而"远离了真与美之路"。他以新时代的名义要求19世纪的文学与自己的时代合拍，他说："现代的法兰西，19世纪的法兰西，米拉波为它缔造过自由、拿破仑为它创建过强权的法兰西，在赞赏着路易十四时代的文学和当时专制主义如此合拍的时候，一定会明白要有自己所特有的民族的文学。"这种新文学，雨果指的就是浪漫主义文学，他给浪漫主义下了这样的定义："浪漫主义不过是文学上的自由主义而已。"清楚地指出了新的文学思潮的阶级实质就是资产阶级自由主义反对封建专制主义，阐明了这一思潮与时代社会的关系以及它反对伪古典主义的政治社会意义。

在创作态度上，雨果以自由创新与伪古典主义的因循守旧相对抗；而在创作内容上，则以丰富、自然、壮丽、奇特、强烈与古典主义的整齐、严谨、匀称、规则相对比,他把古典主义文学比喻为经人工修饰得整整齐齐的凡尔赛皇家花园,而把浪漫主义文学比喻为天然壮观的原始森林。因此,他特别集中地批判古典主义束缚文学创作的清规戒律,反对古典主义把悲剧、喜剧截然分开,反对它所规定的"这种气派、那种程度、这个界限、那个范围",并且在"破"的基础上,立自己的以对照原则为核心的浪漫主义创作论。

他的对照原则的理论要点是:自然中的万物并非都屈从人的意志而都是崇高优美的,它们处于一种复合的状态中,"丑就在美的旁边,畸形靠近着优美,粗俗藏在崇高的背后,恶与善并存,黑暗与光明相共",因此,艺术无权把两者割裂开来,应该同时加以表现,"把阴影掺入光明,让粗俗结合崇高而又不使它们相混";"滑稽丑怪作为崇高优美的配角和对照,要算是大自然所给予艺术的最丰富的源泉";古典主义文学把这两者割裂开来并舍弃了滑稽丑怪,因而是一个缺陷,新的浪漫主义则是同时表现了这两个方面的新的文学。

雨果的对照原则反对伪古典主义只表现崇高伟大而排斥生活中平凡粗俗的形象,体现了当时资产阶级企图扩大文学的表现范围的要求,是资产阶级思潮与封建主义思潮矛盾斗争在文学中的反映,在当时具有进步意义。但是,对于滑稽丑怪,雨果也只赋予它一种途径和手段的意义,他这样说:"古代庄严地散布在一切之上的普遍的美不无单调之感,崇高与崇高很难产生对照,于是人们就需要对一切都休息一下,甚至对美也是如此,相反,滑稽丑怪却似乎是一段稍息的时间,一种比较的对象,一个出发点,从这里我们带着一种更新鲜更敏锐的感觉朝着美而上升。"可见,对照原则的主要目的还是对于崇高伟大的美学理想的追求,只不过这种崇高伟大要符合资产阶级人性论的原则:"肉体赋予灵魂,兽性赋予灵智",与伪古典主义对封建统治阶级的美化有不同的阶级内容而已。

虽然雨果以真实的名义反对古典主义的悲剧与喜剧把道德、英雄主义与恶习、可笑割裂开来并加以抽象化，但他的对照原则远非现实主义的文学主张，他把艺术真实与自然真实严格加以区分，特别强调诗人的主观在艺术创造中为了把人物事件表现得更强烈而起的能动作用，因而，他所理解的艺术中的美丑是经过理想化与极度夸张的，雨果把这个原则加以绝对化，在塑造人物的时候，只从这一抽象的要求出发，力求在人物身上造成强烈的、尖锐的对照，反而就脱离了现实的本来面目，这特别表现在他的浪漫主义戏剧中。而且，雨果把自己的对照原则建立在基督教的灵与肉对照的说教上，更表现了其唯心主义艺术观的实质。

除对照原则外，雨果还强调作家应该根据一定的道德和美学理想进行创作，应深入到心灵中进行探掘，无拘无束地抒发主观的思想情感；在创作态度上，他要求自由创新，不拘传统；在艺术形式上，他提倡丰富有力、奔放自然的风格和绚烂鲜明的色彩；在艺术功能上，他要求"具有强者的威严的魅力"，能"出其不意把你整个灵魂都掏出来"，以达到强烈的艺术效果等等，这些论述充分体现了浪漫主义创作方法所具有的一般表征意义的观点，是典型的浪漫主义创作论。

雨果的理论主张也有一般浪漫主义者所具有的推崇"天才"、强调个性、以自我为中心的偏向，但他作为一个积极浪漫主义者的文学思想家，又在以下三个方面与贵族浪漫主义有着根本的不同：首先，是对作品的进步政治内容的强调。雨果自从改变了保王主义的政治倾向后一直坚持这一观点。在复辟王朝的后期，他要求普遍伸张文学上的自由与政治上的自由；在七月王朝时期，他向往"诗歌在政治风暴中冒险"，认为："正因为如此，它才更美更强有力。"在拿破仑三世统治时期，他又提出向"降临到这世上来以实现进步"的诗人学习，这就使他与贵族浪漫主义者划清了政治界限。其次，是对文艺的美感教育的要求。雨果坚持文艺应该指点人类的心灵，给予读者以有益的道德教训，他认为诗人负担着心灵的责任，应该为真理所引导，他明确提出了"剧院就是讲坛",戏剧"负有民族的使命、社会的使命、人类的使命"的思想,从而摒弃了贵族浪漫主义把文学视为心灵的游戏的错误主张。第三,是对真实性的重视。雨果在19世纪20年代宣传自己的浪漫主义文学理论的同时,就提出了"诗人只应该有一个模范,那就是自然",表现了文学模仿自然这一传统的现实主义的理解,而后,他又力图把浪漫主义所推崇的"伟大"和现实主义所要求的"真实"结合起来,主张作家"通过真实充分地写出伟大,通过伟大充分地写出真实",认为"真实之中有伟大,伟大之中有真实",才是"艺术达到了完美的境界",由此,他强调作家应该具备两大条件:"一个反映镜,就是观察,还有一个储存器,这便是热情。"雨果的文艺思想达到了浪漫主义与现实主义的结合,从而居于历史上一切浪漫主义者所不能达到的高度,他之所以能写出像《悲惨世界》这样充满浪漫主义色彩,又有生动的现实主义描写的杰作,其创作思想上的条件就在于此。

第三节 雨果的戏剧

戏剧是法国浪漫主义运动取得重大成绩的领域,而雨果又是浪漫派戏剧主要实绩的创造者,他提出了浪漫剧的理论主张,创作了奠定浪漫主义戏剧胜利的作品,他从1827年到1843年写作和上演了十多个剧本,显示了这个文学运动的声势。

《克伦威尔》(Cromwell,1827)是雨果的第一部戏剧作品。它以英国17世纪资产阶级革命的历史为题材,集中表现1657年克伦威尔的权力达到顶峰时如何拒绝国王的称号这一戏剧性的故事。这部作品的重要性不在于它本身,而在于它著名的序言。不过雨果在剧本里第一次实践了这篇序言所提出的浪漫主义的对照原则,力图把克伦威尔表现为"既崇高优美又滑稽可笑"的人物,"一个复杂的、成分不同的、多样化的个体，充满矛盾，混杂着善与恶，兼有天才和渺小"。雨果第一次以资产阶级人性论的对照法打破伪古典主义戏剧的墨守成规。但这部五幕诗剧中仅有名姓的人物就有近百人之多，而且场面浩大，篇幅冗长，不符合舞台演出的要求而始终未能上演。

雨果的戏剧代表作是《欧那尼》(*Hernani*，1830)。剧本以 16 世纪西班牙为背景。欧那尼本是贵族子弟，其父被西班牙先王所杀，他流落绿林，一心要刺杀先王的继承者卡洛斯王以报父仇。他与唐·哥梅茨公爵的侄女唐娜·莎尔相爱，但国王卡洛斯却把这个少女许配给年老的公爵，自己还觊觎着她的美色。第一幕，卡洛斯王潜入唐·哥梅茨家侦听欧那尼与唐娜·莎尔的幽会，并跳出来无耻地进行要挟，提出与欧那尼平分唐娜·莎尔的爱情，不巧为唐·哥梅茨所撞见，国王谎称微服私访蒙混过去。第二幕，国王得知唐娜·莎尔准备与欧那尼私奔，夜里带着几个贵族廷臣前来劫持，被欧那尼率领弟兄捉住，欧那尼出于贵族观念没有杀死放弃决斗的国王，并放他逃走，但自己的部下反被国王的军队围剿。第三幕，欧那尼只身逃到唐·哥梅茨的古堡，国王前来搜捕，公爵出于贵族荣誉观念拒绝把欧那尼交给国王，国王把唐娜·莎尔作为人质带走，欧那尼向公爵许诺杀国王报仇后把自己的性命交给公爵处理。第四幕，公爵与欧那尼参加谋杀国王的阴谋，但被一网打尽，这时，卡洛斯王当选为日耳曼帝国的皇帝，他宽恕了谋叛者，恢复了欧那尼的爵位，并赐他与唐娜·莎尔完婚。第五幕，欧那尼与唐娜·莎尔新婚之夜，唐·哥梅茨出于妒恨向欧那尼索命，欧那尼与唐娜·莎尔自杀后，唐·哥梅茨也同归于尽。

这个剧本是浪漫派戏剧的代表作，从内容到风格都可以看出作者与古典主义戏剧分庭抗礼的意图。它打破古典主义在悲喜剧之间划定的不可逾越的界限，同时把悲、喜剧的成分表现在同一个剧里，它是雨果对照原则的一次典型的实践和运用。在情节内容上，第一幕标题为《国王》，与第二幕《强盗》对照，第四幕《坟墓》与第五幕《婚礼》对照;在矛盾冲突上,以欧那尼对唐娜·莎尔的爱情与国王和唐·哥梅茨对这个少女的占有欲对照;在人物性格上,以欧那尼的高尚与国王的卑劣、公爵的狠毒对照,而国王后来又变得宽容大度、公爵原来倒不失慷慨侠义,前后截然相反,互相照应。剧本的情节错综复杂,跌宕起伏,出人意料,具有奇情剧的特点,加上机关布景和异国地方色彩,整个作品显得有声有色,呈现出与当时流行的古典主义戏剧完全不同的风格。特别是在思想内容上,古典主义戏剧中被美化的帝王将相,到了这里成了被揭露和讽刺的对象,更使当时的观众耳目一新。

这部创新的戏剧还没有正式上演,就遭到保守势力的敌视。在排演的时候,他们派人前来挑衅,或者故意讹传,加以曲解,并在报纸上污蔑、攻击,政府的检查机关也加以刁难、扣压,最后临到公演时,保守派通过报刊舆论已经形成了对《欧那尼》的围剿之势。雨果依靠拥护新文艺运动的青年,他们在公演之日,穿着标榜不同凡俗的奇装异服,由青年诗人、画家泰奥菲勒·戈蒂耶率领,赶到剧场捍卫演出,他们之中还有巴尔扎克。剧本的演出轰动一时,整个上演期间,两派势力、两种舆论进行了激烈的斗争,最后以《欧那尼》的胜利告终,自此,浪漫主义戏剧压倒了古典主义戏剧,在巴黎的舞台上占据主宰地位。

除《欧那尼》外,雨果其他比较著名的浪漫剧是《玛丽蓉·德·洛尔墨》《玛丽·都铎》《吕伊·布拉斯》。

《玛丽蓉·德·洛尔墨》(*Marion de Lorme*,1831)中的女主人公是法国 17 世纪的名妓,她与青年狄杰相爱。狄杰与情敌发生决斗,被当时严禁决斗的黎塞留首相判处死刑,玛丽蓉多方进行营救,国王也同意赦免,但被黎塞留否决。作者对这一对青年的爱情倾注了满腔同情,描写出玛丽蓉由于爱情而变得纯洁和具有献身精神,把他们的爱情悲剧归罪于封建专制主义,剧本最后以他们凄厉绝望的死别作结。《玛丽·都铎》(Marie Tudor, 1833) 以 16 世纪英国都铎王朝的玛丽女王的轶事为题材，在贵族阶级内部钩心斗角和宫廷阴谋的背景下，写出她与其宠臣的爱情纠葛，最后她的宠臣被处死。《吕伊·布拉斯》(Ruy Blas, 1838) 以 17 世纪西班牙宫廷生活为背景，大贵族萨留斯特追求王后遭到拒绝而怀恨在心，他玩弄阴谋，把自己的仆人吕伊·布拉斯假扮为贵族推荐给王后。吕伊·布拉斯被描写成一个不论品格和才干都高于贵族的人物，他受到王后的重视被任命为首相，并与王后相爱，这时，唐·萨留斯特向王后戳穿了吕伊·布拉斯的真正身份，企图逼迫王后退位与吕伊·布拉斯结婚。剧本的最后，吕伊·布拉斯杀死了萨留斯特，自己也自杀。

雨果全部浪漫剧的题材几乎都是反封建的，封建专制时期的国王、宫廷、贵族、朝臣是这些剧本揭露和抨击的对象。在《欧那尼》中，卡洛斯王既是一个深夜抢劫妇女的宵小之徒，又是一个手段卑劣的暴君，他的朝廷里面，"真是卑鄙龌龊"，他手下那些"衮衮诸公"都是"摇着尾巴，寸步不离"，"用舌头去舔国王的影子"的走狗。《玛丽蓉·德·洛尔墨》中的路易十三是一个傀儡，而首相黎塞留则是代表着封建专制权力机构的暴虐的形象。《玛丽·都铎》展示出英国封建宫廷阴森可怕、暗无天日的图景。《城堡里的伯爵》(Burgraves, 1843) 描写了德国中世纪城堡中那些渺小的贵族领主争权夺利、鱼肉人民的丑恶面目。雨果把封建专制制度作为一种残暴黑暗的力量与自己的正面主人公对立起来，把它描写为造成这些主人公的爱情悲剧或痛苦不幸的根由，欧那尼的爱情无法实现，开始是由于国王的迫害，后来是由于大贵族残忍的催命的号角；德才出众的吕伊·布拉斯最后落得悲剧命运，也正是因为封建专制的黑暗和贵族势力的恶毒；《国王寻乐》(Le Roi s'amuse, 1832) 中善良的父亲特利布莱的父性感情遭到最大的摧残和打击，根子就是那个荒淫作恶、蹂躏了他女儿的坏蛋国王。雨果企图以此说明，封建专制是人类一切正常关系和正常感情的灾星，他从这个角度进行揭露和批判，这就赋予其浪漫剧以资产阶级人道主义的色彩。雨果在他的剧本中还着意把封建时代那些显爵高位的大人物和地位卑微的普通人鲜明尖锐地对照起来，写出被侮辱与被损害者不论在道德、精神境界和才能方面都大大高于统治阶级。流落山林的欧那尼远比国王高尚；普通青年狄杰与妓女玛丽蓉的爱情比贵族阶级纯洁；而被作者称为"就是人民"的吕伊·布拉斯，在专制主义阴暗的朝廷上，在腐朽、恶毒、贪婪的贵族人群里，则犹如黑夜中的明珠，光华灿烂。这种资产阶级民主主义色彩，是雨果浪漫剧的又一思想特点。

雨果浪漫剧所反映的矛盾是资产阶级与封建阶级的矛盾。他站在资产阶级自由主义的立场上，通过描写旧的封建专制主义时代的黑暗，打击法国19世纪三四十年代现实生活中仍在和资产阶级争夺统治权的封建势力及其复辟的愿望、行动。《玛丽蓉·德·洛尔墨》与《欧那尼》写于复辟王朝时期，前者谴责了专制主义的残暴，具有尖锐的反对波旁王朝的政治意义；《欧那尼》中"你以为在我眼里，国王是神圣的么？"这样的诗句，更是对查理十世政权的直接挑战。因此，这两部作品都曾被复辟王朝政府禁演或刁难。其他的浪漫剧创作于七月王朝时期，除了反封建的主题以外，也开始有了对七月王朝金融贵族的掠夺性的影射。《吕伊·布拉斯》第三幕第二场中主人公对那些"一心饱自己的私囊"的大臣们的揭露，《城堡里的伯爵》中对统治者花天酒地、寻欢作乐，而囚犯们却在地牢里呻吟的描写，显然都有现实的针对性。但雨果反封建的战斗性和对现实的批判是有限的，他从不让自己的主人公有实际的反抗行动，即使有一定程度叛逆性的欧那尼在十分有利的情况下，对暴君也没有丝毫损害。他只满足于让这些主人公在道德上、精神上取得胜利，而且，在七月革命的前夕，他还在自己的代表作中，写暴君卡洛斯王最后变成了一个宽宏大量、广施恩德、有雄才大略的君王，暴露出雨果对波旁王朝的妥协性。

雨果的戏剧创作在艺术上是高度浪漫主义的,情节奇特,完全出于作者主观的想象,戏剧冲突不真实,缺乏生活基础,如《欧那尼》中,推动剧情发展的是不近情理的荣誉观,在《吕伊·布拉斯》中,矛盾冲突也只是建立在萨留斯特的报复心上。写历史题材的剧本也不例外,作者并不致力于忠实、准确地再现某一特定的历史时代,总是任其想象驰骋,因而表现出来的图景主观色彩极浓。同样,雨果浪漫剧中的人物也不典型、不真实,他从对照原则的模式出发,在人物性格上追求强烈的夸张和奇特的效果,总是流于过分的刺激。雨果主要是一个浪漫主义诗人,他的剧本多数是诗剧,缺乏舞台艺术的效果,从诗歌的角度来说,确有不少出色的篇章,抒情处婉转动人,雄辩处激昂慷慨,如果没有这种诗的价值,这些剧本在艺术上就几乎一无可取了。

第四节　雨果的诗歌

雨果是法国文学史上最伟大的诗人。他漫长的创作生涯都由诗歌贯穿着。他在自己的祖国被视为民族诗人,不仅因为他的诗歌数量庞大,艺术性强,更重要的是由于他的诗不断跟随着时代前进,反映了法国将近半个世纪政治、社会的变化,抒写出相当多的人们在这过程中共同的思想感情。

雨果的诗歌创作在早期走过一段弯路。最早收集在《颂歌与吟唱集》(*Odes et Ballades*,1826)中的一大部分诗作,诸如《旺代》(*La Vendée*,1819)、《颂亨利四世雕像落成》(*Le Rétablissement de la statue de Henri IV*,1819)、《贝里公爵之死》(*La Mort du duc de Berry*,1820)、《颂查理十世加冕大典》(*Le Sacre de Charles X*,1825)等,都充满了对君主制度和天主教会的狂热、对波旁王朝的阿谀奉承和对 1789 年资产阶级革命的指责，正如他自己所说："君主把他讲话的声调赐给了我，我的歌唱飞向上帝，就像苍鹰飞向太阳。"这些诗在艺术上拘泥于古典主义诗歌的格律，是以矫揉造作、华而不实、古典主义程式化的语言写成的。

在 19 世纪 20 年代中期资产阶级自由主义思潮的进一步发展中，雨果政治上的进步和文学主张的改变，带来了他诗歌创作的转折。收集在《东方集》(*Les Orientales*，1829) 中的诗作摆脱了古典主义的束缚，而具有了典型的浪漫主义的"五彩缤纷的华丽"，诗律也较过去自由而灵活，诗人不再从古代、中世纪汲取自己的诗情，而是任想象驰骋在东方伊斯兰教的异国情调里。重要的还不是《东方集》中诗歌形式的变化，而是其中出现了新的诗歌主题，对自由的向往和对解放斗争的歌颂。

希腊反对土耳其统治的民族解放斗争，是欧洲 19 世纪二三十年代资产阶级民主主义高涨中的重要国际事件，它得到各国进步人士的同情和支援，雨果受时代潮流的感染，对这一斗争事业产生了巨大的激情，写出了《东方集》中动人的希腊组诗。其中《拉扎拉》(*Lazzara*，1828) 一诗塑造了一个富贵不能淫的希腊少女的形象：她像清晨一样朝气蓬勃，土耳其的军事长官献给她金钱财宝、宫殿车马，她都断然拒绝，而选择了一个"没有任何东西献给她的黑眼睛山民"，"他与贫穷为友"，"全部的财富就是露天的空气，井泉的清流，一支被硝烟熏黑了的好枪，还有高山上的自由"。《孩子》(*L'Enant*，1828) 一诗，通过对一个希腊儿童的描绘，表现了希腊人民对异族压迫者的仇恨：

> 土耳其人所到之处，只剩下一片灾难与废墟，
> 企欧，这产酒之岛成为一块悲惨的礁石，
> 杳无人迹，不，只有一个蓝眼睛的希腊儿童，

垂着被凌辱的头,靠近着被熏黑的墙壁,
……
啊,可怜的孩子,怎样才能从你的蓝眼睛里,
那像蓝天、像碧海一般的眼睛里,
使泪水消失,让欢乐的眼光
从泉涌般的泪流中闪出?
怎样才能使你抬起那栗色头发的头颅?
……
怎样才能把你深深的忧愁驱散,
……
怎样才能使你对我一笑,
……
要给你什么,花朵,美味的果子,还是奇异的小鸟?
——朋友,蓝眼睛的希腊孩子这样要求,
我要子弹和火药。

《卡纳里斯》(Canaris,1828)一诗,描绘了希腊解放斗争中的英雄人物卡纳里斯以弱胜强、英勇杀敌的壮烈图景:海上硝烟弥漫,火焰四起,土耳其的船舰被击中,一片混乱,狼狈不堪,胜利的光荣属于卡纳里斯,他在敌人的船舰上升起自己胜利的旗帜,这旗帜不同于世界列强在海上耀武扬威的军旗,它胜过威尼斯使真正的狮子惊叫的狮旗,胜过法兰西的金百合花旗、美利坚的星条旗,胜过奥地利威逼全球的鹰旗和英国在海上不可一世、使人恐惧的军旗,卡纳里斯所升起的胜利的旗帜,就是熊熊的复仇的大火。雨果的希腊组诗以革命的激情和具有典型意义的诗的形象,表现了希腊人民坚贞不屈的性格和英勇壮烈的斗争,是他整个19世纪20年代最为杰出的诗篇。

雨果成为一个站在进步立场上、以诗歌紧密结合现实斗争的

诗人还有一个过程。七月革命前夕所写的《秋叶集》(*Les Feuilles d'automne*, 1831)中的诗歌,缺乏积极的政治社会内容。虽然诗人从对异国的想象回到了周围的现实,但还不是对社会现实的忠实反映和中肯的批判,而只是对外部客观环境、巴黎街景的描写,不过值得注意的是,画面具有一种凄凉的情调,反映了诗人的忧郁的眼光在观察令人不满的现实,于是,在这部诗集的最后,雨果谈到了面对不合理的世界所应负起的职责:

> 我深深地憎恨压迫,
> 当我听见在世界的某个地方
> 在暴君的残酷统治下,
> 有民族正在求救呼喊,
> 当欧洲国家让我们的母亲希腊
> 在土耳其屠刀下受尽折磨,
> 当爱尔兰浑身是血,被钉死在十字架;
> 当条顿带着镣铐在列强统治下挣扎,
> ……
> 当可怕的哥萨克兽性大发
> 蹂躏披头散发、已经死去了的华沙,
> 玷污她褴褛然而贞洁神圣的尸衣,
> 在她已躺在坟墓里的身躯上伤天害理,
> 那时,我就诅咒那些躲在自己巢穴里的暴君,
> ……
> 我就感到诗人要成为他们的审判者,
> ……
> 我就忘记了家庭、孩子和爱情,
> 还有无忧无虑的安闲和轻柔的歌声,

而把一根青铜之弦装上我的竖琴。

七月王朝前期雨果出版的《黄昏之歌》(Les Chants du crépuscule, 1835)、《心声集》(Les Voix intérieures, 1837)、《光与影集》(Les Rayons et les ombres, 1840)等三个诗集, 对政治社会题材有了较多的关注。这些写于 1840 年之前的诗歌有不少是直接对重大的社会事件发言的。七月革命后不久, 雨果就对这次革命唱了热情的赞歌《致年轻的法兰西》, 他颂扬七月革命的参加者拯救了法兰西的民族权利, 继承了开创法国大革命事业的先辈们的传统:"你们是他们的儿子, 他们的灵魂和他们的热血, 造就了你们炯炯的目光和钢铁的手臂。"1831 年七月革命周年纪念时, 他又为这次革命中的牺牲者写了《赞歌》(Hymne, 1831)一诗表示悼念, 这首诗经谱曲后在纪念大会上由 500 人的歌咏队演出合唱。他还写诗对被践踏的波兰表示同情, 他不止一次把颂歌献给希腊民族解放斗争中的英雄, 他的诗歌中还经常出现另一个高大形象——拿破仑。从复辟时期就开始流传的关于拿破仑的传说, 反映了法国各阶层人民对这位为法国自由资本主义开辟了道路的历史人物的怀念和对现实政治的不满, 雨果在彻底清算了他早期对拿破仑的偏见后, 在七月王朝时期的一些诗里, 表达了整个一代人的这种思想情绪。1830 年 10 月, 国民请愿要求把拿破仑的骨灰移葬在旺多姆广场拿破仑铜柱下, 议会置之不理, 雨果写了有名的《致铜柱》(A la colonne, 1830)表示抗议。1831 年 9 月, 拿破仑的儿子、年轻的罗马王去世, 雨果用诗寄托哀思。随着七月王朝金融贵族统治的本质日益暴露和贫富分化的社会现象日趋严重, 雨果开始在一些诗里揭露巴黎资产阶级以人民贫困化为基础的奢侈享乐, 并站在资产阶级人道主义立场上对贫贱者表示了同情(《在都市饭店的舞会上》, 1832;《致一个有钱人》, 1837)。

路易-菲利普对雨果的拉拢和雨果与七月王朝的妥协, 使他的诗歌创作出现了 12 年的沉寂。1851 年后他与拿破仑三世的坚决斗争又使他的"青铜之弦"发出了激昂的音响，他的诗歌创作出现了一个空前的高峰：《惩罚集》(*Les Châtiments*，1853)。这部诗集充满了革命的气势，是革命导师列宁所喜爱的一部作品。

雨果在《惩罚集》中把愤怒的诗句集中投向独裁统治者拿破仑三世。他有名的《四日晚上的回忆》(*Souvenir de la nuit du 4*，1852) 一诗，记述了一个 7 岁儿童无辜死于这个篡权者发动政变、肆行镇压的血案，诗人以无比悲愤的感情，写出一个淳朴的老祖母在失去与自己相依为命的孙子时那种令人心碎的痛苦，加强了控诉的悲剧力量，诗的最后这样无情地揭露了拿破仑三世政变的罪恶性质：

> 拿破仑先生，这是他真实的名字，
> ……他喜欢宫殿，
> 他该当有骏马，有仆从，有钱，
> 为了他的玩乐、他的衣食、他的睡眠，
> ……
> 他要住圣葛罗宫，夏天满园都是玫瑰，
> 好让县长和市长们到这儿来朝拜。
> 就是为了这个，所以那些年老的祖母，
> 必须用因年老而发抖的可怜的灰色手指，
> 给七岁的孩儿们密密地缝着尸布。

拿破仑三世称帝后，雨果又不断在诗歌里对帝国政权进行猛烈的抨击，他指责独裁者如何利用法律机器肆意镇压："把清白的人都关进监狱、囚室"，"打击法律的朋友，迫害给丈夫送面包的妻子、为父亲辩护的儿女"(《特审法庭》)，他历数"这土匪一连串的杀人罪行"(《这是六月里……》，1853)，他描绘法兰西祖国在独裁统治下的悲惨画面:"正直的人被扔进沟壑,有人把政权交给罪恶,所有的权利都遭到蹂躏,最豪迈的人也不免伤心,有人在界石碑旁边,张贴着祖国的丑行"(《既然正直的人》,1852)。

诗人在流亡中忧国忧民,关心着祖国的命运,他触景生情,听到咆哮的海涛,就想到法兰西像在海浪中被颠覆的小艇(《昨天夜晚》,1852);他面对着阳光照射下的山沟里的野花、苍劲的橡树、映着青天的湖水这一片大自然美色,也排遣不了对拿破仑三世的愤怒,他的浩然正气调遣大自然来和他一道进行谴责(《啊!太阳……》,1852),他指责拿破仑三世是罗马皇帝提比略式的暴君,是犹大,"给人民制造了一条锁链",他诅咒这个统治者该毁灭(《他是提比略》,1853),他这种烈火般的憎恨给他的想象增加了巨大的活力,从而创造出高超的诗的意境,他从拿破仑三世所穿的皇袍联想到上面绣满了金黄色的蜜蜂,他把蜜蜂比喻为"拿工作当欢乐"的劳动者、"代表着道德和责任"的战士,把蜜蜂视为法国人民的象征,他这样向他们发出呼喊:"你们一齐从这皇袍上飞起来吧!一齐向这败类涌上去!……你们群起而攻之吧!要叫那怯懦的人们感到羞愧,刺伤这个奸贼的眼睛,拼命抓住他,不要放松,既然人都害怕他,就让昆虫把他赶走!"(《皇袍》,1853)

1852年12月,巴黎盛传拿破仑三世即将大赦,让那些因反对政变而遭拘禁或流放的人士"恢复自由"。一些流亡者纷纷准备起程回国,雨果却完全不为所动。他写下了《最后的话》(*Ultima Verba*,1852.12.14)一诗,表示了与拿破仑三世斗争到底的决心:

只要他还存在,不管别人的态度怎样,
啊,法兰西,为着你而伤心落泪的亲爱的法兰西,
我是决不会和你那凄凉而温暖的土地相见的,
虽然那儿有着儿女的家园和祖宗的墓地。

......
如果只剩下一千个人,我定是其中之一;
万一只剩下一百个人,我还是不放下武器;
如果只剩下十个人,我就是第十名;
如果只剩下一个,我就是那最后的一人!

怀着这种不愿同流合污、誓死不妥协的坚贞,他高唱:"放逐,我爱你,苦难,我爱你","啊,祖国,我的祭坛,自由,我的旗帜,我从荒野的放逐中伸出手来拥抱你"。他充满了朝气蓬勃的感情,每当他在流亡的叶尔色岛上面对着晨星、迎来新的一天的时候(《晨星》,1853),他以一种欢欣乐观的情绪,渴望着投入行动:

起来吧,道德,勇气,信心!
思想家们,到城楼上去吧,充当哨兵,
眼皮,张开吧,眼珠,发亮吧!
田野,翻动所有的地沟,生命,唤醒一切声音!
站起来吧,所有睡着了的人们!——因为派我充当前驱,
而他自己紧跟着就要来到的那个人,
就是自由的天使,光明的巨人!

雨果以自由与光明的前驱自命,他借用《圣经》中约书亚按上帝的指示吹着喇叭绕城 7 天,使敌城不攻而破的故事,表明要以传播真理的声音来促使拿破仑三世的统治垮台,他大声疾呼:"吹吧,不断地吹吧,思想的喇叭。"(《吹吧,不断地吹……》,1853)《惩罚集》吹响了对独裁暴君斗争的号角,吹响了资产阶级民主主义高亢的音调。

《惩罚集》在当时就秘密传到法国,深受法国人民的喜爱,引起了强烈的共鸣。在第二次世界大战希特勒侵占法国期间,《惩罚集》

中的诗句也鼓舞了爱国志士对纳粹统治的英勇斗争。《惩罚集》也有一定的局限性。它对拿破仑三世的揭露,正如马克思在评论它的姊妹篇《小拿破仑》(*Napoléon le Petit*,1852)这一政论小册子时所指出的:"维克多·雨果只是对政变的负责发动人作了一些尖刻的和俏皮的攻击,事变本身在他笔下却被描绘成了晴天的霹雳。他认为这个事变只是一个人的暴力行为。他没有觉察到,当他说这个人表现了世界历史上空前强大的个人主动作用时,他就不是把这个人写成小人而是写成伟人了。"①

1870年普鲁士军队入侵法国时,雨果在诗集《凶年集》(*L'Année terrible*,1872)中按月记录了他的见闻和感受,再次表现了他与祖国、人民同呼吸共命运的深厚感情。他写下了不少爱国主义的诗篇,他悼念为国捐躯的将士,歌颂他们虽死犹荣(《国殇》);他发出英勇抗敌的号召,激励被围困的巴黎的斗志,他预言抗战必然胜利,相信巴黎将"在光荣、真理和美好的光辉中复兴"(《致法兰西》《被包围的巴黎》等);他在祖国危急存亡之际表示自己坚强的斗争决心(《致"维克多·雨果"号大炮》);他描写英雄的巴黎人民慷慨激昂奔赴火线的动人情景(《出发》)。这些诗表达了民族的意志、人民的尊严和祖国的骄傲,基调都是高昂悲壮、明朗乐观的。《凶年集》中另一部分诗作是雨果对巴黎公社的反应。雨果当时不在巴黎,他对巴黎公社划时代的伟大意义并没有认识,甚至在有的诗里表现了他的怀疑和不理解,但巴黎公社失败后,眼见反动政府的疯狂迫害,他却写出了愤怒抗议凡尔赛分子的血腥屠杀和热烈为公社社员辩护的诗篇,《在街垒上》(*Sur une barricade*)一诗,更描绘了一个公社儿童的英雄形象,赞颂了公社社员的高贵品质、勇敢精神。

总之,雨果的诗歌创作一直没有脱离法国的社会现实,没有违背

---

① 马克思:《路易·波拿巴的雾月十八日》第二版序,《马克思恩格斯选集》第一卷,第599页。

社会进步的潮流。对祖国命运的关怀，对自由解放事业的向往，对专制暴政的憎恨，对社会不正义的抗议，构成了他诗歌创作中高昂的资产阶级民主主义的基调。这是他远远高于其他浪漫主义诗人的所在。他的诗的题材也是多样化的，除了社会政治的主题外，还有相当一部分是感叹人生、议论哲理、抒写爱情、描绘大自然景色、记述家庭悲喜之作。雨果和贵族浪漫主义诗人不同，他的哲理没有悲观、阴暗的思想，也没有沾染"世纪病"的忧郁。他对大自然景色也很少专门细致描写，常常是触景生情，发掘其中的诗意，构成一个情景交融、诗意盎然的境界，如《黄昏之歌》中的《在大海边》（*Au bord de la mer*，1834）、《心声集》中的《夜听海涛》（*Une Nuit qu'on entendait la mer*，1836）。雨果还有一个其他诗人所不具备的特点，就是对家庭生活的吟咏。他的家庭按当时资产阶级的标准来说，也是圆满的，他关于家庭生活的诗数量不少，这些诗表现出他是这个家庭的"好家长、好父亲"，反映了资产者的心满意足和闲适心境，但他在自己亲人去世时所写的一些伤悼诗如《静观集》（*Les Contemplations*，1856）中悼念大女儿的《明天，天一亮》（*Demain, dès l'aube*）、《啊，记忆》（*O, Souvenirs*）、《当我们生活在一起的时候》（*Quand nous habitions tous ensemble*），《凶年集》中悼念大儿子的《悲哀》等，感情真挚，亲切自然，不失为颇具特色的佳作。

雨果还是一个杰出的史诗诗人。他的《历代传说》（*La Légende des siècles*，1859、1877、1883）是法国文学史上重要的史诗作品。《历代传说》共三集，它以圣经故事、古代神话和民间传奇为题材，写出从上帝造人，经过古代东方、希腊罗马以及中世纪，一直到现当代的漫长历史。这些诗篇都互相独立，但它们按时间顺序又构成了一个整体，雨果企图以此来表现"从人类之母夏娃到人民之母1789年大革命这一过程中，人类面目不断变化的标志"，也就是一部大型的人类发展过程的诗体传奇。雨果在史诗中的世界观、历史观都是唯心主义的。他根据宗教传说描绘人类的起源、古代的蒙昧,他把阶级社会中的一切归纳为抽象的善与恶,而人类历史只不过是这两种力量斗争的表现。《历代传说》这一基本思想当然不足取,但是,史诗表现了诗人对历史上一切黑暗、反动、暴政的憎恨(《加利斯的小国王》《弑父者》等),对正义、自由、进步的热爱(《罗兰的婚姻》《皇帝归来》等),对人民苦难生活的同情和对他们崇高品质的歌颂(《穷苦人》等)。史诗还描绘了人类从古代的蒙昧、中世纪的黑暗,走过漫长艰苦的道路发展到当代,是不断进步、不断改善的,显示出历史乐观主义的思想,作者在序言里曾这样说过:"这些主题各有不同的诗,都是受同一个思想所感应的,它们之间没有别的联系,只有一条共同的线索,人类迷离中那条伟大而奇妙的线索,即进步。"这使得整个作品具有了明亮的色彩,诗集最后一卷的《大海》(*Pleine mer*)和《天空》(*Plein ciel*)就以开阔磅礴的意境预示了人类光明伟大的前途。

  雨果是法语诗艺大师,他的诗歌创作具有高度的艺术性。《东方集》开始表现了诗人对诗歌技巧的重视。这部过分讲究技巧的诗集是后来巴拉斯派诗歌的先声。自此以后,他的诗歌艺术更趋成熟,不露雕琢之痕,达到了炉火纯青的程度。雨果高度的浪漫主义诗才,常表现于色彩瑰丽的意境和奇特巧妙的想象,这在《历代传说》中更为突出。形象的丰富是雨果的一个重要艺术特点,他往往能用多种多样的比喻来形容一个事物,用连续的诗行来丰富一个形象、抒发一种情绪,以造成色彩缤纷的场面,反复吟咏的旋律和感情奔放的气势。如在《卡纳里斯》中,用世界列强的各种色彩、各种形象的军旗来对比和形容希腊英雄所燃起的复仇火焰,在《最后的话》中以连续不断的诗行描写世界的不正义来强调诗人的职责。即便是表现某种抽象的或视觉不能捕捉的事物,雨果也善于通过形象的画面给人以具体的感受。雨果的诗从意境上来说,像是奇丽的画幅,而从形象的细节来说,则又具有严格的准确性。雨果还把对照的技巧运用于诗歌,有时在一首诗里把两种不同的思想感情加以对比，有时在一行诗里运用两个对照的词，其目的在于造成强烈的印象，增加艺术效果。雨果在起承转合、布局谋篇方面也颇具匠心。他的诗歌脉络清晰，结构严密。他叙事不平板，力求富有戏剧性。《在街垒上》一诗中，反动军官以为公社儿童贪生怕死而加以嘲笑，但最后这勇敢的孩子出人意料地实践了自己的诺言，又回来英勇就义；《穷苦人》讲述一对穷困的劳动者夫妇发挥阶级友爱，收容了两个无依无靠的孤儿，但直到诗的最后一行才把结局写出。在诗歌形式方面，雨果运用了各种格律，但又不拘成规，首先服从内容的需要。他的词汇极为丰富，锤字炼句又很注意音韵效果，其诗歌不仅充满诗情画意，而且都具有优美的诗韵。

第五节　雨果的小说

雨果在创作上最主要的成就，除诗歌外，就是小说。他的小说数量很多，其共同的特点是，鲜明地贯穿着人道主义的激情，浪漫主义色彩浓厚，而在一些作品中又达到了某种程度的与现实主义的结合。

1. 早期小说与《巴黎圣母院》

雨果早期的小说都不成熟，受了当时流行的那种以情节怪诞、追求强烈刺激的通俗小说的影响。他这时还不是一个成熟的浪漫主义者，这些小说还缺少他后来形成的那种浪漫主义的博大的气势和激情的力量，而是在情节的离奇上下工夫。《冰岛凶汉》(*Han d'Islande*, 1823)中，人物和情节完全被作者用幻想加以渲染，英雄像神一样理想，强盗被写成喝人血、吃人肉的魔王。《布格-雅加尔》(*Bug-Jargal*, 1819、1826)以1791年法国殖民地圣多明各黑奴暴动为题材，但在尖锐的社会冲突的背景上，却是一个黑奴对女主人的极不真实、充满廉价感伤的爱情故事。小说题材的社会意义表明作者对现实的关心，但对贵族人物的美化和对起义者带有歪曲的描写，却又流露了青年雨果保王主义的痕迹。

七月革命前的《死囚末日记》(*Le Dernier jour d'un condamné*, 1829)以写实的手法表现了监牢中的悲惨与阴暗，通过一个死囚在狱中的生活和痛苦的心理活动，揭露当时司法当局的腐败和法律制度的不合理，以反对实施死刑。雨果在小说中企图说明"有了坏法律才有坏人，死囚原来并不是一个坏人"。但他并未表现这个被判死刑的主人公的身份、历史和犯罪的经历，只描写他贪恋生命的心理状态，使作品的主题具有一种抽象人道主义的性质。与《死囚末日记》主题相似的，还有1834年发表的《克洛德·格》(*Claude Gueux*)。这篇小说以一件真人真事为题材，讲述一个善良的工人在饥寒交迫时偷了一次东西，被判处5年监禁，在监牢中又受到狱吏的残酷虐待而被迫杀人，最后被判处死刑。在这篇小说里，雨果要通过一个故事来提出一个社会问题的意图远甚于他对艺术形式的关注。他只选择了主人公生活中几个场面加以集中的描写，表现他正直的心地、高尚的人品，以此说明："命运把他放在一个组织得如此坏的社会中，结果是偷窃；社会把他放在一个组织得如此坏的监狱中，结果是杀人。"深刻地揭示了主人公悲剧的社会原因。雨果还直接在叙述中出现，发表大段议论，对资本主义社会法律的不公正进行了义正词严的谴责，但同时又开出改良主义的药方，幻想通过教育和提高道德水平来达到解决社会矛盾的目的。

雨果第一部具有巨大的思想力量和艺术力量的小说是《巴黎圣母院》(*Notre-Dame de Paris*, 1831)。这部长篇小说以其紧张非凡的故事情节、色彩浓烈的对中世纪社会背景的描绘和鲜明夸张的人物形象，而成为浪漫主义小说的著名代表作。

小说以15世纪路易十一统治下的巴黎为背景，一开始就是巴黎圣母院前狂热的人群欢度宗教节日的喧嚣热闹、五光十色的画面，作者把情节线索集中在这情调奇特、色彩鲜明的中世纪场景中，然后以极大的戏剧性铺陈开来，演成一个悲惨可怕、震撼人心的故事：爱斯梅拉达是一个美丽的波希米亚女郎，带着一头会耍杂技的小羊在巴黎街头卖艺为生。圣母院教堂的副主教克罗德·孚罗洛对她动了邪念，他夜晚指使教堂的敲钟人——奇丑的加西莫多在街头劫持爱斯梅拉达，但少女被弓箭队队长弗比斯救出，她从此爱上了这个轻薄的军官。这更招引了克罗德·孚罗洛的妒恨。他在这一对男女幽会的时候刺伤了弗比斯，并嫁祸于爱斯梅拉达。少女因此被判死刑。行刑之日，加西莫多从教堂前的法场把爱斯梅拉达救了出来。由于巴黎圣母院是不受法律管辖的"圣地"，被安置在圣母院顶楼的爱斯梅拉达暂时得以避难，并得到对她充满了爱慕和谦卑之情的加西莫多无微不至的照顾。但教会掀起了宗教狂热，波希米亚少女被视为女巫，法院决定不顾圣地避难权要予以逮捕。巴黎下层社会的乞丐、流浪人闻讯攻打圣母院，准备把少女营救出来。混战之际，克洛德把爱斯梅拉达劫出圣母院，威逼她屈从于他的兽欲。遭到坚决的拒绝后克洛德就把少女交付给追捕的官兵，在圣母院楼上看着她被绞死。这时，因失去了爱斯梅拉达而绝望的加西莫多，在愤怒中把这个从小抚养他长大的副主教推下顶楼，活活摔死，他自己则到公墓找到爱斯梅拉达的尸体，死在她的身边。

《巴黎圣母院》是善良的无辜者在专制制度下遭到摧残和迫害的悲剧。女主人公爱斯梅拉达是一个善良纯洁的少女，她富于同情心，敢于舍己救人，当那个卖文为生的诗人甘果尔深夜误入巴黎的流浪人和乞丐的聚集所即将被杀死的时候，她挺身而出，表示愿与他结婚，把这个诗人置于她的保护之下，虽然她并不爱他。当加西莫多在烈日曝晒的广场上遭到鞭挞，口渴得发出痛苦的呼号时，只有她对这个丑怪异常而深夜又劫持过她的敲钟人表示了同情。她热情天真，以为世人像她一样纯洁，至死还对负心的弗比斯保持热烈的爱情，丝毫没有怀疑这个纨绔子弟会欺骗和背叛自己。她品格坚贞,面对克洛德的淫威而宁死不屈。她是巴黎流浪人和乞丐的宠儿,但自食其力、清白无瑕。雨果把这样一个鲜亮的形象放在中世纪阴森黑暗的背景下,描写那个专制主义统治着的、教会势力极为猖獗的社会,如何像一个巨大的罗网威逼她、迫害她,以令人恐怖的手段把她置于死地。以波希米亚少女为迫害对象的宗教狂热、教会人物为满足卑鄙的兽欲而施展的恶毒阴谋、专制国家机器的野蛮与残暴,所有这些都被雨果以浪漫主义的笔法描写得像噩梦一样可怕,作者通过这样的描写表现了封建专制主义社会的黑暗,突出了作品的反封建主题。

在小说里,雨果十分自觉加以揭露的封建罪恶势力首先是教会。教会的化身就是克洛德副主教。他外表道貌岸然,内心毒似蛇蝎,表面上过着严肃、清苦、刻板的生活,标榜高尚的德行,摒弃世俗的生活,甚至对节日的狂欢也表示反感和厌弃,内心里却贪求女色,对享乐充满妒羡,对世人满怀恶意。雨果不仅用他惯用的对照法表现这个人物虚伪的禁欲主义和他淫邪本质的矛盾,而且把他作为一个神职人员在实际生活中所起的罪恶作用无情地加以揭露。他像一个幽灵,藏在他那像"魔窟"一样的房间里,酝酿着一些恶毒的阴谋。他煽起宗教狂热,制造迷信,散布对波希米亚流浪人的偏见,爱斯梅拉达在巴黎被视为"以妖术害人的女巫",就是他一手造成的。他还严密监视人们的精神生活,控制司法,与官府沆瀣一气,经常伙同王家检察官制造"巫术案",陷害良民百姓,任意加以逮捕,送上绞架。他作恶多端,抢劫妇女,预谋凶杀,对爱斯梅拉达进行诬陷,操纵法庭把她判处死刑。雨果对这个人物的外貌、行动和心理作了十足的浪漫主义的夸张和渲染,突出了他作为教会恶势力的社会本质。作者还力图从深刻的意义揭示这个人物身上的矛盾,他描写这个人物对自己人格的二重性有明确的自觉意识,他为自己对少女的欲念以及因此而"荒弃了多少德性"、为这种欲念与自己神职人员身份的矛盾而感到痛苦与疯狂，他在这个少女面前为这种欲念辩解，并归结为普遍的人性。雨果主观上是想用这种描写来说明克洛德作为人也是禁欲主义的牺牲品，最深的祸根还是谬误地违反"人性"的宗教。然而，作者这归结为人性的几笔却恰巧削弱了小说的批判力量。

《巴黎圣母院》揭露的矛头还指向中世纪封建专制的国家机器。雨果在小说第八卷和第十一卷中，通过对爱斯梅拉达被审和被官兵追捕、最后上了绞架的描写，集中表现了封建统治的黑暗与残暴。法官们审理案件完全以残害平民为目的，以宗教迷信为根据，以惨无人道的严刑为手段，对无辜者进行诬陷，制造千古奇冤。作者在这一卷里，把法官称为"黑猫"，把法庭录事称为"野猪"，把王家律师称为"鳄鱼"，并借一个人物之口称法院的开庭就是"法官们吃人肉"，这个开庭的场面通过爱斯梅拉达天真、惊愕的反应而被描写得荒谬绝伦、阴森可怕。当少女陷进这可怕的罗网、眼看就要被吞没的时候，她发出了绝望的呼号："这真是地狱呀！"特别具有讽刺意味的是，爱斯梅拉达屈打成招被判死刑后，法律还向她宣布"要付给官府三个金币作为招认费"。作者通过这样的细节，把封建法院暴虐的本质揭露得淋漓尽致。最后一卷对爱斯梅拉达被捕的描写也是用来加强揭露力量的篇章，刑庭长对无辜者那种追捕的狂热表现了封建统治的迫害狂。雨果在这里以浪漫主义的手法，安排了爱斯梅拉达的生母终于找到了自己的女儿这一十分富有戏剧性的情节，母女欢乐的重逢立刻变为悲痛欲绝的死别，这个因多年失去自己女儿而几乎疯狂的母亲又眼见无辜的孩子被送上了绞架。作者以人道主义的思想描写了绝望中的母爱，更加激起读者对残暴的封建统治的憎恶。

显然是为了使作品反封建的主题具有更鲜明的针对性和彻底性，雨果在小说里描写了路易十一的形象。雨果以历史学家的态度对待了这个为法国的统一和专制主义奠定了基础的国王，尊重了他在历史上应有的地位。在他笔下，"这个瘦小病弱的国王穿着普通市民的服装，戴着用劣等的黑布缝成的旧而脏的帽子"，他紧紧控制着他的国家和宫廷，对一些细小的案件也亲自处理，宫廷每一项开支都要亲自过目；他为了封建统治的根本利益，也想杜绝财政上的漏洞，不许手下的王公贵族掏空国库；他一心维护中央集权，和分散割据的封建贵族进行不倦的斗争。雨果这些描绘又都始终不脱离人物作为封建专制国家最高统治者的残暴本质。他住在戒备森严的城堡中，很少到巴黎来，"因为他觉得他周围的暗门、绞架和苏格兰的射手还不够多"，他一到这里，就住在阴森可怕的巴士底狱以保障安全。他标榜节俭，但为了增加国王的威严，不惜耗费巨资豢养一大批猛兽，而为进行残酷镇压，又不吝大量钱财用于设立绞架、制造关人的笼子和为刽子手购置刑具。他对臣民残酷无情，任意处死。正是在他的统治下，城市里"泛滥着可怕的刑法和残酷的裁判权"，巴黎街头不时有无辜者被送上绞架或煮死。爱斯梅拉达的悲剧只不过是其中之一，它的最高裁决者就是路易十一。小说第九卷第五节对这个封建统治者有一段深刻的描写，当有人向他报告巴黎的流民袭击法院院长的时候，他抑制不住自己的狂喜，倾吐了对这些分散了国王权力的封建势力的积怨："这些把征税人、法官、封地采邑的权力擅自归于自己、在我们之中称孤道寡的大人先生们是些什么东西？……我很愿意知道是不是除了国王之外，还有另一个统治者，除了国会之外，还有另一个法院，除了我之外，这个帝国里还有另一个皇帝。应该让法国只有一个国王，一个君主，一个法院，一个斩首人，就像天堂里只有一个上帝一样……好，我的百姓们做得好！打倒这些冒充的君主，打倒他们，杀他们，绞死他们，推翻他们。"但是，当他终于弄明白暴动并不是反对分散的封建领主，而是反对圣母院，矛头指向了国王的权威时，突然，他"脸色狰狞可怕"，"由狐狸变成了狼"，"深陷的眼里露出凶光"，在狂怒中发出了"把平民斩尽杀绝，把女巫绞死"的命令，造成了小说最后血染巴黎的大屠杀。

随着金融资产阶级七月王朝的建立，1789年以后资产阶级与封建贵族阶级争夺政治统治权的斗争至此告一段落，《巴黎圣母院》是在这种历史条件下对封建时代的再批判，也是雨果自己对青年时期保王态度的一次总清算。它体现了19世纪30年代资产阶级反封建思想的最高水平。它把残暴的封建统治者、"冷酷而毫无怜悯心"的贵族太太小姐、弗比斯式的玩弄女性的贵族子弟所组成的上层社会，与卑贱者、平民、流浪汉的下层社会作出鲜明对照，对后者表示了同情与赞赏。加西莫多就是这样一个低贱者的代表。这个弃儿出身的敲钟人又聋又哑，是一个被人当作笑料的丑怪的畸形人，但作者却赋予他高尚的心灵，他对那个无辜少女在衷心的感恩和诚挚的同情之中，又有着在恶浊社会里极为难得的纯洁的柔情。他被克洛德抚养长大，从不敢稍有违抗，但克洛德的丑恶行径终于擦亮了他的眼睛，恶人的残忍更激起了他的反抗，正是他结束了自己主人的狗命，在那暗无天日的社会里，总算伸张了些微的正义。作者还着意描写了巴黎最下层的流浪人、乞丐群，他们褴褛粗野的外表下，表现出一种阶级互助、舍己为人、勇于斗争的精神，正是他们，为了营救自己的患难姊妹，敢于向封建的国家机器挑战，并进行了英勇的战斗。雨果通过表现这次暴动的宏大声势，显示了蕴藏在人民之中的强大的反封建力量。这次暴动虽然被残酷镇压了下去，但雨果在小说中安排了这样一个情节：当路易十一对自己的专制主义统治表示有充分信心的时候，弗朗德勒的使者提醒他说："那是因为平民的时代还没有到来。"并且对国王指着巴士底狱的堡垒，预言它将"在喧哗声中倒坍"，而国王也会"很快听到敲响了平民时代的钟声"。雨果让一个袜子商人出身的外国使者，在三个世纪以后将被人民攻陷的巴士底狱前作出这个预言，具有深长的意味。雨果在小说中写的虽然是中世纪封建专制主义的时代，但他自己是大革命后的一代人，而且经过了一段弯路之后毕竟跟上了自己的时代，因此，在小说的这段描写中，作者站在七月革命以后历史发展的新水平上,对过去的时代赋予了资产阶级民主主义的诗情。

雨果在说明自己的小说时这样写道:"这是15世纪巴黎的图画,是反映在巴黎的15世纪的图画。"他在小说里以浪漫主义色彩浓烈的笔调出色地描写了巴黎城市的壮丽图景和中世纪阴暗生活的风貌,把读者带进一个充满绚烂色彩和奇特声响的世界,使他们看到高大的哥特式的建筑、此起彼伏的屋脊的海洋、纵横交错的街道、散布在街头的刑场绞架、阴森的巴士底狱和流浪人聚居的神秘怪厅这一片奇特的景象。雨果还以不少的篇幅描绘了巍峨壮观的巴黎圣母院,它是建筑术的奇迹,"好像是巨大的石头交响乐","每一块石头都生动地表现出艺术家的天才加以修饰了的、用千百种形式表达出来的劳动者的幻想",它那雄伟的整体带着难以数计的繁复的人与兽的浮雕,高踞在中世纪的巴黎之上。雨果用生动细致的描写把它加以拟人化,写它像是一个肃穆庄严、壮丽而又神秘的有生命的存在物,俯视和见证了历代的生活和眼前的这个悲剧。这更加重了小说的浪漫主义气氛。小说的情节也是典型的浪漫主义的,充满了现实生活中所不可能有的巧合、夸张和怪诞。例如加西莫多一个人在圣母院上的抵抗、爱斯梅拉达母女在绞刑之前的重逢、加西莫多与爱斯梅拉达两个可怜人的尸骨一被分开就化为灰尘,等等,完全都是作者奇特想象的产物,但由于作者对自己的故事充满了一种热烈的激情,运用了浪漫主义艺术的巨大力量,这一切仍具有引人入胜的效果。

2.《悲惨世界》

《悲惨世界》(*Les Misérables*,1862)是雨果最重要的长篇小说,也是世界文学宝库中的杰作。

小说以真实的事件为蓝本。1801年,一个名叫皮埃尔·莫的贫苦农民因为偷了一块面包被判处了5年苦役,出狱后,他黄色的身份证使他在就业中屡遭拒绝。这个事件引起了雨果的注意,1828年左右,他计划以此为题材写一本小说。1845年他开始写作，经过1848年革命以后，他在原来题材的基础上大大扩充了小说的内容，深化了小说的主题思想，最后于1862年流亡在盖纳西岛的时候，写成并出版了规模巨大、内容丰富的《悲惨世界》。小说以巨大的艺术力量，真实地描绘出从拿破仑帝国后期到七月王朝初期法国社会政治生活广阔的画面，对资本主义社会的黑暗和不平发出了愤慨的抗议，它所表现的进步的思想倾向、丰富的历史内容和高度的艺术价值，使它在人类进步的文库中占有突出的重要地位。

小说篇幅巨大，卷帙浩繁，共分五部。

第一部《芳汀》（*Fantine*）。地点在1815年的迪涅城。一天黄昏，一个步行终日、劳顿不堪的旅者进入这个小城，说明他蹲过监狱的黄色身份证马上引起了警察当局的另眼相看。他遭到旅舍的拒绝，所有的门都向他关闭，甚至他要找一个马厩或狗窝略事休息也不可得。他就是小说的主人公冉·阿让。他出身于贫农家庭，是一个修树枝的工人，一直帮助他贫穷的姐姐养活7个可怜的孩子。有一年冬天，他找不到工作，眼见姐姐的孩子因饥饿而哀号，他偷了一块面包，因此被判处5年苦役。他在狱中不堪其苦，曾经四次逃跑，又被加重处罚，共在监狱中度过了19个年头。他出狱后的第一天来到迪涅城，得到的仍是"连狗也不如"的待遇。这时他意外地闯进了该城主教米里哀先生的家，这个主教是个德高望重的人物，他热情款待了冉·阿让。但长期遭到不公正待遇的冉·阿让已经剽悍不驯，对社会充满了敌意，当晚又偷走主教家的银器。他被捕后，主教又解救了他，并送他一对银烛台，对他说："冉·阿让，我的兄弟，我赎的是您的灵魂，我把它从黑暗的思想和自暴自弃的精神里面救出来，交还给上帝。"冉·阿让受到主教的感化，从此立志为善。

他改名为马德兰，来到蒙特猗城，在工厂中进行了技术改革而致富。他成了大富翁后，乐善好施，救济穷人，兴办福利事业，促进了小城的繁荣，被选为该城的市长。在他的工厂里，有一个名叫芳汀的女子，曾遭一个无赖大学生欺骗遗弃，她把私生女珂赛特寄养在巴黎附近的孟费郿地方一个酒店主德纳第的家里，自己来到蒙特猗做工。她的秘密泄露后，被管理人员解雇，而德纳第又利用珂赛特对她大肆敲诈勒索，她为生活所迫沦为妓女，又受到法律的迫害。马德兰市长了解到她不幸的身世时，芳汀已经身患重病。马德兰正准备帮助芳汀母女团圆的时候，却发生了一件意外的事：官方抓到一个被指控为"偷了一个苹果"的工人，认定他就是出狱后又犯了盗窃罪的苦役犯冉·阿让，并要判他终身流刑。马德兰经过激烈的思想斗争，为了不嫁祸于人，他毅然到法庭上承认了自己的真名实姓。对马德兰一贯怀疑、敌视的警官沙威残酷无情，不让马德兰完成他最后一件善举，在芳汀的病榻前逮捕了马德兰，加速了这不幸女子的死亡。马德兰在芳汀临死时，向她保证自己一定负责把她的女儿抚养成人。

第二部《珂赛特》（*Cosette*）。一开始，雨果带领着读者凭吊了1814年的滑铁卢古战场。他在第一卷中以雄浑的笔力复活了惊心动魄的滑铁卢战役。威武壮烈的军事行动之后，是战场上悲惨的夜景：盗尸者正在进行卑鄙的勾当。这个盗尸者就是德纳第。战后，他用从死者身上搜来的财物开设了一个小酒店。珂赛特就是寄养在他这里。这个可怜的女孩受尽了德纳第夫妇的虐待和折磨，过着人间地狱的生活。1823年一个傍晚，突然来了一个有钱的旅客，出重金把珂赛特从德纳第家里领走。他就是冉·阿让。他又一次从监狱逃脱，实践了他对芳汀作出的诺言。他把珂赛特带到巴黎，隐居在荒僻的贫民区，并继续行善。但他行善的名声很快就引起警方的注意，沙威又发现了冉·阿让的踪迹，并进行了追捕。冉·阿让带着珂赛特躲进一个修道院，在曾受惠于他的割风老汉的帮助下，当上了修道院的工人，就这样带着珂赛特隐居了下来，一直到她长大成人。

第三部《马吕斯》（*Marius*）。马吕斯的父亲彭眉胥原来是拿破仑手下的上校，在滑铁卢战役中受封为男爵，波旁王朝复辟后，他生活潦倒。马吕斯由他的外祖父吉诺曼抚养。吉诺曼是个顽固的保王派，以自己的女婿是拿破仑的部下为耻，不许马吕斯与其父接近，并竭力向马吕斯灌输保守思想。但彭眉胥的去世与事实的教育使马吕斯觉醒起来，开始崇拜拿破仑，这导致了他和外祖父的决裂以及自己的出走。他与共和派大学生、秘密团体"人民之友社"成员的接近更使他形成了共和主义的政治信仰。故事发展到1831年，马吕斯经常在公园里遇见一个老人带着他的女儿，他爱上了这个少女，但这对父女行动谨慎，竭力避开了他。这老人原来是冉·阿让，他带着珂赛特隐居在巴黎，并继续行善。他满怀同情救济容德雷特一家，没料到容德雷特就是原来的酒店主德纳第，他破产后流浪到巴黎的贫民窟，改名换姓，以乞讨、行骗和偷盗为生。他嗅出了冉·阿让的隐私，设下圈套进行敲诈陷害，但马吕斯事先得知容德雷特的预谋，并通知了警方，在千钧一发之际，容德雷特和他的同伙被警方一网打尽，冉·阿让得以脱逃。

第四部《卜吕梅街的儿女情与圣德尼街的英雄血》(*L'Idylle rue Plumet et l'épopée rue Saint-Denis*)。开卷是1832年共和党人起义前山雨欲来风满楼的紧张气氛。这时，冉·阿让为了躲避沙威的追捕和别人的注意，又迁居卜吕梅街。马吕斯再度与珂赛特相遇，两人产生了热烈的爱情。马吕斯请求外祖父同意他的婚姻，遭到了拒绝和嘲笑。这时酝酿已久的人民起义爆发了，马吕斯出于共和主义的信仰，也由于爱情上失望，参加了圣德尼街头的战斗。小说的这一部以卓越的描绘再现了1832年起义的场景，以热情的笔调歌颂了街垒上共和主义的英雄。

小说的最后一部《冉·阿让》(*Jean Valjean*)。沙威混进街垒被起义者抓住判以死刑。冉·阿让也参加了街垒的战斗，他负责处决沙威，但他却宽大为怀私自放走了这个一直追捕他的警官。政府军的残酷镇压使起义即将失败，共和主义的英雄们一一牺牲。马吕斯也身负重伤，冉·阿让背负着他从下水道逃命，以惊人的体力和毅力克服了下水道迷宫中的重重困难，最后得以逃出，但这时又遇见了沙威。沙威准备让冉·阿让把马吕斯护送回家后再加以逮捕，但冉·阿让多年为善、舍己救人的人格力量却使沙威陷入极端的矛盾，精神发生了崩溃，终于投塞纳河自杀。马吕斯伤愈后，冉·阿让与吉诺曼成全了他与珂赛特的婚姻。冉·阿让对马吕斯说明了自己真正的身份，但遭到马吕斯的误解。年轻的夫妇与冉·阿让日渐疏远并准备完全断绝关系。冉·阿让在孤寂中日渐衰弱，临近死亡。最后，马吕斯认识到了冉·阿让的德行与崇高，两夫妇前往探望，这时，冉·阿让已经气息奄奄，但他毕竟最后得到了年轻夫妇的敬佩与同情，在他们的怀抱里离开了这个世界。

《悲惨世界》结构庞大，枝叶繁复，但整个小说突出了一个中心问题，即贫穷人民悲惨的命运和处境。雨果不仅通过冉·阿让、芳汀、珂赛特的不同经历真实地表现了劳动人民不幸生活的画面，寄予了真挚的同情，而且他继续了和深化了《克洛德·格》中的主题思想，以更加丰满有力的形象描绘把劳动人民的悲惨与不幸完全归咎于社会的压迫和资产阶级社会的"文明"。冉·阿让本来是一个善良淳朴、热爱劳动的工人，但失业和家庭负担逼迫他偷了一块面包，结果是 19 年的苦役。雨果对此向社会愤慨地提出一连串的责问："愿意工作，但缺少工作，愿意劳动，而又缺乏面包，首先这能不能算他严重的过错？""犯了过失，并且招认了，处罚又是否苛刻过分？""这种做法的结果，是否构成强者对弱者的谋害，是否构成了社会侵犯个人的罪行，并且这种罪行一直继续达 19 年之久？"同样，雨果笔下的芳汀，原来也是一个天真纯洁的少女，但恶浊的社会玷污她、损害她，她有自食其力、勤劳节俭的决心，但是包工压低她的工资，债主对她进行盘剥，她把自己的头发和牙齿出卖后仍然走投无路，最后被迫为娼。"芳汀的故事说明什么呢？"雨果回答说："社会造成了一个奴隶，即一个娼妓。"在雨果这种社会应该负责的主题思想统帅下，整个作品中关于劳动人民不幸生活的形象描绘，构成了对资本主义社会的起诉和抗议。

社会是如何压迫和损害那些贫苦者？而这种压迫又是通过什么手段呢？雨果在作品中再继续深化他对那个社会的批判，雨果不可能看到资本主义剥削制度是他所揭露的悲惨世界的最深的根由，他的批判仅仅达到民主主义思想的高度，他指出在冉·阿让这些不幸者的头上，"层层叠叠地有一堆大得可怕的东西：法律、偏见、人和事，堆积如山，直到望不见的高度，崇危峻险，令人心悸"，他把这称为现代社会的"文明"，正是它们，"用一种凶残却又平和，安详而又苛刻的无可言状的态度践踏和蹂躏"下层人民，而在所有这一切中，他又着重表现了资产阶级社会的法律对劳苦人民的专政和迫害。在商第马事件的描写中，他无情地揭露了法律机器如何对无辜者拼凑罪状，置于死地。商第马这个工人因为被人发现在田野里手中拿着一根有熟苹果的树枝，就被指控为犯有盗窃罪并被咬定是一个苦役犯。法庭上检察官的起诉、律师假惺惺的辩护、陪审团的判断，互相巧妙配合，都是为了编织这一诬陷的罗网。冉·阿让的故事更是有力的揭露，特别是通过他后来成为一个仁慈慷慨、富有自我牺牲精神、为不幸者做了大量好事的人之后还不断受到法律追捕的情节，作者有力地撕下了资本主义社会法律"公正"、"正义"的假面具，暴露出它暴虐、残酷和荒谬的本质。在小说中集中体现法律的冷酷和残暴的人物形象是沙威，他是资产阶级国家的鹰犬，他像不祥的阴影始终笼罩着芳汀和珂赛特的生活，像幽灵一样紧紧追逐着冉·阿让。他在上流人物和上司的面前奴性十足，而对悲惨的下层人民则非常粗暴残忍。芳汀因为在街头受到一个绅士的欺侮和他发生了争吵，沙威就以卫道的姿态出现，忠诚履行他保卫秩序和上流阶级的职能，蛮横无理地把受害者芳汀扣押了起来。雨果把这个人物表现成违反一切人类正常感情的冷血动物，他身上只有"尊敬官府，仇视反叛"这一信条和迫害"违法者"的狂热，他突出这个人物的职业特点，力图把他写成令人憎恶的法律的化身。通过这个形象，雨果使自己的批判更为具体，最后，他安排了这个人物的精神崩溃和投河自尽，以此表现法律在崇高道德面前的渺小、虚弱以及它的破产失败。

雨果把抗议和批判的主题思想赋予他的长篇小说，具有明确的目的性。他在本书的序言里这样说："只要因法律和习俗所造成的社会压迫还存在一天，在文明鼎盛时期人为地把人间变成地狱，并且使人类与生俱来的幸运遭受不可避免的灾祸；只要本世纪的三个问题——贫穷使男子潦倒，饥饿使妇女堕落，黑暗使儿童羸弱——还得不到解决……那么，和本书同一性质的作品都不会是无用的。"企图使小说对社会问题的解决有所裨益，这就是他的目的。这表明了雨果力图使自己的写作服务于进步事业的积极性。但是，如何才能解决这些社会问题，他的回答却有严重的缺陷，他认为应该用仁爱代替压迫。他在小说里运用了多种艺术手段来宣传这一艺术思想，特别是通过塑造卞福汝主教和冉·阿让这两个理想化的人物形象。根据雨果最初的构思，小说本来是以米里哀即卞福汝主教为主角，题名为《主教札记》，集中写他如何感化了一个惯犯。后来小说虽然有了很大的变化，但这个人物在《悲惨世界》中仍占重要地位，雨果用了整整两卷的篇幅描写这个人物。他是一个法院参议的儿子，贵族出身，一生的最初阶段完全消磨在交际场所。革命时期，他的家庭受到摧毁，自己流亡国外，从此看破红尘当了教士。帝国时期，他磊落的性格受到拿破仑注意，被任命为迪涅的主教。在教会势力猖獗的复辟时期，他不同于那些飞扬跋扈、鱼肉人民的教会人物，而是尽力为贫苦和不幸的人们造福。他把府邸献出来充当医院，自己搬到破旧的房子里去住，他把大笔薪俸和津贴完全拿来救济穷人，自己过着清苦俭朴的生活。

他为人高尚,与贵族权势格格不入,和教会恶势力泾渭分明,既不追逐名望、竭力向上爬,更不结帮营私、扩充政治势力。他对上层不乏针砭,对下层充满仁爱。他热心宣教,为此长途跋涉,深入山区僻壤,不畏险阻,敢于进入有生命危险的地区,但他从不宣传宗教的谬说和教会的偏见,不把上帝视为神,而只当作一种抽象的信仰,他不谈地狱的恐怖和今世的赎罪,而提倡有德行的人生,鼓吹人对人的善意、关切、尊重和互助。他对法律的不公正表示不满,他指责政府向穷人征收门窗税是"拿空气做买卖"。他主张兴办义务教育以开发民智。显然,雨果把自己的资产阶级人道主义思想和泛神论思想赋予了这个人物,并将他加以理想化,把他写成一个披着主教道袍的人道主义者。在雨果看来,像卞福汝主教这样的典型就是改造社会的伟大力量,他安排了两个情节,一个是主教献身真理的精神使得一个凶残的匪帮也表示敬服;一个是社会的残害、法律的惩罚使得冉·阿让"逐渐成为一头猛兽",具有了"一种凶狠残暴的为害欲",而卞福汝的教育感化则使冉·阿让摆脱了这种野蛮的状态,立志为善,雨果把这个情节作为整部小说的契机,以此说明仁爱感化是改造社会的一个重要途径。

雨果笔下的冉·阿让作为一个理想化的道德家形象,则是为了表现兴办福利事业是改造社会的另一重要途径。成了一个富翁后,他的善举不仅使蒙特猗小城繁荣富足,穷人的生活有了保证和改善,社会风气也日益淳化,而且他的怜悯同情消除了芳汀的误解,他的舍身相助使割风由仇恨而变成感恩。于是,在这些人物之间就形成了一种和那个社会中钩心斗角、尔虞我诈的恶浊风气完全相反的仁爱、互助的关系,这就是雨果所梦想的人道主义的人与人的关系。雨果的以教育感化和慈善福利解决社会问题的药方带有明显的空想性质,保留了他19世纪三四十年代所受到的空想社会主义思想影响的痕迹。

在寻求社会出路的问题上,《悲惨世界》既有宣扬仁爱万能、阶级调和的一方面，同时也有民主主义的一方面。在这里，作者热情地歌颂了人民群众的革命斗争，把这种革命斗争视为解决社会矛盾的有力手段，把革命的人民视为正义进步事业的基础，视为代表着未来的社会力量。雨果这一杰出的思想是通过对1832年的人民起义和在街垒上英勇战斗的共和主义的英雄的出色描绘表现出来的。

起义和街垒战斗在小说中占有重要的地位和很长的篇幅，是长篇小说最后两部的主体。像《悲惨世界》这样对有名的革命群众斗争作出如此正面完整的描绘的作品，在19世纪文学史上几乎可以说是绝无仅有，而就其规模的巨大、气势的磅礴、描写的动人来说，它就像是一部壮丽的英雄史诗：起义之前，对君主政体的不满和对共和的向往酝酿着革命的危机，秘密革命团体"人民之友社"在群众中十分活跃，人民在起事前就做好战斗准备，拉马克将军的出殡成了群众性的示威游行，情绪激昂的人群与准备镇压的政府军的冲突一触即发，起义像燎原的大火，几小时就席卷了巴黎三分之一地区，革命红旗纷纷在街垒上竖起。

雨果在他的描写中表现了高昂的民主主义热情，他赞扬起义是"真理的发怒"，"迸发了权利的火花"，他指出这一场惊心动魄的斗争只有用史诗才能歌颂。雨果并没有回避斗争的残酷性：鲜血染遍了街头，的确是一场酷烈的战争，对此，表现了雨果本人思想的马吕斯在街垒上这样沉思："内战？这意味着什么？人与人之间所有的战争是不是就是兄弟之间的战争？战争的性质只能按它的目的来判断，既没有什么内战，也没有什么外战，只有非正义的战争与正义的战争，直到人类伟大的和约缔结那一天为止，战争，至少是那些代表着将来反对落后的过去的战争，都是不可少的。只有当战争扼杀公理、进步、理性、文明和真理的时候，它才是可耻的，剑才变成了匕首。"在这里，革命民主主义的思想已经突破了人道主义的框架，斗争已经超越了仁爱。雨果还进一步赋予革命人民的暴力斗争以更伟大的意义，把它视为新时代的产婆。他心爱的一个人物、"人民之友社"的领导者、共和主义的英雄安灼拉，在街垒起义的危急时刻，发表了这样一段激动人心的演说："公民们，19世纪是伟大的，但20世纪将是幸福的，那时什么都不同于以往的历史……到那时，人们将不再顾虑有饥荒、剥削、随着穷困而来的卖淫、随着失业而来的穷困，也不再有断头台、匕首、厮杀和现实世界里一切意外的暴行。那时几乎可以说是太平盛世、人皆幸福了……朋友们，我们所生活的和我向你们讲这番话的这个时刻是黑暗的时刻，但是，这正是为了将来而必须付出的可怕的代价，一次革命就是走向未来的通行税……兄弟们，死在这街垒上也就是死于未来的曙光中。"这一段话响彻在《悲惨世界》的最后两部，表达了作者虽然还很朦胧但却非常热情的对理想未来的憧憬，以及要实现这一理想必须通过革命的正确的信念，构成了对起义斗争的形象描绘的高昂基调，把整个长篇的主题思想提到了一个新的高度。

在这壮丽的史诗中，被雨果当作英雄加以礼赞的，是街垒上的群众，在这里，疲惫不堪、衣衫褴褛、遍体创伤的人们，是一个伟大的整体和象征，人民的象征。他们在事关祖国存亡的时候，会毫不犹疑地走上前线，当事关自由的时候，会筑起街垒。他们就是1789、1830年的革命风云中的英雄，他们在墙壁上刻下的"人民万岁"的大字直到1848年起义中还闪闪发光。他们在街垒上抗击着政府军队的残酷镇压，弹尽援绝，忍受着饥饿，进行英勇的斗争，直到最后壮烈牺牲。雨果以富有革命诗情的描写表现出了起义人民的高大形象，而在这一伟大的整体中，他又突出了三个令人难以忘怀的英雄人物：安灼拉、马伯夫和伽弗洛什。安灼拉是"人民之友社"的核心人物，坚强的共和主义者，街垒起义的组织者和领导人，他是大革命时期雅各宾专政领导者罗伯斯庇尔的信徒，具有充沛的革命热情和坚定的政治信念，在街垒起义中果敢沉着，临危不惧。雨果以雅各宾专政时期的革命家圣茹斯特为蓝本塑造了这个人物,把他表现成一个人民群众的领袖。马伯夫老爹这个80岁的巴黎普通下层人民,1832年起义的参加者,当街垒的红旗被政府军的排枪击落的时候,他自告奋勇,在敌人的枪口下攀登到街垒的最高处,把红旗重新高高竖起,用自己的生命和鲜血保卫了革命的旗帜。这一悲壮感人的场面,雨果是以庄严的颂歌的笔法写出来的,并且对此发出了热情的礼赞。伽弗洛什,这一巴黎流浪儿童的典型,是法国文学中最生动最有魅力的艺术形象之一。他被父母抛弃,无家可归,过着贫贱的生活。他身上凝聚着法国人民那种乐天的特色,总是快快活活、自由自在地哼着幽默的小调。他嘴里也讲粗话,但还是保持了儿童的天真和纯洁。他有时也偷窃,那是为了救济比他更可怜的弱者,他在街头上那些年幼无助的儿童面前,总是充满了善良和同情,以侠义的保护人自居,慷慨地把自己的面包和住处让给他们。他酷爱自由,他大声喊叫:"让我们去拼命,专制我已受够了!"他原是1830年起义的"参加者",到1832年他又成了街垒上的"小革命家"。他在起义斗争中勇敢、沉着、机灵、活泼,街垒上无处不听见他调皮快活的声音。最后,当起义者的弹药用尽时,他跑出街垒,在敌人的弹雨中收集子弹,一边还唱着幽默的歌曲嘲笑向他射击的政府军,最后壮烈地牺牲了。这三个人物是雨果心目中人民的象征,他塑造出他们高大的形象,又赋予他们普通人的特点,表现出他们属于人民这个伟大的整体,正是理想社会将来借以实现的那种社会力量。

雨果在《悲惨世界》中不仅力图提出重大的社会问题,而且力图表现出丰富的历史内容:从拿破仑的失败,经过复辟王朝的反动到七月王朝时期社会矛盾的暴露与激化。雨果以历史学家准确的手笔和艺术家形象的描绘,完整地再现了重大历史事件——滑铁卢战役。《滑铁卢》这一卷虽然是在小说的第二部,但实际上是全书的序幕。小说的故事正是在拿破仑失败于滑铁卢之后开始的。在小说里,雨果叙说了 19 世纪法国社会的发展，表述了他的历史哲学，他把拿破仑和 1789 年的革命传统联系起来，把欧洲君主国在滑铁卢的胜利称为"1815 年 3 月 20 日对 1789 年 7 月 14 日的打击"、"王国集团对法兰西不可征服的运动进行的颠覆"，他指出："滑铁卢想阻挡时代前进，时代却从它头上跨越过去，继续它的路程。"因此，他以 1832 年的起义作为小说的结尾，并让起义的英雄在街垒上充满信心地展望了 20 世纪的未来，使整个长篇充满了历史乐观主义精神。

《悲惨世界》在反映社会现实生活方面也达到了很高的成就。反映面广是它的一个特点。惊心动魄的巨大的历史事件、巴黎悲惨的贫民窟、修道院阴暗的生活、法庭、监狱、坟场、保王派的沙龙、资产阶级的家庭生活、巴黎大学生聚集的拉丁区、偏僻的外省、滨海的新兴工业城镇、藏污纳垢的巴黎下水道，等等，所有这些，都以鲜明的色彩、浓重的气氛描绘烘托出来，构成了一幅广阔的 19 世纪法国社会生活的画面。在制作这幅画卷的时候，雨果不断地声称自己要成为"忠实的话古者"，务使自己的描写"和实际情况吻合"。在这种自觉的现实主义创作思想的指引下，他的描绘在生动和真实的程度上往往可以与同时代的现实主义杰作比美。小说中的人物形象也很多，为数将近一百，有各种类型的受苦受难的下层人民、大革命时期国民公会的代表、历史人物如拿破仑和威灵顿、不同教派不同性格的主教、神甫、修女、资产阶级、法官、警官、大学生、小偷、流氓，等等，形成一幅几乎无所不包的社会缩影。雨果的人物描绘在外形和举止细节上基本力求真实，有的人物完全是以现实主义的方法写出的，如伽弗洛什。但他往往又赋予人物一种震撼人心的精神力量和人格力量，使他们的行动超出常人，有浪漫主义理想的光泽。如冉·阿让在法庭上突然挺身而出，为解救无辜者承认了自己的身份，事后，他发现一夜的思想斗争竟使他的头发全都变白了。雨果有时还极力突出人物身上的某个特点，并加以绝对化，这就成了浪漫主义的夸张。雨果还喜欢描写巨大的非凡的事物：惊心动魄的战争场面、暴风骤雨似的群众斗争、咆哮的大海、高大的战舰、扣人心弦的紧张情节，他的描述虽然不免浮夸、累赘、节外生枝，但笔力雄浑，具有一种浩瀚的气势。

总之，对社会现实和人民苦难的真实描绘和贯穿在整个作品中的革命激情、理想的光辉，以及故事、人物某种程度的传奇色彩，使《悲惨世界》达到了浪漫主义与现实主义巧妙结合的艺术境界。

3.《海上劳工》

雨果另一部长篇《海上劳工》（*Les Travailleurs de la mer*）于1864年开始写作，1866年出版。它以新颖的主题和鲜明的浪漫主义风格在雨果的小说中别具一格。

小说的故事发生在雨果流亡期间居住多年的盖纳西岛，以复辟时期为背景。主人公吉利亚特是一个以捕鱼、种地为生的劳动青年，他爱上了船主勒蒂埃利的侄女戴吕谢特，但被勒蒂埃利反对。勒蒂埃利被自己的合伙人朗泰纳拐走巨款后，经济上遭到很大的打击，为了恢复元气，他购置了一条当时新发明的汽船做运输生意，雇了以忠厚老实闻名的克吕班当船长。朗泰纳拐走巨款后，杀害了海岸的哨兵，正准备逃走时，被克吕班持枪威胁抢走了巨款。克吕班为了独吞这笔钱财，精心策划让汽船误入迷雾触礁，制造以身殉船的假象，准备潜逃外地，但在海岸被章鱼伤害，葬身海底。勒蒂埃利损失了心爱的汽船，痛不欲生，声称谁能到触礁的小岛上把尚未损坏的机器从船身里救出来，就把自己的侄女嫁给谁。吉利亚特为了得到自己理想的婚姻，一个人历尽千辛万苦来到小岛上，经过两个多月极为艰苦的劳动和顽强的斗争，终于创造出人间的奇迹，把机器运了回来。勒蒂埃利履行自己的诺言，答应吉利亚特与戴吕谢特结婚，但这时吉利亚特发现戴吕谢特早与青年神甫埃伯内齐尔相爱，他以自我牺牲的精神放弃了与戴吕谢特结婚的权利，成全了她与埃伯内齐尔的婚姻，并帮助他们远走他乡，而他则在这一对夫妇出发之际忧伤地坐在海岸的岩石上，让自己淹没在涨潮的海水里。

　　虽然小说的故事复杂、人物不少，但绝大部分章节都用来描写吉利亚特这个人物，仅仅他在小岛上艰苦奋斗创造奇迹的过程，就占据了全书篇幅的三分之一。这是一种鲁宾逊式的经历，甚至比鲁宾逊在孤岛上的奋斗更来得惊心动魄。吉利亚特冒着生命危险一个人来到小岛上，这不过是耸立在海中的两块寸草不生的礁石，在这里一落脚，马上就面临着极为艰苦的生存斗争，他带来的食物被暴风刮走了，在光秃秃的岩石上也没有栖身之处。他要把千斤重的机器从触礁的船中取出来，再安置在自己的小船中把它带回去，这需要大量人力、大的车间和一整套机械，而他却只有自己的双手和几件最简单的工具。就是在这种几乎绝对无法克服的困难条件下，他开始了自己的奋斗。他升起炼铁炉制造各种工具，他在岩石之间架起了起重的机械，最后取出了沉重的机器。在这些工程中，他每前进一小步都要付出大量的繁重的劳动；同时还要与饥饿寒冷作斗争，饿了，要到海里捕蟹充饥，渴了，只能从鸟飞的方向去寻找岩石低洼处储积的雨水，夜晚休息，必须攀登上险峻的礁石。他过着原始人的生活，从事现代的艰巨复杂的劳动，而他的劳动又总是受到自然界因素的破坏和挫折，暴风雨使他险些前功尽弃，大海的涨潮又给他添上无穷的麻烦，大功告成的时候，海浪和岩石却又打破了他的小船，他自己还受到了凶恶的章鱼的袭击。雨果以真实的细节描绘了海上生活的艰苦和大自然的可怕，让他的主人公在难以想象的困难条件下创造出人间的奇迹。主人公进行奋斗的过程是以引人入胜的描述、热情的礼赞、散文诗式的笔法写出来的。这是充满浪漫主义激情的对劳动者的颂歌，作者热烈地歌颂劳动者的才智和技能、歌颂劳动者顽强的意志，"意志可以移山"，正是"要获得胜利、要战胜一切"的"坚强的信念"，"产生了崇高的胜利"。在小说里，这个坚强的劳动者在浩瀚的天地里艰苦卓绝地进行奋斗的景象，他与狂暴的海风、汹涌的波涛、凶残的章鱼作斗争的场景，被表现为某种具有诗意的象征，吉利亚特成为伟大的劳动人类的代表，雨果称颂他是"约伯与普罗米修斯的结合"，他的劳动被作者升华为一种足以与任何巨大的自然力相对抗并最后战胜它们的伟大力量，即人类的劳动，他不屈不挠的意志也被作者视为人类伟大崇高的表现。

雨果不仅赋予吉利亚特某种象征的意味，而且还力图把他表现为一个具体的品质优秀的劳动人民。他勤劳、能干、为人善良、乐于助人，专为岛上的居民做好事，给小孩治病，给孤苦的老太太解决井水的污染，把自己捕来的鱼送给贫苦的农民，等等。他心地善良，对弱小的动物也不忍伤害。他舍己为人，经常冒着生命危险救助别人。他的感情纯洁，为人慷慨，做了好事不但不求报答，甚至有意隐姓埋名。他还富于自我牺牲精神，最后成全了别人的幸福。雨果给了这个人物以理想的光辉。他把一个劳动人民作为自己作品的正面主人公，并进行了热情的歌颂，这使《海上劳工》在19世纪资产阶级文学中占有一席特殊的地位。

与吉利亚特相对照的人物是朗泰纳、克吕班船长和雅克曼·埃洛德教长。朗泰纳属于社会渣滓的类型，外貌凶狠，手脚像吃人的老鹰的利爪，内心阴险狡黠，"什么坏事都干得出来"。他参加过共济会，但又假装信奉天主教，他善于投机取巧，反复无常，对王政复辟表示了极大的狂热，在自己的帽子上插上白色的羽毛以示对它的忠诚。就是靠他的流氓本性和狠毒的手段，他由一个一无所有的流氓，成为一个有产者，后来又犯罪杀人，拐款潜逃。克吕班是伪善的坏蛋，他假装忠厚老实，欺世盗名，实际上怀着"想当百万富翁"的企图，"时刻准备不择手段损人利己、无恶不作"，"他本身就是恶"，他的信条是："虚伪是一种投资，魔鬼会付给利息。"他有一整套披着伪装窥测时机以求一逞的策略，正是用这个策略，他伪装了30年之久，欺骗了所有的人，最后策划了一个大阴谋。雨果出色地描写了这个坏蛋在犯罪得逞后那种邪恶的心理上的满足，他指出这种满足与古代的暴君、专制者在干了坏事之后的满足相类似，与英国摄政王慢慢地害死了拿破仑、沙皇扼杀了波兰所得到的满足相似。雅克曼·埃洛德教长是一个道貌岸然、内心丑恶的教会人物，他口头上讲"财富是一种危险"，"金钱带来罪恶"，但他自己却在美国的钢铁中心有大量的投资，从为沙皇镇压波兰起义制造枪炮的工业中牟取利润，他还无耻地邀勒蒂埃利船长也参加这血腥的买卖，当勒蒂埃利拒绝后，他又建议到美国投资，利用黑奴开发南部，或者去当绞刑的监督官，并露骨地宣扬奴隶制是合理合法的人类设施，暴露出他的狰狞面目。值得注意的是，雨果并不只描写这三个人品质上的邪恶，把他们当作抽象恶的代表，而且把他们与复辟势力联系起来，当作王政复辟的社会基础加以揭露，朗泰纳是王政复辟的无耻拥护者，克吕班与欧洲的君主在道德上属于同一类型，而雅克曼·埃洛德教长手上也沾染了沙皇镇压的弱小民族的鲜血。雨果对他们的揭露正体现了他对复辟时期的批判。

但雨果在批判揭露的同时，却力图使自己的作品带有一种抽象的性质。他在小说的序言中这样说："宗教、社会、自然是人类三大斗争，这三大斗争也是人类三大需要……生活中神秘莫测的困难艰险来自这三部类，人类面临着以迷信的形式、偏见的形式、自然元素的形式出现的障碍，有三种宿命压在我们身上，教义的宿命、法律的宿命和物质事物的宿命。在《巴黎圣母院》中，作者揭示第一种宿命；在《悲惨世界》中，作者指出第二种宿命；而在本书中则要说明最后一种。"这种超时代超阶级的思想意图，使小说在情节和人物的社会性方面写得不够充分，人物之间的社会阶级关系表现得不够鲜明，劳动人民主人公的性格刻画得不够深刻。从雨果的生活经历、社会地位和世界观的性质来说，他对于塑造劳动人民真实的典型形象是没有准备的，他以自己的思想感情去猜度劳动者，赋予他某些与劳动人民格格不入的感情，如基督式的对动物的慈悲、支持他去艰苦奋斗的单恋以及最后毫无意义的轻生等。而且整个作品还渗透了作者的一种深深的忧郁。他把心目中的理想形象表现成一个社会之外的孤独者，他的高尚可贵的品质不为人所认识，他舍己为人做的好事却被岛上的居民视为不可理解，甚至把他看成一个与魔鬼有勾结的巫师，认为他的所作所为都有邪恶的意图，他普施博爱于人们，而人们回报他的只是歧视和冷漠，即使是他为之付出了巨大劳动、做出了最大牺牲的戴吕谢特也不懂得他的感情，把他称为"野人"。雨果把主人公所处的社会描写得如此冷酷，并且让主人公在谁也不关心他的情况下忧伤绝望地自尽，表现了雨果对自己理想中的这种人物在现实生活中的命运和地位的深深的悲观。

作者在卷首的献词里，声明把小说献给自己流亡时接纳了他的盖纳西岛，他怀着亲切的感情在小说里对岛屿的风光和自然景色作了出色的描绘，并运用了他流亡在这海岛上所积累的丰富而精确的海上生活的知识。

4.《笑面人》

雨果于 1866 年开始《笑面人》(*L'Homme qui rit*) 的创作，1868 年完成，次年出版。这部小说采用了非当代生活的异国题材，具有鲜明的浪漫主义艺术风格，在这点上它与《巴黎圣母院》颇为相像，其中虽然也出现了一些历史人物，并以某些历史事实为背景，但作者只不过是在历史小说的框架中放进了传奇的内容和浪漫主义的热情。

小说的故事发生在 17 世纪末、18 世纪初的英国，从詹姆士二世到他的女儿安娜女王统治的这一段时期。1690 年 1 月一个寒冷的黄昏，在一个荒凉的海岸，一伙拐骗、贩卖儿童的歹徒乘上一艘走私船，匆忙逃离英国，他们恶毒地把一个 10 岁的小男孩扔在岸上，故意让他在这荒无人烟的海边死于寒冷和饥饿。但走私船很快就遇上了风暴,全船沉没之前,这一伙儿童贩子为了忏悔自己的罪过,把被他们所害的这个男孩的来历写在羊皮纸上,连同有关的证明书一起封闭在一个葫芦里。原来这个男孩是克朗查理爵士的儿子,合法的继承人。克朗查理是英国资产阶级革命时期少数赞成共和国的英国上议员之一,查理二世复辟后,他流亡国外,至死不与王权妥协。他去世后,英王詹姆士二世把他的仅仅两周岁的孩子出卖给儿童贩子,儿童贩子用手术破坏了他的容貌,使他脸面成为畸形,就像戴上了一个笑的面具,让他跟随他们到处流浪,充当他们的小丑,把他叫做格温普兰。

格温普兰被弃在海岸后,经过顽强的奋斗终于逃出了荒凉的旷野,被一个善良的江湖医生、流浪的卖艺人"熊"收容,同时被收容的还有格温普兰在路上从一个死在雪地里的女乞丐怀里救出来的小女孩。"熊"把他们当作自己的孩子,组成一个流浪的家庭,到处卖艺为生。

15年过去,格温普兰与取名为"女神"的女孩都长大成人,他们热烈相爱。1705年,这个流浪的家庭来到伦敦卖艺,格温普兰的笑面使全城大为轰动。这时,在海上漂浮了15年的葫芦落到英国皇家海军的手里,官府把格温普兰秘密带进监狱,和关在监狱里多年来唯一幸存的知情人对质。当格温普兰的身份最后被证实后,宫廷的阴谋使格温普兰的命运发生了突然的变化。原来克朗查理爵士另有一个私生子,大卫·弟利·摩瓦爵士,他颇得王室的宠爱,不仅被视为克朗查理的继承人,而且詹姆士二世还把自己的私生女约瑟安娜公爵小姐许配给他。但安娜女王继位后,与自己的妹妹约瑟安娜不和,为了对她进行打击,安娜女王趁机宣布格温普兰为克朗查理的合法继承人,恢复他世袭的爵位和上议员的资格,并命令约瑟安娜与他结婚。格温普兰当晚被送到上议院参加议会讨论,在那里,他发表了一篇激昂慷慨的指责统治阶级的演说,遭到贵族们的嘲笑和侮辱。他痛心之下,放弃了自己的爵位又去寻找他的亲人"熊"和"女神"。但这时,"女神"已经身患重病,奄奄一息。她见到格温普兰后很快就去世,格温普兰在极度悲伤之中也投海结束了自己的生命。

长篇小说的故事情节离奇曲折,有作者丰富的想象和对偶然事件巧妙的编纂,而缺乏生活的实感和令人信服的力量。它只是作者随心所欲的一种手段,用来表现他的主题,对黑暗的社会和腐朽的阶级进行揭发和批判。

雨果把故事放在17世纪英国资产阶级革命之后的社会历史背景下,是有一定用意的。这次革命经过反复的斗争,最后于1688年建立了资产阶级和新贵族联合统治的君主立宪政体。这对广大人民群众来说,只不过是在没有被彻底消灭的封建压迫剥削之上,再加上资本主义的枷锁。雨果在这部小说里力图表现出这一社会现实。他曾经指出,小说又可以叫做《幸福的人剥削不幸的人》,他通过作品中的形象和格温普兰在议院中的演说,勾画了一幅英国资产阶级革命后黑暗的社会图景:老百姓过着悲惨的生活,就像在"没有阳光、没有空气、没有希望"的地牢里一样,"多少无罪的人被定罪","残酷的刑罚达到了可怕的程度","小姑娘从8岁就开始卖淫","到处都是失业",煤矿工人"拿煤块填满自己的肚子,哄骗饥饿","渔人在捕不着鱼的时候拿树皮草根充饥",贫穷的妇女冻死在雪地里,怀里还抱着婴儿……另一方面则是统治阶级穷奢极欲的生活,"到处都是宴会和狂欢","不受限制的权力、独霸的享受"。总之,是"极度的贫贱"与"极度的富贵"的尖锐对立。雨果正确地把前者的根源归之于后者,在小说里深刻地指出"有钱人的幸福是建筑在穷人的痛苦之上的"。他在《议会和它周围的事物》这一卷中,描写了议会所通过的一些议案,一方面是通过决议向广大劳动人民征收形形色色、名目繁多的赋税:人头税、酒税、皮革税、马车税、肥皂税;另一方面则是给女王修缮住所拨款100万英镑,在女王的丈夫原有的巨额年俸上,又增加10万英镑。作者通过人物之口提出了这样的指责："你们知道什么人缴纳你们通过的捐税吗？在死亡边缘上挣扎的人。……你们用加深穷人贫困的办法，增加有钱人的财富，拿劳动者的东西赏给游手好闲的人；拿衣不蔽体的人的东西赏给衣食无忧的人；拿穷人的东西赏给王子！"这愤慨的指责构成了《笑面人》批判揭露的主题，作品中的形象描写，都是从属于这个主题的。

在雨果看来，他所描写的这个社会之所以黑暗、不合理，是因为社会的"建筑物的结构不好"，而其根子就是革命之后仍然保留了国王和贵族阶级。他以讽刺的笔调叙述了资产阶级革命后1660年斯图亚特王朝的复辟，揭露复辟势力对共和分子的残酷镇压。虽然在这之后又发生了1688年政变，建立了资产阶级与新贵族的联合统治，但雨果在小说里并没有赋予它以特殊的意义，而是以作品全部艺术形象的力量集中批判仍然被保存下来的封建阶级。在小说里，查理二世是"一个无赖"，詹姆士二世是"一个坏蛋"，贩卖儿童、把小孩变成畸形人这一伤天害理的罪恶活动就是这些君王所默许和支持的，因为"宫廷需要畸形人"，还"需要这种行业维护王权"。雨果在小说中让他的人物这样质问道："要国王有什么用？你们把王族这个寄生虫喂得饱饱的，你们把这条蛔虫变成一条龙。"

在雨果的笔下，君主立宪制的英国与革命前的英国并没有根本的不同，他特别着意从政治权力、财产关系来表现贵族阶级在革命后仍享有的特权地位。"熊"虽然对资产阶级革命期间贵族叛逆者流亡国外，所有的财产、房屋和土地全部被扣押的历史表示"大快人心"，然而，他面临的仍然是这样一个现实世界："一个公爵骑马走了120公里，还没有走出自己的产业"；继承了一个爵位，就可以有"8万名家臣和佃农"、"19个私人法官"，"在自己的领地里差不多就是国王"，"有权在英国设一个有四根柱子的绞架"，而农民在贵族的领地私自打猎，就要被绞死；"爵爷的儿子比天生的子民值钱"，一个爵士的复位就能构成国家政治生活的一件大事。雨果把这一切作为不合理的社会现象表现出来，他让"熊"这个对现实采取嘲讽态度的人物一针见血地指出：这些贵族之所以享有这些特权，仅仅是因为他们在生出娘胎时出过一次力，他们与常人不相同的"蓝色的血液"得到了"一个在摇篮里就能统治别人的命运"。在小说里，雨果还勾画了贵族人物丑恶的肖像，这里有大卫·弟利·摩瓦爵士这种花花公子的典型，他"把恶习发展到优雅的程度"，"在华丽、浪费和力求新奇方面，谁也比不上他"。他挥霍浪费，整天忙于无聊的游乐，但由于"巴结奉承或者盛气凌人都做得恰到好处"，"善于观察国王的喜怒哀乐"而成了宫廷的宠臣。这里有约瑟安娜这样骄奢淫逸、专横任性的贵族小姐，她"外表规规矩矩"，"下面却藏着邪恶"，她是天主教徒，但为了欺骗平民，却又假装信奉新教；她与大卫·弟利·摩瓦两人都迟迟不结婚，实际上是为了各自放荡生活的方便，她在奢靡绮丽的生活中过腻了，为了追求新奇的刺激，竟到街头去引诱卖艺的小丑。议会中那一大群锦衣玉食、气势显赫的贵族议员，他们一个个无不脑满肠肥，虚伪无耻，面目可憎。还有贵族阶级特殊的产物，像毒蛇一样的柏基弗德罗，他是安娜女王的走狗、卑鄙无耻的密探，专为宫廷中的钩心斗角、阴谋诡计服务。正是这些人物造成了作品中那种到处都是绞架、秘密逮捕、酷刑、对人民无端加以迫害的悲惨生活。雨果通过这些描写揭露了贵族阶级的丑恶、糜烂、"比狼更像狼"。他在前言里说明这部小说所要描写的就是贵族阶级，可见他把批判这一腐朽的阶级作为自己的主要任务。他在作品中明确地表示，贵族阶级已经完全过时，应该"把它埋葬起来"，在这个意义上，他的小说是对英国资产阶级革命不彻底的恶劣后果的揭露和对保存着封建残余的君主立宪政体的批判，再一次表现了他的共和主义的政治立场。

小说中的正面形象是格温普兰、"熊"和"女神"。雨果在格温普兰身上制造了矛盾的两重性，从血统上来说，他是贵族，从经历上来说，则是苦难的人民。他从小就沦为奴隶，在苦难中长大，在广漠的大地上见证和经历了人民的苦难，与人民有不可分离的血肉关系。因此，他虽是贵族的后代，却是人民的儿子，虽然面貌丑怪，但内心很美，具有人民的优秀品性。当他还是一个小奴隶的时候，在逃生的路上却不顾自己的生死，勇敢地救助另一个孩子；他长大成人之后，"只做好事"；他忠于对"女神"的纯洁爱情，抗拒了公爵小姐的引诱；他被宣布为爵士后，不与统治阶级同流合污，在议会里充当了人民的代表，最后又宁愿抛弃自己的爵位，回到自己多年共患难的亲人身边。雨果把浓重的传奇色彩涂在这个人物身上：国王把他推进火坑，他却成了人民之子；宫廷把他当作工具，推上权力的高峰，他却担负了人民赋予他的使命。统治阶级眼里的这个小丑成了正义的化身，充当了老百姓的代言人。所有这些描写不乏作者的艺术匠心，但缺少生活的真实，人物这种令人眼花缭乱的命运变迁，显然都是作者为揭露贵族统治阶级而构思出来的。"熊"也是一个动人的形象。他既具有劳动人民的多种技能，又带有流浪文人的特点；他在卖艺为生的同时，行医济世；他表面上恶声恶气，实际上为人善良，宁可自己挨饿，却收养了两个孤儿；他深受黑暗社会的磨难，对它充满了憎恨，雨果在小说里让这个人物扮演了对统治阶级进行冷嘲热讽的角色。"女神"则被描写成天真、纯洁的少女，是作为贵族阶级道德沦丧的对立面而出现的。雨果还在小说里有意安排了一只颇有人性的动物——狼，它是这家穷人的朋友和助手，忠实地为他们拉车服务，"熊"给它取名为"人"，却又经常对它说："你千万不要堕落成人"，雨果通过这一描写对贵族阶级当权的黑暗世道进行了辛辣的讽刺。

《笑面人》以古代异国生活为题材，无疑与当代现实生活的课题没有紧密结合，就其内容的性质来说，还停留在雨果19世纪二三十年代的思想水平，它本该是资产阶级反封建阶段的产物，在无产阶级与资产阶级的矛盾日益尖锐的19世纪60年代，已显得缺少重要的现实意义。这不能不说是雨果创作中结合现实的精神开始衰退的征候。在这部长篇中,雨果在艺术上原有的某些缺点又有了进一步发展,他经常卖弄和炫耀与小说内容没有有机联系的种种知识,夸夸其谈发表大段议论,以此代替对人物的行动和心理作令人信服的描绘分析,这就使得小说显得冗长拖沓,原来雄浑的笔力已经开始出现了某种衰退。

5.《九三年》

雨果最后一部重要的作品是《九三年》(*Quatre-vingt-treize*)。从1862年起,他就为这部小说做准备,过了10年,他开始写作,小说于1873年问世。

九三年指的就是法国大革命时期1793年这个充满了暴风骤雨的年代,这一年是革命力量与反革命力量生死大搏斗的一年,在这一年的开头,新生的共和国处死了路易十六,国内外的反革命势力进行疯狂的反扑:在旺代,爆发了保王党煽动和操纵的10万农民的暴乱,欧洲君主国奥地利、英国、普鲁士、荷兰、俄罗斯、西班牙、意大利组成了反法联盟从各处边境向法兰西进攻,力图扑灭革命。共和国在危急中。革命政权采取了果断的措施,放手发动人民群众组织革命军抵抗侵略者,大力平定旺代叛乱,严厉镇压反革命,这些非常的革命措施在历史上造成了著名的"恐怖时代",使共和国转危为安,保卫了革命的果实。这一年的斗争为资产阶级革命的彻底胜利奠定了基础。雨果的长篇小说以这个著名的年代为题,清楚地标出了其中惊心动魄的阶级斗争内容。重大的历史题材与作者对非常历史事件深沉复杂的思考,是这部小说的特点,它在雨果的作品中一直占有特别引人注目的地位。

雨果为了表现出"一个富有史诗意味的斗争时代",构思了一个动人而充满了深刻矛盾的故事,把它放在旺代这血与火的残酷环境里，通过故事中人物激烈的戏剧性的冲突，集中表现那个年代尖锐的斗争和令人深思的主题：1793年5月，巴黎志愿兵红帽子联队的一个分队正在布列塔尼一个阴森可怕的树林里搜索叛军，他们在丛林的深处发现了农妇米舍尔·佛莱沙和三个小孩，她的家园毁于战火，亲人死于战争，她带着孩子颠沛流离。母子的不幸引起了志愿兵的同情，曹长杜拉代表红帽子联队在"共和国万岁"的欢呼声中收留了他们，宣布三个小孩是联队的孩子。这时，前期旺代叛乱已遭到很大的挫折，共和军取得了重大的胜利，叛军正处于群龙无首的状态。6月初，一艘由保王党亡命之徒驾驶的英国军舰偷偷护送一个老头到旺代登陆，他的使命是到旺代再度燃起遍地的战火，统帅全境的叛乱。这就是布列塔尼亲王朗德纳克侯爵。他在船上一出现，就把一个失职的水手就地枪决，表现出冷酷残忍的特点，正是旺代叛乱所需要的领袖。这艘军舰途中遭到法国海军的截击，朗德纳克却在水手阿尔马罗的帮助下，成功地在布列塔尼登陆。阿尔马罗就是被朗德纳克所处决的那个水手的兄弟，他本想为亲人报仇，但既被朗德纳克的宗教宣传所蒙蔽，又被他强悍的人格力量所慑服，反倒成为他驯服的工具，帮助朗德纳克重新煽起了叛乱。朗德纳克极为凶残，他统帅叛军袭击了红帽子联队，杀死大部分志愿兵，枪毙伤兵、俘虏，杀害随军的妇女，还把三个小孩作为人质劫走。

这时，在巴黎的革命领导机构公安委员会里也出现了分歧，丹东认为共和国的危险来自外来的侵略，罗伯斯庇尔认为来自国内的反革命，而马拉则认为来自革命内部的腐化、投机和宽容。他们互相攻击，互相监视，并发出了不祥的警告。面对朗德纳克的叛乱，他们派出郭文负责追剿。郭文出身贵族，朗德纳克原来就是他的叔祖父。而为了监视郭文，他们又派西穆尔登为公安委员会驻郭文司令部的全权代表。西穆尔登原来是一个教士，革命前曾在朗德纳克家任家庭教师，郭文就是他亲自教育成人的，他对郭文一直怀着慈父般的感情。

郭文担当起追剿任务后，由于作战勇敢机智，取得节节胜利，彻底粉碎了朗德纳克要煽起50万农民叛乱，并勾结英国军队从布列塔尼登陆入侵法国的反革命计划，最后将朗德纳克的叛军完全击溃，把这个作恶多端的匪首围困在他祖传的堡垒中，但朗德纳克残匪掌握着三个小孩的生命，一旦堡垒被攻破，就准备放火把他们活活烧死。最后，堡垒被攻破，朗德纳克又一次得到阿尔马罗的帮助从暗道逃走。正当他要脱险时，米舍尔·佛莱沙死里逃生后又长途跋涉来寻找自己的孩子，眼见他们被关闭在堡垒的楼上即将死于烈火，她痛苦的母爱的呼号使朗德纳克受到了感动，他反身到堡垒的楼上把三个小孩救了出来，同时也不可避免地让自己落到了共和军的手里。

朗德纳克将于次日处死。这时，郭文的思想中有了斗争。他认为朗德纳克因为救三个小孩而被捕，共和国不应该判处他死刑，所以他私自放走了朗德纳克。最后，西穆尔登按照国民公会关于"任何军事领袖如果纵放一名捕获的叛军便要处以死刑"的法案，铁面无私地监斩了郭文，但在郭文人头落地的一瞬间，他自己也开枪自杀。

作者通过暴风骤雨的年代里一个如此激烈的斗争故事，把法国大革命放在一种尖锐的矛盾中来展现它的内容和意义，小说真实地反映了革命中激烈的、不以人的主观意志为转移的阶级斗争，这是它的主要意义。在小说里，雨果让他的人物罗伯斯庇尔讲了这样一句有深刻意义的话来指出推翻旧制度的艰巨性："排除外寇只消15天就够了，根绝帝制却要18个世纪。"这个旧制度在法国已经有几百年的历史，不仅有朗德纳克为首的一大批狂热的保王党为它而战，而且它还像幽灵一样笼罩和控制着像阿尔马罗之类愚昧的农民的头脑，使他们充当炮灰和殉葬品，雨果清楚地表现了这一点：革命必须冲破巨大的社会阻力。正是在这个基础上，他描写了大革命中阶级斗争的严酷，再现了两种制度、两种力量一幅幅生死搏斗的画面：路易十六被处死，贵族被吊在树枝上；反过来，又是保王党的反革命叛乱和疯狂的报复：

他们"平均每天枪杀30个蓝军",他们"纵火焚烧城市,把所有的居民都活活烧死在家里",他们刀砍老人,杀害哺乳的母亲,口号是"杀掉,烧掉,绝不饶恕",愚昧落后的农民在保王党的蒙骗之下也成为革命的敌人,而战争对他们的家园的毁坏和对亲人的伤害,又使他们成为顽固不化的保王势力、极端的复仇分子,在旺代的每一个角落与共和军进行殊死的战斗。共和军也针锋相对,他们的口号是"绝不宽大",在他们看来对敌人"心肠太软"、"宽容放纵",就是不可原谅的罪过。斗争不仅在旺代,也在国民公会中激烈进行,小说的第二部第三卷就概述了革命过程中在国民公会里所发生的那些反映了阶级搏斗的著名事件。同样,革命的最高领导机构中也存在着斗争,丹东反对内战,声称"我们再也不能同室操戈",他与罗伯斯庇尔、马拉发生了激烈的争论,他们的争论"好像是冲击的闪电"。雨果力图在小说里表现"这个伟大的时代是个残酷的时代",他通过自己所描绘的从巴黎到旺代、从中央到地方无处不存在着革命与反革命斗争的图景,说明了斗争是如何产生的,又是如何发展到如此严酷的程度。他成功地揭示了这两个阶级生死搏斗时"以野蛮对付兽性"的必然法则,从而从本质上反映出大革命时代的特点和历史真实。

这场巨大的斗争不仅无处不有,而且它不以人的主观意志为转移,把所有人都卷了进去,不管他是否自觉,是否愿意。为了表现这一点,雨果在小说里有意地描写了两个形象。一个是农妇米舍尔·佛莱沙,她闭塞无知,既不知道自己是法国人,更没有什么政治信仰,对眼前发生的一切都茫然不解,但这懵懂的农妇的命运却被这场可怕的斗争无情地播弄,她祖祖辈辈虽然受尽了封建的压迫剥削,但她的丈夫却被裹胁为王上卖命而战死,她的蒙昧无知和对反革命的无害,并没有使她免遭反革命的浩劫,在朗德纳克的叛乱中,她又遭屠杀,九死一生,并且失去了自己的孩子。另一个形象是乞丐退尔马克,他是一个自以为超脱了人间纷争的哲人。他行乞一辈子,生活极度贫困,但他不管什么穷人富人,声称"既不拥护债主,也不拥护欠债人"。他虽然亲眼看到劳动人民在封建压迫下的悲惨生活,但也不管什么"拥护王上"还是"反对王上",对于眼前两个阶级的斗争完全采取超然的态度,甚至认为保王党和共和党"两边都有理可说",所以,当他在共和军通缉朗德纳克的布告前认出了刚登陆的匪首时,不但没有把他交出去,还留他住了一个夜晚,而且帮助他逃走。直到朗德纳克率领叛军袭击了红帽子联队、焚烧了村庄、残杀了无辜的农民之后,退尔马克总算受到了事实的教育,他面对着朗德纳克大屠杀的惨状,深深地后悔了,他恨恨地这样说:"我要是早知道啊!"雨果通过这个情节十分清楚地表现了阶级斗争的不可抗拒的规律,即在两个阶级、两种势力的大搏斗中毫无超脱的余地可言,否定了退尔马克那种超然于斗争之上的态度。

1793年在历史上一直被当作"残酷年代"、"渴血的年代"而遭到批判。雨果并没有回避九三年的残酷和恐怖,而是力图从历史的和社会的根源去加以解释。他在《悲惨世界》第一部主教与国民公会代表辩论的那一节里,就把九三年对贵族反革命势力的残酷解释为几百年来封建贵族阶级对平民的残酷所造成的结果。他在《九三年》中继续表达这一思想,在不止一个地方揭露了封建压迫剥削的残酷性:退尔马克叙述他曾经亲眼见过,一个有7个孩子的平民因为开枪错打了国王的一只鹿就被吊死;米舍尔·佛莱沙的父亲因为捉了爵爷的一只兔子差一点被判死刑,由于爵爷的"开恩"才免于一死,但被打成了残废,她的祖父也因为信奉新教被教会关到船上去服苦役。事实胜于雄辩,雨果用这样悲惨的现实有力地反驳了朗德纳克指责大革命破坏了封建秩序、"对任何人都有罪"的狂吠,提供了对大革命的暴力手段合理性的解释。

在《九三年》中,雨果还力图表现大革命的正义性,他以热情的笔调描写了大革命时期巴黎街头的革命气氛和革命的最高权力机构国民公会，他称颂这个议会是"人民之神的第一次下凡"，"在人类地平线上从来没有出现过比这更伟大的奇景"。他历数国民公会的历史功绩："废除了奴隶制度"；"宣布了这个伟大的真理：一个公民的自由是以另一个公民的自由为界限的"；"颁布了义务教育制"，"建立了国家的教育系统"，"创立了工艺陈列馆和博物馆"；"统一了法典，统一了度量衡"；"创办了电报"，"创办了医院"，"创办了气象局"，"创办了研究院"。在作者看来，虽然在这里曾经掀起一次又一次可怕的风暴，"沸腾着恐怖"，但"也酝酿着进步"，射出了"灿烂的光芒"。他还描写了这个"从革命中产生出来的议会"中的斗争，赞扬了那些在大革命风暴中表现出革命热情和卓越见识的党派和著名历史人物。

正是在肯定了大革命的正义性的思想基础上，雨果把小说中那支在旺代作战的共和军表现为一个英雄的集体。它处在一个危机四伏的环境里，随时随地都可能遭到袭击，酷烈的战斗消耗了它大量有生力量，但它仍然军容整肃，纪律严明。士兵们都充满了革命热情，怀着忠于共和国的信念顽强地进行战斗，他们具有一往无前的大无畏精神，敢于以少胜多，抗击强大的顽敌。他们还特别具有一种道义力量、革命人道主义的精神，对战争中遭到不幸的劳动人民有着深刻的同情。红帽子联队没有因为米舍尔·佛莱沙的丈夫曾被保王党裹胁而歧视她，而是怜悯她和三个孩子衣食无着，加以收容。朗德纳克把三个孩子劫走后，他们又发誓要为孩子报仇，在战斗中格外顽强英勇。收容的场面是写得非常动人的，小说以此作为开端，并且贯穿了红帽子联队为无辜的儿童而战的线索，因而充满了对共和军的道义责任感的赞颂。

在这支军队中，雨果突出了三个人物。郭文，他背叛了自己的阶级，成为一个怀有共和思想的军事指挥官，在战场上划清了革命与反革命的界限，发誓在捉拿了自己的叔祖父朗德纳克以后要就地枪决他。他率领共和军与朗德纳克的叛军进行了顽强的斗争，表现了忠于革命的精神和英雄的气概。为了挫败朗德纳克勾结英国人登陆入侵的罪恶计划，他完全不顾个人的安危得失，在极为不利的条件下率领自己的部队向数倍于己的叛军猛扑过去，他在战斗中英勇、坚定、沉着、机智，终于以少胜多，创造出军事上的奇迹。郭文的形象是大革命中在战场上叱咤风云、为共和国建立了丰功伟绩的军事将领的艺术写照。雨果在小说中曾经指出，这个形象是以当时富有军事才能、在旺代建立了显赫战功的共和国将领马索为蓝本塑造的。西穆尔登，他出身于劳动人民，"父母是庄稼人"，虽然他当过乡村教士，但他的思想始终没有脱离人民。他"憎恨专制政体"，向往革命，"他懂得必须有一个结束人类的悲惨命运的将来，这个将来是一个像复仇者一样的解放者"。他是大革命中的激进派，绝对忠于革命的原则，"满身都是道德和真诚"，毫无自私的动机，因而作为一个严肃正直、铁面无私的人而在人民中享有很高的威望。他被派到郭文的军队，他的出现被描写得带有英雄主义的色彩。他只身从巴黎来到旺代，公开戴着三色帽徽、系着三色腰带穿过叛乱的地区，丝毫不害怕自己身上的标志会引起危险，表现了一种大无畏的精神。他直奔战场，正当一个匪军举刀向郭文砍去，他迅速用自己的身体保护郭文而自己受了重伤，表现了舍己为人的高贵品质。最后，他忠于革命的法治，把违反法纪的心爱的学生送上了断头台，自己也痛苦地同归于尽，更显示了感人的悲剧力量。杜拉军曹，他是共和军普通士兵的代表，粗野的外表之下，有着对劳动人民深刻的同情和对弱者的善良的感情，而在战斗中，他又是勇敢的化身，法国大革命能转危为安，正是由于杜拉这样的广大士兵群众为共和国进行了英勇的战斗。

雨果在长篇小说中，对朗德纳克所代表的反革命贵族势力也进行了批判，揭露了它的腐朽性和反动性。朗德纳克这个形象的原型是旺代叛乱后期的首领若瑟夫·德·比赛叶，小说中有关朗德纳克的不少情节都是根据比赛叶1802年发表的回忆录写成的。朗德纳克是布列塔尼地方权势极大的大贵族大地主，革命前，他也像很多外省的大贵族一样，长期住在巴黎，过着享乐的生活，是一个老色鬼。他政治上极为反动，在他看来，革命前黑暗与专制的法国是"一个有着完整秩序的国家"，权力不受限制的国王、森严的等级制度、贵族阶级的特权，所有这些都是世界上最宝贵的东西。因此，他对破坏了这一切的大革命极端仇视，对为大革命开路的启蒙思潮也恨之入骨，"真愿意早日把这些糟蹋纸张的家伙扑灭掉"。他不顾一切反对革命，甚至出卖民族利益与外国侵略者勾结。他是一个极端残暴的匪首，对妇女儿童也不放过；同时，他又是善于蛊惑人心的巧伪人，蒙蔽欺骗了愚昧的农民群众为他卖命。在小说里，他是作为黑暗、专制、残暴的王权的代表出现的，通过他，作者对反动封建势力进行鞭挞。雨果在小说里还谴责了反革命旺代叛乱，称它是藏在革命内部的"一条毒蛇"，他揭露了这次叛乱的社会根源和保王党所起的罪恶作用，描写了布列塔尼长期在封建统治下所形成的愚昧与落后，保王党正是利用了当地农民这种"可怕的愚昧"、"奴隶的习惯性的错觉"，煽起反对革命的内战。雨果通过阿尔马罗和米舍尔·佛莱沙的丈夫这两个人物的命运，表现了深受宗教毒害、摆脱不了封建观念的愚昧的农民是如何被保王党蒙蔽和裹胁，并且比较深刻地揭示了农民与保王党的阶级利益是完全相反的，充当炮灰的愚昧的农民正是保王党阴谋的真正受害者。

在《九三年》中，雨果对资产阶级大革命作了一些正确的描写，对全局的概述与对具体事件和人物的特写完整地结合在一起，构成了这一巨大历史事件的出色的图景，表现了作者进步的历史观。然而，《九三年》同时也存在着明显的严重的缺陷，作者在正确表现大革命中的阶级斗争和这一严酷斗争的必然性时，却又进行了抽象人道主义的说教，力图把它作为解决人类矛盾的一个普遍的原则、万灵的药方。

雨果为了宣扬抽象人道主义的主题，在作品中虚构了一个情节：

朗德纳克为米舍尔的呼唤所感动，舍身从烈火中救出三个孩子，于是，突然间，"朗德纳克侯爵变了"，这个"屠杀俘虏者"、"喝血的人"竟变成了一个"慈悲的天使"、"令人敬重的老者"。雨果竭力把这个场面写得庄严动人，除了朗德纳克那种"骄傲"、"崇高"的风度外，还有眼见这一幕的革命军的欢呼和"如雷的掌声"。朗德纳克怎么会有这个转变？雨果告诉读者，虽然"这个人具有一切的坏处，残暴、错误、盲目、无理的固执、骄傲、自私"，但他的"良心"中发生了上帝与魔鬼的斗争，最后"人道战胜了这个人"，于是，雨果就把"人道"的作用描写到神乎其神的地步：能够使"手持屠刀的人变成一个光彩的天使"、"地狱里的撒旦变成天上的晓星"。小说中这一场面显然完全违反了朗德纳克作为一个残暴的反革命匪首的阶级本质和共性特点，不仅严重损害了小说对大革命阶级斗争的现实的描写，而且也严重削弱了作者对反动贵族、保王党的揭露和批判。

雨果虚构这个情节还有进一步的目的。他在这个虚构的基础上又虚构出一个尖锐的矛盾：既然朗德纳克因救孩子被捕，那么是应该处死他，还是应该放走他？雨果让自己的两个英雄人物在这个问题上产生尖锐的对立，郭文认为应该放走他，西穆尔登认为应该处死他。一系列的描写表明雨果是站在郭文这一方面的，在郭文思想斗争的描写中，雨果赋予这个人物不少"高尚的思想和动机"，努力把郭文描写成一个崇高的人道主义者的形象。这个人道主义者很为十恶不赦的匪首着想："这位被解除了武装的战士，与其说是被俘的，还不如说是被偷到的。"在他看来，当朗德纳克这个反革命头子"回到人道的圈子里来的时候"，革命方面就不应该"仍然继续维持流血和兄弟自相残杀的常规"，而如果要"以一个野蛮的手段回报"朗德纳克的"英雄行为"，那就是"共和国怎样的一个贬值啊"！他进而提出了一个原则："革命的目的难道是要破坏人的天性吗？为了使人道窒息吗？绝不是的，1789年的出现，正是为了肯定这些崇高的现实，而不是为了否定它们。"于是，雨果借此宣扬了这样一个超阶级、超社会的思想："在革命的正义之上，更有一个人道主义。"他从这个思想出发，为郭文的动摇和背叛革命利益进行了辩解，让杜拉军曹在审判的时候也出来赞同郭文的行为，表明它符合"人类的良知"。同样也是从这个思想出发，他竟然违反了自己的某些形象描绘，又对1793年非常时期的革命恐怖手段表示了某种程度的非难。他借郭文之口说："革命是和平而不是恐怖"，"恐怖政治会损害革命的名誉"，"自由、平等、博爱，这就是和平和协调的信条，为什么要给它们一个可怕的外表？"他以近乎漫画的手笔描写了大革命的激进派的领导人——"人民之友"马拉，把他表现为嗜好恐怖、阴险凶狠的人物。雨果的这种人道主义的思想表现与小说中有关阶级斗争的真实描写，形成了尖锐的矛盾。这种主题思想的分裂和不能自圆其说是《九三年》的重大缺陷。

　　雨果在《九三年》中的错误在于，他把革命的人道主义与抽象的无原则的"宽恕"混为一谈。郭文这样说："恕字在我看来是人类语言中最美的一个字。"当雨果描写红帽子联队收容米舍尔和她的孩子，郭文"为伤者裹伤"、"照料病人"、"把一切都施给穷人"的时候，他的描绘是动人的；但当他企图进行抽象人道主义的说教时，他的描述就变得虚假而消极了。在《九三年》中，人道主义的精神并没有真正回到朗德纳克这个反革命贵族的身上，直到最后，他仍对革命、对一切进步的事物咬牙切齿，恶毒咒骂，态度极为顽固嚣张。把这样一个坚持反动立场的保王党加以释放，只能意味着旺代将重新燃起一片叛乱的火海。

　　"**全部法兰西的恐怖主义**无非是用来打破**资产阶级的敌人**，即打破专制制度、封建制度以及市侩主义的一种**平民**方式而已。"[①]它为资产阶级的胜利开拓了前进的道路，然而，随着资本主义秩序的建立、

---

① 马克思：《资产阶级与反革命》，《马克思恩格斯选集》第一卷，第321页。

巩固，特别是1848年以后，面对着无产阶级斗争的发展，资产阶级已经忘记了这革命的手段曾经保护了它的摇篮，并且对它的平民的性质开始反感，所以对它进行了责难与攻击。《九三年》写于巴黎公社之后不久，现代两大阶级的生死搏斗更震撼了雨果，像他这样一个资产阶级人道主义作家，借九三年的题材来宣扬人道以冲淡革命，鼓吹宽容、恕道，以调和阶级矛盾是非常自然的，这是雨果在当时写作《九三年》的现实意义，也是他作为资产阶级思想家不能越出资产阶级的利益、要求和愿望的所在。从这个意义上来说，《九三年》是雨果整个创作的终结。

第五章　大仲马与欧仁·苏

大仲马与欧仁·苏是 19 世纪上半期浪漫主义文学潮流中另一类型的两个作家。他们用浪漫主义的精神和方法，创作以故事的生动和情节的曲折见长的通俗小说，把这种文学体裁发展到前所未有的新水平，在 19 世纪 40 年代由于报纸连载小说之风盛行而形成的通俗小说的高潮中，成为两个最著名的、拥有最多读者的代表。

第一节　大仲马

1. 大仲马的生平

大仲马（Alexandre Dumas père，1802～1870）1802 年 7 月 24 日出生于尚松和巴黎之间的维莱科特雷村。其父仲马·达维是德·拉巴德里侯爵在圣多明各和一个女黑奴所生的混血儿，18 岁时随侯爵到法国。仲马·达维是一个坚定的共和主义者，在大革命中以非凡的勇敢屡建战功，很快就成为共和国的著名将领。1798 年他随拿破仑远征埃及，因对拿破仑的野心表示不满而失宠回国。途中遇到风暴，避入业已复辟的那不勒斯的海港，在这里被捕入狱，备受折磨。1801 年停战后回到法国时几乎已成残废，而且得不到拿破仑的任何照顾，44 岁就去世了。但是他的共和主义思想和威武不屈的军人气概，却对幼小的大仲马产生了深刻的影响。大仲马没有受过正规的教育，只跟一个神甫学了点拉丁文，可是他继承了父亲健壮的体魄和超人的勇气，酷爱跳舞、击剑、射击和打猎，他的童年几乎都是在家乡的大森林中度过的。以后他到一个律师事务所当小职员，整天骑着马跑来跑去送公文。这些经历使他从小就形成了热情、勇敢和富于幻想的浪漫性格。

1820年，一个剧团到尚松演出《哈姆雷特》，引起了他对戏剧的强烈兴趣。他靠打猎的收入做路费，专程到巴黎去看戏，受到了著名悲剧演员塔尔玛（Talma，1763~1826）的赏识，更坚定了他要当一个剧作家的决心。1823年，他到巴黎去找父亲生前的好友帮助谋生，由于写得一手好字，他被福依将军介绍到奥尔良公爵的办公室当抄写员。从此以后，他除了10小时的工作之外，还"在别人娱乐或睡眠的时候"刻苦钻研拉丁文、地理、心理学、物理、化学、医学、希腊罗马的诗歌和悲剧以及歌德、席勒、司各特等的文学作品，逐渐积累了丰富的知识，为他以后的创作打下了坚实的基础。

1827年，英国的著名演员到巴黎演出莎士比亚的戏剧，大仲马观看了全部演出，第一次"在戏剧中看到了使男人和女人战栗的真正的激情"，认识到必须大胆地把被古典主义藏在幕后的狂暴激情搬上舞台，才能获得打动观众的戏剧效果。他开始走上与古典主义完全不同的道路，进行戏剧创作。1829年2月11日，他的历史剧《亨利三世和他的宫廷》在法兰西剧院首次上演成功，使他一举成为浪漫主义文坛的明星。奥尔良公爵在剧本受到禁止时亲自解除了禁令，并任命他为自己图书馆的助理管理员。

1830年7月，大仲马背着双管枪热情地投入了推翻波旁王朝的战斗。他在街垒之间奔波，发表演说，参加巷战，还独自把3500公斤炸药从尚松运到巴黎，因此受到了不久就成为国王的奥尔良公爵的接见，使他对前程满怀希望。他冒着生命危险到保王党的据点旺代去考察，回来后向国王提出了自己对治理旺代的意见，但得到的却只是嘲笑:"把政治这个职业留给国王和部长们吧,您是一个诗人,您去作诗吧!"他的幻想破灭了,所以两次上书要求辞去图书馆的职务,并参加了以共和观点著称的炮兵部队,接着又在历史剧《拿破仑·波拿巴》的前言中公开了他与国王的分歧。以后他就被人指控为共和主义者。为安全起见,从1832年起,他经常到瑞士、意大利等地去旅行。他怀着剧作家特有的好奇心,沿途观察风俗人情,收集奇闻轶事,甚至深更半夜还在教堂里听故事。每次旅行之后,他都写出大量内容丰富的游记,同时也为以后的小说创作准备了资料。

19世纪30年代初,报纸杂志的读者大量增加,他们要求更加通俗的文学。为了适应广大读者的需要,报纸开辟了文学专栏。大仲马仔细研究了司各特历史小说的风格,以自己熟练的写作技巧和丰富的想象力,从历史上取材,写成通俗生动的故事在报上连载,成为当时首屈一指的通俗小说专栏作家。1844年《三个火枪手》的巨大成功,奠定了他作为历史小说家的声誉,同时发表的《基督山伯爵》也吸引了整个巴黎。

大仲马小说作品的数量极为惊人,多达五百卷以上,大部分都是他19世纪40年代以后与历史教师奥古斯特·马盖(Auguste Maquet,1813~1888)等人合作写成的。这种合作也给他招来一些非议,但无疑他本人还是一个勤奋的写作者,他每天工作10个小时,精力充沛,文思敏捷,写起来不加标点,一挥而就。每写完一张稿纸就扔在地上,然后由秘书送去付印。巨额的收入使他成了百万富翁,他的生活也日益奢侈。1847年,他花费数10万法郎建成了豪华的住宅"基督山堡",同年创办了他私人的"历史剧院"。只是好景不长,革命前的经济危机使历史剧院一蹶不振,大仲马面临着破产的威胁。1848年革命爆发后,他想要进入议会,当一个政论家兼诗人,便积极投入政治斗争,指挥一营国民自卫军进入巴黎,参加推翻奥尔良公爵的示威,到处发表演说,并表示自己"赞颂天主教",想以此来掩盖自己私生活的放荡，结果无济于事，他得不到资产者和教士们的支持，只好办了一份报纸来抱怨临时政府的无能。最后剧院破产，他被迫卖掉了基督山堡，流亡到布鲁塞尔去了。

大仲马的私生活十分放纵，小仲马就是他的第一个私生子。1867年，当一个美国女演员成为他最后一个情妇时，他已是65岁的老人了。何况他挥金如土，慷慨好客，一大堆食客靠他混饭度日，所以尽管收入巨万，却总是入不敷出，他纵然精力过人，拼命写作，也永远还不清债务。最后卖光家具，穷困潦倒，1870年12月5日在第厄普市附近的小仲马家里去世。

2.《亨利三世和他的宫廷》及其他戏剧

五幕散文体历史剧《亨利三世和他的宫廷》（*Henri III et sa cour*，1829）是第一个突破了古典主义的统治而获得成功的浪漫剧，它上演的时间比雨果的《欧那尼》还早一年。它开辟了历史剧这个新的文学领域，在某些方面体现了浪漫主义戏剧的创作原则，因此在文学史上具有一定的地位。

剧本以法国16世纪下半叶的宗教战争为背景，用政治阴谋和爱情纠葛紧密交织的情节，生动地反映了国王亨利三世和首相吉斯公爵之间争夺权力的斗争。这一斗争早在查理九世时代起就开始了，在著名的1572年"圣巴托罗缪之夜"的大屠杀以后，亨利·吉斯公爵又组织了天主教同盟，更加飞扬跋扈，气焰逼人。国王亨利三世不甘心受他的控制，即使是一部分信奉天主教的资产阶级也对天主教同盟的专横感到不满。《亨利三世和他的宫廷》截取了这一历史的瞬间，把故事集中在短短的两天之内，表现了当时尖锐复杂的矛盾。

吉斯公爵要挟亨利三世正式任命他为天主教同盟的领袖，想从此取得指挥军队的大权，以便篡夺王位。而国王的宠臣圣梅格兰却爱上了公爵的夫人卡特琳娜·克莱弗丝。一心想控制国王以操纵政权的王太后卡特琳娜·梅迪契则企图一箭双雕，同时消灭这两个对手，于是和星相家吕吉耶里设下诡计，故意让圣梅格兰和公爵夫人单独相会，引起了公爵的怀疑。公爵为了消灭自己的政敌兼情敌，不择手段，逼着妻子写密信约圣梅格兰夜间来幽会，同时布置了埋伏，准备把对方置于死地。圣梅格兰在爱情的驱使下，不顾危险，只身来到公爵夫人的房间里，在这千钧一发的时刻，公爵夫人向他表白了隐藏在心中的爱情，并帮他跳窗逃走。在激烈的格斗之后，气息奄奄的圣梅格兰被公爵下令用夫人的手巾勒死。

《亨利三世和他的宫廷》是大仲马根据历史学家昂底格尔的著作《天主教同盟的精神》和当时一些有关资料改编而成的，其中所表现的政治斗争基本上符合历史真实，具体情节则有作者的艺术加工，如剧本中圣梅格兰之死和当时实际情况就有所不同，大仲马把当时两件情杀事件集中在圣梅格兰和公爵夫人身上。作者的艺术加工和剧本的艺术构思显然都服从一个目的：揭露封建时代的黑暗、统治阶级的凶残，对封建专制主义进行批判。

剧中的吉斯公爵是一个野心勃勃而又残酷无情的贵族典型。他派人挨门挨户地强迫人们签字参加天主教同盟，在那些拒绝签字的新教徒的大门口画上白十字做记号，以便时机一到大肆屠杀。为了消灭对手，他丝毫不顾贵族所标榜的"信义"，本来和圣梅格兰约好第二天决斗，却卑鄙地提前把他诱来杀死。他对自己的妻子也同样残忍。他狂热追求的是最高的统治权，当勒死了圣梅格兰之后，他凶相毕露地说："现在结果了仆人，该去对付主人了。"剧本到此告终。剧中的王太后老奸巨猾，是整个阴谋的主导者，她为了成为最高的统治者，任何阴险卑鄙的伎俩都可以使出来，即使公爵夫人是她的教女，她也要利用她的不幸来达到自己的目的。国王亨利三世表面上不偏不倚，让两个政敌去互相残杀，暗地里却把护身符借给圣梅格兰，要他在决斗时务必置吉斯公爵于死地。星相家吕吉耶里更是两面三刀，装神弄鬼，宫廷阴谋无不与他有关。在这个剧本中，贵族统治阶级的代表人物都被剥去了道貌岸然的面纱，露出了一副副权欲熏心的狰狞嘴脸，整个宫廷就像是一个魔鬼的巢穴。剧本虽然没有直接触及波旁王朝，却以犀利的笔触揭露了封建专制的丑恶本质，以至于国王查理十世也感到是在影射他和奥尔良公爵，因而下令禁演。由此可见，在资产阶级推翻封建王朝的七月革命前夕，《亨利三世和他的宫廷》确实具有积极意义。

整个剧本显示了浪漫主义风格，从剧情的气氛一直到公爵夫人丢了手巾这样的细节，都可以明显看出是受了莎士比亚戏剧的影响。古典主义的"三一律"被完全抛弃，剧情的发展不再限制在24小时之内，地点也随着矛盾的深入而不断变换，时而在吕吉耶里家，时而在卢浮宫或公爵夫人的房间里。人物的语言也不再是17世纪悲剧中那一套矫揉造作的、格言式的华丽词藻，而是生动活泼、感情丰富的对话。例如第三幕第五场中，公爵用铁皮手套抓住妻子的手臂，逼着她写信时，公爵夫人发出的就不是古典悲剧中那种不真实的诅咒和呻吟，而是真实的痛楚的叫喊声，像在日常生活中所能见到的一样。更重要的是，主人公形象被作者赋予了浪漫主义的热情，圣梅格兰与《勒·熙德》中的罗德里克完全不同，他对爱情比对封建义务更为重视，把赴情人的约会视为比和国王谈话更为神圣的义务，为了爱情，他把生死置之度外，甚至在危急时刻，只要得到公爵夫人一声许诺，立刻死去也心甘情愿，早把次日要为国王效劳的义务置于脑后。同样，公爵夫人热烈的爱情，也使她挣脱了道德和义务的束缚。通过这两个人物，大仲马实现了他长期以来所向往的在戏剧中表现"使男人和女人战栗的真正的激情"的目标。

大仲马一生共写作了五十五部正剧、三部悲剧、二十三部喜剧、四部通俗剧、三部喜歌剧，除了《亨利三世和他的宫廷》外，主要的还有以下几部：

爱情悲剧《安东尼》（*Antony*，1831）。故事发生在复辟时期，女主人公男爵夫人阿黛尔·爱尔维在少女时期与诗人安东尼相爱，后来安东尼一去不返，在她和爱尔维上校结婚3年之后却突然出现在她的面前，向她诉说自己的不幸：他不能娶她，因为他是一个私生子，没有自己的家庭、职业和财产，母亲的错误在他身上永远留下了耻辱的印记，他诅咒这抛弃他的可恶的社会。阿黛尔虽然爱他，但出于做妻子的感情和义务，决定到部队去找她丈夫，然而安东尼却设法在半路的旅店里留她住了一夜，于是丑闻传开。回到巴黎以后，安东尼力劝阿黛尔和他私奔，但她留恋自己的女儿，也不愿使丈夫失望，因而犹疑不决。这时她的丈夫闻讯赶了回来，用力敲门。安东尼为了保全情妇的名誉，应她的要求，把她刺死，声称她对他进行了抗拒。剧本谴责了复辟时期社会对私生子的歧视，对男女主人公充满了同情，实际上是大仲马用他自己与一个有夫之妇的关系作为蓝本，把一个奸情故事美化成爱情悲剧，在剧本中倾注了全部的热情，可以说是举起了杂婚的旗帜。这个剧本在1834年被斥为不道德而由内政部长梯也尔下令禁演，直到第二帝国末期才重新搬上舞台。

六幕历史剧《拿破仑·波拿巴》（*Napoléon Bonaparte*，1831）。它不仅在时间上概括了整整30年的法国历史，而且变换了23个场景，舞台上充满了异国情调。剧本描写了拿破仑从土伦开始直到厄尔巴岛为止的经历，塑造了拿破仑的宏伟形象，表现了大仲马对拿破仑的公正态度和对其丰功伟绩的景仰。

此外，还有五幕诗体悲剧《克里斯蒂娜》（*Christine*，1828）与《奈斯勒塔》（*La Tour de Nesles*，1832），前者描写瑞典王后克里斯蒂娜杀死背叛她的情人梅纳德西伯爵的故事，后者写路易十世淫荡残暴的王后玛格丽特·勃艮第和她的两个姐妹，每天在塔中引诱贵族青年，然后杀死投入塞纳河中，最后她们自己受到惩罚的故事。这两个剧本都揭露了封建专制时代的残暴和腐朽。

1838 年，大仲马的戏剧《冶金学家》（Alchimiste）完全失败。此后，他逐渐转到小说创作上，在戏剧方面，只写了一些喜剧，如《贝莉丝勒小姐》（Mme de Belle-Isle，1839）和《路易十五时代的婚姻》（Un Mariage sous Louis XV，1841），都是以轻松幽默的情调描绘男女之间的情爱和误会。从 1843 年起，大仲马几乎告别了戏剧创作，即使给历史剧院写剧本，也都是根据自己的小说改编的。

3.《三个火枪手》及其他历史小说

大仲马的主要文学成就是他的历史小说。这种体裁以生动通俗的小说形式来描写历史事件或场景，它不需要十分真实，只要求作家有丰富的想象力和编织故事的技巧，而这正是大仲马最突出的天赋。在他一系列历史小说中，最优秀、最著名的是《三个火枪手》（Les Trois mousquetaires，1844）。

小说的历史背景是 17 世纪 20 年代法国封建统治阶级内部的矛盾和斗争。1624 年，法国红衣主教黎塞留上台执政，与以王后为代表的大贵族敌对势力进行了不懈的斗争，结束了亨利四世被刺后爆发的封建贵族的骚乱，为巩固中央集权、统一法国作出了重要的贡献。1625 年，对抗王权的新教贵族勾结英国，在拉罗歇尔举兵造反，黎塞留于 1627 年亲自指挥军队围攻，第二年拉罗歇尔粮绝投降。《三个火枪手》描写的就是这一段历史时期，只是大仲马为了迎合读者的趣味，用自己的想象取代了一部分历史事实，并且对王后、黎塞留等历史人物作出了与事实相反的评价。

小说的主人公达达尼昂是一个贵族的后代，他来到巴黎投靠国王路易十三的火枪营统领特雷维尔，并和阿托斯、波尔托斯和阿拉密斯等三名火枪手结成莫逆之交。他对王后的心腹侍女波那雪夫人一见钟情，愿意为她给王后效劳。王后与英国首相白金汉公爵有私，把国王赠她的一串钻石坠子送给了白金汉公爵。与王后有隙的黎塞留派女间谍米莱迪潜入英国，盗出了坠子上的两粒钻石，然后建议国王举行舞会，让王后届时佩戴钻石坠子出席，企图使王后名誉扫地，从而打击国王路易十三。达达尼昂自告奋勇到英国去取回这串坠子，他和三个火枪手冲破了黎塞留部下的重重拦截，终于取回了白金汉公爵不惜重金修复完整的钻石坠子，在舞会开始前不到一小时的危急关头送到了王后手中，但波那雪夫人却因此被黎塞留派人绑架而去。

达达尼昂抵挡不住米莱迪美貌的诱惑，企图获得她的爱情，结果却发现她是一个心狠手辣的逃犯。这时黎塞留和路易十三开始围攻新教徒的最后堡垒拉罗歇尔，米莱迪被派到英国去阻止白金汉公爵对该城的援助。由于达达尼昂和朋友们的周密策划，她一到英国就被关进监狱，但是她用花言巧语引诱了看守费尔顿中尉，利用这个上当的清教徒刺死了白金汉公爵，自己则逃回法国，害死了波那雪夫人，最后被4个火枪手抓住处死。黎塞留本来对这个凶恶阴险的女人也感到头疼，于是顺水推舟，宽大处理，任命达达尼昂当了火枪营的副统领，他的三个朋友也各得其所。

这部小说是大仲马根据库尔蒂斯于1700年发表的《国王火枪手第一连中尉达达尼昂先生回忆录》(*Mémoires de monsieur d'Artagnan, capitaine-lieutenant de la première compagnie des mousquetaires du roi*)改写的。在《回忆录》中，达达尼昂的模特儿是加斯科涅人罗居里叶，他于1640年参加火枪营，后来成为法国元帅。三个火枪手也实有其人。但达达尼昂和火枪手们的友谊和冒险故事，不少都是出于库尔蒂斯的虚构。大仲马在改写的时候，根据其他史料增加了钻石坠子的情节以及一些其他的人物，特别是对达达尼昂这个主人公进行了艺术加工，使小说与库尔蒂斯的《回忆录》又有不小的距离，与真正的史实自然就相去更远了。这正是大仲马所有历史小说的通病，他喜欢历史但不尊重历史。"历史是什么？是我挂小说的钉子。"尽管《三个火枪手》并不具有历史材料的价值，但它达到了相当高的文学成就，因此，发表之后引起了读者的强烈兴趣，使巴黎对安娜·奥地利王后和白金汉公爵的爱情，竟比对当时七月王朝的政局更为关心。时至今日，这部小说仍然广为流传。

《三个火枪手》作为通俗历史小说最主要的文学成就，在于它描绘出了一些生动的人物形象。达达尼昂就是最鲜明的一个，他勇敢、机智、热情、开朗，见义勇为，珍视友谊。他对国王和王后忠心耿耿，赴汤蹈火在所不辞。但他并不是愚忠的形象，必要的时候他会卖掉王后赏赐的钻石戒指，他最终所追求的也不是忠臣的政治信念，而是自己的功名，更重要的是情人的垂青。然而对待妖媚的米莱迪，他却又能知过即改，是非分明，其性格呈现出多面性，给人以真实感。其他几个火枪手也各有自己的特点：阿托斯冷静沉着，行事老练，嫉恶如仇，早年上了米莱迪的当，和她结了婚，后来在和她的斗争中，坚决果断，绝不手软；波尔托斯大胆鲁莽，头脑简单，感情外露，对情妇耍的小手腕令人发笑；阿拉密斯风度翩翩，柔和沉静，喜欢钻研宗教神学问题，在教士般的严肃外貌下，隐藏着他和贵妇人的风流韵事。这几个为爱情奋不顾身、在战斗中视死如归的火枪手带有浓厚的传奇色彩，就像中世纪史诗中的骑士，但又不像骑士文学中的主人公那样概念化、不真实，而是性格生动、感情丰富的血肉之躯，具有19世纪浪漫派的情调，在某种程度上也反映出大仲马本人对生活和爱情的态度。生气勃勃的火枪手们在17世纪那严峻的历史背景下吹出了一股清新的浪漫主义气息，因此受到当时19世纪读惯18世纪哲理小说和恐怖怪诞的黑色小说的读者的欢迎。

小说中其他人物的刻画也相当成功。黎塞留写得并不符合历史真实，但作为一个老奸巨猾的权臣的形象却栩栩如生，他不动声色，老谋深算，玩路易十三于股掌之上，却又虚伪万分。其他人物的性格也都鲜明突出，如米莱迪的妖冶美艳、狡猾狠毒，波那雪的愚蠢自负，等等，连火枪手的跟班们也各类其主，惟妙惟肖。大仲马对人物的性格和心理活动不是用大段冗长的文字去描述，而是通过人物一连串的行动和生动的语言去表现。整部小说从头至尾充满了妙趣横生的对话，这是《三个火枪手》的一个艺术特色。

《三个火枪手》情节曲折但层次分明，可以说是由许多可以单独成章的小故事组成的，如白金汉公爵和王后的爱情，阿托斯不幸的婚姻，费尔顿中尉的受骗，达达尼昂对波那雪夫人一见钟情，波尔托斯与律师夫妇的微妙关系等等。这是连载小说的体裁所决定的，它要求小说的每一段都要有结果，同时又要造成悬念，以便吸引读者，但从中也可以看出大仲马编织和叙述故事的杰出才能。这些故事不但使小说趣味盎然，而且从不同的角度多少反映了时代的风貌。这也是这部作品至今仍具有生命力的一个重要原因。

大仲马一生所写的历史小说数量极多，1845年到1855年是他历史小说创作的高峰。这些小说主要包括三个部分。第一部分是叙述达达尼昂一生事迹的三部曲，即《三个火枪手》及其续集《二十年后》(*Vingt ans après*，1845) 和《布拉日隆子爵》(*Vicomte de Bragelonne*，1848~1850)。《二十年后》以马扎然执政时代的投石党事件为背景，在小说中，达达尼昂和波尔托斯为王后安娜·奥地利和马扎然效劳，在他们受到群众包围时把他们救了出去。而阿托斯和阿拉密斯却违反了达达尼昂的心愿，去帮助即将被克伦威尔推翻的英国国王查理一世，结果4个朋友在战场上相遇，达达尼昂和波尔托斯救了阿托斯和阿拉密斯。小说中还穿插着米莱迪的儿子复仇的情节。《布拉日隆子爵》是根据拉法耶特夫人 (Mme de la Fayette) 的《回忆录》改写的，以阿托斯和舍弗莱丝夫人的私生子布拉日隆子爵为线索，描写了路易十四统治前期富凯的失宠、马扎然之死、阿托斯和达达尼昂使查理二世登上英国的王位、阿拉密斯企图用孪生兄弟来代替路易十四，以及火枪手们的结局等等。同《三个火枪手》中的黎塞留一样，历史上另一个中央集权政治的代表人物马扎然被写成一个可憎的人物,而他的对立面富凯则被作者寄予同情。

第二部分是描写纳瓦拉的亨利的三部曲:《玛尔戈王后》(*La Reine Margot*,1845)反映了查理九世和亨利三世的母亲卡特琳娜·梅迪契和纳瓦拉的亨利的斗争;《蒙梭罗夫人》(*La Dame de Monsoreau*,1846)以轻松的笔调描写了亨利三世的时代;《四十五卫士》(*Les Quarante-cinq*,1848)则是蒙梭罗夫人因情人被杀而向安茹公爵复仇的故事。

第三部分是反映法国君主政体腐败和灭亡过程的一系列小说:反映法国大革命前夕状况的《约瑟·巴尔萨莫》(*Joséph Balsamo*,1846~1848)和《王后的项链》(*Le Collier de la Reine*,1849~1850),描写大革命的《红房子的骑士》(*Le Chevalier de maison rouge*,1846)、《昂日·皮图》(*Ange Pitou*,1853)和《查尔尼伯爵夫人》(*La Comtesse de Charny*,1853)等等。

大仲马每写一部历史小说,都要到发生这些历史事件的地方去考察一番,向老人、农民请教当地的传说和风俗,同时查阅大量的资料,甚至亨利四世睡觉打呼噜的细节也不放过。加以他自己从一个普通的小职员进入上流社会,具备了丰富的阅历、广博的见闻和对各类人物深刻的观察,因此他的人物生动鲜明,故事娓娓动听,引人入胜。特别是,他极善于让他的人物在历史的紧要关头出现,让他们在历史事件中扮演角色。他的历史小说在某些方面可以说是通俗历史演义。实际上,法国有许多人就是通过大仲马的作品来熟悉历史的。但是无论如何,他的小说不能作为历史资料来阅读,他往往是"戴着眼镜去看历史的",一切都服从小说情节的需要。例如在《约瑟·巴尔萨莫》中,他把巴尔萨莫这样一个占卜算命的江湖骗子写成大革命的预言家,后来居然成了为人类造福的英雄,显然歪曲了法国大革命的社会根源。又如他在写《昂日·皮图》时,由于连载小说的报社催得紧,他手头又没有历史资料,就灵机一动把自己年轻时的革命经历加在昂日·皮图这个保王党分子身上,让他去攻打巴士底狱。此外,大仲马的历史小说也打上了商业化的烙印,《三个火枪手》中阿托斯的跟班格里摩这个人物,就是为了增加行数、多得稿费而塑造出来的,他每句话只讲一个字,印出来就占一行。有时大仲马为了还债,同时赶写几部小说,因此作品中的矛盾重复之处比比皆是。

4.《基督山伯爵》

1842年,大仲马在地中海游历时,就对厄尔巴岛附近的基督山岛发生了兴趣,打算写一本以它为主题的小说。第二年他应报社的要求开始构思小说的情节。他在1838年发表的《关于路易十四以来巴黎警察局档案的回忆录》中,发现了一个《复仇的钻石》的故事,内容是巴黎一个制鞋工人将要结婚时,被嫉妒的朋友诬告而入狱7年,出狱后得到米兰一个教士的照顾,并在教士死后获得了一个有钻石和各种金币的秘密宝藏。他化装回到巴黎复仇,最后自己也被人杀死。大仲马研究了这份资料,和马奎一起商定了《基督山伯爵》(*Le Comte de Monte-Cristo*)的写作计划,于1844年开始在《辩论日报》上发表,曾经轰动一时。

小说的故事开始于复辟时期,主人公爱德蒙·邓蒂斯是一个年轻有为的水手,即将提升为船长。他的同事邓格拉司对他十分嫉妒,写了一封告密信诬陷他,由邓蒂斯的情敌弗南投入邮筒,代理检察官维尔福出于私利把邓蒂斯打入了插翅难飞的死牢伊夫堡。从此,冤案的三个制造者飞黄腾达:维尔福获得了勋章,后又升为巴黎的首席检察官;邓格拉司靠投机发财,娶了一个有钱的寡妇,成了伯爵、众议员和金融界的巨头;弗南则娶了邓蒂斯的未婚妻,改名为马瑟夫,在对英国和西班牙的战争中为波旁王朝效劳而升为上校,又在希腊独立战争中出卖自己的恩主阿里总督而当上了中将和法国贵族院的议员。

邓蒂斯被捕后,老父因无人抚养,饥饿而死,他自己在黑牢里受了14年的折磨。在狱中，他从难友法利亚长老那里获知了基督山宝藏的秘密，他逃出伊夫堡后，设法到基督山岛找到了宝藏，成为它的主人。

他运用手中无尽的钱财，首先报答了对他有恩的船主摩莱尔，然后经过8年多的准备，带着阿里总督的女儿海蒂，以基督山伯爵的名义进入了巴黎上流社会进行复仇。他在报上透露了弗南的罪恶历史，又让海蒂在议会里作证，使弗南原形毕露后不得不开枪自杀。他在投机事业中连续打击了邓格拉司，使他濒于破产，同时又把维尔福和邓格拉司夫人抛弃的私生子，苦役犯贝尼台多伪装成富有的王子，让他去追求邓格拉司的女儿并与她订婚，使邓格拉司一家名誉扫地，最后彻底破产。他教会维尔福夫人配制毒药的方法，促使她为了早日获得遗产，毒死了好几条人命，自己也畏罪自杀。而维尔福在审讯贝尼台多时又发现他竟是自己的儿子，终因受刺激过度而发疯。邓蒂斯大仇已报，与海蒂一起扬帆远航，永远离开了巴黎。

《基督山伯爵》通过邓蒂斯的悲惨经历，暴露了复辟王朝时期司法制度的黑暗和弊病，对这个反动的时期进行了批判，同时，它也在一定程度上揭露了七月王朝时期的上层人物。邓蒂斯的三个仇人，分别是司法、金融和政治的头面人物，他们的历史充满了罪恶，他们的人品和家庭关系都丑恶不堪、腐朽透顶。《基督山伯爵》写作和发表于七月王朝的后期，七月王朝金融贵族统治集团的腐朽日益暴露，这三个反面人物正是这个统治集团的写照。此外，作品对19世纪上半期资本主义社会生活中某些腐朽黑暗的现象也有所揭露，所有这一切构成了这部小说在思想内容上一定的积极意义。

但是，《基督山伯爵》主要还是一部以情节取胜的通俗小说，社会意义和思想价值并不高。作者全部的注意力集中在写一个情节复杂的复仇故事，而不是着意于刻画自己的时代社会，更不是提出任何问题，在这里，一切都服从于如何使故事的情节曲折有趣、吸引读者。

大仲马在小说中力图把主人公描写为"惩恶扬善"的"天使",把他的复仇表现为"崇高"的"英雄事业",但这并没有提高小说的意义。实际上邓蒂斯是一个完全局限于个人天地的利己主义者,并不是社会的"救世主",他除了进行报复外,对社会"保持着一种中立的态度",只清算了自己的三个仇人就匆匆遁世而去,他这种冤冤相报的行为,当然并不如作者所美化的那样高贵和伟大。而且,他在报复过程中所使用的手段,如唆使维尔福夫人下毒,用金钱收买发报员,让贝尼台多和另一个无赖伪装父子去行骗等等,也都是典型的资产阶级式的,并不值得颂扬。小说更为突出的局限性在于,它打下了作者本人的金钱拜物教的烙印,作者违反资本主义社会的现实,制造了从天而降的宝藏的神话,并且对这笔巨额钱财在巴黎所产生的神奇力量进行了歌颂。总的说来,《基督山伯爵》一书与19世纪那些反映了时代社会矛盾的优秀作品不能同日而语,这是它在文学史上地位不高的原因,即使是大仲马本人在晚年重读这部作品时也说过:"它远不如《三个火枪手》。"

《基督山伯爵》之所以在当时取得巨大的成功,而且一百多年以来被译成各种文字,始终受到广大读者的欢迎,这是因为它作为一本消遣性的通俗小说,可以说是达到了相当完美的地步。小说充满了浪漫的传奇色彩,其构思既巧妙又周密,复仇的过程复杂曲折,从主人公苦心经营、周密策划、像一只无形的手布下天罗地网,一直到仇人们像蜘蛛网上的昆虫那样徒然挣扎一番,最后都受到了惩罚,这样一个线索纷繁的故事就像一座迷宫,70多个人物在其中活动,而所有这一切都被安排得杂而不乱,环环紧扣。整部小说的情节变化多端,场景丰富多彩,三次复仇写得互不相同,读来也各异其趣。小说的另一显著特点是善写对话,全书一半以上的篇幅是由对话组成,作者通过人物的对话,不仅表现人物的思想性格,而且交代往事,展开情节,显示出卓越的语言才能,这和他在戏剧方面丰富的经验是分不开的。

大仲马是法国文学史上杰出的通俗小说家，他曾经明白地宣称："在文学上我不承认什么体系，我不属于什么学派，也不树什么旗帜。娱乐和趣味，这就是唯一的规则。"他不是致力于对丰富的社会生活作广阔生动的描绘，而是以丰富的想象编织出离奇曲折、趣味盎然的故事来吸引读者，他以这种才能在各种类型的戏剧和小说方面都取得了相当的成就，即使他的回忆录和游记也写得颇为有趣。因此，他在法国文学史上虽并不享有崇高的地位，却拥有广大的读者。

第二节 欧仁·苏

1. 欧仁·苏的生平

欧仁·苏（Eugène Sue，1804～1857）生于巴黎一个世代名医的家庭，父亲约翰·约瑟夫曾以皇家卫队的主任医生身份随拿破仑出征俄国，波旁王朝复辟后又当上了路易十八王家医院的外科主任。欧仁·苏由于父亲在宫廷里的高位，成了约瑟芬皇后和欧仁·德·波阿奈亲王的教子，并被取名为马利-约瑟夫·欧仁（Marie-Joséph Eugène）。

欧仁·苏曾在波旁公立中学就读，成绩平常，望子成龙的苏医生最后只得把儿子带在身边当一名助理外科医生。由于公立中学和严父的刻板教育，直到 19 岁时，欧仁·苏的知识面还很狭窄。在文学方面，他只熟悉拜伦、司各特和卢梭，拜伦的愤世嫉俗、司各特的神秘色彩，尤其是卢梭在《社会契约论》里提出的社会政治改革方案，深深吸引住了这位对医学缺乏兴趣的年轻人，在欧仁·苏日后的作品中，不少地方都反映出这几位作家对他的影响。1823 年，欧仁·苏作为助理外科医生参加了波旁王朝对西班牙的战争，次年回到巴黎，由于耽于声色享乐，不久就债台高筑。约翰·约瑟夫担心儿子的前途，替他还清债务后，赶紧打发他去土伦的军医院。欧仁·苏在那里与人合作写了一个关于查理十世加冕礼的应时剧，剧本上演后颇受欢迎，从此激发了他创作的兴趣和信心。不久，他被调到一艘军舰上当外科主任。欧仁·苏的兴趣当然并不在此，不过，到美洲、希腊等地的旅行却开拓了他的视野，补充了公立中学给他的那一点点可怜的知识，他回国时，脑子里塞满了奇风异俗和离奇人物，为他日后从事创作准备了丰富的素材。

1829年，约翰·约瑟夫去世，欧仁·苏重返巴黎定居。他本来想搞美术，但学了几个月后发现绘画并非自己所长，于是一心一意从事文学创作。他一生写的近20个剧本几乎全是同别人合作的，影响都不大。早期发表的近十部小说也未受人重视，倒是他根据自己的航海知识写的三部"海上小说"：《海盗凯诺克》（*Kernok Le pirate*，1830）、《阿塔尔－居尔》（*Atar-Gull*，1831）、《维吉·德·考特文》（*La Vigie de Koatven*，1832）引起了读者的兴趣。这几部作品以法国海战故事为题材，风格上深受司各特和美国作家库柏的影响。

漂亮的仪表、丰厚的收入和俏皮的谈吐轻而易举地为这位青年文士叩开了贵族沙龙的大门，欧仁·苏成了当时上流社会接待的作家，还特别受到贵妇人的青睐，但是几年后，当他认真地考虑向一位贵族小姐求婚时，却由于出身平民遭到拒绝，不久，所有"体面"家庭都对他关上了门。由此，他对贵族产生了憎恶，在后来很多小说里，几乎都安排有一个自私、堕落、盛气凌人的贵族。

欧仁·苏一面勤勉地从事创作，同时又过着奢侈的生活，7年之内就把继承的遗产和挣得的稿费挥霍殆尽，他热恋着的一个情妇又在那时突然跟他决裂，双重打击之下，欧仁·苏几乎失去了创作能力。在朋友建议下，他动身去乡下创作他的第一部连载小说《亚瑟》（*Arthur*，1837～1839）。这部作品带着尖刻的嘲弄描写了1830年的巴黎生活，反映出他的创作倾向已开始转为揭露当代社会现实。《亚瑟》的成功使欧仁·苏摆脱了经济困境，也为他向连载小说发展打开了出路。

七月革命以后，随着工人农民日趋贫困和阶级矛盾日益尖锐，圣西门和傅立叶的空想社会主义学说的影响逐渐扩大，早年深受卢梭思想熏陶的欧仁·苏开始从傅立叶主义中寻找共同语言。1841年5月，一个偶然的机会使欧仁·苏第一次真正接触了一个工人家庭，被压在社会最底层的工人阶级的血泪生活使他深深震惊。欧仁·苏决心在自己的作品里为穷人鸣不平，并向社会提供他在心里酝酿了很久的改良方案。但是，跟傅立叶一样，他不了解无产阶级的伟大力量和历史使命，只是指望资本家看到新社会的优越性后会自觉地放弃资本和剥削。1842年至1843年，他在《辩论报》上发表了长篇连载小说《巴黎的秘密》，在这部小说里，他力图宣传傅立叶的思想。小说发表后轰动了整个法国，欧仁·苏也成了各界人士瞩目的人物，他被授予"荣誉勋位十字勋章"，不久又被选为议员。两年后，他的另一部重要作品《流浪的犹太人》赢得的赞誉使他的声望达到了顶峰。但从1846年起，他的才能和影响渐渐衰退，尽管他继续大量创作，到去世前夕又发表了20来部连载小说，但都不太成功。

1851年，路易·波拿巴上台，欧仁·苏由于激烈地反对这次政变被流放到阿纳西，两年后，拿破仑三世又下令永远禁止他返回法国。流亡期间，欧仁·苏继续从事创作，但作品的销路越来越差。1857年，欧仁·苏在自己一个好友的怀中去世，临终前，他留下的最后一句话是："请记住，我是作为一个自由思想家死去的。"

2.《巴黎的秘密》

欧仁·苏最重要的代表作是《巴黎的秘密》(*Les Mystères de Paris*，1842~1843)，这部长篇小说以复杂曲折的情节取胜，它在报纸上连载后，故事中的主要人物几乎成了那一时期巴黎家家户户谈论的中心。

小说的主人公鲁道夫本是德意志盖罗尔斯坦大公国的大公，年轻时曾跟一位苏格兰姑娘萨拉同居并生了一个女儿。由于父亲坚决不同意这门亲事，鲁道夫一时冲动，险些弑父。不久鲁道夫从萨拉写给她哥哥的一封信上发现，萨拉并非真心爱他，而是想利用跟他的结合登上大公夫人的宝座。鲁道夫又悔又恨，决定出国旅行，希望能用扬善惩恶的行动来赎补弑父的罪过，这时，萨拉也被逐出了盖罗尔斯坦。

几年后，鲁道夫回到家乡，遵照父命跟普鲁士的一位郡主结了婚；稍后，萨拉也嫁给了一位伯爵。结婚前夕，萨拉把女儿托付给公证人雅克·弗兰抚养，后者为了吞没萨拉留给女儿的钱财，把孩子送给了别人，伪称她已经死去。几年后，鲁道夫和萨拉的配偶相继去世。为了继续在世上"扬善惩恶"，大公再一次出国旅行，最后来到巴黎。某天晚上，他无意中从一个绰号叫"刺客"的屠夫手里救了个漂亮的姑娘玛丽花，这个16岁的少女就是他多年来一直痛悼着的亲生女儿。

当年收留玛丽花的是个女强盗，绰号叫"猫头鹰"。玛丽花由于不堪"猫头鹰"的虐待凌辱，于8岁那年逃到了街头，不久被警察送进了教养所。她在教养所里待了整整8年，16岁时获释，在举目无亲、生活无着的情况下，终于沦落为娼。

公爵对玛丽花动了"恻隐之心"，为了把她从贫穷堕落中彻底"拯救"出来，他把这女孩子带到了被作者誉为"模范农场"的布克伐尔，托人照料，并指定老教士拉波特对玛丽花进行"批判的改造"。教士成功地在玛丽花身上培养起宗教感情，让她领悟到自己"罪孽深重"，于是，为了"拯救"自己的灵魂，玛丽花开始背起了"十字架"。

萨拉不甘舍弃当大公夫人的野心，一心想和鲁道夫恢复关系，跟踪他到了巴黎。她以为鲁道夫想把玛丽花收做情妇，正打算利用"猫头鹰"和另一悍盗"校长"来剪除这一情敌，却被"刺客"发现了。"刺客"这时已完全被鲁道夫收服，得悉阴谋，便赶紧前来报信。公爵设下圈套，"校长"遭擒，并在鲁道夫面前供认了自己的种种罪孽。自封为"法官"的鲁道夫认为从法庭转到断头台的过程太快，不利于罪犯的"忏悔"，于是，为了让这个悍盗"沉没在漆黑如夜的昏暗中，单独地回想自己的恶行"，他采取了基督教的"眼睛作恶就挖掉眼睛"的惩罚手段，命令黑人医生大卫弄瞎了"校长"的双眼。

在继续行善的过程中，鲁道夫发现他的好友达尔维尔侯爵的妻子克雷门斯的名誉正面临着危险，正当克雷门斯险些中计时，他巧妙地使她摆脱了窘境。侯爵夫人对鲁道夫本来就有爱慕之意，此番又蒙相救，便向鲁道夫坦白婚后的不幸并表达私衷。为了转移侯爵夫人这种感情，鲁道夫劝克雷门斯去从事种种"慈善性的猎奇活动"。他对她说："看着那些善良的穷人快乐得涕泗横流地望着你，那将给你带来多么强烈的感慨啊！"侯爵夫人接受了这一建议，从此在行善中找到了"乐趣"。萨拉早就把克雷门斯看做是阻止她跟鲁道夫破镜重圆的另一个情敌，为了不让公爵跟她往来，她写信给达尔维尔，对鲁道夫和克雷门斯进行污蔑。但侯爵不久就明白了真相，并幡然悔悟自己有病当初不该欺骗妻子，觉得继续带病活着对自己、对妻子都是永无穷尽的痛苦，于是拔枪自尽。

鲁道夫虽然挫败了萨拉这一阴谋，却不曾料到萨拉同时已指使"猫头鹰"伙同双目失明却继续作恶的"校长"劫走了玛丽花，萨拉自己也没想到这个被她视作"情敌"的漂亮少女就是她的亲生女儿。她以为公爵所以怀恨于她是由于女儿之死，于是委托公证人弗兰为她找一个孤女来冒充。弗兰这个以伪善嘴脸取信于主顾的歹徒害怕昔日吞没钱财的劣迹败露，赶紧买通几个强盗把玛丽花连同知情者一起淹死在塞纳河中，千钧一发之际，玛丽花被人救起，幸免于难。"猫头鹰"劫走玛丽花后到萨拉家里领赏,无意中从一张相片上认出了幼时的玛丽花,萨拉这才知道被劫的姑娘就是自己的女儿,赶紧把"猫头鹰"的证词录了下来,女强盗却见财起意,刺伤萨拉后卷财而逃。

跟鲁道夫住在同一公寓里的首饰匠莫莱尔家贫如洗,女儿路易莎在弗兰家帮佣又遭奸污怀了孕,公证人打算杀人灭口来掩盖自己的兽行,路易莎得悉后准备逃回家中,动身前夕生了一个男孩,但婴儿出世不久即冻死。路易莎埋了孩子匆匆出逃,途中遇见在弗兰事务所任职的热尔门,后者告诉她弗兰以欠债为由即将逮捕莫莱尔,并给了路易莎1300法郎让她代父还债。路易莎赶到家里救了父亲,她自己却被弗兰扣上了"杀婴罪"含冤下狱。首饰匠连遭打击成了疯子,热尔门因为私拿了弗兰的钱也被逮捕。鲁道夫为了伸张正义,派混血儿色西丽混入弗兰家帮佣,以色相引诱弗兰,取得他的罪证,逼他听任鲁道夫的摆布,命令他盘出事务所,收入用来偿还那些受过他陷害和盘剥的人,并将所有的家财捐给所谓的"贫民银行",弗兰最后得到了罪有应得的下场,鲁道夫也终于找到了自己的女儿。由于公爵的救助,路易莎和热尔门均从狱中获释,莫莱尔的疯病也被治愈。"校长"与"猫头鹰"发生内讧,"猫头鹰"被杀。"校长"怕又一次受到法律惩办,便装作精神失常,被关进了疯人院。

鲁道夫完成了扬善惩恶的义举,决定离开巴黎,他回国后和克雷门斯结了婚,玛丽花也被尊为阿梅丽郡主,但"皈依了上帝"的玛丽花为了"赎罪"并争取"进入天国",毅然拒绝了一个亲王的求婚,进了修道院,不久就郁郁而死。

《巴黎的秘密》是法国19世纪40年代的重要文学现象之一,它的重要性在于两个方面,一方面,它是较早描绘了资本主义工业化之后城市下层人民生活情景的一部小说;另一方面,它比较鲜明地体现了傅立叶主义的思想观点,成为这种空想社会主义的通俗图解。

恩格斯曾经指出:"这本书以鲜明的笔调描写了大城市的'下层

等级'所遭受的贫困和道德败坏,这种笔调不能不使社会关注所有无产者的状况。"①在小说里,巴黎贫民区的阴暗景象以真实的图景呈现了出来,下层人民的悲惨生活通过玛丽花、"刺客"和莫莱尔一家的经历有着集中的反映。玛丽花寄养在"猫头鹰"家里时,受着极端的虐待,甚至不得温饱,很小的年龄就要在街上叫卖糖果,稍有差错,竟被"猫头鹰"硬拔下她的牙齿以示惩罚。她逃了出来,又被关进教养所,从教养所出来后,贫困的生活又逼得这个才16岁的少女卖淫为生。"刺客"从小也是孤儿,十一二岁就出外谋生,艰苦的劳作并没有使他免于饥寒,直到19岁,他从未睡过床,他甚至愿意坐牢以便"有一碗牢饭吃"。他从监狱里出来后,更找不到固定的职业,过着衣食无着的流浪生活。手艺匠莫莱尔更是直接在资本主义的剥削压榨下挣扎,他一天只能睡3个小时,沉重的劳动累得他身体变成畸形,每天只有40个苏的工资,却要养活全家8口,他因为借了债无力偿还,不得不把大女儿抵押出卖,小女儿也得了肺病,冻饿而死。这几个人物的不幸构成了当时巴黎大量无业游民和下层劳动人民苦难生活的缩影。欧仁·苏以明显的同情描写了他们的生活,同时又通过弗兰等人物对上层社会的腐朽和享乐作了揭露,表现了他的民主主义的立场和感情。而且,小说中这些描写是作者深入贫民区、收集材料的结果,符合当时下层社会的实际,写得真实感人,所以当时为欧仁·苏在巴黎赢得了不少工人读者。

但是,对于资本主义条件下劳动人民、无产阶级的悲惨生活以及贫富对立的社会现象,欧仁·苏的理解完全是傅立叶式的。他在小说里大力宣传了阶级调和、阶级合作,鼓吹基督教的"让我们彼此相爱"的思想。他以抽象的善恶观念来区分他的人物,把他们分为四类:善的富人,如鲁道夫、克雷门斯;善的穷人,如莫莱尔;恶的富人,如弗兰;恶的穷人,如"猫头鹰"。他完全抹杀了阶级的区别,

---

① 恩格斯:《大陆上的运动》,《马克思恩格斯全集》第一卷,第594页。

并把希望寄托在善的富人身上。他曾经明确地承认：他写这部小说"唯一的希望是唤起思想家和慈善家们注意这些巨大的社会灾难"。他所臆造的鲁道夫这个人物，就是他所期待的这种慈善家。他把这个人物精心描绘成一尊"无所不能"的"神"，让他来主持审理人间的善恶，挽救日下的世风，通过宣扬这个救世主的惩恶扬善、扶危济困来提出乌托邦的社会改革方案。他的方案并不触动资本主义的现存秩序，他虽然在小说里也把矛头指向了当时的立法和司法制度，但归根结底还是肯定了资产阶级法律"是必不可少的"，并且劝谏性地对"诉讼制"、"单身牢房制"、"惩罚与忏悔相结合"制，提出自己的建议。他最得意的方案是"贫民银行"与"模范农场"，他让自己的主人公去从事这种试验，把这两种办法当作济世良方加以宣扬，好几次中断了故事的情节，详细地陈述这两种组织对穷人的"好处"。但是，欧仁·苏的"贫民银行"每天只能给失业者不到27个生丁，而当时在法国，一个囚犯每天的消耗就要超过47个生丁，如果工人依靠这种"银行"，就必然饿死，或者就得采取欧仁·苏通过这种银行所力图防止的那些办法：典当、乞讨、偷窃和卖淫。而在欧仁·苏的"模范农场"里，虽然劳动者可以"吃得好一些"，"工资高一些"，但工作量比一般的雇农多一倍，必须是超人的大力士才能胜任。而且，这两种组织都是建立在富人发善心的基础上，是作者按照傅立叶设想的"法朗吉"组织忠实复制出来的空中楼阁。此外，小说还表现了宿命论的思想：鲁道夫因为有伤父之罪，报应就降到了他女儿身上，甚至鲁道夫拔剑刺父和玛丽花的死正好都发生在1月13日这个"不祥的日子"。"刺客"年轻时曾用刀刺死一个班长，于是他的结局也是被人用刀杀死。弗兰逼疯了莫莱尔，临终前他自己也成了疯子。这些"因果报应"的描写显然带有浓厚的迷信色彩。

欧仁·苏在《巴黎的秘密》中所竭力宣扬的一系列思想，在当时具有消极的性质。据记载，小说尚未在报上刊完，一位资产阶级评论家就情不自禁地欢呼说，如果他是法国国王，他一定会给欧仁·苏一笔年金，让他把《巴黎的秘密》永远写下去，因为"整个法国将专注于读报上的连载小说，再也不会发生革命了"。这一评论虽然过分夸大了《巴黎的秘密》的影响，但也一语道破了这部小说所起的麻醉作用，因此，它理所当然地受到了马克思、恩格斯的批评。

欧仁·苏开始写《巴黎的秘密》时，原来只打算写两卷，结果一直增加到十卷，所以故事拖沓冗长，某些情节甚至跟主题根本无关。作者写此书前，跟写其他连载小说一样，从来不拟提纲，当报社向他索稿时，往往得到这样的答复："下面的内容我也不知道，我现在正要去找。"因此，故事情节杂乱无章，很多地方衔接不上，作者又经常喜欢中断了情节发展插入大段说教。小说中的人物都有脸谱化的缺点，不是至善，就是至恶，不是至强，就是至弱，缺乏对人物内心世界的剖析和探索。总的说来，这部小说的艺术性不高，但作者善于利用一些曲折离奇的情节和激动人心的故事来引起读者的兴趣，语言较流畅，特别是欧仁·苏为了搜集材料，经常乔装到巴黎下层社会去体验生活，所以小说中很多场面写得非常逼真。作者也是较早把盗匪黑话搬进小说的法国作家，在制造"恐怖气氛"的手法上，欧仁·苏深受英国作家拉德克利夫夫人（Mrs. Radcliffe）的影响，每到"紧张关头"，总是配合自然界中的风雨雷电来加强心理效果。这也是小说招揽读者的地方。

3.《流浪的犹太人》

《流浪的犹太人》(*Le Juif errant*，1844~1845）是欧仁·苏另一部代表作，从思想倾向来看，这部小说具有较多的揭露现实的意义。

小说的题名是根据《圣经》上的一则故事：耶稣来到一个石匠家门口，要求歇息一下，那石匠不让耶稣停留，叫他快走，从此，石匠就永生永世被罚不停地走路。这个犹太石匠在小说中起着传递消息的作用。

小说的基本情节分为两大部分。第一部分描写雷纳蓬家族的几个成员返回巴黎领取遗产的过程。雷纳蓬家族的祖先是个新教徒，17世纪末，路易十四实行迫害新教徒的政策，把他的财产没收，归耶稣会所有。他侥幸留下了5万埃居，托付给他搭救过的一个犹太人，让犹太人给他存款生息。他在遗嘱中规定要他的后代于1832年2月13日到达巴黎他买下的一幢房子里会面，不准时到达者则应自动放弃继承权。这5万埃居经过150年，成了2亿多法郎。耶稣会一直觊觎着这笔遗产，斗争于1831年底激烈地展开。耶稣会千方百计地阻止雷纳蓬的几个后代聚集到巴黎，他们是：从西伯利亚返回的孪生子女罗丝和布朗丝、印度一个王国的王子第雅尔玛、富家小姐阿德里耶娜、手工工人雅克、工场主亚尔第、教士加布里埃尔。耶稣会分别把他们骗到修道院、疯人院或外地，到预定的那天，只让受教会控制的加布里埃尔到场。这时，突然从里间走出一个犹太女人，她取出一份遗嘱附件，说明如遇特殊情况，可延至6月1日分发遗产。第二部分描写了新的争夺遗产的斗争。耶稣会的头目罗丹施展阴谋诡计，让雷纳蓬家族的几个后代分别染病、饮毒而纷纷死去，只剩下加布里埃尔一人。看守老房子的犹太人气愤至极，按动机关，把铁盒子里的钞票烧为灰烬。

小说对耶稣会的揭露淋漓尽致。耶稣会自17世纪起就拥有极大的势力，其分支密布各地，为非作歹，罪恶累累，雷纳蓬在遗嘱中指责耶稣会进行愚民欺骗，使人们迷信、愚昧、屈服于国王的专制之下，指责耶稣会参与了谋杀给新教合法地位的亨利四世的阴谋。这个特务组织在波旁王朝复辟后死灰复燃，猖獗一时，欧仁·苏的小说通过耶稣会对雷纳蓬家族的巨额遗产的争夺，暴露了这个宗教组织狰狞的面目。它肆无忌惮，不但能在法国为所欲为，还能在远至爪哇的地方施展阴谋；它能利用合法手段达到目的，又能通过非法手段制造障碍；它有许许多多设置监狱牢房的修道院，也有供它使用的疯人院；它能假手于人放火和散布传染病，又能制造迷魂状态使人饮毒；它可以利用反动宗教著作迷惑人的思想，使人沉迷于孤独厌世的想法之中，又可以用教规的约束强令人们服从它的安排；它能开动一切机器，又能进行得极其隐蔽，不为外人所知。它为了争夺这笔巨额的遗产，使用了一切穷凶极恶、卑劣无耻的手段，远比资产阶级家庭内部的遗产之争更为阴险残酷。小说特别通过耶稣会大头目——"将军"罗丹，揭露了耶稣会上层人物的狡诈毒辣。罗丹开始并不以真面目出现，他充当耶稣会头目爱格雷尼侯爵的秘书，实际上是在监视侯爵的所作所为。侯爵曾经带领一团人同拿破仑的军队作战，为波旁王朝的复辟立下过汗马功劳，表面上是他在指挥人马抢夺遗产。在2月13日那一天，当他看到遗嘱附件，知道分发遗产要延至6月1日时，有点沉不住气了。这时罗丹亮出自己的身份，命令侯爵根据自己的指示行事。罗丹的手段要比侯爵残忍得多，他亲自出马，打扮成受耶稣会欺骗的角色，同雷纳蓬的后代接触，把他们一个个都弄死。而为了消灭威胁自己切身利益的对手，他把侯爵也置于死地。但是，在耶稣会统治集团之间这场争权夺利的斗争中，他自己也落得同样的结果，红衣主教卡博西尼曾想与罗丹争夺领导地位，遭到失败，但卡博西尼最终却把罗丹毒死。小说在揭露耶稣会凶残性质的同时，也描写了它伪善的一面。耶稣会的特务以神职人员的身份担任信徒的"良心导师"，听取妇女的忏悔，负责孩子的教育，不过是愚弄人们、潜入家庭进行干预以达到卑劣的目的，小说中耶稣会对加布里埃尔的控制就是突出的一例。加布里埃尔是个善良正直的青年，自从进了神学院之后就被掌握在耶稣会的手里。神甫软硬兼施，要他放弃遗产，由耶稣会掌管去"救济穷人"。对穷人抱着同情之心的加布里埃尔就这样听任耶稣会的摆布。此外，耶稣会还利用虔诚的信徒达戈贝的妻子，诱骗她把罗丝和布朗丝送到修道院禁闭起来；又向亚尔第进行愚民的宗教宣传，要他"仿效基督"，使他产生厌世思想，身不由己地加入耶稣会，并要用赠予财产的办法来换取"灵魂得救"，等等，所有这些描写都充分表现了耶稣会对人们的精神戕害。欧仁·苏在小说中尖锐的揭露，当时大大激怒了耶稣会，因此，他受到了他们的各种攻讦。但在小说结语中，欧仁·苏特别补上一笔，再一次指出这个组织犯有各种罪行，坚持了自己的正义立场。也正因为耶稣会的恶行早已引起社会上广泛的不满和愤慨，所以《流浪的犹太人》发表后在读者中产生了巨大的反响。

《流浪的犹太人》对一些出身下层的人物作了正面的歌颂，反映了欧仁·苏从空想社会主义者，特别是从傅立叶那里接受了较为民主的思想。老兵达戈贝是"共和国和帝国时期的士兵、平民英勇的儿子的不朽典型"，他一直忠于往昔的事业，不辞辛劳地把拿破仑手下的一个高级军官的孪生子女从西伯利亚护送到巴黎。老兵的儿子阿格里柯尔是个铁匠，同时也是个工人诗人，他的诗歌《解放了的劳动者》在工人密谋起义的斗争中起过作用，他协助父亲援救那一对被关在修道院里的孪生子女，表现了见义勇为的精神。雷纳蓬的后代之一雅克是个手工工人，他也乐于助人，慷慨好义。这些底层人物与《巴黎的秘密》中的不同，他们都具有一些高贵的品质，多少还能反映劳动者的真实面貌。欧仁·苏在19世纪40年代中期能够描写这些人物，还是难能可贵的。

欧仁·苏在《流浪的犹太人》中仍然没有跳出鼓吹阶级调和论的圈子。他通过雷纳蓬的遗嘱，宣扬实行"你们要彼此相爱"的基督教格言，鼓吹结成"一个神圣的共同体"的空想。在小说结尾，欧仁·苏又提出"在处于社会阶梯两端的两个阶级之间实现亲近和睦"的主张。他的小说通过具体的形象表现了他这一系列思想。雷纳蓬的7个后代像一个象征体一样，包括了各个阶层的人物：有王子，也有平民；有工场主，也有工人。他们彼此之间并无冲突，似乎完全可以建立"神圣的共同体"。欧仁·苏在工场主亚尔第身上花费了更多的笔墨。他的工人住在一起,"人人看来都这样幸福,这样高兴!"为什么呢?因为他们房租可以少付,吃得又好,有一个医生给他们看病,还有互助金,在生病时可以拿到三分之二的工资。欧仁·苏认为,一旦富人们知道了亚尔第的办法,"他们就会理智地和慷慨地做好事"。因为,在他看来,工人们生活条件好,就会更卖力地干活,这样对工人对工场主都有利。欧仁·苏的设想显然是从空想社会主义者那里得到启发再加以变化的产物,他以此来证明自己的阶级合作、阶级调和的思想是正确的、可行的,但实际上这只是维护资本主义制度的极其庸俗、廉价的药方。

第六章 奈瓦尔、缪塞、戈蒂耶、波德莱尔

奈瓦尔、缪塞、戈蒂耶与波德莱尔是四个从浪漫主义起步、但又同浪漫主义主流意识有别的作家,他们主要活动在资产阶级对封建阶级的政治斗争已经胜利完成、金融资产阶级在法国巩固了自己的统治、文学上浪漫主义运动走向衰落的年代。他们本来就是浪漫主义运动中颇有独特性的"顽皮的孩子",在自由资本主义相对宽松的现实面前,更加日益关注自我,或自我个性放任发展,或沉湎于自我狭小天地,或玩世不恭,甚至恣意行乐。他们都是从浪漫主义运动这个学校毕业出来的,但不再有其先行者与运动主将的政治社会热情,在文学上也远远游离社会意识的倾向性而专心致力于挖掘与开拓文学创作的内部机制与途径。奇兵出奇效,总能辟出具有独特性的新天地,有的不免走进了文艺的象牙之塔,走上了唯美主义之途,但也带来了令人耳目一新的艺术效果。他们几乎无一例外都是聪敏异常、才能卓绝、技艺精巧、文笔优美的才子,其创作都极富艺术魅力,在法国文学史上放射出一片奇特而动人的光彩,并构成了文学发展过程中的另一类传统。

第一节 奈瓦尔

1. 奈瓦尔的生平

钱拉·德·奈瓦尔（Gérard de Nerval, 1808~1855）本名钱拉·拉布吕里（Gérard Labrunie），其父是拿破仑大军中的一个外科医生，母亲是一个纺织品商的女儿，奈瓦尔两岁时，她随军病死在德国。奈瓦尔起初由一个舅舅抚养，稍长，进查理大帝中学当走读生。在学校，他与戈蒂耶是同窗好友，日后，两人同为雨果领导的浪漫主义文学运动中的积极分子。

奈瓦尔很早就开始写诗，18岁时第一次发表了他的处女作组诗《民族的哀歌》（Les Élégies nationales），不久，他又翻译了歌德的《浮士德》，从此在文坛上崭露头角，他主动投效于浪漫派文学运动旗手雨果的麾下，曾为雨果的"欧那尼之战"摇旗呐喊，出过大力。他还与一些文艺青年朋友组成了"小文社"，成为了"青年法兰西"文艺运动的核心。他有强烈的共和主义思想，参加过当时各种各样的大学生抗议示威游行，为此在1832年还蹲过监狱。由于他曾经学过医学，1832年法国流行霍乱时，他还挺身而出，作过贡献。

他从祖父那里得到了一笔遗产，1834年到意大利作了一次旅行，回巴黎后，遇到女演员简妮·科隆，对她一见钟情，陷入了狂恋。他将自己为数不多的财产投资创办了《戏剧世界》，此举导致他的破产，刊物也转落他人之手。这个时期，他与戈蒂耶以及一班青年浪漫文友混在一起，其意气风发、放任不羁的生活在他的散文诗《风流浪子》《浪子小城堡》中均有所反映。得文友们的相助，他在经济困顿之中为一些报刊撰稿，赖以谋生。

1833年，他狂恋的对象简妮·科隆嫁给了一个音乐家，失恋使得他精神上遭到严重的打击，他对这个女演员仍念念不忘，回忆与思念在以后的岁月里逐渐演化为一种带神秘色彩的梦幻,并在他主要的文学作品中留下了深深的印记。同年,他与大仲马出国游历,第一次作德国之旅,这是他母亲客死的国度。他还与大仲马一道为写一个历史剧收集资料,此剧《雷阿·比卡尔》于1839年上演。1839年至1840年冬季,他获一公差在维也纳逗留了几个月,在那里结识了钢琴家李斯特。稍后,他去布鲁塞尔小住,在那里又遇见了昔日的恋人简妮·科隆。

由于失恋的打击,精神郁结,一有新的刺激就不免精神失常,他于1841年2月第一次发病,在疗养所住了好几个月。从这次爆发以后,他有了"白日做梦"的病态,他后来好几部主要的作品,都留下了此种痕迹。1842年岁末,在简妮·科隆去世之后几个月,奈瓦尔动身去东方作长途旅行,到过希腊岛、埃及、叙利亚、黎巴嫩、君士坦丁堡。他将此次旅行的素材加工整理为《东方之旅》一书,但此书到1851年才问世。此次漫游之后,他又曾到比利时、荷兰、美国以及德国作过旅行。此后的几年,他与友人合作写过几出歌剧脚本,还做过一些记者工作。1851年后,他的精神病经常发作,一次比一次厉害,间隔也愈来愈短,不止一次遭到强制性的禁锢。精神略有恢复,他在朋友的护理下,又到比利时、荷兰与德国旅行,并且常去他度过童年时代的乡村瓦卢瓦休养身心。他本来就热爱大自然景色、乡村风光与淳朴民风,从中得到精神慰藉,也获得了文学创作的感受,其作品中清新自然的气息与此有关。在疗养的间隙,他写成了散文小说集《火的女儿》(*Filles de feu*)与诗集《幻影十四行诗》(*Chimères*)。

1852年,他发表了记叙德国景观与人文传说的散文集《萝蕾莱》与颇有神秘象征色彩的诗集《幻象种种》(*Les Illuminés*)。他的宿疾反复发作,使他苦不堪言,他在犯病的空隙中仍不断从事写作,《波希米亚小城堡》(*Petits Chateaux de Bohème*, 1852)、《十月之夜》(*Les Nuits d'octobre*, 1853)、《西尔薇》(*Sylvie*, 1853)、《漫步与回忆》（*Promenades et Souvenirs*，1854）等作品，都是这样写出来的。

1854年冬，奈瓦尔的生活状况进一步恶化，他经济拮据，没有固定的家，在完成了《奥蕾莉娅》（*Auré lia*，1855）之后，他感到愈来愈丧失写作能力，日益陷入深深的绝望。1855年1月，他似已山穷水尽，悄悄地拜访了几位朋友，又在自己姑妈的家里留下了言简意赅的一句话："不要等候今夕，因为夜是黑白参半的。"1月26日的早晨，他被发现吊死在老路灯街一道栅栏门上，但究竟是自杀还是被害，却一直没有定论。

奈瓦尔死于47岁的壮年，他的一生是不幸的，令人同情的。他基本上是一个清贫的文人，长期忍受顽症的煎熬，而仍然笔耕不辍，实为难能可贵，而且他的耕耘还产生了不同凡响的奇葩，在文学史上发出独具一格的异彩。

2. 奈瓦尔的文学创作

奈瓦尔在诗歌与散文两方面均有相当可观的业绩，使他在文学史上占有一席地位的，倒不是他创作量的多少，而是他的独特性，不论是他的诗歌还是散文小说作品，都是如此。而这种独特性就在于其梦幻色彩：以题材内容论，似梦似真；从意境来说，如现实又超现实；从形象与语句来讲，则既连贯又跳跃，总之，如梦如歌，轻灵飘忽。

他这种梦幻性的形成，是由于多方面的原因，既有实际生活方面的，也有内心精神方面的。他是在巴黎远郊风光秀美的瓦卢瓦长大的，那里富有民间传说与梦幻色彩的氛围，首先就给了他潜移默化的影响；他从小失去了母亲，对母爱的向往与企盼，使他从童年就容易耽于梦想；对简妮·科隆的狂恋与失意则使他往往乐于将梦想带入现实，模糊两者的界线，并在心目中制造出一个永恒女性的幻影。这个幻影愈来愈具象，愈来愈膨胀，实际上愈来愈侵入现实生活、占据现实生活。如果这止于个人气质与精神状态的层面，那他还只是一个陷于白日梦的患者,但他翻译《浮士德》与接受德国文学中玄思、奇幻成分的影响,则又使他将个人气质与内心隐秘,凝聚为意识形态的理念,加之他在东方之旅中又迷上了东方神话与古典神秘主义,所有这一切,他都带进了文学创作,也就成为了一个自觉崇尚梦幻与超现实,并能得心应手、奇妙地加以描绘的独创者。

奈瓦尔明确认定梦幻世界与现实世界的紧密联系,在他看来,梦就是个人生活与现实世界的反映,是一种超现实形式的现实,两者的相通是不言而喻的,他说,"实际世界与超自然世界之间有一种关联",不仅如此,梦幻本身又在现实生活中占有地位,实际上构成了另一种生活,是自我存在的另一种形式。在梦中,自有一个另样真实的世界向人敞开,为此,就应该体验、感受并表达出真实世界与梦幻世界的关联与契合,找到了这种关联与契合,幻象就绝非凭空的虚构,而是一种绝对的真实。他自己在文学创作中就是致力于这样做的,他一方面力求简单而朴实地记录梦中的情景与经过,清醒地辨析其现实的根由;另一方面又从现实出发,寻觅梦幻式的感受,以求现实与梦幻的契合与联通,如此吟诗为文,在形象上、意境上、情趣上自有一种奇妙的效果,形成了一种独特的艺术风格。

奈瓦尔的诗作,很多都是发表在发行范围甚小的诗刊上,影响并不大,他生前并未赢得巨大的名声,但他对梦幻、对通感契合的重视,对象征手法与超现实手法的成功运用,使他在19世纪诗歌创作中很具有前卫性,开了日后象征主义与超现实主义的先声,为19世纪下半期以至20世纪的新派诗人所称道尊崇,其影响愈来愈大。

奈瓦尔诗歌的代表作是《幻象种种》,这一集诗均为十四行诗,共十二首。这些诗表达了诗人对宇宙世界的感受,很有神秘主义的色彩与梦想幻觉的灵妙,充满了暗示、象征、意识流的过渡与跳跃,难以用理性逻辑加以串连与解读,却如行云流水般给人动感而又不可把握,如梦幻般使人感受朦胧幽暗而实难洞悉,另有一种飘忽美与朦胧美。

以他的《遐思》一诗为例。一开始，诗人宣称有一首歌对他具有"隐秘的魅力"，而且也只对他"一个人"具有这种魅力，要算是他的最爱，因为他愿意用"所有罗西尼、莫扎特、韦伯的妙作去换取"，这是一首什么样的歌？诗人只告诉读者，它"非常古老、低沉、哀伤"，关于它的内容、它的题材都一概语焉不详，但"每当一听到它的曲调，我的心灵就年轻了两百岁"，而且还产生了一连串奇妙的感应：其一，"回到路易十三时代，似乎看到了翠山矗立，被余晖染成金黄"；其二，"看到一座石砌的古堡"，它四周"由一个大花园环绕"，花丛中则流淌着一条小河，而小河又"浸没了古堡的墙脚"；其三，看到"一个贵妇站在高高的窗前"，"她衣装古朴，金发黑眼"，似乎是诗人"前一世曾经见过的"，她的面容诗人仍记忆犹新……在诗里，这首歌如天籁一样虚无缥缈，如果要加以具象的话，那就成了几幅如童话、如梦幻一样的图景，同样都带有虚幻的性质，而这首歌具化为几幅图景，则显然是出于一种隐秘而微妙的通感，这种通感难以解说，只可揣测意会，应为一种带神秘色彩的感应，于是，整首诗也就像梦境一般美，一般空灵虚幻，但却难以理喻解读了。这既是本诗的特色，也是奈瓦尔的诗之共性。

如果说，由于文学体裁与形式本身的特征，在奈瓦尔的诗歌中，他致力于表现梦幻的创作个性显得还不够鲜明突出，不足以给人造成强烈印象的话，那么在他的小说里，这种特征就表现得再明显不过，使他与其他散文小说家迥然不同，形成鲜明对照。

奈瓦尔的散文小说中，有两个集子较为重要：《火的女儿》与《奥蕾莉娅》。

《火的女儿》是短篇小说集，但也收入了一个喜剧剧本与一篇古代宗教与秘密祭礼的研究文论，其短篇小说则是《昂日莉克》(*Angélique*)、《西尔薇》(*Sylvie*)、《杰米》(*Jimmy*)、《奥克塔维》(*Octavie*)与《爱弥儿》(*Emile*)五篇。《昂日莉克》被视为一篇小说是颇为勉强的,实际上就是一大篇散文随笔,写作者的漫步、描绘他所欣赏的优美风光与古堡,讲述民俗趣闻与民间传说,特别是路易十三时代一个美丽少女昂日莉克不幸而忧伤的传说故事,是作者在巴黎与外省的图书馆里广泛阅览民间文学资料,再加上他虚构想象而调制出来的结果。《杰米》是一篇借鉴了德文作品的故事,优美而生动地描写了19世纪初美洲移民的民俗民风。《奥克塔维》是作者对简妮·科隆的回忆,记叙了他失恋后为了排遣和忘却而去意大利的经历。《爱弥儿》写一个共和国青年军官的爱情悲剧,他在阿尔萨斯娶了一个德裔少女,但有一天突然发现自己在过去的一次战斗中曾杀死了这少女的父亲,从此深感自己难以得到妻子的原谅,最后自尽以赎罪。

在《火的女儿》中,最为重要也最充分表现了奈瓦尔独特创作个性的作品是《西尔薇》。

这篇小说写的是一个年轻人的爱情。他在同一个时期迷恋的对象有三个,一个是巴黎舞台上的名旦奥蕾丽娅,二是大家闺秀阿特莉哀娜,三是他故乡瓦卢瓦的农村少女西尔薇。西尔薇是他青梅竹马的知己,既是恋人,又像兄妹。阿特莉哀娜与他仅在故乡集市的花束节的舞台演出时见过一次,在演出中有过一次小小的合作,却使他如醉如痴,终生不忘,并促使他移情到奥蕾丽娅身上。奥蕾丽娅是一个在舞台上光艳照人、但对他并不理解的世俗女子,使他沉湎在巴黎戏院里虚度了不少时光。三次迷恋均无果而终,全都落空。阿特莉哀娜在他面前昙花一现之后就消失得无影无踪,不知何故不久就进了修道院,一生未得重见。西尔薇由于与他在巴黎的生活相距甚远,后来也下嫁他人。奥蕾丽娅虽然使他丧魂落魄般备受煎熬,却未曾与他心灵相通,最后也跟别人结婚。三次爱恋如镜中花、水中月,留给主人公的是内心的幻灭与凄苦,是他不堪回首的如梦人生。

小说以第一人称"我"进行叙述,大大增加了作品真挚深沉的感情色彩与徘徊低唱的感人深度,而"我"作为文人学士所具有的见识才具、情感体验,则又带来了浓郁的历史诗情与艺术雅趣,使作品具有优美的格调与唯美的色调。小说的结构与叙述线索颇为别致,从"我"在巴黎的生活开始,颇具喟叹格调,偶见报端告示,故乡将举办花束节,这一从童年时已记忆深刻的民风淳厚而又古趣盎然的节庆,当即引起了"我"思乡的热情,便决定次日动身赴会。当晚,"上床后,辗转反侧,在似睡非睡之中,把早年的岁月忆想一过",于是,记忆的闸门打开,过去生活的场景一一呈现,阿特莉哀娜与西尔薇在脑海荧屏上一一登场。眼前的现实生活进程暂时打断了回忆,然而回忆的流程有间隙但并不停止,稍后又继续进行,如此时断时续,有时是在清晨进行,有时是在马车里进行,有时是一件事引发出另一件事,整篇小说由思绪与记忆贯穿,生活图景、人物形象、事情经过全都被挟带在这思绪、记忆的流程中,在脑海荧屏上再组重构,构成了三个依稀可见的失恋故事,这种叙述结构显然出自一种颇具雏形的意识流手法,它出现在19世纪中叶,无疑带有某种超前性。

正因为"我"的思绪与追忆是在"似睡非睡"中进行的,是在车行的颠簸中进行的,理智与恍惚、确认与依稀、回忆与想象不免交替混淆,因而造成了如梦如幻的气氛,甚至作者也自问:"到底是否确有其事,还是纯系梦想?"何况,三次失落本身就已经构成人生如梦的基调,特别是三次恋情中的一些特殊场景,更是写得像梦境一般美丽、缥缈、神秘、奇妙。如在花束节夜晚阿特莉哀娜演出了一曲古朴的浪漫曲之后,"我"在月光下、在古堡前折月桂、编花环、虔诚地献上,博得了美人粲然一笑的场景,简直近乎一种仪式、一种典礼,宛若贝阿特丽丝在但丁的《神曲》中出现,给人以"天上人间"之感;又如落华集上通宵达旦的舞会之后,与西尔薇在"晓光缩瑟"中、在印象派画面式的景色中的漫步,在古意盎然的背景下、在宗教神秘剧的氛围中、在优美如画旖旎多姿的风光里,与西尔薇相处的种种情景,无不美好;而奥蕾丽娅出现在舞台上光华四射的形象,则如令人眩晕的幻影。所有这些都造成了整个作品如梦如歌的特色，突现出作者追求梦幻的创作个性。《西尔薇》带有明显的自传性质，其副标题是《瓦卢瓦杂忆》，瓦卢瓦即奈瓦尔度过童年的乡村，他把故乡多姿多彩的风光景色、幽深神秘的历史氛围、古老淳朴的民俗民风都带进了作品，当然还有他在爱情上的失落与伤痛，其中的奥蕾丽娅就是指作者曾狂恋的简妮·科隆。如果没有小说中那些如梦如幻的成分，几乎就可以把它视为一篇回忆散文了。

《奥蕾莉娅》的副标题为《梦幻与生命》，是一部散文作品，直接与作者本人的生活有关，记叙与描写了自己的实际生活、失恋与疯狂。这部作品是在奈瓦尔生前最后两年，几乎是在他的疯病不断发作的间隙中写成的，因而它真实地描写了作者自己的梦幻状态与疯狂状态，而这些却又不是狂乱的、无理性的记述，而是以清晰的语言、完美的笔调写出来的，从这个意义上说，它是一本在文学史上甚为奇特的书，不仅具有一定的文学意义，而且似乎更具有心理的，甚至精神病理学的意义。

奈瓦尔的创作个性与独特作品，开了文学史上梦幻、潜意识与意识流等另类手法的先河，他病态的丧失理智的生活状态与写作状态，也给后来的无意识写作说、自动写作说提供了启发，因此，他成为了后世象征主义乃至超现实主义的一个源头，在这一股文学潮流中得到格外的重视。

第二节　缪塞

1. 缪塞的生平

缪塞（Alfred de Musset，1810~1857）生于一个贵族世家，父亲虽是复辟王朝的一个中等官吏，但信奉卢梭的学说，对卢梭很有研究，写过一本卢梭的评传。缪塞的母亲是日内瓦一个著名新教哲学家的后裔，热烈拥护拿破仑；拿破仑"百日政变"失败时，缪塞才5岁，是母亲第一个把"滑铁卢"这个字眼告诉了他，又是在母亲感染下，他们一起倒在地上痛哭。在家庭的影响下，缪塞一生对卢梭的热爱从未稍减，他对拿破仑的崇敬更是贯彻始终。

缪塞自幼聪慧，在巴黎的贵族子弟学校亨利四世中学读书时，成绩优秀，几次统考都得了第一名。他才华横溢，但兴趣不定，极易见异思迁；他感情丰富，却又脆弱。他虽然在音乐、美术上都有天赋，但学了一阵都没有坚持；他学过一阵法律，后来改学医，可是第一次上解剖课就把他刺激得当场晕倒，终于又没有学成。他很早就爱好文学，十二三岁时就开始吟诗作赋，十六七岁时，得以出入雨果为核心的第二文社，常常在那里朗诵自己的诗作，被一致认为是不可多得的天才。

1830年，20岁的缪塞带了自己写的一卷诗集去找出版商，出版商大为赏识，但觉得印成一本书还嫌太薄，要求他再添上五六百行。缪塞在不到三个星期的时间里一气呵成了将近一千行的长诗《玛多舒》，当年书就出版，这就是使他一举成名的抒情诗集《西班牙与意大利故事》。这部作品虽然带有新古典主义的痕迹，但已经显示了缪塞的艺术风格，思想活跃、词章精美，通卷散发着浪漫主义文学新秀的朝气。同年，又上演了他的剧本《威尼斯之夜》。1832年父亲去世后，他下决心从事写作，以此谋生。这一年他出版了第二部诗集《椅中景象》，又在《两大陆评论》杂志上发表了一些其他作品。缪塞的这些作品都带有浓郁的抒情气息，风格又相当别致，为当时的青年所竞相争阅，而且也博得梅里美、司汤达等文学前辈的赞赏。

1833年，他著名的长诗《洛拉》问世，这时他已开始怀疑自己创作初期的那种乐观情绪，对生活中的丑恶现象流露了迷惘不安的感情。这一年他与乔治·桑相识，友谊很快发展成为爱情。可是，缪塞习惯于放浪生活,沾染了纨绔子弟玩世不恭的生活习气,比他年长6岁的乔治·桑却富有政治理想和热情,他们的结合当然不能持久,因此到这年年底,两人在意大利旅行期间就感情破裂。缪塞带着病,身心交瘁地回到巴黎。他与乔治·桑的关系后来虽然还藕断丝连地维持了一阵,但是到1835年还是彻底终结了。这段恋爱生活对缪塞的影响极大,加剧了他的生活态度和思想倾向向消极方面的发展,也是划分缪塞前后期思想和创作的分水岭。缪塞从此日趋悲观,对时代和理想都感到幻灭;生活中处处觉得失意,更加放浪形骸;在文艺观上与浪漫派的隔阂也开始增长。正是在1834年、1835年这两年思想感情动荡不安的时期,缪塞的文学创作达到了高峰,他的主要作品大部分都是这一时期的产物,如抒情诗《四夜》、小说《一个世纪儿的忏悔》、历史剧《罗朗萨丘》,此外还有诗歌《吕西》《出版法》,剧本《方达西奥》《勿以爱情为戏》等等,其中尤其以政治抒情诗《出版法》最有社会意义。不过总的来说,随着缪塞思想的日益消沉,他的创作也日益走下坡路。1838年以后,缪塞的创作日益见稀,好作品更是极少出现。

缪塞的一生非常孤独,后期生活更是如此。1852年5月27日,缪塞被选为法兰西学院院士,5年之后,他寂寞地离开了人世。

缪塞是一个在资本主义秩序已经巩固的历史条件下出现的资产阶级个性,他身上最积极的因素是资产阶级民主主义思想。他虽出身于贵族家庭,却对贵族阶级非常反感,厌恶自己的贵族亲戚身上散发的"令人作呕的陈腐气息";他在求学时代就漠视宗教,对夏多布里昂鼓吹基督教非常不以为然,并往往把教会人士当作嘲笑、攻讦的对象。但作为资产阶级个性,他身上更突出的东西则是资产阶级个人主义,他要求无限制的个性自由和自我放任,在生活中放荡不羁,把追逐女性、豪饮狂赌视为人生乐事;一旦失意,自然而然地又陷于悲观失望、颓废消沉,他既苦于孤独,又甘心沉溺于孤独,甚至追求和歌颂孤独和痛苦，是个典型的"世纪病"患者。在政治上，他也表现出资产阶级个性严重的局限，在复辟时期，他具有一定的反封建的热情，对现实不满，而到大资产阶级统治的七月王朝时期，他对现实就采取了妥协的态度。他和七月王朝有着特殊的关系。路易－菲利普的儿子奥尔良公爵是缪塞的中学同学，一直拉拢他投靠七月王朝，他也曾写诗为路易－菲利普"颂德"。在奥尔良公爵的安排下，缪塞成了宫廷中的常客。他对七月王朝期间几次行刺国王的事件表示愤慨，对雨果等人的政治热情颇有微词。1848年二月革命推翻七月王朝之后，他对政治和社会变革愈益采取了厌恶的态度，说政治都是"阴谋和生意经"，对热衷于政治的人不分青红皂白统统表示"不屑一顾"，还表示"今天红，明天白，非我所愿"。他进法兰西学院时发表的演说被福楼拜讥为向当政者表明心迹的"誓词"。更有甚者，当了院士后的第二年，一向以自由抒怀自豪的缪塞竟然奉旨填词，根据官方的要求写了一个拙劣的剧本《奥古斯特的梦》（*Le Songe d'Auguste*），借用古代罗马恺撒的故事，为路易·波拿巴唱出"帝国即和平"的谀词。最后，这个资产阶级个性就落到了如此的归宿。

2. 缪塞的诗歌

缪塞是个卓越的抒情诗人。他的诗作富有青年人的敏感，充满激情，想象力极其丰富。他比一般的浪漫主义诗人更注意诗句形式的完美，语言丰富多彩，形象生动，富有音乐感。他的诗作不仅为同时代人所喜爱，而且直接影响了后来的诗人和诗风。

缪塞的诗歌创作大致可以1833年发表的长诗《洛拉》为界，分为前后两期。前期诗歌热情艳丽，表达了诗人对于爱情、自然、异国风光、青春生活的憧憬和追求。从《洛拉》开始，缪塞就结束了他的短暂的前期创作，作品中开始透露悲观主义的怀疑情调，社会现象的黑暗和实际生活中的失意进入了他的诗歌。缪塞的后期诗作忠实地记录了诗人的思想消沉、没落的过程。

他的第一部诗集《西班牙与意大利故事》(*Contes d'Espagne et d'Italie*, 1830) 充分显示了缪塞的想象能力，他在写作这些诗篇的时候还不到20岁，从未去过国外，但是他描写的异国风光极富情趣，诗句中充满了美的感受、强烈的激情。诗集中收有十余篇短诗和一篇长诗。《威尼斯》(*Venise*)和《旭日》(*Le Lever*)等篇是情调香艳的作品，诗人把想象中的意大利描写成痴情男女的世外桃源。《安达卢西亚女人》(*L'Andalouse*)等篇也是同一类型的情歌，只是把想象中的乐土换成了西班牙。《唐·巴埃士》(*Don Paez*)写一个西班牙青年骑士与美人的浪漫悲剧。《波提雅》(*Portia*)写一个威尼斯贵妇爱上一个船夫的故事。《火中栗》(*Les Marrons du feu*)是一出小小的诗剧，叙述一个女子对变心的情人复仇：情人的朋友是个教士，觊觎秀色，为她火中取栗，犯下杀友之罪，又遭到她的唾弃。诗集中的杰作是《月亮之歌》(*Ballade à la lune*)，诗人借用一连串形象生动的奇想来描写长夜中的明月，意境独特，特别是诗篇开头与结尾重复地把升起在教堂钟楼尖顶之上的圆月描写成一个小写的字母"i"，更成为传诵一时的佳句。至于缪塞在诗集出版前为了凑篇幅写的长诗《玛多舒》(*Mardoche*)，虽然显示了敏捷的诗才，但诗中的故事并无重要意义，只是杜撰了一个风流少年偷香窃玉的胡闹情史，而且有始无终。《西班牙与意大利故事》奠定了缪塞作为浪漫主义诗人的名声。

第二部诗集《椅中景象》(*Spectacle dans un faufeuil*, 1832)，其中两篇是诗体的剧作，第三篇是叙事长诗《纳慕娜》(*Namouna*)，诗中描写一个向土耳其人投诚的法国青年哈森在东方世界寻欢作乐。哈森每隔一周掉换一个女奴恣意纵欲，后来遇上一个名叫纳慕娜的西班牙女俘，二人相爱，在规定的一周欢乐之后，纳慕娜被遣返，但是她甘愿重新卖身为奴，以求与哈森接近，诗篇在此告终。缪塞把哈森塑造成另一类型的唐璜，赞颂爱情与欢乐，既表现了他漠视道德与习俗的倾向，也反映了他自己的浪荡性格。

总的说来，缪塞的前期诗歌以丰富的想象、欢乐的情调与精致的艺术见长，反映了缪塞在30年代初积极投身于浪漫主义文学运动时的精神状态，当然也表现了他那种追求享乐的弱点。缪塞后来将这些诗汇编成册，题为《初诗集》(*Premières poésies*, 1840)，并在《致读者》(*Au Lecteur*)的题诗中说明这些诗"是我的青春；信笔写来，从不构思"，并且说："这些初期的诗出自一个孩子之手"。

从长诗《洛拉》(*Rolla*, 1833)开始，缪塞的诗歌倾向出现了明显的变化。在《洛拉》中，缪塞第一次在自己的诗作里提出一个富有社会意义的问题，一个"世纪病"患者的疑问：在复杂而又黑暗的现实世界中，个人应该寻求什么样的出路？主人公洛拉的父母双亡，仅仅留下了有限的一笔金钱。洛拉决意在3年内把钱花光，然后自尽。到了最后一夜，年仅19岁的洛拉把自己的意愿告诉了陪夜的15岁妓女玛丽蓉，玛丽蓉要他活下去，可是他已吞下毒药，只留下了最后一吻。洛拉是一个颓废厌世的形象，他的病根在于对现实的悲观、对未来的绝望。18世纪的先哲所憧憬的时代究竟在哪里呢？缪塞在诗中向伏尔泰发问：

你说只因时代幼稚，你生无知音，
而今我们已经出世，这时代是否令你高兴？

缪塞从资产阶级个人主义者的立场出发，深深感受到"生活在无希望的世纪"的苦闷：既没有宗教信仰可以寄托灵魂，爱情更不是可以填补一切的灵丹妙药。《洛拉》中充满了一种"绝对的失望"，在这里，作者宣扬"爱情与痛苦缺一不可"的人生观，甚至主张用追逐痛苦的办法来麻醉灵魂。这篇诗作显露了缪塞堕入精神危机的端倪。

缪塞最著名的抒情诗是《四夜》(*Les Nuits*)，即《五月之夜》

（1835年5月）、《十二月之夜》（1835年11月）、《八月之夜》（1836年8月）、《十月之夜》（1837年11月）等四篇。这些作品写作于他思想急剧变化的时期。他和乔治·桑恋爱生活的夭折固然是造成他思想变化的一个因素，但是更主要的原因在于他对眼前的资产阶级社会感到绝望："我经历过我那个时代，如今我已受尽痛苦的折磨。"（《五月之夜》）"无论在哪里，在这广阔的天空下面，疲乏已征服了我的心和双眼……同样的人面，同样的谎言。"（《十二月之夜》）"永远是孤独；唉，永远是眼泪！永远是脚上风尘仆仆，永远是额上流着汗水，永远是可怕的战斗和血迹斑斑的甲胄。"（《八月之夜》）而对这样的社会，他更感到一种极大的痛苦，他认为这样的"痛苦"是无法改变的，除了吟哦发泄之外，只有逆来顺受，或者从他并不信仰的"上帝"那里去寻求宽慰，或者自欺欺人地把"痛苦"视为乐事、当作生活的必需，像他心目中的"爱情"一样。这样，在《洛拉》中已经得到渲染的"人生就是痛苦"的情绪在《四夜》中得到了更加充分的发挥："啊，女神！生或死对我有什么关系？我爱，我愿意气色苍白；我爱，我愿意痛苦；……受过了痛苦，还应该再受苦；爱过之后，就应该永无止境地爱。"（《八月之夜》）"在你给我的痛苦上边，容纳更多的痛苦，还有足够的地盘。"（《十二月之夜》）"人是学徒，痛苦是老师，没有受过痛苦的人谁也没有见过。这是一条严酷的规律，但却是崇高的规律。"（《十月之夜》）

《四夜》诗的艺术成就是比较高的。诗句流畅、优美，交织着丰富的情感。除了《十二月之夜》以外，其余三篇都采用了诗人或诗歌女神对述的形式，或一问一答，或一唱一和，情感的表现十分细腻、自然。《十二月之夜》则是诗人独自述怀，独白的形式加强了叙事的色彩，诗人通过对自身"幻影"的反复盘诘来渲染他的彷徨、迷惘、绝望的感情，艺术感染力很强。《四夜》标志着缪塞抒情诗写作的高峰，更标志着他的思想的转折，悲观情调从此再也不曾离开缪塞。

《十月之夜》虽然流露了一些希望的微光，但是诗人只是在个人的感情起伏中，在所谓"使人再生"的渺茫的"爱情"中寻找这个希望；既然是游离在整个社会变革的运动之外寻找希望，这种希望注定要落空，后来的事实正是如此。

缪塞在这一期间以及后来写的其他诗作，基本上都与《四夜》同一情调。《致拉马丁书》（*Lettre à M. de Lamartine*，1836）与《寄希望于上帝》（*L'Espoir en Dieu*，1838）更加倒退去求助于无能为力的"上帝"；《回忆》（*Souvenir*，1841）是他与乔治·桑恋爱的总结；《吕西》（*Lucie*，1835）是他自题的挽诗，开头六行诗含蓄地表达了他对拿破仑的丰功伟绩的向往和怀念，此诗后来刻在他的墓碑上。

缪塞诗作中最富有战斗意义的是他的《出版法》（*La Loi sur la presse*，1835）一诗。1835年9月梯也尔一手策划并颁布了"出版法"，这个法案禁止"一切旨在推翻立宪王朝秩序的意愿"，规定凡侮辱国王和大臣者均应处以巨额罚金。这个法案严厉地压制出版事业，实行文艺检查，甚至禁止了"共和党"的称谓。对于这样一个凶恶的法案，当时的一大批共和党知名人士居然报之以沉默，缪塞不禁向他们愤怒责问："天呀！你若不是聋子和石头，怎会对这等法令不置一词！"当然，缪塞的矛头主要不是指向他们，而是揭露当局所谓"为出版立法"的虚伪面目和恶毒用意：

> 出版有了法！嘿，谁信谁就是傻瓜！
> 此法令助人为乐，胜过亲娘；
> 此法令，听好，绝不镇压，只是
> 防患于未然！……
> ……………
> 不用怕，你要写啥就写啥；
> 只消你把动机说明一下。

> 动机而已！你看多么宽大！
> 法令要嗅一嗅文章：味若不佳，那就去你妈！

缪塞辛辣地斥责道：

> ……真好比婊子立牌坊，
> 扭扭捏捏，还自称立法！

《出版法》的发表是缪塞的光荣，在这首诗里，他把矛头直接指向了统治者、当权者，揭露他们这种压制民主自由的可耻性质，讽刺他们在19世纪还要追求路易十四时期专制主义的统治，并对受迫害的进步人士表示同情，这一篇充满政治激情的作品出自与七月王朝关系密切的缪塞之手，确实是一个矛盾，但这个矛盾正显示了缪塞在玩世不恭的外表下，还保持着资产阶级民主主义的思想。

缪塞终生是个诗人。他写诗强调"言为心声"，反对无病呻吟，主张言之有物，要求诗歌把"表达思想"置于首位。他在《纳慕娜》中曾作过这样的表白：

> 诗句虽是手写出，
> 说话的却是心。

这使他的诗歌以具有真情实感取胜，但他诗中的真情实感和思想内容却又比较狭隘，缺乏丰富的社会意义，无非是他对"爱情"、"痛苦"之类的感受，或他那种颓废的人生哲学。用诗歌来抒发个人与时代格格不入而又带有颓废情调的思想，这是缪塞抒情诗的特点，这一点对后来的颓废派诗歌起了很大影响。

3.《罗朗萨丘》及其他戏剧

缪塞的戏剧作品十分丰富，在19世纪浪漫主义文学中占有相当重要的地位。他的历史剧《罗朗萨丘》(*Lorenzaccio*)被誉为法国浪漫主义戏剧中"最接近莎士比亚"的作品，至今仍是法国剧院中最受欢迎的保留剧目之一。缪塞在法国也经常被人称为"我们的莎士比亚"。

缪塞从小就热爱莎士比亚，17岁的时候，他曾写信给好友富歇表白自己"想当莎士比亚或席勒"。缪塞对拉辛也很赞赏，这说明他重视法国戏剧的民族传统，没有完全摆脱古典主义的影响。缪塞剧作的价值与他从多方面吸取营养是分不开的。

1830年，他写了两个剧本，《魔鬼的开释》(*La Quittance du diable*)与《威尼斯之夜》(*La Nuit vénitienne*)，前者未能演出，后者演出失败；缪塞一气之下，发誓再也不为剧院写剧本。从此缪塞的戏剧作品就具有格言剧的特殊风格，注重作品的思想内容，不太考虑舞台效果，因此他的剧作在相当长的时期内被认为无法在舞台上演出。

1832年发表的诗集《椅中景象》中有两篇是诗体的剧作，一篇是《杯与唇》(*La Coupe et les lèvres*)，另一篇是《姑娘们想些什么》(*A quoi rêvent les jeunes filles*)。前一篇的题材受启发于席勒的《强盗》，刻画了一个山野青年弗兰克的形象。弗兰克生性多愁善感，他放火烧了自己的家，出门远行，在路上杀了一个贵人，夺了死者的情妇，而后他厌恶自己的放荡，便从军征战，屡建奇功。最后他厌弃功名，卸甲还乡，想娶一个纯真温柔、始终热恋他的姑娘，不料在新婚之夜，新娘被他第一个情妇杀死。缪塞在这个作品中已经开始塑造在生活中无所事事、始终不能摆脱厌倦感的形象，只是这个人物与以后在他笔下出现的"世纪儿"相比，轮廓还不清晰。《姑娘们想些什么》是一出情调轻松的喜剧，使用了莎士比亚喜剧中的错中错的手法，描写青年男女对待爱情的新观念，以及老一代与青年一代之间的思想差距。这篇作品与缪塞同时期的明快欢畅的抒情诗是一致的,洋溢着追求爱情和欢乐的热情。第二年发表的《任性的玛丽亚娜》(*Les Caprices de Marianne*)是一篇与《姑娘们想些什么》类似的作品。剧本成功地描写出女主人公独立不羁的人格与个性,艺术上比较成熟。

《罗朗萨丘》写于1833年。剧本以16世纪意大利历史人物罗朗索刺杀佛罗伦萨君主亚历山大的历史故事为题材,"罗朗萨丘"在意大利文中,就是罗朗索这个名字的蔑称。当时的佛罗伦萨已经沦为名为"神圣德意志帝国"、实为奥地利王朝的藩属。其傀儡君主是梅迪契家族的亚历山大公爵。亚历山大暴虐无道,生活荒淫,甘心充当奥地利君主与罗马教皇的走狗。佛罗伦萨的人民对他恨之入骨。《罗朗萨丘》一开始就描写了佛罗伦萨人民反暴斗争一触即发的紧张政治气氛,作者鲜明地提出了这出戏的政治主题:人民反对专制,人民要求共和,可是共和从何而来?共和究竟能不能得来呢?缪塞通过罗朗索的故事回答了这些问题。

罗朗索虽然也出身于梅迪契家族,是亚历山大的堂弟,但他忧国忧民,既明白人民群众之中蕴藏的反暴怒火,也听到共和派的改革呼声。罗朗索怀有强烈的爱国热忱,他以古罗马的布鲁图斯自诩,想以自己个人的英雄行为来拯救他的祖国佛罗伦萨和人民;他以为刺杀了暴君就可以恢复佛罗伦萨的共和政体。罗朗索为此进行了长期密谋:他把自己装扮成放荡淫逸的无耻之徒,接近亚历山大,千方百计投其所好,帮助暴君出谋划策,为非作歹;这样,他获得了亚历山大的信赖,同时又使这个暴君愈来愈声名狼藉,自绝于人民。经过罗朗索十年的苦心经营,人民的不满已经达到极点,共和派的改革呼声不绝于耳,他认为行刺的时机成熟,于是毅然决然地加以实施。然而,罗朗索的英雄举动并没有得到响应,在他行刺之前,以斯托齐家族为首的佛罗伦萨共和派还摆出一副举旗起事的架势,可是在刺杀成功之后,共和派毫无反应,斯托齐家族的首领菲利普更是做出一副悲天悯人的样子，无所事事，甚至闭门不出。在奥地利王朝与罗马教廷的摆布下，梅迪契家族的科莫取代了亚历山大的傀儡地位，"人民"报之以欢呼，罗朗索被悬赏捉拿，终于惨死在军警的刀下。

根据史实，罗朗索在行刺之后曾逃到国外，后被刺客谋杀。缪塞有意改动历史，目的是要阐述他对现实政治的悲观认识。1830年七月革命的果实被大资产阶级篡夺，资产阶级民主派看清了七月王朝所包含的封建主义残余以及重新复辟的危险，要求恢复共和体制。可是缪塞却认为政治改革不仅很难实现，而且也无济于事。他认为路易－菲利普的七月王朝取代了查理十世的复辟王朝，即法国王室的幼支（奥尔良）取代了长支（波旁），正如当年的佛罗伦萨，由科莫（幼支）取代了亚历山大（长支）一样。七月革命时人民在街垒战中的流血，正如《罗朗萨丘》中一群年轻学生一样，无非是白白地牺牲。缪塞错误地认为法国当时正在酝酿中的新的革命形势也和罗朗索所面临的形势一样有名无实，他特别对资产阶级共和派的空谈和犹豫观望表示厌恶。缪塞对人民也抱怀疑态度，他在剧中让罗朗索哀叹，说将来将他送死的人"说不定正是某个濒于饿死的一家之长"；他用"人民"在科莫登基时"欢呼万岁"来影射法国人民对七月革命的欢呼，认为人民群众的麻木不仁最终必然抵消他们的不满和反抗情绪。这就是缪塞通过历史图景所流露出来的政治上的悲观主义。《罗朗萨丘》这部作品在一定程度上反映了七月王朝时期的政治形势，也反映了缪塞作为资产阶级民主主义者的优点与弱点，整个剧本，就其思想实质来说，是宣传"英雄行为无济于事"这样一种消极、无所作为的思想。缪塞对社会变革和革命所持的观望和怀疑态度，造成了《罗朗萨丘》致命的思想缺陷。

《罗朗萨丘》的价值主要在于塑造了罗朗索这样一个复杂的艺术形象。在缪塞的剧本中，罗朗索与其说是意大利16世纪的历史人物，不如说是法国19世纪上半叶的"世纪儿"的典型。首先，罗朗索胸怀理想，一心要创造英雄业绩，他说："因为全世界都有恺撒，所以我想当布鲁图斯。"他为了拯救"沉溺于酒与血之中"的佛罗伦萨，甘心以身报国。他为了实现刺杀暴君的目标，制订了周密的计划，苦心经营，压制内心的痛苦，忍受所有人的误解和唾骂。在他的心目中，一旦行刺成功，"只要共和派的人都是真正的汉子，明天在佛罗伦萨将有何等壮观的革命"。他毫不打算亲自享用革命果实，拒绝菲利普要他登基为君的建议，只以"携带光明"为自己的使命。他为了刺激人民对暴君的憎恨，一再唆使亚历山大作恶，甚至不惜为虎作伥，几乎参与了每件罪恶勾当。因此，在他行刺前后，虽然他挨门挨户地上街传播消息，可是人民不信任他、厌恶他、唾弃他，使他觉得极端孤立。他为了讨取暴君的信任和欢心，竟把自己彻头彻尾改造成了一个无赖，他的假面具逐渐黏牢，以至于无法剥下，"罪恶已经成为我的服装；现在它又牢牢黏在我的皮肉上"。堕落的生活必然影响心灵，胸有大志的罗朗索逐渐感到自己再也无法脱离这种无耻的生活，"它已经成为我的生命"，于是他越发想要用英雄举止来洗刷自己的污名，来安慰自己的良心。这样，为了做出英雄事业，必须自唾其身，到后来英雄业绩又成为解脱屈辱和慰藉灵魂的唯一指望。罗朗索这种矛盾的心情，正是像缪塞一样的"世纪病"患者的真实写照。

缪塞刻画罗朗索的手法细腻而丰富。戏一开场，只见罗朗索陪伴亚历山大黉夜出游，诱抢民女，为佛罗伦萨人民所痛恨；但是紧接着，马上又交代罗马教廷派来特使与佛罗伦萨红衣主教齐波密议剪除罗朗索，认为他是亚历山大身边的祸害，这样，罗朗索在人民眼中是个卑鄙无耻的无赖，在人民的敌人眼中更是一个危险的隐患，他这种复杂性立刻给予了读者鲜明的印象。缪塞还用罗朗索母亲的怨诉，加上罗朗索本人的多次独白，来渲染弄假成真的堕落生活给他造成的心灵创伤和痛苦。罗朗索长期坚持每晚与剑术教师练习扑打，以便使行刺之夜的动静不致引起邻居的惊诧，足见其决心之大和用心之苦。行刺之前，罗朗索挨门挨户通报亚历山大即将丧命，可是被当成疯子，又显出被人误解的不幸。至于他坚持要亲手诛杀暴君，不愿意别人沾手的心情，则惟妙惟肖地表现了他近乎变态的、褊狭的功利观念。最后，在刺杀暴君之后，罗朗索面临毫无改变的现实，万念俱灰，于是拒绝了菲利普要他逃生的劝说，决心坐以待毙，这个情节非常清楚地烘托出罗朗索的幻灭心情。

在《罗朗萨丘》之后，缪塞还写了不少剧本，但无论从思想内容还是艺术价值来说，都不能与《罗朗萨丘》相比。比较著名的有与《罗朗萨丘》同年发表的《勿以爱情为戏》（*On ne badine pas avec l'amour*）以及发表于1837年的《逢场作戏》（*Un Caprice*）。这两出戏都被称为缪塞创作中典型的"格言剧"。

《勿以爱情为戏》中的男女主角拜迪康和卡米叶是一对表亲，他们在恋爱中争强斗胜，不能以诚相见。卡米叶假装蔑视表兄，拒绝他的求爱；拜迪康为了刺激表妹的妒意，假意去追求她的奶姐妹——农家姑娘洛赛特，谁知天真、淳朴的洛赛特竟信以为真。卡米叶和拜迪康终于互吐爱情，洛赛特被卡米叶事先藏在房中偷听，深受刺激，当场死去，于是拜迪康与卡米叶一辈子互不相见。这出戏的结论是：勿以爱情为戏。

1847年，巴黎女演员阿兰-黛丝普雷（Allan-Despréaux）发现俄国彼得堡等地风行一出戏剧，有心把它介绍给法国观众，这才发现原来是缪塞的作品《逢场作戏》。于是，这年年底《逢场作戏》在巴黎上演，大获成功，缪塞因此而获得的声名甚至超过了他的著名抒情诗《四夜》。一直与剧院无缘的缪塞一下子便成为各大剧院的名人，他的戏剧作品全部得以上演。其实《逢场作戏》的内容十分单薄，情节也很简单，但是艺术技巧相当圆熟。全剧除了一名仆役外，只有三个人物出场：一对夫妇，德·夏维尼和玛蒂尔特，还有玛蒂尔特的女友德·莱丽夫人。德·夏维尼在外寻欢，不忠于玛蒂尔特，自以为逢场作戏在所难免，因而也无可指责。德·莱丽夫人唆使玛蒂尔特用假逢场作戏来对付丈夫的真逢场作戏，而且自己也假装逢场作戏，假意勾引德·夏维尼。最后德·夏维尼碰了一鼻子灰，遂良知复萌，认识到逢场作戏的事情对夫妻生活的祸害。

缪塞的剧作不拘一格，颇有新意，既打破了伪古典派的陈规，又比浪漫派戏剧来得复杂深刻，因此在19世纪法国的戏剧创作中，缪塞占有一个特殊的地位。

4.《一个世纪儿的忏悔》及其他小说

缪塞的小说并不丰富，长篇小说只有一部《一个世纪儿的忏悔》（*La Confession d'un enfant du siècle*），中短篇作品数量也很有限，而且大多价值不高。

《一个世纪儿的忏悔》发表于1836年。一般都认为这是缪塞的一部自传体小说，反映他和乔治·桑的那段不幸的爱情生活。小说主人公沃达夫因父丧回乡，认识了青年寡居的乡邻比莉斯·比埃松夫人。比莉斯比沃达夫年长10岁，但是这并没有阻碍两人相爱。他们的爱情充满了狂风暴雨；沃达夫对比莉斯的感情炽热而敏锐，常自寻烦恼地从她纯洁的过去中寻找瑕疵，在忌妒之中痛苦不已。短短6个月的时间里，号称"玫瑰花儿"的比莉斯枯萎了，她的精神饱受折磨，但是仍然不肯抛弃沃达夫，因为她了解沃达夫的痛苦。最后，两人准备离开难免引起精神痛苦的故土，远走他乡去寻找归宿。途经巴黎时，沃达夫发现比莉斯与她的一个名叫史密斯的同乡青年精神相通、心心相印，在一阵疯狂的忌妒和痛苦之后，沃达夫向比莉斯真诚告别，独自登上马车，离开巴黎，他感谢上帝，因为"由于他的过错而造成痛苦的三个人中，只留下了一个不幸的人"。

这部小说虽然写的是爱情故事，但它的价值远远超过了同时代的任何一部言情小说。小说的主人公是19世纪的产物："世纪儿"。缪塞通过这样一个人物的爱情故事，表现了19世纪上半叶相当一部分法国青年的精神状态。开头两章，尤其是第二章，是小说的主要部分。缪塞在这里提出了"世纪儿"、"世纪病"的概念。所谓"世纪儿"，就是"世纪病"的患者，而"世纪病"按缪塞的解释，就是青年一代那种"无可名状的苦恼的感觉"，他们无处立足，无所适从，疑惑一切，疑惑导致冷漠，冷漠导致麻木，麻木不仁的精神状态造成了行尸走肉的生活。小说的主人公沃达夫是在初恋失意之后患上这种"世纪病"的：他的情人欺骗了他，暗中与他的一个知己朋友私通。其实这种爱情上的风波任何世纪都有，为什么沃达夫偏偏就因此患上了"世纪病"呢？更深刻的原因还在于沃达夫所处的时代：沃达夫属于出生在拿破仑帝国时期的一代人："母亲们在战争的空隙之间怀了他们，他们在隆隆的战鼓声中成长……这些青年当时呼吸的是晴朗天空下充满了光荣、响彻了兵刃声的空气，他们知道，他们生来就是要参加那些大搏斗的。"但是时代改变了，光荣的拿破仑帝国已经一去不复返，现在是复辟王朝的反动统治："沉寂终年不绝，天空中唯有一片百合花（波旁王室的徽记）的苍白……他们看着大地、天空、街道、大路，所有这一切都显得很空虚，只有他们自己教区的钟声在远处回响……"青年一代已经丧失了拿破仑帝国时期那种可以通过自由竞争、个人奋斗获得一切的机遇，正感受着一种极大的失望，只剩下空虚的爱情、友谊来填充空虚的心灵，而一旦爱情和友谊也落空，情人的不贞、朋友的无耻都暴露在眼前的时候，沃达夫便堕入精神上的无底深渊："世纪病"。时代腐败不堪，人生中有价值的东西不复存在，沃达夫的另一个朋友律师戴尚奈为了"点破"他对"纯洁感情"的依恋，甚至逼迫自己的情妇去和他过夜。沃达夫彻底地堕落了，但是他的无耻生活始终煎熬着他的心灵，所以，他把纯洁、温柔、美丽、开朗的比莉斯看成可以使他脱胎换骨的救星；他和她的结合，是

"世纪儿"幻想治愈"世纪病"的一番挣扎。

这一番挣扎是徒劳的。他的不幸的故事说明"世纪病"不是可以通过"爱情"这样的东西治疗的。他对比莉斯忠实情感的百般怀疑、百般挑剔、百般折磨,实际上是他本身那种不可治愈的痛苦的发作,痛苦的根子深深埋在他过去和未来的生活中。最后他如梦初醒,撒手而去,可是走了之后又会怎样呢?缪塞在描绘了这样一个鲜明的"世纪儿"的形象之后,在小说的最后留下了这个问题,更赋予小说以深刻的意义。沃达夫在一定程度上就是缪塞自己,他不仅把他与乔治·桑的爱情悲剧写进了小说,而且更重要的是把他自己作为"世纪儿"的感受写进了沃达夫这个形象,提出了个性发展与时代社会的矛盾问题,因此,这个人物的结局,正反映了缪塞自己迷惘的精神状态。

除了《一个世纪儿的忏悔》外,缪塞还写了一些中短篇故事,这些作品主要都成于19世纪40年代,比较著名的有:《一只白乌鸦的故事》(*L'Histoire d'un merle blanc*,1842),《咪咪潘松》(*Mimi Pinson*,1845)等。

《一只白乌鸦的故事》采用寓言体裁,叙述一只与众不同的白色的乌鸦怀才不遇、饱尝世态炎凉的故事。缪塞在小说中以白乌鸦自比,影射了同时代的许多人,其中包括乔治·桑,除了抒发他的苦闷、孤独的心情之外,还对社会现实进行了一些揭露。《咪咪潘松》的副题是"巴黎小女工的素描",缪塞在这篇小说中虽然以同情的态度描写了巴黎女工贫苦、凄凉的生活,也刻画了她们善良、友爱的感情,但是语含轻佻,颇有资产阶级轻薄子弟的气味。《克洛瓦齐勒》(*Croisille*,1839)是一篇讲述资产阶级青年战胜老一代门第观念的题材陈旧的爱情故事。《皮埃尔和卡弥儿》(*Pierreet Camille*,1844)叙述两个哑巴的爱情。《痣》(*La Mouche*,1853)描写的是路易十五时代有关国王宠姬蓬巴杜夫人的一则宫闱轶事,故事虽然写得委婉动人，可是并没有深刻的时代意义，足见缪塞在他一生的最后年月中，思想距离时代愈加远了。总的说来，缪塞的中短篇小说都写得颇有艺术吸引力，但思想意义不深刻。

第三节　戈蒂耶

1. 戈蒂耶的生平

泰奥菲尔·戈蒂耶（*Théophile Gautier*，1811～1872）是标志着法国文学从浪漫主义向唯美主义过渡的一位作家。

戈蒂耶1811年生于上比利牛斯省的塔伯城。他的祖父是农民。他的父亲由于一位在大革命后当上主教的叔父的照拂，受到良好的教育，早年在故乡的税局当职员。戈蒂耶3岁时，他父亲谋得巴黎入境处一个税关监督的职务，把全家迁往巴黎。戈蒂耶8岁时进有名的路易大帝中学，后又转学到同样有名的查理曼中学。他课余喜欢写诗，更喜欢绘画。中学最后一年，他跟画家里欧学画。

在查理曼中学，戈蒂耶结识了当时已经有点名气的青年诗人钱拉·德·奈瓦尔。年初奈瓦尔把他介绍给雨果。青年戈蒂耶见到名闻全欧的浪漫派大师，心中万分激动。雨果获悉他在写诗，鼓励他发表诗作。从此他就放弃绘画，专攻文学。1830年2月25日《欧那尼》首次公演，成为戈蒂耶一生中的重大事件。他参加雨果的拉拉队，特地穿上一件鲜艳夺目的红背心，大大触犯了传统的审美趣味。日后戈蒂耶靠拢"上流社会"，"上流社会"却因为这件红背心始终不能完全原谅他，他伤感地说："我只穿了它一天，但是我一辈子都披着它。"

1830年七月革命的高潮中，戈蒂耶自费出版他的第一部诗集。他与奈瓦尔等人结了一个浪漫主义文社，这个文社的成员专喜奇谈诡行以惊世骇俗，自称是"青年法兰西派"。但是戈蒂耶不久就觉察到这个团体的浮夸可笑，1833年他发表了故事集《青年法兰西》，讽刺这种作风。这本书得到一定的成功，出版商要求他再写一部小说，力求耸人听闻。这就是1836年出版的《莫班小姐》。该书的序言轰动一时，因为戈蒂耶公开向资产阶级的道德挑战，反对艺术为道德和功利服务，鼓吹唯美主义的文艺思想。

戈蒂耶很早就进入新闻界。他最初为《文学法兰西》杂志撰写一组在正统文学史上没有地位的作家的评传；1836年起他成为《新闻报》的戏剧和艺术批评家；1845年后是官方报纸《导报》的专栏作家。

1848年革命高潮中，戈蒂耶置身局外，埋头创作他的诗集《珐琅与雕玉》。这本诗集于1852年出版，奠定了他作为诗人的声誉。除了写诗，他还写了不少长篇和短篇小说。他喜欢旅行，到过西班牙、法属非洲、英国、荷兰、德国、瑞士、意大利、土耳其和俄国，著有游记多种。

第二帝国时期，戈蒂耶成为官方作家。他与拿破仑三世的堂妹玛蒂尔特公主交往密切。为了不得罪官方，他违背良心在自己的批评专栏中只字不提拿破仑三世的死对头、第二帝国的逐客雨果在这一时期发表的名著《历代传说》和《悲惨世界》。到了晚年，这位当年穿红背心上场的浪漫主义运动的斗士又表现出一定的勇气，维护他终生崇拜的大师，1867年6月《欧那尼》再度公演的第二天，戈蒂耶为《导报》写了一篇热情洋溢的评论。报纸负责人不敢刊登，戈蒂耶就去见内政部长，声称如果不能全文刊登这篇文章，他立即提出辞职。内政部长只得让步。

戈蒂耶对历次革命都持疏远，甚至敌对的态度。他晚年功成名就，定居在巴黎近郊的奈依。第二帝国的崩溃、资产阶级共和制的恢复，特别是巴黎公社革命扰乱了他平静、舒适的生活。1870年9月，他对埃德蒙·德·龚古尔说："我一辈子是革命的受害者。我父亲是正统王朝的拥护者,1830年7月那'光荣的三天'里他丧失了全部财产,结果我不得不自己谋生……若干年以后,我挣了一份家业,二月革命又叫我倾家荡产……又过了若干年,我重振旗鼓,眼看就要进入法兰西学院和参议院,共和国又使我一切希望都落空。"他特别不能理解无产阶级革命,甚至对福楼拜说:"我是死在巴黎公社手里的。"

戈蒂耶死后发表的作品有《诗歌全集》(1874)、《当代人画像》(1874)、《文学家画像》(1875)等。

2. 戈蒂耶的唯美主义文艺思想

戈蒂耶并不是理论家,但他却是19世纪法国文学思潮中的一个代表人物。在19世纪30年代前,他是浪漫主义运动的追随者;19世纪30年代初,他提出了唯美主义的文艺主张;到19世纪50年代,则成了"为艺术而艺术"的流派的领袖。

1832年,他在诗集《阿尔贝丢斯》的序言中最早提出了艺术至上的思想,认为唯有艺术才能给人生带来安慰。1834年5月,他在写作小说《莫班小姐》之前先为作品写了一篇序言,进一步阐述了他的艺术至上、"为艺术而艺术"的思想。《〈莫班小姐〉序》(La Préface de Mme de Maupin)是法国批评史上一篇有代表性的文论,它标志着唯美主义思潮的产生。

《〈莫班小姐〉序》缺少严密的论证,通篇以讽刺的笔调写成,用激烈、尖刻的语气反对艺术从属于道德或功利的目的。它以两派文学批评为其对立面。一派是正统的资产阶级评论家,认为艺术作品应有补于世道人心,他们树古典主义作品为楷模,指责当代的浪漫派作品(如乔治·桑的《印第安娜》《瓦朗蒂娜》)破坏了社会的传统道德。戈蒂耶对这种文学批评进行了尖锐的驳斥,他以莫里哀为例,指出正是他们推崇的古典主义大师在自己的作品中嘲弄了社会道德规范。如在婚姻问题上,莫里哀剧中的丈夫无不既老且丑,愚不可及,处处受到年轻妻子和妻子的漂亮情人的作弄,而观众的同情不在代表婚姻制度的老丈夫那一边,而是给予破坏这一制度的青年情侣。在戈蒂耶看来,既然古典主义作品如此,那么指责浪漫派作品不道德就毫无理由了。他认为,文艺作品不会败坏社会风俗,它们只是跟着社会风俗走罢了。如果这个时代产生不道德的作品,那是因为时代本身是不道德的。

戈蒂耶所反对的另一派文学批评是在空想社会主义者圣西门影响下的功利主义批评家。他们认为艺术应该对社会有用,应为人类的进步服务。对这一派戈蒂耶更是破口大骂:"不,傻瓜们,不,患甲状腺肿大的白痴们,用书本子是做不出羹汤来的,一部小说不是一双无缝长靴……"

他进一步提出了唯美主义的文艺思想:"任何美的东西都不是生活中必不可缺的。人们尽可以取消鲜花,这个世界不见得因此在物质上会有所损失;然而谁会愿意没有鲜花呢?我宁可不要土豆也不愿放弃玫瑰花,我以为世界上没有一个功利主义者会把花坛上的郁金香统统拔掉,改种大白菜……""只有毫无用处的东西才是真正美的;所有有用的东西都是丑的,因为这是某种需要的表现,而人的需要如同他那个可怜的、残缺不全的本性一样,是卑污的、龌龊的。一幢房子里最有用的地方是厕所。"他甚至这样表白:"我属于认为多余的东西是必不可少的这一类人,我对东西和人的爱与它们对我的有用程度适成反比。……为了看到拉斐尔的真迹或裸体美女,我十分乐于放弃我作为法国人和公民的权利。"

在当时的历史社会条件下,戈蒂耶的唯美主义、"为艺术而艺术"的主张有其两重性:一方面,它反对艺术为虚伪的资产阶级道德服务,不无可取之处;但是,它在笼统地反对一切功利目的的时候,又充分显示了资产阶级的局限性。这种局限性不仅在于对主张社会进步的空想社会主义文学批评的敌意,而且更主要的是,戈蒂耶虽然对资产阶级的道德和规范有所不满,但是他一点不反对资产阶级的社会制度，何况，他所不满的也只是资产阶级道德的虚伪性，他所崇尚的趣味却仍然是典型的资产阶级的。

戈蒂耶的唯美主义、"为艺术而艺术"的主张，在艺术创作上虽然有助于对艺术形式的重视，但也从根本上破坏了艺术创作的内容与形式的辩证统一的关系。怎样的艺术品才是美的呢？戈蒂耶1857年写的《艺术》（*L'Art*）一诗可以看做是他的美学宣言。他认为关键在于形式，在于艺术形式上的难度：

形式越难驾驭
作品就越加
　　漂亮：
诗句、大理石、玛瑙、珐琅。

在这首诗里，戈蒂耶完全从形式着眼，立论没有一字道及艺术应表达什么内容。他这种形式主义发展到极端，诗歌不但不需要表达社会内容，而且应当避免抒发个人感情。批评家泰纳曾与戈蒂耶当面讨论"为艺术而艺术"是否恰当。泰纳认为诗歌应该表达感情；戈蒂耶回答他说："泰纳，你似乎也变成资产阶级的白痴了，居然要求诗歌表达感情。光芒四射的字眼，加上节奏和音乐，这就是诗歌。"戈蒂耶这套诗学，完全是本末倒置，也不符合历史上那些优秀的文艺作品所体现的普遍经验，即内容与形式高度统一的经验。在这种思想指导下，戈蒂耶的文学创作在一定程度上走上了形式主义的歧路。他的《珐琅与雕玉》虽然具有形式美，毕竟缺乏打动人心的力量；他对作品的社会内容漠不关心的态度，使他没有用他的作品去颂扬资产阶级的道德规范，因而在一定程度上保持了他的作品的价值，但正是这一漠不关心的态度限制了他的视野，妨碍他接受当时的先进思想，因而也就降低了他的作品的价值。

3. 戈蒂耶的诗歌

戈蒂耶虽然是浪漫主义文学运动的积极分子,他的创作却从来没有表现出其他浪漫派作家所具有的社会和政治的激情。即使在他的早期也是如此。他主要是一位诗人,他的诗歌缺乏社会思想内容,而只在艺术形式上具有一定的意义。

戈蒂耶在 1830 年七月革命的高潮中,自费出版他的第一部诗集。在这部没有引起公众注意的诗集里,一方面他作为浪漫派的门徒,在艺术表现上刻意模仿雨果和圣伯夫;另一方面,不同于浪漫派的,是他已经显示出对于诗歌的造型美和音乐效果的关心。1832 年这部诗集再版时增加了篇幅,收入了长诗《阿尔贝丢斯》(*Albertus*)并以此作为诗集的题名。这首长诗用《神学传说》做副标题,写荷兰莱顿城一个青年画家阿尔贝丢斯出去寻欢作乐,夜半时分发现自己怀里搂的竟是一个女巫。女巫带他去参加魔女们的宴会,最后又把他抛弃了。这首诗的题材显然是浪漫主义的,但是在情节展开的过程中,戈蒂耶着意描绘一幅幅精确的场面,他的以画入诗的倾向在这里已初露端倪。

1838 年戈蒂耶发表的诗集《死的喜剧》(*La Comédie de la mort*)包括同名长诗和若干短诗。在那首长诗里,浮士德、唐璜、拿破仑的幽灵依次出场,分别诉说科学、爱情和光荣皆属虚妄。诗人感到人生毫无意义,但是在死亡面前他又充满了恐惧。这首诗比较明显地表现了戈蒂耶某种颓废的倾向,丝毫没有浪漫派那种积极的战斗精神。收入同一个集子的那些短诗里,浪漫派余风也并不更多,甚至在表现手法上,也看不到浪漫派常有的那种感情的铺陈和发扬,而是委婉含蓄的象征式的。如《花盆》用无意中栽在花盆里的种子来比喻情人心田里的爱情:种子发芽,抽叶开花,同时根部不断壮大,最后把花盆撑裂,犹如情人的心因爱情而破碎。

1840年戈蒂耶在西班牙住了半年，这在他的创作生涯中是个转折点。西班牙风光给了他强烈的印象，使他写出一部散文游记和一部题为《西班牙》(*España*，1845) 的诗集。如果说这以前他更多的是抒发个人的感情，那么，五光十色的西班牙则给了他有力的启示，使他从此致力于描绘外部世界的造型美。

《珐琅与雕玉》(*Emaux et camées*，1852) 是戈蒂耶最重要、最有代表性的作品。如同诗集的标题所表明的那样，这是一些精致的小玩意儿，在有限的篇幅里用罕见的形式和尽可能完美的技巧来处理纤细的题材。这些小诗写于1848年革命后法国政局极为动荡的那几年，但是作者有意识地躲避社会风暴，陶醉在自己的艺术天地里。当年歌德曾在烽火遍地的时代置身局外，埋头著作，戈蒂耶援引这个先例，在《序诗》里公开宣布："不管那狂风暴雨如何敲打我紧闭的窗户，我制作珐琅和雕玉。"

因此这部诗集里没有丝毫时代的影子，有的只是写景咏物，对自然美、人体美和艺术美的反复赞叹。雕刻和绘画始终是戈蒂耶偏爱的题材，而表现在艺术作品里的女性美尤其成为他一唱三叹的对象。如《女人的诗》写一尊用大理石雕成的女人像。又如《手的研究》之一，用四十行诗专门描写一只石膏塑成的手臂。

戈蒂耶讲究诗歌的旋律。他不仅用诗来表达绘画的情趣，而且试图模仿音乐的性能。他以威尼斯狂欢节为题材写了一组四首短诗，总标题就叫《威尼斯狂欢节变奏》。另一首诗题作《白色大调交响乐》，全诗十八节，用各种白色的事物来比喻传说中的天鹅美人，像用明暗不同的白色画一幅画，又像用同一乐曲的高低音符谱一首乐曲，企图同时收到语言、视觉和听觉的效果：

> 流传北欧的童话故事里常常讲到
> 古老的莱茵河上有天鹅美人，

她们洁白的脖子弯成弧线，
　　一边唱歌一边沿着河岸游泳。

　　她们或者栖息在枝头树梢，
　　展开她们雪白的羽毛，
　　还露出她们闪烁光泽的
　　比自身的茸毛还白皙的肌肤。

　　这群美人里有一位
　　偶尔光临我们的家乡。
　　她那天生的缟素装束
　　犹如寒夜冰川上的月光。……

　　《珐琅与雕玉》从头到尾采用每行八音步、每节四行的诗体。法文诗的传统形式是每行十二音步的"亚历山大体"。古典主义诗人恪守这一诗体，浪漫派诗歌虽然在内容上大异其趣，但除了个别例外，形式上仍采用亚历山大体。十二音步诗规定在第六个音步上有个停顿；戈蒂耶的八音步诗没有这个停顿，念起来短促、响亮，有助于突出轮廓，增强造型上的美感。不过戈蒂耶以画入诗、以诗代画的做法不可能达到与造型艺术相等的效果。各种艺术门类都有自身的规律，诗歌不在自己的领域中推陈出新，硬闯到造型艺术的天地中去争胜角力，自然是吃力不讨好的。

　　戈蒂耶开创的形式主义诗风，对19世纪下半期的诗歌创作有相当大的影响。巴拿斯派发展了戈蒂耶那种尽量不动感情、一味追求造型美的倾向。波德莱尔十分佩服戈蒂耶的技巧，把《恶之花》题献给他，誉他为"无懈可击的诗人"。在诗歌的音乐性方面，戈蒂耶又给魏尔伦一定的启示。在19世纪法国诗歌史上，戈蒂耶是个转折人物,起到了承上启下的作用。

4. 戈蒂耶的小说及其他

除诗歌外,戈蒂耶的其他著作有短篇小说、长篇小说、戏剧、游记、随笔、回忆录、评论以及戏剧史、艺术史专著。长篇小说中,值得一提的是《莫班小姐》(*Mademoiselle de Maupin*,1836)和《弗拉卡斯统领》(*Le Capitaine Fracasse*,1863)。

《莫班小姐》讲的是一个被当时的资产阶级认为"不道德"的故事:莫班小姐家世不明,女扮男装,化名泰奥多尔出去游历。她想结识尽可能多的青年男子,以便从中挑选称心的情人。她在路上认识的一个朋友阿西比亚德邀请她到他妹妹、新寡的萝赛特的庄园里去小住。萝赛特对这位仪表优雅的客人一见倾心,不久就向泰奥多尔表示爱慕之意。泰奥多尔窘于应付,阿西比亚德却误认为她勾引妹妹,便与她决斗。结果阿西比亚德受伤,泰奥多尔离开庄园。萝赛特大为伤心,不断写信哀求她回来。泰奥多尔重返庄园,遇上人们正在商量串演莎士比亚的《皆大欢喜》。青年诗人德·阿尔贝扮演男主角奥兰多,泰奥多尔自告奋勇担任女主角罗瑟琳。该剧第一幕罗瑟琳女装出场,其余各幕穿男装。德·阿尔贝识破泰奥多尔是女子,狂热地追求她。莫班小姐起先不理睬,后来又主动去找他。而后,莫班不辞而别,给德·阿尔贝留下一封信,说只有就此分手,才能使她的形象永存于他的记忆之中;如果他们继续相处,最后他必将把她看得与他以前有过的情妇一样。

莫班小姐这一纯属虚构的形象缺乏社会意义。如果说她冒犯了正统的资产阶级道德规范,并不是因为她根据一种新的、健全的原则对资产阶级的规范进行了自觉的反抗,而仅仅因为她过于放浪形骸地实践了资产阶级的人生观,她和她的情人德·阿尔贝一样,都以外形的美作为爱情的基础,以感官享受作为爱情的目的。不过戈蒂耶的本意不在于肯定或否定什么,与其说是"不道德"的,不如说是"非道德"的。

《弗拉卡斯统领》写17世纪上半期路易十三治下一群江湖戏子的流浪生活,无疑受到17世纪市民写实文学作家斯卡龙用同一题材创作的长篇小说《滑稽故事》的启发。这部小说于19世纪30年代初期浪漫派全盛时期开始构思,到19世纪60年代才动笔写成。戈蒂耶觉得有必要在小说前言中声明,他不是根据19世纪60年代,而是19世纪30年代的趣味写这部书的,并且强调作者不在书中表达他的见解,这是一部不涉及政治、道德、宗教问题的"纯客观"的作品。小说的情节是这样的:

路易十三治下,法国南方加斯科涅省有个没落贵族西高涅克男爵,父母双亡,没有兄弟姊妹,守着祖上传下来的一座快要倒塌的府第,在穷愁潦倒中打发日子。一天有个巡回剧团经过这个地区,在西高涅克府上借宿。剧团经理劝他跟他们一起到巴黎去碰碰运气,加上剧团里有个女伶叫伊莎贝尔,专演天真无邪的少女,西高涅克对她颇有好感,于是决定随戏班子出发。艺人们到处流浪,运气时好时坏。他们遇到一场暴风雪,一名男演员被冻死,西高涅克便接替他的角色。为了不暴露自己的贵族身份,他取了个艺名叫弗拉卡斯统领。伊莎贝尔与西高涅克之间逐渐产生爱情。伊莎贝尔向他吐露身世,原来她是一个女戏子与一个大贵族的私生女,有她手上的紫石英戒指为凭。

剧团来到波瓦吉埃城献艺。当地一个贵族瓦隆勃娄兹公爵看上伊莎贝尔,到后台来调戏她,当场被西高涅克阻止。公爵怀恨在心,指使手下人拦劫西高涅克,都被打退。西高涅克不得不暴露自己的真实身份,与公爵决斗,把他刺伤。剧团来到巴黎,公爵几次派人行刺西高涅克都未能得逞。他对伊莎贝尔仍未死心,设计把她绑走,关在一座城堡里。西高涅克和他的伙伴们为了搭救伊莎贝尔,半夜里去偷袭城堡。双方一场混战,公爵受了重伤。难解难分之际,公爵的父亲瓦隆勃娄兹亲王赶到，从伊莎贝尔手上的戒指认出她是他的亲生女儿。他斥责儿子胡作非为，放走西高涅克和戏子们。伊莎贝尔得到父亲的承认，成为贵族小姐之后，与西高涅克结婚并出资修理濒于倒塌的西高涅克府第。西高涅克又在家中挖出祖先的藏金，本人也成为富翁。

这个故事以大团圆告终，有情人终成眷属，横行不法的大贵族改过自新。这个庸俗的结局既不符合封建社会中备受欺凌的江湖艺人的生活实际，也有悖于浪漫派风格。原来戈蒂耶设想的结局是伊莎贝尔被折磨致死，西高涅克只身返回老家，满目凄凉，家业无望，终于绝食而死。出版商为了迎合当时读者的口味，要求戈蒂耶修改结局，于是悲剧就变成喜剧。从这里不但可以窥见时代风气的转移，也可以看到戈蒂耶尽管标榜为艺术而艺术，到头来还得屈服于出版商的生意经。

戈蒂耶的小说题材都是脱离现实的，如《莫班小姐》没有具体的时间、地点，《弗拉卡斯统领》把故事背景设在17世纪，另一部长篇小说《木乃伊传奇》(*Le Roman de la momie*，1858) 取材于《旧约》，写摩西出埃及的故事。短篇小说也有类似倾向，如《福丢尼欧》(*Fortunio*，1837) 写一个印度王子的奇遇，《斯比里特》(*Sbirite*，1866) 是一个超自然的故事。

戈蒂耶著有游记多种，如《西班牙游记》(*En Espagne*，1840)、《东方》(*En Orient*，1854)、《俄罗斯游记》(*En Russie*，1866) 等。他的游记，不重考察社会风俗，而着力于描摹风景，记载他对于光线变化、色彩配合的精确印象。在《西班牙游记》中，他指出每个国家的景物都有其特色，而一年中只有某一个季节最能显示这种特色，如盛夏之于西班牙，酷寒之于俄罗斯。

戈蒂耶一生为报刊撰写了大量的文学、艺术、戏剧评论。他的全集将近三百卷，其中绝大部分是这些评论文章的汇编。《浪漫主义运动史》(*Histoire du Romantisme*，1874) 不是一部系统的文学史著作，而是作者作为一个浪漫主义运动参加者的回忆录，对研究这一文学运动有一定的文献价值。

第四节 波德莱尔

1. 波德莱尔的生平

夏尔·波德莱尔（Charles Baudelaire，1821～1867）是19世纪的重要诗人和文艺批评家。他的创作上承浪漫主义的余绪，下开象征主义的先河，其影响遍及法国现代诗歌中的各种流派。

波德莱尔1821年4月9日出生在巴黎。他的父亲约瑟夫－弗朗索瓦·波德莱尔出身农民家庭，曾经在巴黎大学受过哲学和神学教育，后放弃神职到一个公爵家里当了家庭教师，沾染了一些贵族习气。他是18世纪启蒙思想家的信徒，又爱好绘画，颇有些收藏。他在60岁的时候第二次结婚，娶了一个26岁的孤女，两年后生下夏尔·波德莱尔。幼年的波德莱尔常随父亲在卢森堡公园散步，听他讲有关那些美丽的雕像的神话和传说，因此，形象成了他"最初的强烈爱好"，同时，父亲的作风和思想也给了他极深的影响。波德莱尔6岁时，父亲去世，他把全部感情都寄托在母亲身上。但年轻的母亲服丧期刚过，就改嫁欧比克少校了。这给波德莱尔幼小的心灵造成巨大的创伤，从此他不仅痛恨那个突然闯进来的陌生人，也迁怒于自己的母亲。

欧比克是个古板、生硬、思想褊狭的军人，资产阶级秩序和道德的忠实维护者，他对继子的聪颖感到骄傲，竭力想博得他的好感。但是，波德莱尔藐视习俗，不守纪律，恰恰与继父想把他培养成一个循规蹈矩的官场人物的意图背道而驰，父子的矛盾和对立，使波德莱尔心灵中第一次迸发出反抗的火花。他随着继父迁徙，先后在里昂、巴黎读中学，希腊文、拉丁文和法文的成绩优异。他敏感，易激动，常常异想天开,有时又有些神秘和玩世不恭,是个才华出众却不守纪律的学生,后因拒绝交出同学传递的纸条而被路易大帝中学开除。

被学校开除后的第二年,即 1839 年,他通过了中学毕业会考。家里希望他进外交界供职,他却向往着"自由的生活",要去当作家。他大量涉猎罗马末期作家的作品,着迷于他们的颓废情调;他阅读七星社诗人的作品,叹服他们声律的严谨;他喜欢巴尔扎克的小说,并因结交了他本人而感到十分荣幸;他在美术展览会上流连,重新唤起那"最初的强烈爱好";他喜欢雨果、戈蒂耶、拜伦、雪莱,为浪漫主义这"美的最新近、最现代的表现"所征服。同时,他沉湎在巴黎这座"病城"中,出入酒吧、咖啡馆,寻欢买笑,纵情声色,浪迹在一群狂放不羁的文学青年之间。他的不加检点的生活终于引起了家庭的不安,决定让他出游,试图把他的生活引入正轨。1841 年,他从波尔多出发,原计划旅行 18 个月,但是不久他就迫不及待地返回巴黎。旅行虽然中断,却使他领略了异域风光和情调,给他的文学活动带来了意想不到的收获。

1842 年,波德莱尔回到巴黎后,更加不能忍受家庭的束缚,终于带着父亲留给他的遗产——约 10 万金法郎,离开了家庭,过起挥金如土的浪荡生活。他处处标新立异,要用惊世骇俗的装束和举止表示他对资产阶级的藐视和唾弃。他标榜"浪荡",厌恶一切职业。在他眼里,"浪荡"就是不同流俗,"追求崇高",而那些想对资产阶级社会"有用"的人则都在他鄙夷之列。他和在一家小剧场跑龙套的女子冉娜·杜瓦尔结成亲密关系,从此生活和创作都深受她的影响。这时他已经开始写诗,但是发表的极少。他在两年中挥霍掉财产的一半,于是家庭对他进行了经济管制,每月只给他可怜的 200 法郎。这对他来说,无异于继父亲死后的又一次沉重打击,从此,他就日夜在债主的追索下过日子了。

1845 年,波德莱尔发表了画评《1845 年的沙龙》,以其观点的新颖震动了评论界,次年的《1846年的沙龙》(*Salon de 1846*)更以一套相当完整的文艺观,奠定了他的艺术评论家的地位。就在这本书的封面上,他预告了将出版一本诗集,叫做《莱斯波斯女人》,这是10年以后出版的《恶之花》的雏形。1847年,他发现了美国作家爱伦·坡,对他产生强烈的兴趣,从此开始翻译他的作品,一直持续了17年,提供了堪称典范的译作。

1848年革命使波德莱尔对资产阶级社会的愤怒和反抗找到了喷火口。人们看到他在街垒中,身上背着枪,手上散发着火药味,口里喊着"枪毙欧比克将军"。他并不理解这次革命的意义,但是他怀着一种对资产阶级进行"报复"和"破坏"的情绪,并要在革命中"寄托一些有如空中楼阁一样的乌托邦"。革命失败以后,特别是1851年路易·波拿巴政变,使他彻底"脱离政治","决定从此不介入人类的任何论争"。

1852年以后,波德莱尔的创作进入高潮,到1857年《恶之花》出版前,他先后发表了20多首诗、10余篇评论以及大量译作。1857年6月25日,几经预告的《恶之花》终于出版,并立即遭到第二帝国的卫道士们的攻讦和诽谤。《费加罗报》首先发难,指控作者伤风败俗和亵渎宗教。那个在同一年以同样名义审判过福楼拜的《包法利夫人》的法庭,又判处了波德莱尔300法郎罚款,并勒令删除六首所谓"淫诗"。但是,包括雨果在内的许多著名作家都对诗集给予了高度的评价。4年以后,波德莱尔亲自编订的第二版问世,获得很大的成功。这时的波德莱尔精力充沛,往日的愁云一扫而光,先后出版了《1859年的沙龙》(*Salon de 1859*)、《人造天堂》(*Les Paradis artificiels*,1860)以及不少散文诗,进一步巩固了他在文坛上的地位,成为魏尔伦、马拉梅等一代青年诗人的精神领袖。

文学上的成功丝毫没有改变波德莱尔的处境,他仍然要同债主们周旋,要向再做寡妇的母亲讨钱,还要照料病中的冉娜·杜瓦尔,而他自己也已病魔缠身，受着早年不检点生活的报复。他曾一度想进法兰西学院，并于1861年12月提出申请，但眼见没有希望，很快就在选举前夕退出。1864年6月，他到了布鲁塞尔，计划中的演讲遭到冷遇，比利时的出版商拒绝了他的作品，巴黎的债主又在等着他，他陷入更加贫困和悲惨的境地。虽然他还在勤奋地写作，却终于在贫困和疾病的夹攻中，于1867年8月31日去世。参加他的葬礼的只有他母亲和一些老朋友，没有一个官方人士肯去和《恶之花》的作者作最后的告别。

波德莱尔仅活了短短的46年，他的生活中充满了矛盾、痛苦、反抗和颓废。他既是资产阶级的叛逆者，又是资产阶级的浪子，他对自己的社会和阶级充满了反感和憎恶，并试图进行某种反抗，但是他的反抗是孤独的、消极的、病态的，因此，其结果只能是失败。这一切都在他的作品中得到充分的表现。

2. 波德莱尔的文艺批评

波德莱尔是法国19世纪的重要批评家。他的批评活动范围十分广泛，在小说、戏剧、诗歌、绘画、雕塑、音乐、舞蹈等方面都发表过评论文章。他的文学批评方面的文章汇编成集，题为《浪漫派的艺术》（*L'Art romantique*），艺术批评方面的文字则以《美学珍玩》（*Curiosité esthétique*）为题流传于世。此外，他的许多重要见解散见于大量的书信中。波德莱尔力主包括文学在内的各种艺术形式都是互相关联、互相渗透的，因此，他的文论与画评浑然一体，水乳交融。

19世纪40年代，浪漫主义文学运动已经衰落，唯美主义、"为艺术而艺术"的思潮开始兴起，波德莱尔站在这一交接点上。他的文艺思想反映了时代思潮的变化，丰富复杂，充满矛盾，其中既有传统的观念，又蕴藏着创新的因素，既表现出继承性，又表现出创造性。再加上他诗歌创作的一些新特点，因而19世纪后期形形色色的新流派往往把他视为先驱。

波德莱尔在为《恶之花》草拟的序言中说:"什么叫诗歌?什么是诗的目的?就是把善同美区别开来,发掘恶中之美;让节奏和韵脚符合人对单调、匀称、惊奇等永恒的需要;让风格适应主题。"这是波德莱尔的美学原则,大致包含了他的诗歌理论的基本内容。

波德莱尔承继浪漫派的传统,给予诗歌以最崇高的地位,但他与浪漫派诗人不同,不是把诗歌看做纯属"心灵"的产物,而认为诗歌与现实有关,诗歌与外部世界之间有着一种特殊的关系。在他看来"世界是一个复杂的不可见的整体","是一部象形文字的字典"。表现周围世界的真实是小说的目的,而不是诗歌的目的,"诗表现的是更为真实的东西,即只在另一个世界才是充分真实的东西"。所谓"另一个世界",乃是外部世界中万物之间、自然与人之间、人的各种感觉之间存在着的隐秘的、内在的、彼此呼应的关系。诗人独具慧眼,能够读懂这本"象形文字的字典",把其中的关系揭示给世人。这种理论并非波德莱尔首创,而是直接得之于18世纪瑞典神秘主义哲学家斯威登堡、19世纪德国作家霍夫曼和19世纪法国空想社会主义者傅立叶。波德莱尔在著名的十四行诗《应和》(*Correspondances*)中,集中、形象地表现了这种理论:

> 大自然是座庙宇,有生命的柱子
> 不时发出隐约的语声,
> 人走过那里,穿越象征的森林,
> 森林望着他,投以熟悉的眼神。
>
> 如同悠长的回声远远地汇合
> 在一个幽暗深邃的统一体中
> 广阔得有如黑夜连接着光明——

香味、颜色和声音交相呼应。

有的香味新鲜如儿童的肌肤，
柔和有如洞箫，翠绿有如草场，
——别的香味呢，腐败、浓郁而不可抵御。

像无极无限的东西四散飞扬，
如龙涎香、麝香、安息香和乳香
那样歌唱心灵和感官的热狂。

这首诗从两个方面说明了"应和"的理论，一方面是人和自然界的关系，把自然界看做一个神秘的所在，万事万物相互感应，互为象征，以种种不同的方式显示自己的存在，并向人发出信息，与人的内心世界相互感应契合而达到物我一致的境界；另一方面是人自身各种感觉之间的关系，声音可以使人看到颜色，颜色可以使人闻到香味，香味可以使人听到声音。声音、颜色、香味都可以互相沟通，声音可以诉诸视觉，颜色可以诉诸嗅觉，香味可以诉诸听觉。这本来是一种生理—心理的现象，但是，波德莱尔从神秘主义的宇宙观出发，把它当作全部诗歌创作的理论基础，并由此开创了一种新的创作方法，直接为后来的象征派提供了理论和创作的依据，这首诗也就成了他们灵感的最初的源泉。根据这种理论，诗人不再是引导人类走向进步的导师，而是神秘的自然的"翻译者"；诗人不能使用再现的方法，而只能求助于暗示，"一种富于启发的巫术"；诗歌不能满足于状物写景，模仿自然，而应该深入事物的内部，表现其各方面的联系。简言之，诗歌不应描绘，而应表现。波德莱尔的理论的出发点是唯心主义和神秘主义，但是，它把心理学中的"通感"引入诗歌创作，从而扩大了诗的领域，使诗歌具有了新的表现力，这是波德莱尔对法国诗歌发展和创作的巨大贡献。

诗是否具有某种实用的目的？是否具有某种社会功用？这是浪漫主义运动后期出现的一个问题，表明了浪漫主义诗人在七月王朝后期由于政治上的失望而在创作上逃避现实的倾向。波德莱尔在这个问题上的观点也有一个变化的过程。1851年前，他对上述问题给予了相当肯定的回答。他认为，写诗不是为了诗人自己的乐趣，而是为了公众，他反对"为艺术而艺术"，嘲笑它是"幼稚的空想"。但是，1848年革命失败后，特别是1851年路易·波拿巴政变后，波德莱尔在政治上消极起来，又受到了美国诗人爱伦·坡的影响，对上述问题的回答就有所不同了。他说："诗除了自身外，并无其他目的，它不可能有其他目的。"他反对为说教的目的写诗，而主张通过诗本身的逻辑由读者引出道德的教训，因此，他对形式谈论得更多，这使许多人把他归入"为艺术而艺术"一派。其实不然，他的文艺思想远比这复杂。他并不否认诗的道德作用，而是认为，如果以思想比形式更重要为借口而忽略形式问题，"其结果就是诗的毁灭"。1851年以后，他又抛弃了"真善美不可分割"的传统观念，声称要"从恶中发掘美"，更加激烈地反对在诗中进行道德说教。表面上看起来，波德莱尔否定了诗的道德功用，实际上他是否定了以善为内容的诗，而肯定了以恶为内容的诗，从恶中引出道德教训。这不但不是靠近"为艺术而艺术"的唯美派，而是在另一个意义上肯定了诗歌的社会功用。波德莱尔所经常强调的"形式"，主要不是诗的格律之类，而是诗之所以为诗的那些特殊的表达方式，例如诗表现外部世界的特殊途径，诗所擅长的某些特殊领域等等。因此，他说："艺术愈是想在哲学上清晰，就愈是倒退，退到幼稚的象形阶段；相反，艺术愈是远离教诲，就愈是朝着纯粹的、无私的美上升。"应该说，这种见解是有一定道理的，它划清了艺术（包括诗）与人类其他思维方式的界限，规定了艺术自身的特殊规律。但是，这一见解也有明显的错误，它只强调了区别而否定了联系，的确为形式主义开了大门。

波德莱尔在"把善同美区别开来"的基础上，提出了独特的"美的定义"：一、"忧郁才可以说是美的最光辉的伴侣"；二、"最完美的雄伟美是撒旦——弥尔顿的撒旦"。可见波德莱尔的美是与不满和反抗相联系的，打上了鲜明的时代烙印。他把美分为两部分，绝对美和特殊美，而他强调的是后者，认为"每个时代，每个民族都拥有自己的美和道德的表现"。具体到自己的时代社会，在他看来，巴黎这座盛开着恶之花的"病城"就是挖掘美的场所。但这美并不在于巴黎五光十色、灯红酒绿的豪华生活，而在于巴黎地下的迷宫、活跃着娼妓和乞丐的底层社会，这里呈现出令人忧郁和愤怒的面貌，可以从中挖掘出美来。波德莱尔的这一系列论述，体现了一种与过去的传统大不相同的独特的美的观念，它表现了在资本主义的弊病进一步暴露的情况下，知识分子的苦闷、彷徨、愤怒和反抗的情绪。

波德莱尔认为，追求美要走过一条崎岖坎坷的道路，"研究美是一场决斗"，虽然美是难以接近的，但诗人仍应"把岁月消磨于庄严的钻研"，他所依靠的不是从天而降的灵感，而是艰苦的精神劳动。他并不否认当时人们普遍推崇的灵感，但是他认为灵感不是神秘莫测的天外之物，而是艰苦的精神劳动、日夜不息的锻炼的产物，是毅力、精神上的热情，一种使能力始终保持警觉、呼之即来的能力。他尖锐地指出，新一代的文学家"由于绝对地相信天才和灵感，而不知道天才应该如同学艺的杂技演员一样，在向观众表演之前曾冒了一千次折断骨头的危险，不知道灵感说到底不过是每日练习的报酬而已"。不但天才的灵感是这样，就是他称之为"一切功能中的皇后"的想象力，也是以精神劳动和刻苦锻炼为基础的。他指出："想象越是有了帮手，它才越有力量，拥有大量观察成果的好的想象力才能更为强大。"他肯定了"想象是真实的皇后，可能的事也属于真实的领域"。这样，他就把灵感和想象力牢固地树立在现实生活的基础之上，同时又不拘泥于单纯摹写自然,从而扩大和加深了真实性的概念。

由于波德莱尔强调精神劳动和锻炼,所以,在具体的创作中,他十分重视技巧的作用。他正确地阐述了想象力与技巧的关系:"一个人越是富有想象力,越是应该拥有技巧,想象力才能在驰骋中有个伴侣,克服它所热烈寻求的种种困难。而一个人越是拥有技巧,越是要少夸耀,少表现,想象力才能放射出全部光辉。"因此,他从不抱怨诗歌格律的束缚,而是乐于遵守。他认为,格律不是凭空捏造出来的,而是精神活动本身所要求的基本规则的集合体,格律从未限制独创性的表现,相反,它还有助于它的表现,"因为有形式的束缚,思想才有力地迸射出来"。

技巧和规则之所以重要,还因为它们反映了人为的努力。波德莱尔美学观念中的一个重要内容是重艺术(即人工)而轻自然。他认为,"一切美的、高贵的东西都是理性和算计的结果",而自然的、不经过人为的努力而存在的东西是丑的。因此,"恶不劳而成,是天然的、前定的;善则是某种艺术的结果"。很明显,这种观点的出发点是基督教的"原罪说"。除此之外,它的错误在于割断了艺术和自然的关系,把两者绝对地对立起来,因而否定了自然美。但这只是问题的一面。这种观点也包含部分的真理,它指出和肯定了艺术的作用,即人对自然的加工和改造的作用。

3.《恶之花》及其他

波德莱尔最重要的作品是诗集《恶之花》(*Les Fleurs du mal*,1857)。《恶之花》第一版收诗一百首,辟为五个部分。第二版删除了六首,增收三十二首,共收诗一百二十六首,分为六个部分:《忧郁与理想》(*Spleen et idéal*)、《巴黎风貌》(*Tableaux parisiens*)、《酒》(*Le Vin*)、《恶之花》(*Fleurs du mal*)、《反抗》(*Révolte*)、《死亡》(*La Mort*)。诗人死后第二年(1868年),他的朋友们编订了第三版，收诗一百五十一首，其中包括被删除的六首，仍为六个部分，排列顺序略有变化。《恶之花》中的诗写于1840年至1861年间，其中小部分曾在刊物上刊载，大部分是在结集出版时才公之于世。波德莱尔对诗歌创作的态度十分严肃认真，对形式和内容都精益求精，反复修改锤炼，许多诗都是经过在朋友中反复吟诵，十几年后才发表出来。

《恶之花》的题词这样写道："我以最谦卑的心情，把这些病态的花朵献给严谨的诗人，法兰西文学中完美的魔术师，我十分亲爱的、十分尊敬的老师和朋友，泰奥菲尔·戈蒂耶。"这段题词像书名一样曾经引起了很大的误解，一是以为波德莱尔以戈蒂耶的门生自诩，就是一个"为艺术而艺术"的唯美派了；二是以为波德莱尔以丑为美，美丑不分，对丑恶采取迷恋和欣赏的态度。其实，题词明确了"恶之花"就是"病态的花"，恶之为花，就是将丑在艺术上加以表现，作为一种审美的对象，从中引出道德的教训。

《恶之花》是一个孤独、忧郁、贫困、颓废、病态的诗人追求光明、幸福和理想的失败的记录，是他对现实的观感和内心的写照，用他自己的话来说，他"在这本残酷的书中"放进了他"全部的心、全部的温情、全部的信仰"。而他所有一切感情又都在一种现实与理想、堕落与上升、地狱与天堂的尖锐对立中展现出来。波德莱尔说："在每一个人身上，时刻都存在着两种要求，一个向着上帝，一个向着撒旦。祈求上帝或精神是一种上升的意愿；祈求撒旦或兽性是一种堕落的快乐。"上升的意愿和堕落的快乐"选择了人心作为主要的战场"。这种斗争是贯穿《恶之花》的一条主线。沿着这条主线，可以看到诗人在泥淖中挣扎，而终于未能走出去，只是留下了一个远走高飞、离开这个世界的愿望。

《恶之花》的第一部分是《忧郁与理想》，这是全集中分量最重的部分，充分反映了诗人精神上和肉体上的苦难以及他为求得解脱而作出的精神上的努力。诗人自从"出现在这厌倦的世界上",就受到母亲的诅咒、世人的嫉恨(《祝福》),并且不被人理解,饱尝精神上的苦难,像巨大的信天翁,离开天空,落到船上,成为船员嬉笑揶揄的对象(《信天翁》),他渴望着"翱翔在人世之上"(《高举》),但是,疾病使他的诗神眼中"阴影憧憧"(《诗神病了》),贫困使他的诗神"歌唱并不相信的神明"(《被收买的诗神》),懒惰窒息了他的灵感(《懒惰的僧人》),"时间蚕食着生命,这阴险的敌人噬咬我们的心"(《敌人》),厄运又使他喟然长叹:"艺术悠长,光阴短促"(《厄运》)。精神上的痛苦、物质上的灾难,诗人将如何排遣,如何解脱?

波德莱尔追求美,试图在美的世界中实现自己的理想,然而,美却像一个"石头的梦",冰冷、奇幻、神秘、不哭不笑不动如一尊古代的雕像(《献给美的颂歌》);美还因为对生活厌倦而不住地哭泣(《面具》)。诗人试图追求理想的爱情,然而放纵的爱并不是一块可供诗人梦游的绿洲,他祈求上帝的怜悯,让他走出"这个比极地还要荒芜的国度"(《来自深处的呼喊》),他诅咒他的情妇"像一把刀一下子插进我呻吟的心中"(《吸血鬼》),他想如死一般地睡去,他感到悔恨,看到年华逝尽后的坟墓,"虫子将像悔恨般地噬咬你的皮"(《后悔》)。诗人在经受了这种放纵之爱的狂热、残酷、骚乱和悔恨之后,并没有得到他追求的平静。于是,他寻求精神上的恋爱(《精神上的黎明》),那意中人成为他追求美的指路明灯(《今晚你说什么……》),他向他的天使祈求快乐、健康、青春和幸福(《转移》)。但是,那像一泓清水解除他灵魂干涸的"一双绿眼睛"(《毒药》)却时而温柔,时而迷惘,时而冷酷,使他看到天空布满乌云,心中顿生忧虑:

啊!危险的女人,啊!诱人的风光,
我可会爱你的雪,又爱你的霜?

>我可会从严寒的冬天里获得
>
>那种快乐,它比冰和铁更刺人心肠?
>
>——《乌云满布的天空》

爱情使他失望,他又沉沦下去,他试图改变自己的处境(《猫头鹰》);他想用烟草消除精神上的疲倦(《烟斗》),用音乐平复他绝望的心(《音乐》)。一切都枉然,他的头脑中出现种种阴森丑恶的幻象(《快乐的死者》),他想着自己的"灵魂开裂"(《破钟》)。忧郁和焦灼重新笼罩了心头:

>长长的送葬行列,没有鼓声也没有音乐,
>
>在我的灵魂里缓缓行进;被战胜的希望
>
>在哭泣,而残酷暴虐的苦恼
>
>又在我低垂的头上竖起它黑色的旌旗。
>
>——《忧郁》之四

因此,在他眼里"令人喜爱的春天失去了芳香"(《虚无的滋味》),天空被撕破,云彩像丧服,变成了他梦中的灵车(《厌恶感》),"为时已晚"(《时钟》),时钟一声长鸣,结束了诗人对爱情的追求,结果仍是空虚,忧郁非但未尝稍减,反而变本加厉,更加不能排遣。

诗人的目光从内心转向外部世界,他看见了巴黎。他进入这个城市,试图出污泥而不染,静观城市的景色,倾听人语的嘈杂,远离世人的斗争(《风景》),但是,一个任人欺凌的女丐引起他深切的同情(《给一个红发女丐》),一只逃出牢笼的天鹅更使他的同情遍及一切漂泊的灵魂(《天鹅》),他分担他们的苦难,想象着天鹅扭曲的脖子是"向上帝吐出它的诅咒"。那被生活压弯了腰的老人眼中射出仇恨的光,使诗人的思想陷入极大的不平静之中:

> 我的灵魂，像没有桅杆的破船，
> 在丑恶无涯的海上漂荡颠簸！
>
> ——《七个老人》

那些在巴黎街道上踽踽独行的老妇人，使诗人痛苦地喊道："爱她们吧，她们还是人！"（《小老太婆》）他看到盲人"不知向何处瞪着无光的眼球"，觉得自己比他们还要麻木，不知"在天上找什么"（《盲人们》）；他在寻找美和爱情，但是那街头偶然的一瞥所迸发出来的美，一闪即逝（《给一个过路女子》）；他梦想着温馨的夜晚，劳累一天的工人可以上床歇息，整天埋头钻研的学者可以把沉重的头从桌上抬起，即令是娼妓、小偷、罪犯，也可以享受家庭的温暖（《薄暮》）；诗人回忆起美好的童年（《我没有忘记……》），想起抚育他的女仆（《那赤心的女仆……》）；他梦见一个到处是"金属、大理石和水"的光明世界，然而，他睁开双眼，又看见"愁苦麻木的世界"（《巴黎的梦》）。巴黎从噩梦中醒来，人们以不同的方式开始了新的一天，诗人看到的是一个劳动的巴黎：

> 黎明瑟瑟地披上红绿的衣衫，
> 在寂寞的塞纳河上徐徐向前，
> 暗淡的巴黎，揉搓着睡眼惺忪，
> 抓起了工具，像辛勤的老人。
>
> ——《晨曦》

巴黎的漫游就这样结束了，新的一天开始，诗人看到的仍将是乞丐、老人、过客、娼妓、疲倦的工人等等，他到哪里去寻求心灵的安宁，寻求美好的乐园呢？

波德莱尔求助于酒。他希望从苦难、汗水和阳光做成的酒中产生出诗(《酒魂》);拾破烂的人喝了酒,敢于藐视第二帝国的密探,表达自己高尚美好的社会理想(《醉酒的拾荒者》);酒可以给孤独者以希望、青春和生活(《醉酒的孤独者》);而情人们则在醉意中飞向梦的天堂(《醉酒的情人》)。然而这一切都只能在这"人造天堂"中实现。醒来一切如旧,他不能不感到酒的虚幻。于是,他像但丁深入地狱一样,到那盛开着"恶之花"的地方去探险,这地方不是别处,正是人的心灵的最深处。

波德莱尔明确指出,他要深入到人的最卑劣的情欲中去。他大胆地采撷了几朵恶之花,呈现给世人。他揭示了魔鬼如何化作美女,引诱人们远离上帝的目光(《毁灭》);他怀着厌恶的心情,以有力而冷静的笔触描绘了一具身首异处的女尸,创造出一种充满变态心理的触目惊心的氛围(《殉道者》);变态的性爱在诗人笔下成了一曲交织着快乐和痛苦的哀歌(《该下地狱的女人》);放荡的结果就是死亡,给人以"可怕的快乐和可憎的温柔"(《两个好姊妹》);诗人追索爱情,却在航行的途中看见猛禽啄食一具悬吊着的尸体——诗人自己的形象:

> 在你的岛上,啊,维纳斯,我只见
> 那象征的绞架,吊着我的形象,
> ——啊!上帝啊!给我勇气,给我力量,
> 让我观望着身心而不怀憎厌!
>
> ——《西岱岛之行》

诗人在罪恶之国漫游,得到的是绝望、死亡、对自己沉沦的厌恶。他曾经希望人世的苦难都是为了赎罪、为了重回上帝的怀抱而付出的代价,然而上帝无动于衷。上帝是不存在还是死了?波德莱尔终于像那只天鹅一样,"向上帝吐出它的诅咒"。

诗人指责上帝是一个暴君，许下的诺言一宗也不实现，因此，照他看来，"彼得背弃了耶稣……他做得对"（《圣徒彼得的背弃》）；他还带着明显的反抗情绪让饱尝苦难、备受虐待的该隐的子孙"升到天宇，把上帝扔到地上来"（《亚伯和该隐》）；他愿自己的灵魂与战斗不息的反叛的天使在一起，向往着有朝一日重回天庭（《向撒旦唱的祷词》）。

诗人历尽千辛万苦，最后到死亡中寻求安慰和解脱。他歌唱死亡：恋人们在死亡中得到纯洁的爱，两个灵魂像两支火炬发出一道光芒（《恋人之死》）；穷人把死亡看做苦难的终结，他们终于可以吃，可以睡，可以坐下了（《穷人之死》）；艺术家面对理想的美无力到达，希望死亡"让他们的头脑开放出鲜花"（《艺术家之死》）；诗人自己，虽然唯恐一生的追求终成泡影，但对着那"帷幕已经拉起"的空空的舞台，"还在等待着"（《好奇者的梦》）。《恶之花》的最后，诗人以一首长达一百四十四行的诗《远行》结束了他的人生探险。他的总结是：一切追求和理想到头来都是一场失败，人的灵魂依然故我，恶总是附着不去，在人类社会的旅途上，到处都是"永恒罪孽的令人厌倦的景色"，人们只有一线希望，到那遥远的深渊里去：

> 沉入渊底，地狱天堂又有什么关系？
> 到未知世界里去发现新天地！
>
> ——《远行》

"新天地"是什么？诗人没有说，恐怕也不知道，总之是与这个世界不同的东西，正像他在一首散文诗中所喊出的那样："随便什么地方！随便什么地方！只要是在这个世界之外！"波德莱尔饱经忧患，毕生的追求以失败告终，最后只留下这么一线微弱的希望。

波德莱尔曾经解释《恶之花》"是一本有头有尾的书"。从内容上可以看出他在编排这部诗集时所遵循的结构原则，那就是逐步展示诗人为摆脱精神上和肉体上的痛苦而作的努力，以及经历了曲折道路之后的空虚和失望。随着这一过程的延伸，主题思想已被层层剥露出来。《恶之花》的意义在于：它以一把锋利的解剖刀，打开了一个在资本主义社会的重压下，在丑恶事物的包围中，渴望和追求着美、健康、光明、理想，但终又未能摆脱沉沦和颓废的人的复杂的内心世界，那里面既有着与这个社会相对立的东西，又有着这个社会所烙下的肮脏丑恶的印痕；既有积极的愿望，也有颓废的态度和悲观的结论，从而暴露出这个社会的黑暗、腐朽和不合理，反映出正直善良的人们在这个社会的范围内寻求出路之不可能。

《恶之花》无论在内容上还是在形式上，都在法国诗歌发展史上具有划时代的意义。在内容上，它第一次大规模地将城市生活引入诗国，扩大了诗国的版图；另外，谁也没有像波德莱尔那样深入人的心灵深处，到那最阴暗的角落里去挖掘，因而加深了诗的表现力。在艺术上，《恶之花》取得了很高的成就。它继承了古典诗歌的明晰稳健，音韵优美，格律精严，又开创了一种新的创作方法，被后人发展为象征主义。波德莱尔是个典型的苦吟的诗人，讲究字酌句斟。他的诗意境幽深，形象生动，寓意深远，富于表现力和感染力。例如，他形容凄冷的雨丝像监狱的铁窗栅，生动而深刻地表达了一种阴郁而令人窒息的氛围；他形容"希望"对思想的激励犹如"一副刺马针"，化抽象为具体，可捉可摸；等等。他既能为了表现出精神的痛苦而写得低回婉转，一唱三叹；也能为抒发对理想和光明的向往而写得轻捷明快，像蝉翼在阳光下振颤；他像画家，把诗写得富有质感和立体感，还能惟妙惟肖地表现出细节的真实。他的诗风雄浑有力，绝少缠绵悱恻、纤细柔媚之作。此外，他还非常重视诗的音乐性。

《恶之花》曾经是一本引起激烈争论的书，从法兰西第二帝国的卫道士们开始，不断地有人攻击它淫秽、颓废、不正常、不道德，把它视为洪水猛兽而严加防范。原因就是因为它表现了"恶"。但是波德莱尔写"恶",并非为了迷恋和欣赏"恶",而是为了诅咒"恶",摈弃"恶",正如高尔基所说,他"生活在邪恶中,却热爱着善良"。如果说他偶尔拜倒在邪恶面前,那是因为他无力挣脱邪恶的利爪,但是他从未屈服过,他从未停止过追求和反抗。他的某些被指为"淫秽"的诗句固然是诗集中的糟粕,但也总是作为恶的表现来加以诅咒的。波德莱尔是个悲观主义者,他的悲观总是产生于希望破灭之时,而他却从来没有放弃过希望。总之,《恶之花》中有消极、颓废、变态的东西,但这些成分只在诗集中占较小的比重,它们不足以否定这本书的价值。

除了《恶之花》之外,波德莱尔的重要作品是散文诗集《巴黎的忧郁》(*Le Spleen de Paris*,1869),收散文诗五十首,写作于1857年以后的七八年间。作品的主题与《恶之花》是一致的,可以说是《恶之花》的散文形式。波德莱尔曾经说,《巴黎的忧郁》"依然是《恶之花》,但是具有多得多的自由、细节和讥讽"。

波德莱尔在卷首的献辞中声明,这些散文诗是要"描绘现代的生活,更确切地说,是一种现代的生活"。这种"现代的生活",具体说来,就是巴黎这座大城市中的生活。诗人像一个漫游者,在巴黎城中信步来去,他看到的是:穷人望着灯火辉煌的咖啡馆而不得入(《穷人的眼睛》);戴孝的穷苦寡妇,"连痛苦也得节俭"(《寡妇》);孤独的老太婆,想要与无知无识的婴儿亲昵一下,却引起一阵大哭大闹(《老太婆的绝望》);可怜的卖艺老人的凄凉晚景,正如穷愁潦倒的老文人一样悲惨(《卖艺老人》)……总之,诗人看到的是一个欢乐与痛苦、豪华与贫困尖锐对立的巴黎。诗人想到的则是离开这个世界,到那港口去,那里充满着"忧郁的歌声、各国健壮的人们、各式各样的船只"(《一绺头发中的半个世界》);到那"一切都是美的、丰富的、安静的、正直的"地方去生去死（《敦请远游》）；或者随便什么地方，只要离开这个世界（《这个世界以外的任何地方》）。诗人悲叹艺术家无力达到美的境界（《艺术家忏悔的祈祷》）；他蔑视公众（实际上是资产者）的口味（《狗与香水瓶》）；他嘲笑所谓法兰西人的机智（《戏谑者》）。总之，一种愤世嫉俗的情绪、悲观主义的思想贯穿着这些散文诗。《巴黎的忧郁》不单单是《恶之花》的另一种形式，而且在意境上、寓意上、细节上都有所深化和发展，因此，它又可以被看成是《恶之花》的补充。

　　散文诗并非自波德莱尔始，但是，波德莱尔是第一个自觉地把它当作一种形式，并使它臻于完美的人。他说："我们当中谁没有在那雄心勃勃的日子里梦想过一种诗意的散文的奇迹呢？它富有音乐性，却没有节奏和韵脚，相当灵活，对比相当强烈，足以适应灵魂的抒情性的动荡、梦幻的波动和意识的惊跳。"他的实践的确是实现了这个梦想。《巴黎的忧郁》中的作品音调和谐，意象丰富，虽无韵脚却自有一种内在的节奏，玄妙的哲理和精细的刻画水乳交融，日常的、平凡的生活被提高到诗的境界，通过清新流畅的语言表现了出来。诗人的思考和感受则反复抒写，如天光云影，在一片空蒙之中渐渐清晰，读起来给人以很深的印象。

第七章 贝朗瑞

第一节 贝朗瑞的生平

在19世纪上半叶的法国诗坛上,贝朗瑞(Pierre Jean de Béranger,1780~1857)占有一个独特的地位,他的诗作放射出民主主义的光辉。正如他自己所说,在波旁复辟王朝和七月王朝,他曾"为了人民的权利"以自己的歌"向两个王朝进击"。他的诗歌在反对复辟王朝的斗争中起过尤其突出的作用。革命导师马克思和恩格斯都高度评价并经常引用他的诗歌。马克思还称誉他为"不朽的贝朗瑞"[1]、"伟大的人物"[2]。

贝朗瑞于1780年8月19日出生在巴黎一个平民家庭。他父亲是杂货铺的会计,母亲给服装店做模特儿。父母婚后8个月就因经济窘困导致感情不和而分居。贝朗瑞出生在当裁缝的外祖父家。他的青少年时代是在法国资产阶级革命胜利后的年代里度过的。他9岁开始上学的那一年,正值1789年资产阶级革命爆发,在学校的屋顶上,他目睹人民群众攻陷象征封建专制统治的巴士底狱,从此他的心与革命的进步事业紧紧相连。不久,父亲把他送到在外省开小客店的姑母家

---

[1] 马克思:《致法兰西共和国公民们和临时政府委员们》,《马克思恩格斯全集》第四卷,第585页。
[2] 马克思:1854年10月26日致恩格斯的信,《马克思恩格斯全集》第二十八卷,第406页。

寄养，姑母思想开明，不但指点他阅读启蒙思想家的著作，而且经常同他谈论政治和社会问题，以自己的共和思想和爱国热忱深深感染了他。12岁时，贝朗瑞去一家金银器店当学徒，继而给一个法律公证人当差役。13岁时，他又一度进入一位共和国议员创办的义务学校读书，他在那里对革命歌谣产生了兴趣，并以其激进的共和主义观点当选为俱乐部主席。但第二年他不得不辍学，去印刷厂当排字工人。1796年，自命贵族的父亲到外省来看贝朗瑞，发现贝朗瑞已经是坚定的共和主义者而大为恼火，决心把他带回巴黎，一旦波旁王室复位，就让他去为王室效劳。深知贝朗瑞的姑母却预言：他将用自己的才华为共和国服务。

回巴黎后，贝朗瑞在父亲开的小钱庄里当职员。在父亲忙于为保王党复辟活动筹措经费的同时，他开始了文学创作。他起初尝试过好几种文学体裁，写了喜剧《赫耳玛佛洛狄忒们》(*Les Hermaphrodites*)、史诗《克洛维斯》(*Cloris*)、一些宗教题材的赞美诗和一些歌谣。随着时间的推移，他对歌谣的爱好有增无已。1809年，他还同一批歌谣爱好者组织起一个叫"玩世者修道院"的歌社。贝朗瑞从1799年就开始习作歌谣，但直到1810年他的歌谣作品才留下书面的记录。从1799年到1813年，这是贝朗瑞歌曲创作的探索时期，他写些欢快的、往往带有享乐主义情调的情歌和饮酒歌；也写些具有爱国思想和民主色彩的社会歌谣。1813年，不顾第一帝国对言论的高压钳制，他以极大的勇气写了一首题为《意弗托国王》(*Le Roi d'Yvetot*)的歌讽谏拿破仑。这首歌不胫而走，广为流传，贝朗瑞因此一举成名。这一巨大成功，坚定了他致力于歌谣创作的志向，也促使他最终走上创作政治歌谣的道路。

1814年，波旁王室在反法联军庇护下复辟。在反法联军向巴黎逼近时，贝朗瑞就在《可能是我最后的歌》(*Ma dernière chanson, peut être*)中发誓："不顾生死存亡，我们绝不为法兰西的敌人歌唱。"复辟王朝时期，贝朗瑞以歌谣为武器，打击国内外封建反动势力。这使他成为复辟王朝反对派的代言人和精神领袖之一。反动统治者对他又恨又怕。国王路易十八声称:"对《意弗托国王》的作者要多加宽容。"企图软化他。贝朗瑞的回答是:继 1815 年的第一部歌集以后,又于 1821 年发表更为激进的歌集。复辟当局终于查禁他的歌集,并对他起诉,控告他的歌"宣扬三色旗","攻击教会",是"未经批准的集合信号"。开庭那天,民众打破门窗冲入法庭,声援贝朗瑞。当局仍然无理判处贝朗瑞 3 个月监禁和 500 法郎罚金。迫害并不能压倒贝朗瑞,他在监狱中用各界赠送他的食物款待如潮涌来的探望者,对复辟王朝表现出极大的蔑视。出狱后,他的歌谣的战斗火力更加猛烈。1828 年他的第四部歌集问世时,他又遭起诉,被判 9 个月监禁和 1 万法郎罚金。可是就在开庭那天,全国报纸都刊载了被指控有罪的贝朗瑞的歌谣。复辟末期,贝朗瑞歌谣影响之大,使保王党人后来埋怨他在推翻复辟王朝的七月风暴中起了推波助澜的作用。贝朗瑞慨然回答:"我接受这个指责,这是我的荣幸,也是歌谣的荣幸。"但在 1830 年七月革命胜利的关键时刻,面对自己唤起的起义群众的排山倒海的怒涛,贝朗瑞却暴露出小资产阶级民主主义者的动摇性。在推翻波旁王朝后法国应采取什么政体的问题上,他不赞成建立民主的共和国,而主张实行君主立宪制。他支持奥尔良公爵登上王位,为的是让这位代表金融资产阶级的国王"介于倒台的波旁王朝和起义者之间"。他还认为随着复辟王朝的垮台,"我的歌谣的意义已失去四分之三",打算就此搁笔。当七月王朝的反人民性质暴露无遗时,他十分懊悔。他拒绝当部长,拒绝加入法兰西学院。在鲍狄埃等无产者歌手的敦促下,他重新提笔创作,表达对七月王朝社会现实的不满,并于 1833 年出了第五部歌集。19 世纪 30 年代,他虽未参加任何空想社会主义团体,却也曾对这一思潮热衷一时。但经过 1848 年二月革命的幻灭和目睹六月起义的血海之后,他终于消沉了。

1851 年路易·波拿巴政变时,年逾花甲的歌手没有奋起抗议。不过他拒绝了小拿破仑重印他有关拿破仑的歌谣的要求，也不接受小拿破仑给他的养老金和荣誉。

1857年7月16日，贝朗瑞在巴黎逝世后，政府借口举行国葬，没收了他的遗体。广大群众依然唱着贝朗瑞的歌为他送葬。

第二节 贝朗瑞的诗歌创作

1. 贝朗瑞的创作主张

贝朗瑞生活在19世纪上半叶法国诗歌创作高度繁荣的时代，然而他的诗歌却能独树一帜，在同辈大诗人中，没有谁像他一样专门从事歌谣的创作，也没有谁的诗歌像他的诗歌那样与当代的进步政治运动密切相关，与人民的思想感情息息相通。这不仅是由于他有过贫苦的经历，有着进步的社会政治见解，还在于他树立了自觉地为人民大众、为民主事业而创作的文艺观。

贝朗瑞的创作主张，散见于他为自己的歌集所写的一系列序言、一些通信和他临终前不久发表的《我的自传》。

鲜明的人民性，是贝朗瑞诗歌创作思想的基本特色。他明确地这样说："从今以后，文学应为人民而耕耘。"并且毫不含糊地指出："当我说人民的时候，我说的是大众，我说的是下层人民。"贝朗瑞立志把自己的文学才华献给人民大众，首先是由于经过1789年以来的历次革命运动，他亲身感受了人民群众创造历史这一客观真理。他曾写道："群众，是可能完成伟大事业的唯一杠杆。"因此，在他看来，文学家只有影响群众，才能对历史的前进作出有益的贡献。其次，由于贝朗瑞曾长期生活在下层人民中，深感"人民需要并且乐于受教育，我们的作家应该为此认真地作出努力"。他指出：只要作家同情人民，他们的作品就能增加人民的智慧，扩大人民的"天才和光荣"。他针对"人民是对精神探索和妙雅趣味麻木不仁的群氓"这种贵族资产阶级偏见，提出了文艺来源于人民，也应该归于人民的正确见解。他明确地写道："一切属于文学和艺术的东西，除很少例外，都出自下层阶级。""如果世上还剩有诗意的话，我毫不怀疑，只有到下层阶级的行列里去寻找。"因此，他多次自豪地宣称："人民，是我的缪斯。"他认为，问题完全不在于人民对文学敏感与否，而在于作家本身：作家必须"从事更有力、更伟大的构想，以便抓住人民的注意力"，必须"让你们的题材和题材的展开去适应人民的强有力的天性"，必须"研究人民"。贝朗瑞在理论上批驳了"为人民写作是文学的降格"的迂腐谰言，令人信服地阐明：这恰是文学的提高和升华。

为人民的文学，必须主要着眼于人民生活和斗争于其中的社会现实，这是贝朗瑞在其诗歌创作达到成熟阶段以后始终大声疾呼的主张。在这一点上，他同在古代希腊罗马文学里讨生活的伪古典主义划清了界限："不，甚至拉丁人和希腊人也不应该成为我们模仿的样板；他们只是火炬，学会使用这些火炬吧！"同时，他又反对贵族浪漫主义文学对中世纪的崇尚："我尤其不乐意看到人们避而不见解放的时代，却到中世纪的棺材里去搜索，除非这是为了量度高贵的爵爷们加于可怜的农奴——我们的祖先身上的枷锁。"他提出："歌谣靠从现时获取灵感而生存。"这是他认为文学创作应该遵循的一个基本原则。由此，他进一步主张，文学必须对现实社会政治问题表现出鲜明的倾向性。他认为，为人民的文学，在反动阶级当权的社会里，只能是"属于反对派一方"的文学，它"针砭时弊"，"嘲笑大人物"；而对人民，则应加以歌颂。贝朗瑞既反对像帝王们在施舍日所做的那样向人民头上扔辣味香肠、洒掺假的酒，也反对像某些画家那样热衷于表现人民的村野鄙俗。他要求作家看到并表现人民在"疲惫憔悴的形容下闪烁着勇敢和自由的热情，在破衣烂衫下流动着为祖国而抛洒的鲜血"。同样，在文学体裁问题上，贝朗瑞也坚持了为人民的思想，他摒弃古典主义对文学种类的高低之分,指出文学最本质的分野不在体裁,而在于其所服务的对象和事业。他特别为备受歧视的法兰西文学最古老的传统样式之一——歌谣鸣不平,他认为这是人民喜闻乐见、易于传播的文学形式,而"自由和祖国并不是人们所设想的那种高傲的贵妇,它们不会歧视来自人民的最微小的援助"。

贝朗瑞早在一个半世纪以前发表的这一系列思想观点,清楚地显示了他站在进步的民主主义的高度上,他的这些思想指导他的创作活动,使得他的诗歌在19世纪上半期具有鲜明突出的人民性。

2. 贝朗瑞诗歌的思想内容

从为人民而耕耘文学的基点出发,贝朗瑞经过摸索,选定了最能及时反映现实,也最和人民接近的一种诗歌形式——配上曲谱能够传唱的歌谣。

贝朗瑞曾说:"我的歌谣就是我。"他的歌谣创作同他的经历是密不可分的。从他在1810年开始保存下自己的歌谣抄本,到他在19世纪40年代后期写出自己最后的歌,贝朗瑞的生活跨越了三个历史时期:第一帝国、波旁复辟王朝、七月王朝。他的歌谣创作也明显地可以作相应的分期。

贝朗瑞从16岁起开始习作歌谣。不过,他这个阶段的习作尽皆散失。从留下文字记录的贝朗瑞在第一帝国时代写的歌谣,可以清楚地看出他从个人私生活抒情向社会政治歌谣过渡的历程。

在第一帝国统治的鼎盛阶段,贝朗瑞的大部分歌谣是歌唱青春、欢乐、美酒、爱情乃至风流韵事的,例如:《春与秋》(*Le Printemps et l'automne*)、《欢乐的罗歇》(*Roger Bon temps*)、《瞎眼的妈妈》(*La Mère aveugle*)等。这些歌谣,无论就题材还是就情调而言,都还处在因袭法兰西民歌传统的阶段,渗透于其中的欢快、乐天、戏谑和享乐主义的成分,都不是贝朗瑞所特有,而是法兰西民间歌谣所固有的。

贝朗瑞当时有一首题为《戏谑》（*La Gaudriole*）的歌，可以说明他写这类歌谣的思想背景。这首歌在回溯了往昔法兰西人民欢乐的性格以后，联想到眼前的法兰西："今天很少有人再欢笑……过多的武功伤害了我们；快乐似乎已烟消云散。那么，谁能把欢乐的心情还给忧愁的法兰西人？只有戏谑，噢，盖，只有戏谑。"可见，贝朗瑞当时写些轻佻戏谑、含有享乐主义成分的歌谣，一方面固然说明他还不能摆脱传统歌谣的俗套，另一方面也是他对牺牲人民幸福、"**用不断的战争来代替不断的革命**"①的拿破仑政策表示消极抵制的一种方式。

贝朗瑞这个阶段也有一部分歌谣虽然用的是轻松的题材，却包含了一定的社会内容。例如在《就算是这个样！》（*Ainsi soit-il!*）里，诗人陈述了他对未来的理想：他盼望再没有诌媚的诗人、卑劣的廷臣、高利贷者、银行家和贵族老爷，人们嘲笑大人物的弊端不再受警官的查究，真理走出流亡状态，正义将主宰一切；《好友罗班》（*L'Ami Robin*）描写一个无耻的掮客，他不惜出卖侄女、姑母、母亲和姐妹，但却飞黄腾达，正大步走向宫廷，人们都向他脱帽致敬。这些歌谣在不同程度上流露了对第一帝国社会现实的不满。

贝朗瑞的典型社会政治歌谣，是在第一帝国垮台前夕的1813年开始问世的。当时拿破仑忙于抵挡反法联盟军队的合击，第一帝国已呈败象。这类歌谣中有针砭法兰西学院的迂腐、专横和钩心斗角的《法兰西学院和酒窖歌社》（*L'Académie et le Caveau*），有讽刺小政客以老婆的色相换取议员宠幸的《议员》（*Le Sénateur*），而最出色的当推《意弗托国王》，这首歌着力塑造了假想的意弗托国王的形象：意弗托国王"住在茅草盖成的王宫里面，他每天自理四餐饭"，"他唯一破钞的嗜好，就是爱喝几口烧酒"，"愉快、朴素，有着善良的心，一只狗就是他全部的禁卫军"，"他丝毫不想扩张领土，他是一个好的邻邦"，"他每年召集众将，只是为了要放四响空枪"，因此人们称他

---

① 马克思：《神圣家族》，《马克思恩格斯全集》第二卷，第157页。

"多好的小国王"。歌中意弗托国王的善良、朴素、爱好和平,不言而喻与现实中拿破仑皇帝的骄横、奢侈、穷兵黩武形成鲜明的对照,从而对这位不可一世的帝国统治者进行了温和的讽喻和委婉的劝谏。

波旁王朝复辟时期,是贝朗瑞诗歌创作的第二阶段,也是他的社会政治歌谣在数量和质量上都达到高峰的阶段。这期间,以欧洲封建君主神圣同盟为后盾的波旁王朝同法国人民之间的复辟与反复辟斗争贯穿始终,贝朗瑞的歌谣紧密配合法国人民的反复辟斗争,发挥了影响广泛的战斗作用。

国王路易十八是坐着联盟国军队的辎重车从国外重返巴黎的。没有联军刺刀的保护,波旁王朝复辟纯属幻想。因此,法国人民首先把仇恨倾泻到外国侵略者身上。贝朗瑞的一些诗歌,表达出这种情绪。《高卢人和法兰克人》(*Les Gaulois et les Francs*)作于1814年初,那时联军刚刚侵入法国境内。诗人在这首歌里向法国人民大声疾呼面临的危险:"一向露营的哥萨克","想住我们的宫殿";"黑面包和橡子都吃厌了"的俄国佬,"想尝尝我们的面包";庆祝胜利的美酒,"将要为撒克逊人享受"……并且号召法国人"勇敢些!"团结抗战。同年5月,诗人又当着侵占了巴黎的联军头目俄皇亚历山大的副官之面,吟成《法兰西的好国民》(*Le Bon Français*),理直气壮地向敌人宣告:"我希望俄国人做俄国人,我希望英国人做英国人,如果在普鲁士的是普鲁士人,那么在法兰西我们要做法兰西人。……我们要做祖国的主人。"

但在复辟时期,贝朗瑞诗歌攻击的主要目标,无疑是国内的封建复辟势力,特别是复辟统治的两大支柱——旧贵族和反动教会。

贝朗瑞用自己的歌痛斥了法国封建阶级为了一己的利益而不惜引狼入室的卖国罪行,指出:正是由于他们"交出了钥匙",敌人"打开城门才那么容易"(《白帽徽》),致使人民饱受外国侵略的灾难。在《加拉巴侯爵》(*Le Marquis de Carabas*)这首歌里,贝朗瑞通过一个骑着"皮包骨头的马"、"挥动着不能伤人的钝刀"、随着外国军队回到法国的旧贵族的典型形象，深刻地揭露了复辟势力凶恶而又虚弱的本质。尽管复辟者已经丧失了昔日的实力，但对人民实行反攻倒算却百倍疯狂，这个"年老的侯爵"叫嚷：

> 教士们，我们已为你们报仇雪恨，
> 征收什一税吧，我们大家来分；
> 你们这些贱民，像牲畜一样，
> 封建义务的鞍子你们还得驮上。
> 只有我们可以打猎，
> 你们家里的小姑娘
> 承受我们的初夜权，
> 这是为自己增光。

贝朗瑞歌谣的讽刺锋芒，在他以教会为抨击对象的歌谣里显得更为犀利。《传教士》(*Les Missionnaires*)揭露教会中最反动的教权派的狰狞面目：他们的最终目的是"把祭坛放在宝座之上"，"要国王变成教会的奴仆，像过去封建时代那样"。《主教和诗人》(*Le Cardinal et le chansonnier*)谴责法国主教们毫无爱国之心：他们"要是有一颗法兰西人的心，就自认为信了邪说"。《草索僧》(*Les Capucins*)痛斥反动僧侣是进步思想的死敌：

> 为了通过出其不意的袭击，
> 战胜多得要命的哲学家，
> 身为教会的哥萨克大兵，
> 草索僧向他们正面冲杀。

而贝朗瑞更多的歌谣，如《教皇的儿子》(*Le Fils du pape*)、《教皇的婚礼》(*Le Mariage du pape*)等，则着重讥讽宗教的虚妄以及教会上层的假仁假义和骄奢淫逸，使高唱神圣、慈善、清贫和禁欲等高调的教会丑态毕露，声誉扫地。

在他的歌里，贝朗瑞特别巧妙地勾勒出在复辟逆流里重新泛起的各种渣滓的丑恶嘴脸，其中有遵照统治者的旨意，"反对票和赞成票，一天里我可以各投十来回"的议员（《大肚子》）；有为统治者镇压人民，"用全部时间来屠杀新教徒，星期日也不例外"的刽子手（《特莱达雍的挽歌》）；有伪装成思想进步，"好奇心强，爱到处打听"的告密者（《犹大先生》）；有随风转舵，"谁要来就来，我总肯为他跳一跳"的前帝国官员（《小丑》）；等等。

贝朗瑞诗歌的大无畏战斗精神，尤其表现在对复辟王朝最高统治者国王的态度上。对于看到恢复封建专制已不可能，因而在资产阶级和封建阶级之间搞点妥协的路易十八，贝朗瑞还不甚严酷，尽管他在《纳布朔多诺索尔》(*Nabuchodonosor*)中把路易十八比做为贵族和僧侣拖犁的牛，却也指出"换了另一类的主人也许更坏"。但对继任者极端保守派的头子查理十世，他就毫不留情了。查理十世刚刚登基，他就指名道姓地在《头脑简单的查理的加冕礼》(*Le Sacre de Charles le Simple*)中揭露"这个国王，身披旧日的锦袍，把国家的税款都吞吃掉"，并抨击查理十世决定赔偿逃亡贵族10亿法郎和制定"宗教治罪法"等反动措施。在第二次被判监禁期间，贝朗瑞更以《1829年的食肉节》(*Mes jours gras de 1829*)向查理十世发出了誓不两立的挑战：

> 我的好国王，愿上帝保佑你快乐！
> 虽然我触犯圣颜，
> 因为糊涂法官的缘故，

> 狂欢节我又在监狱中度过。
> 我真正神圣的日子难道应该
> 葬送在监牢里面!
> 我的仇恨不共戴天!
> 我的好国王,这笔账你得偿还。

此外,在复辟时期,贝朗瑞还反映了人民反对波旁王朝、怀念拿破仑的情绪,写作了一系列缅怀拿破仑的诗歌,如《两个禁卫军》(*Les Deux grenadiers*)、《与丽兹谈政治》(*Traité de politique à l'usage de Lise*)、《随军卖酒的妇人》(*La Vivandière*)、《人民的怀念》(*Les Souvenirs du peuple*)等,深受人民的欢迎。他也因此被一些人指责为"拿破仑神话"的制造者。

七月王朝时代,金融贵族统治阶级的反动面目日益暴露,在贝朗瑞这一时期的歌谣里,取代旧日复辟势力典型的,是人民的新敌人——大资产阶级的丑恶形象。

《邦迪》(*Bandit*)是一首具有巨大揭露意义的歌。它谴责大资产阶级窃取了七月革命的果实:

> 为了自由的理想,
> 傻瓜们争斗一场……
> 耗尽了自己的骨髓,
> 填满了资本家的私囊。

这首歌,直截了当地把资本家称作强盗,一语道破了金融资产阶级巧取豪夺的罪恶本质:

> 工业急于给大众更多福利,

而不要更多的利息;
但强盗们造成重重障碍,
让工业达不到目的!
……
用他人天才的劳动,
用他人绝望的眼泪,
他们筑起富豪之家,
自己却不知道羞愧!

1840年所写的《蜗牛》(Les Escargots),把大资产阶级比做寄生虫蜗牛,它贪得无厌,把一切都掠来做自己的财富,连爱情和美酒也被它玷污。在诗中,贝朗瑞还讽刺了大资产阶级把持七月王朝大权的内幕。正因为贝朗瑞洞悉七月王朝的本质,所以在《歌曲复兴》(La Restauration de la chanson)、《致荣任总长的朋友们》(A mes amis, devenus ministres)、《拒绝》(Le Refus)等歌谣中,指出了七月王朝不过是"把发黑的王座刷新一番","它的要人们像世袭的阉鸡",只关心"自己的鸡棚",他还把镶着袖章的将军服称作资产阶级的"奴仆的号衣"。这些诗章具有深刻的揭露意义,表达了人民对七月王朝的强烈不满。

与资产阶级的嘴脸相对,后期贝朗瑞歌谣中还增添了对下层人民苦难生活的真切具体的写照。《雅克》(Jacques)是千百万贫苦农民厄运的缩影。雅克一家9口,仅靠他的锄头和妻子的纺锤维持生计,他们"被捐税抽筋剥皮","受苦受难"。一天早晨,妻子想唤醒丈夫去应付上门催租的差官,殊不知筋疲力尽的雅克已死在床上!《年老的流浪汉》(Le Vieux vagabond)、《可怜的妇人》(La Pauvre femme)等,则描绘了穷苦人凄惨的晚景。这些歌谣都浸透着诗人对下层人民的无限同情。

在贝朗瑞 19 世纪 30 年代初的歌谣里，回响过空想社会主义的乐音。《狂人》(Les Fous) 热情赞扬了空想社会主义创始人圣西门、傅立叶等为改造社会所作的努力。《历史的四个时代》(Les Quatre âges historiques) 采用傅立叶关于历史发展经过蒙昧、野蛮、宗法和文明四个阶段的学说，论证人类未来之美好。但这两首歌也表明，诗人只把这种学说当作"甜蜜的美梦"，他怀疑在这"刀剑犹在战地的火光中闪耀"的时候，像空想社会主义者那样"唱起爱的歌曲"是否适当。

此外，19 世纪三四十年代，诗人由于找不到通向光明未来的可靠道路而产生的苦闷和动摇，也反映在他的歌谣里。他宣扬过慈善主义和博爱主义（《不幸者》），倾向过基督教社会主义（《圣经》），甚至表示过对人民起义的反感（《收葡萄》）。

但是，七月王朝末期，当大资产阶级反动统治引起其他各阶级日益强烈的愤懑，新的革命形势逐渐形成之际，贝朗瑞昔日的战斗的民主精神也重新高昂起来。在 1847 年的《洪水》(Le Déluge) 中，他预言革命即将爆发，并断定这将是君主们的末日：

> 为了惩罚大地上的君王，
> 旧世界将有洪水泛滥。
> 离他们不远，海水已经涌上河滩，
> 它在怒吼，暴涨……
> 这些可怜的国王，都要葬身波澜。

贝朗瑞以欢欣鼓舞的心情预言了 1848 年 2 月的资产阶级民主革命。但是当无产阶级在 6 月武装起来，第一次提出并为实现本阶级的政治利益和经济利益而斗争时，他便不理解了。他对六月事件的迷惑不解，突出地表现在《战鼓》(Le Tambour) 一歌里，诗人不同意卡芬雅克政府对起义者的血腥镇压，却又被"民族团结"的虚假口号所蒙蔽，看不到无产阶级革命的必要性，他只想安宁，脱离斗争。诗人还对"战鼓"——无产阶级起义的象征——喊道：

> 我和你们的道路不是一条，
> 我不能忍受这战鼓的喧嚣。

当无产阶级敲着战鼓前进的时候，诗人停步不前了。小资产阶级民主主义者贝朗瑞的创作，始终未能达到无产阶级的高度。

不容忽视的是，在贝朗瑞歌谣创作的各个阶段，都贯穿着各民族人民团结的主题。早在1818年，当欧洲处于反动复辟逆流中的时候，诗人与统治着欧洲的封建君主的神圣同盟针锋相对，在《各国人民的神圣同盟》（*La Sainte-Alliance des peuples*）中发出这样的号召："你们手拉着手吧，各国人民，结成神圣同盟。"他对各国人民同盟的"预言式"的歌颂[①]，曾经获得马克思的热情称赞。遵循这一理想，贝朗瑞为声援各国人民的革命和争取独立的斗争，从未停歇过他的歌喉。当法国波旁王朝准备入侵西班牙时，他在《新命令》（*Nouvel ordre du jour*）中向集结待发的士兵发出"向后转"的"新命令"。当土耳其统治者屠杀希腊人民时，他写了《柏沙拉》（*Psara*）以示抗议。1831年，他又连续写出《给比利时人的劝告》（*Conseil aux Belges*）和《波尼亚托夫斯基》（*Poniatowski*），支持比利时和波兰人民的民族解放斗争。

贝朗瑞约40年的诗歌创作是极其丰富多彩的，虽然其间也曾出现消极的声音，但总的来说，依然可以这样来概括其基本的思想倾向：深深植根于阶级斗争的现实之中，从当代生活的最尖锐、最迫切的问题中撷取题材，表现出鲜明的民主主义和爱国主义精神。

---

① 马克思：《致法兰西共和国公民们和临时政府委员们》，《马克思恩格斯全集》第四卷，第585页。

3. 贝朗瑞诗歌的艺术特点

贝朗瑞很注重作品的艺术质量。他的歌谣不仅以富有进步的社会意义的思想内容见长,还以出色的艺术形式取胜。他的一些歌谣名篇,无不体现着二者的完美结合。在认真借鉴法国民歌优秀传统的基础上,他把歌谣艺术推进到一个前所未有的高度。

贝朗瑞为提高歌谣艺术所作的努力,同样是从"为人民而耕耘文学"这个基点出发的。为了让民众容易理解、喜闻乐见,他不懈地寻求使歌谣浅显而不浅薄、简洁而不简单、明晰而又变化多姿的艺术表现手法。

贝朗瑞是一个采用现实主义创作方法、兼有浪漫主义气质的诗人。他总是着力于通过尽可能具体的典型——包括典型人物、典型事件和典型细节——对现实生活进行富有表现力的概括。为反衬拿破仑的专制,他假想出意弗托国王这一老好人国王的形象;为揭示复辟贵族的虚弱和猖狂,他刻画了像疯狗一样舞着钝刀的加拉巴侯爵这个形象;为谴责教会的腐化,他描绘了教皇结婚这一场面;为抨击资产阶级的贪婪,他以寄生虫蜗牛为借喻……比之于当时一些进步诗人抽象的、标语口号式的作品,贝朗瑞的歌谣不但有着反映现实的深度和广度,而且生动形象,意趣横生。

贝朗瑞是艺术构思的巧匠。同一个主题、题材或人物,他可以通过层出不穷的艺术手法来加以表现,创造出迥然不同的意境来。例如,同样是写拿破仑的诗,作于帝国末年的《意弗托国王》纯用反衬手法,拿破仑并不出场,而其影像全出,反衬使语调缓和,表示诚挚的规劝。作于"百日政变"期间的《与丽兹谈政治》假托诗人对情人作倾心之谈,实际上是给拿破仑献救国之策,以情人谈心的方式,突出了殷切的善意。作于复辟末年的《人民的怀念》,则通过母亲给孩子讲述拿破仑溃败时途经她家的往事,渲染了缅怀之情。正是艺术构思的巧妙和变化多端，使得贝朗瑞绝大部分歌谣读来都有新颖之处，而不给人以雷同感。

贝朗瑞又是诗歌语言的大师。他既反对古典主义者词藻的过分精致文雅，也反对贵族浪漫主义者语言的矫饰浮夸，又尽量避免民间歌谣中常见的方言俚语。贝朗瑞歌谣明晰准确的语言，是名副其实的法兰西全民族的规范语言。此外，贝朗瑞的大部分歌谣是以诗人自己的口吻或假想人物的口吻写的，口语成分比重大，使其语言显得格外流畅、自然。加之它本身是歌谣，讲究节奏和韵律，更增添一层音乐感。因此，贝朗瑞的歌谣无论是朗读还是演唱，都悦耳动听。

贝朗瑞歌谣每首长度平均约50行，很短小，但内涵丰富。每首歌至少分成5个以上的段落，由于语言洗练，每段虽只有寥寥几行，却能表达一个完整的意思，自成一体；各段联系起来，又浑然成为一个总体。这样，就可以在不失整首歌统一的情况下，对主题进行多侧面或多层次的开发。此外，特别值得一提的是，传统的法国歌谣中，每段歌词后面的副歌通常都充塞着虚词和装饰音。贝朗瑞进入创作成熟期以后，用诗句取代了副歌里原有的虚词和装饰音，从而扩大了副歌，扩大了整首歌谣的思想容量。

尽管法国保守的资产阶级文学史家蓄意无视贝朗瑞，但世界人民都公认他的贡献，珍视他的遗产。除了马克思、恩格斯的赞词，贝朗瑞还得到列宁的喜爱。法国杰出的文学家，从资产阶级民主诗人雨果到无产阶级革命歌手鲍狄埃，都一致推崇贝朗瑞及其歌谣。19世纪，从遥远的俄罗斯，革命民主主义评论家别林斯基对他表示敬意："……贝朗瑞是法国诗坛之王，是诗歌的最郑重、最自由的表现"，"政治在他那里是诗歌，诗歌——则是政治；生活在他那里是诗歌，诗歌——则是生活"。

第三节　贝朗瑞影响下的歌谣诗人

贝朗瑞的影响是广泛而深远的。法国 19 世纪上半叶的全部歌谣，特别是进步歌谣，几乎都是在贝朗瑞的范例的启发和鼓舞下成长起来的。其中在艺术上和思想上与贝朗瑞最为接近、成就也比较突出的，是歌谣诗人德勃洛、莫罗和阿尔塔罗什。

爱弥尔·德勃洛（Emile Debraux，1798～1831）是波旁王朝复辟时期广受民众欢迎的进步歌谣诗人。他出身于贫民家庭，从不攀附权贵，一生穷愁潦倒，仅靠出售自己歌谣的手抄本养活妻子和三个儿子。他的歌谣给他带来的收入微薄，却给他招致复辟政权的不断迫害。他一生中的很多时间是在被追捕、审讯和监禁中度过的。长期的苦难生活使他身染肺病，由于得不到治疗，仅活了 33 岁就与世长辞了。

德勃洛的一生虽然短暂，但是他从十几岁起就从事歌谣创作，作品相当多。他的歌谣先后汇编成两部歌集——1826 年出版的《国民之歌》(*Chansons nationales*) 和 1836 年出版的《歌谣全集》(*Chansons complètes*)，后一部歌集还有贝朗瑞写的序言。

德勃洛最脍炙人口的作品无疑是《郁金香芳芳》(*Fanfan La Tulipe*)。这首歌塑造了一个法国士兵的典型，他热衷于美酒与爱情，但更热衷于荣誉，随时准备为一切正义事业而战斗。在复辟时期，在神圣同盟的武力侵占之下的法国，这支歌显然具有爱国主义的含义。

德勃洛的主要文学成就，是他所写的关于拿破仑的歌谣。《卫队》(*La Garde*)、《胜利纪念柱》(*La Colonne*)，《士兵，你可记得》(*Soldat, t'en souviens-tu*)、《圣赫勒拿岛》(*Saint-Hélène*) 等是比较流行的几首。在歌颂拿破仑这一点上，不少歌谣诗人，包括贝朗瑞在内，都受他的影响。同贝朗瑞一样，他并非对拿破仑存有幻想，而只是把他当作昔日的拿破仑将军——大革命时代的将领，把他看做同国内外封建复辟势力相对抗的象征。

德勃洛抨击复辟王朝反动统治阶级的歌谣也颇有影响。《壮丁》（*Le Conscrit*）通过一个满身残疾的少年被强拉入伍的故事，揭露了复辟王朝为镇压别国人民而大肆扩军的行径。《关于滥用自由写给部长的信》（*Lettre au ministre sur les abus de la liberté*）以一个保王党分子的口吻描述了下层人民反对封建复辟的各种表现。《小迷迷儿》（*Le Petit Mimile*）嘲讽了蔓延于整个统治阶级的裙带风。《出版自由》（*La Liberté de la presse*）则通过进步作家继续受到迫害的事例，揭穿了复辟当局"恢复出版自由"的真相：

> 第二天，我带着十个法郎，
> 去找住在隔壁的书商，
> 求他出一本小册子，
> 我精心打字的抨击性文章。
> 我们亲爱的老爷准能
> 从中认出他自己的形象，
> 因为我描写的是他的模样。
> 暴跳如雷的
> 大人老爷
> 召见了我的上司，于是几天后，
> 上司客客气气地对我说：
> 请去别处另找工作。
> 见鬼去吧，自由，
> 出版自由！

德勃洛经常宣称自己超越党派。从其歌谣看来，他的确既反对贵族保王党，也不同情资产阶级自由党，而是站在广大没有选举权的中下层人民的立场上。总的来说，他的政治态度与贝朗瑞一样，属于资产阶级民主主义范畴。

埃瑞齐普·莫罗（Hégésippe Moreau，1810~1838）是个有多方面才能的作家，他既写抒情诗、短篇小说，也写歌谣。资产阶级文学史家偶尔提到他，但对他的歌谣却绝口不提。其实歌谣恰恰是他的作品中最富有社会意义的部分。

莫罗是一个穷中学教员和一个女仆的私生子，从小就受人歧视。更不幸的是，他很早就成为孤儿。在慈善机构抚养下，他念到中学毕业。此后，他当过印刷工人，继而又当过学监。但他真正的爱好是文学，为了吟诗作歌，他过起流浪生活。他很少有机会涉足巴黎日耳曼区的高贵文艺沙龙，更多的是在下层人民出入的"地狱中人酒馆"歌唱或朗诵自己的诗歌。他经常过着食宿难保的日子。当他终于为自己的诗歌找到一个出版家，名字开始为人所知时，穷苦的诗人已经被迫住进救济所！他只活了28岁，就在贫病的煎熬中死去。

莫罗的歌谣创作集中于复辟王朝后期和七月王朝前期的十余年间。在复辟王朝后期所写的题为《外省诗人》（*Le Poète en province*）的诗里，莫罗说他就像古代的行吟诗人，在十字路口吸引听众，在墙上贴满共和主义的诗句，用赤裸裸的诗句来激励人民。莫罗站在共和主义立场，抨击王政复辟，火力十分猛烈。例如1828年的《国王万岁》（*Vive le roi*），这首歌是他在查理十世驾临普罗旺斯地区时写的，迎驾者高呼"国王万岁"，诗人却把国王称为"将要死的神"，对之以"自由万岁"；在欢迎国王的盛会中，诗人看到的是"虚荣、利益和恐惧"的丑恶嘴脸，听到的是"搜刮来的金钱和勋章的声响"。

与贝朗瑞不同的是，莫罗的创作高峰不在复辟时代，而在七月王朝前期，那时贝朗瑞歌谣的战斗性已逐渐削弱。《1832年6月5、6日》（*Les 5 et 6 juin 1832*）是为悼念当时一次人民起义中的牺牲者而作的，在这首歌里，诗人揭露窃得七月革命果实的资产阶级把三色旗当作玩具哄骗人民，为揭竿而起的人民伸张了正义：

> 人民终于睁开眼，
> 低声道：有人背叛我的事业；
> 卢浮宫中，国王要我挨饿，养肥自己，
> 而卢浮宫中有我的斑斑血迹；
> 我，光着脚踩过黄金，
> 我，一双手把宝座打翻在地，
> 当双手还能战斗的时候，
> 我怎会伸出手去行乞？

诗人声讨了反动当局对起义者的屠杀，并表示自己和烈士们有着共同的目标："我们不过是异曲同工，我们都为祖国而歌唱。"莫罗还有一首构思非常巧妙的歌——《贼》（*Les Voleurs*），写法庭开审一桩盗窃案，12个人被带上来，一望可知他们就是贼，其中有剥削穷人，"甚至在我衣袋里偷"的高利贷者，有在被杀害的士兵身旁"用饭盒来炼金"的军火商……原来是诗人弄颠倒了，这些人是"有议员资格的陪审员"，"他们倒把一个无家可归的流浪汉投入监牢"。这首诗不仅一针见血地揭露了七月王朝统治阶级的盗贼本质，而且指控了不正义的司法。从这里可以看出，虽然莫罗像贝朗瑞一样越不出小资产阶级民主主义的局限，但同贝朗瑞相比较，他的歌谣对七月王朝黑暗现实的抨击却更尖锐、猛烈，对人民暴力斗争的支持也更坚决。

阿尔塔罗什（Altaroche，1810～？）出身于律师家庭，父亲也打算让他进入司法界，但他却热衷文学艺术。1830年七月革命后不久，他来到巴黎。那时他正20岁，血气方刚，才华横溢，富于讽刺的精神,并已显露出创作短篇小说的才能。他对七月王朝的现实不满,同时为好几家反对派报纸撰稿。1834年,他进入当时著名的讽刺性日报《喧声报》,后来成为该报的总编辑。1848年二月革命后,他当选为议员,在议会中经常同右翼观点一致。1850年,他被任命为第二法兰西剧院——"奥德翁"的院长,直到第二帝国时代还保持着这个职位。可见其后期已趋向保守。

尽管如此,应该承认阿尔塔罗什前半生有过进步的记录,他的政治歌谣在七月王朝时期的民主运动中产生过一定的积极影响。阿尔塔罗什的歌谣创作集中在1830年七月革命后的将近10年的时间里,绝大部分作品收入他的《政治歌集》(*Chansons Politiques*,1838)。这部歌集第一卷于1835年出版,当年就印行两次;第二卷于1838年出版,当年印行三次,说明在当时颇受欢迎。

作为七月王朝的反对派歌手,阿尔塔罗什曾经以其政治歌谣对统治阶级作过无情的斗争,甚至公然指骂国王路易-菲利普,例如《大、胖、傻》(*Gros, gras et bête*)这首歌,惟妙惟肖地勾勒了路易-菲利普愚蠢、贪婪、腐化而又凶残的丑恶形象。《一个窃贼上书给邻居国王》(*Pétition! d'un voleur à un roi son voisin*)通过一个窃贼自告奋勇与国王合作,对路易-菲利普进行了辛辣的讽刺。不过,阿尔塔罗什的特殊成就,却在于他对七月王朝时期下层人民苦难及其愤懑情绪的如实描写。《无产者》(*Le Prolétaire*)具有典型的代表性。这首歌唱道:播种的是"善良的无产者",而"游手好闲的人来收获";富人桌上摆满玉液琼浆,而无产者"喝到的无非是酸酒啤酒";无产者刚成年就有"招募新兵的军官前来",而"这种冷酷的桎梏,富人用金钱可以免除";无产者每月初一便有"贪婪的收税人突然光顾",而"批准这种税的却是富人,因为你没有资格把议员、市长担任";莫说在死亡面前人人平等,富人的灵车后面"送葬的人排成长长的行列",而穷人"只有你的狗,把简陋、凄凉的担架上的你领到最后的归宿地"……但是，无产者不会永远等待：

> 将来有一天你用炮来发出警报，
> 以最神圣的职责的名义！
> 长毛的手臂，熏黑的手指，
> 只有它们能拿起武器，
> 挥舞武器。
> 不久以后，人民的雷击
> 渐趋缓和，
> 于是富人走出
> 那保全他狗命的隐蔽所，
> 可耻地靠讨钱过活。

阿尔塔罗什这类主题的佳作还有《人民在挨饿》(*Le Peuple a faim*)、《穷人的税》(*L'Impôt du pauvre*)、《市政厅的盛会》(*La Fête à l'Hôtel de Ville*)等。它们大抵都以形象的对比手法展示出社会的不公平，最后引出人民反抗斗争终将爆发的结论，而又根据题材的不同加以变化，各异其趣。

第八章 乔治·桑

第一节 乔治·桑的生平

乔治·桑（George Sand，1804~1876）是法国 19 世纪上半期别具一格的作家，以基本创作倾向而言，她自始至终是一个浪漫主义者，自觉地具备着自外于现实主义潮流的意识，她曾经针对当时在文坛上已占优势的现实主义创作方法，提出这样的反问："是从什么时候起，小说非要描绘现实不可，非要描绘当代那些冷酷无情的人和事不可？"她明确地宣称自己是从与巴尔扎克"极不同的观点来看人类事件的"，力图"把人类描绘得如我所希望的那样，如我所认为应该的那样"。但她作为一个浪漫主义者，又没有参加那声势浩大的浪漫主义运动，却接受了空想社会主义的影响，并且把她"相信艺术的使命便是情感与爱的使命"这一信念，具体化为她小说中那牧歌式的民主主义的思想内容。

在乔治·桑的生活中，有三个方面的事实构成了对她的创作发生强有力影响的因素：童年时期的田园生活、青年时代她深感不幸的婚姻，以及三四十年代与空想社会主义者的接近。

乔治·桑原名奥罗尔·杜邦（Aurore Dupin），出身于一个在法国历史上颇有名气的家庭，她的曾祖父谢龙索·德·杜邦是 18 世纪有名的金融家、包税人，取得了贵族的称号，并写过两本经济和政法的理论著作。她的祖父浮格业·德·杜邦继承了父业,担任过梅茨、阿尔萨斯州的收税官,业余写诗作曲,颇有舞文弄墨的兴趣。他与一个元帅的私生女结婚,这就是后来对奥罗尔·杜邦有不小影响的祖母。奥罗尔的父亲是拿破仑帝国的一位高级军官,在她4岁的时候坠马而死。从此,奥罗尔靠祖母抚养,并且成为这位贵族老太太在诺昂的地产的预定继承人。她的祖母是一个有高度文化修养但很专横的贵族,而她母亲,据她自己所述,却出身低贱,"属于可耻的流浪人的血统,是一个舞女,甚至连舞女还不如,是巴黎街头最低级剧院里跑龙套的角色",因此,在这两个妇女之间就产生了水火不相容的斗争。奥罗尔的童年是在尖锐的家庭矛盾中度过的,她从自己母亲受压抑、被歧视的事实中,深深感受到高贵者对平民、对弱者的偏见,并形成了她的反抗意识。她童年时期与祖母共同生活很不愉快:"她使我非常痛苦,我最大的不幸都是来自她那里。"因此,她从小就养成了在孤独中爱好幻想的习惯,开始想象一些不平凡的故事,从中得到乐趣,而她写在自己内心深处的小说的男主人公,就是她"信仰中的神",她赋予他一切惊人的英雄事迹,这种由来甚早的浪漫的想象,从此一直伴随着她一生的创作活动。

另一方面,诺昂村的乡居生活又养成了奥罗尔·杜邦对大自然风光和田园牧歌情趣的深厚感情。在这里,她纯粹是一个乡下孩子,她与农家的儿童为伍,尽情在大自然环境里嬉戏。这一段深深印在稚气的心灵上的经历,显然有助于她日后把田野的清新空气带进法国文学。与此同时,由于她那位在年轻的时候认识过卢梭并深受其影响的老祖母的教育和引导,奥罗尔很早就阅读了这位思想家的作品。卢梭对大自然的崇拜、对人类淳朴状态的赞赏、对阶级文明的反抗以及他那种平民的思想感情,都对奥罗尔·杜邦产生了深刻的潜移默化的影响,引起她强烈的共鸣。她成为卢梭的忠实信徒,直到生命的最后时刻。此外,莎士比亚、拜伦和夏多布里昂的作品也使她入迷,助长了她身上那种浪漫的情调、热烈的性格和忧郁的感情。13岁时,她被送进了巴黎的修道院,她深感孤独的心灵使她耽于宗教信仰,而这又在她以后的作品中打下了深刻的烙印。

祖母去世后,她并没有从母亲那里得到温暖和爱,因为急于逃避这种状态,她未经慎重的选择就很快于1822年结了婚,丈夫杜德望男爵是一个平庸、粗暴、不能理解自己妻子却又坚持夫权至上的乡绅。她不久就对婚姻生活极不满意。虽然她曾经给丈夫带来50万法郎的嫁妆,但由于19世纪对待妇女极不公平的资产阶级婚姻制度,她要从不满意的婚姻中解脱出来并重新获得经济独立,却不是一件容易的事。她为取得自己的独立自由经历了漫长的道路。1825年,她开始与丈夫分居,1830年,她带着两个孩子来到巴黎独立生活,每年接受丈夫300法郎作为自己和孩子的生活费。她有自己的恋人、青年诗人于勒·桑多伴随,并与他合作从事文学创作,以于勒·桑(Jules Sand)的笔名发表了小说《玫瑰色与白色》。1831年,她独立完成并以乔治·桑的笔名发表了第一部小说《印第安娜》,获得很大成功。从此,她成为职业作家,用笔来维持自己和两个孩子的生活。她到巴黎后,由于与男性无拘无束地交往,当时就已经受到攻击,后来也经常被人非议,但她生活的另一方面,即作为智力劳动者从事创作的辛勤,却往往被人忽略。她每天都坚持写作,往往通宵不眠。她的创作量很大,最初几年内所发表的比较有名的作品,除第一部成名之作外,还有《瓦朗蒂娜》《雷丽亚》《雅克》和《莫普拉》。这些作品以其共同的妇女问题的主题,构成了乔治·桑文学创作第一阶段的特色。

乔治·桑从来到巴黎过独立生活直至1835年与丈夫正式离婚以后,的确充分放任了她长期以来被压抑的性格和热情,甚至有些滥用了她的自由,让不同的男性像走马灯似的在她私生活中出没,在于勒·桑多之后,她与诗人缪塞、波兰音乐家肖邦都有过著名的浪漫史,其悲欢离合和感情纠葛又对这几个感情丰富、感受敏锐的文艺家产生不小的影响，并在他们的创作中留下了深深的痕迹。此外，她与文艺批评家圣伯夫、布朗舍（Planche，1808~1857），思想家拉梅内（Lammenais），空想社会主义者皮埃尔·勒鲁（Pierre Leroux，1797~1871），也都有密切的关系，他们对她的创作也有过一些影响，特别是勒鲁对乔治·桑影响更大。

勒鲁是圣西门主义的信徒，从19世纪20年代起就从事理论活动，主要的论著有《论人道》等。七月王朝时期曾任制宪会议代表，后又任立法会议的代表，拿破仑三世政变后被逐出境，直到1869年才回到法国。勒鲁的思想体系是唯理主义、感伤主义和神秘主义的混合，其核心是资产阶级人道主义。他认为平等是神圣的教义，虽然大革命宣告了平等这一原则，但还有待付诸实现，人类应该有私有财产，应该有家庭和国家，但这些必须建立在人道主义的基础上。乔治·桑与勒鲁开始联系是在1836年12月，从此友谊不断发展并持续了多年。乔治·桑对勒鲁推崇备至，曾经称颂他"像一个新柏拉图，像一个新耶稣基督"，高度地肯定他的论著的重要性："我深信将来有一天人们读勒鲁的论著，会像今天人们读《社会契约论》一样。"主要是在勒鲁的影响下，乔治·桑成了一个空想社会主义者，在1840年以后写出了一系列带有这种思想色彩的小说，如《木工小史》《康絮爱萝》《安吉堡的磨工》《安东尼先生之罪》（*Le Péché de M.Antoine*，1847）等，这是她创作的第二阶段。

1848年革命前，乔治·桑正在诺昂乡间写作《我的生活史》。1848年2月的动荡使她颇感意外，她出于对局势的忧虑和关心回到了巴黎，巴黎的革命气氛使她受到强烈的感染，激起了她的政治热情："我度过了好些不眠之夜，好些坐立不安的白天……我身上一切病痛、我个人的忧虑都忘掉了。我生活，我有力量，我生气勃勃，好像我才20岁。"她与自己的朋友、《改革报》的小资产阶级民主主义者弗洛孔（Flocon，1800~1866）一派人有密切的关系，与社会主义者路易·布朗（Louis Blanc，1811～1882）、"四季社"的首领阿尔贝（Albert，1815～1895）也有来往。在革命过程中，她与他们同呼吸共命运，参与酝酿他们的计划。二月革命取得了胜利，成立了共和国，乔治·桑极为欣喜，她称道巴黎的革命景象"值得赞叹"，"巴黎的人民是世界上最好的人民"，她表示："如果共和国失败，就准备战死在街垒上。"她满怀天真的热情写了五篇重要的政论：《致中等阶级的信》（1848年3月18日）、《致人民的信》（1848年3月7日）、《致富人的信》（1848年3月12日）、《讲述给人民听的法国历史》（1848年3月15日）、《致人民的第二封信》（1848年3月19日）。在这里，她看到了当时资产阶级与无产阶级之间"互相提防、彼此对立"，"穷人害怕富人的叛卖和专政，富人害怕穷人的愤怒和报复"，她为此感到极为不安，呼吁"这种反常的情况应该立即中止"。她劝诫资产阶级救助穷人以达到自救的目的，劝他们不要欺骗无产阶级以防止无产阶级的报复；她呼吁阶级妥协和亲善，天真地鼓吹"兄弟般的联合将消除一切错误的区分，并且将把'阶级'这个字眼从新人道的书里驱除掉"。乔治·桑这种在严酷的阶级斗争中不切实际、过于天真、当然也脱离不了阶级局限的热情，很快为临时政府所看中，他们最初争取乔治·桑给官方的宣传品《共和国公报》供稿，后来她又直接参加编写，在总共20多期的公报中，有将近一半出自乔治·桑之手。在这些公报里，她宣传激进民主主义的人民至上的思想。她自己还创办了一种报纸《人民的事业》，宣传阶级平等、和平演进的社会革命，但该报只出版了三期。她与参加临时政府的社会主义者一直保持密切的关系，并自命为社会主义者。在这一阶段里，她所宣传的思想导致了"在资产阶级中对我有一股令人难以置信的愤怒"，面临着1848年二月革命以后两个阶级、两种力量日益严重的斗争，虽然她的思想感情倾向于社会主义方面，并期望着资产阶级的失败，但她又不愿意参加任何一个政派。她注意到资产阶级日益反动、力图把共和国变为自己的专政，感到了深深的忧虑。眼见局势愈加严重，她担心自己的安全会成问题。因此，在销毁了一些可能招致牵连的信札文件之后，她于5月17日夜晚离开巴黎回到诺昂，这时正是"欧洲各国内战史上最巨大的一次事变"——巴黎无产阶级的六月起义，以及随之而来的资产阶级政府的血腥镇压的前夜。

1848年六月革命的失败，导致乔治·桑政治理想的破灭。从此，她基本上离开了政治舞台，但有时仍抑制不住自己的政治热情。1849年11月2日，她在报纸上发表文章，公开呼吁对六月起义的参加者作宽大处理，并反对流放；1850年，她为意大利革命者马志尼的《意大利的共和国与王政》一书的法译本撰写序言；她为促进陷于分裂的共和主义派的团结出面调停；她支持友人维克多·波利所创办的鼓吹民主主义的刊物《南特劳动者》，还经常与被囚禁的五月示威的领袖人物巴尔贝斯（Barbès）通信。1851年，路易·波拿巴的政变又给乔治·桑带来沉重的一击，她的朋友们纷纷被捕，她自己也岌岌可危。从此，她在政治上完全消极："我再没有动我一根指头去反对官方，我很忧虑，但并不愤怒。"她完全隐居在诺昂乡间。从1848年革命失败后，她的主要精力又回到小说创作上，相继发表了一系列著名的小说：《小法岱特》《弃儿弗朗沙》《敲钟师傅》（Les Maîtres sonneurs，1853）等，这些作品与1846年发表的《魔沼》，以其共同的田园生活的题材，构成了乔治·桑文学创作的第三阶段。

晚年，乔治·桑在乡居生活中大部分时间用来照应自己的儿孙，对后起的作家如福楼拜、小仲马等，像长者一样加以爱护和指导。她为人慈祥，在乡间获得了"好心的诺昂太太"的名声。她仍从事写作，但未写出重要的作品，这是她创作生活的第四阶段。1876年6月8日，她在诺昂乡间的别墅逝世。

第二节　乔治·桑的作品

乔治·桑是一个多产作家，米雪尔·雷维版的《乔治·桑全集》就有一百零五卷之多。她的作品以小说为主，也有戏剧、散文和大量的书简。散文作品中比较著名的有《一个旅行者的信》(Lettres d'un voyageur，1834)、《我的生活史》(Histoire de ma vie，1854~1855)、《她与他》(Elle et lui，1859)等。她的小说创作分为四个阶段，不同阶段各有特点，早期作品可称为激情小说，第二阶段为空想社会主义小说，第三阶段为田园小说，第四阶段为传奇小说。其中以第二阶段、第三阶段的小说创作较为重要。

1. 早期小说

乔治·桑早期小说的代表作是《印第安娜》《瓦朗蒂娜》《雷丽亚》，这些作品写的都是爱情故事，并且多数是爱情悲剧。

《印第安娜》(Indiana，1831)的同名女主人公是一个生在法属布尔彭岛的西班牙血统的少女，她服从父亲的安排，嫁给了一个退伍的法国上校戴尔玛子爵。结婚后不久夫妇两人来到法国，由于偶然的事件，戴尔玛上校认识了贵族青年莱蒙·德·拉弥埃。莱蒙原是印第安娜的使女阿依的情夫，经过不舍的追求，他又使印第安娜成为自己的情妇。后来，她跟随丈夫回到布尔彭岛，因思念情人而憔悴，但她一收到莱蒙的来信，又重新燃起了希望。她离家出走，到法国去找自己的情人，但遭到冷遇，并且得知他已经结了婚，她痛苦得几乎自尽。她又回到了布尔彭岛，丈夫已经在她出走期间死去，她对"使得我们受苦受难的人群"感到了厌倦，想到另一个世界去寻找安息，最后决心投身于瀑布自杀。

《瓦朗蒂娜》(Valentine，1832)的女主人公是一个贵族的女儿，被许配给朗萨克伯爵，但她与她家一个佃户收养的孤儿贝内迪相爱，而贝内迪也与自己的表妹阿特娜伊斯订了婚。瓦朗蒂娜眼见自己不得不嫁给伯爵时,贝内迪与自己未婚妻的关系破裂,阿特娜伊斯一气之下与一个富裕的农民结了婚,婚礼与瓦朗蒂娜的婚礼同日举行。阿特娜伊斯在婚后不久,无法抗拒贝内迪,又投入了他的怀抱,但他们相见时却被阿特娜伊斯的丈夫抓住,这个农民误以为贝内迪是在引诱自己的妻子,因而把他杀死,最后瓦朗蒂娜也痛苦地死去。

小说《雷丽亚》(*Lélia*,1833)同样以女主人公的悲剧为结局。雷丽亚容貌美丽,性格忧郁。她被青年诗人斯戴里奥热恋,虽然她对这个青年也有感情,但由于早年心灵的创伤而未答应他的要求。她的美貌和风度总引起一些爱情的纠葛,甚至隐士玛纽斯也不能自持,因而把她视为一个诱人的魔鬼。雷丽亚为了获得安宁而进了修道院,很快成为修道院院长,并使她的修道院真正充满了基督精神。斯戴里奥怀着不熄灭的爱情继续寻找雷丽亚,终于找到了她并见了一面,当他了解到雷丽亚对自己的感情和遁入空门的原因后自杀身亡。玛纽斯发现斯戴里奥已死后,愈加认定雷丽亚是魔鬼的化身,他煽起了人们对雷丽亚的仇恨,在小说的最后,雷丽亚也不幸死去。

乔治·桑这些小说几乎可以说纯粹是以爱情为主题,这里的人物几乎不从事任何事业,也没有任何目标,他们只做一件事:恋爱。这正是刚从乡下来到巴黎从事写作的乔治·桑缺乏社会生活经验和社会视野的反映。作为一个作家,她还没有其他的经验和观察可供自己从中获得灵感,而只可能从她这样一个妇女的切身感受出发来创造她的艺术形象,而她自己在过去的生活中感受最深的不外是不幸的爱情和不美满的婚姻,她把自己在婚姻生活中的不愉快和自己尴尬的处境,转化成为作品中那些女主人公不幸的遭遇和结局。在某种意义上,那些渴望和追求爱情而不可得,甚至遭到悲惨命运的女主人公,就是乔治·桑本人的精神化身。这些小说中对于男女主人公爱情生活中的欢乐所作的富有诗意的描写,体现了乔治·桑本人对幸福的憧憬、对理想爱情的向往，女主人公辛酸的命运则显然带有作者本人的哀怨，而由于乔治·桑当时一方面还没有解除沉重的婚姻负担，一方面又须为生活而紧张地进行个人奋斗，那个时期里她恶劣的心境就成了所有这些作品中悲剧基调的根由。

这当然只是一个资产阶级妇女的哀怨、不满、追求和呼号，具有明显的阶级局限性，其实质就是要求资产阶级女性的自由。当乔治·桑开始感到自己的资产阶级个性与资产阶级婚姻生活的矛盾后，她已经在婚姻生活之外追求这种自由，在小说里，她实际上是把这种追求和在追求中所遇见的矛盾加以诗化，升华为艺术的形象而已。因此她对那些女主人公充满了同情。在她的笔下，这些女主人公对爱情都非常认真，几乎在爱情上面倾注了全部的理想、希望和激情，一旦丧失了爱情，她们的生命似乎就不再具有任何意义了。同样，在乔治·桑看来，这些人物的不幸和悲剧并不是她们自己的过错所造成，她们完全是合理的，甚至是正义的。即使是在《印第安娜》中，女主人公所追求的爱情非但与社会的道德、法律不相容，而且她所热爱的对象又是一个没有任何人格价值的轻薄子弟，但作者仍着力表现这个人物轻信的天真、摒弃了一切身外之物并压倒了任何虚荣心的热烈感情，以及在爱情中的奋不顾身、坚定不移，其目的在于肯定她追求爱情自由的合理性。乔治·桑就是以这种人性的道德来对抗社会的道德、习俗的道德。因此，在价值观念上，作者持有与社会偏见完全不同的见解，她在小说《贺拉斯》（Horace）中通过一个人物明确地表述了这种观点："我相信那以美好的思想感情提高我们的精神境界、使我们坚强有力的爱，应该被视为高贵的热情；那种使我们自私、使我们懦弱、使我们完全屈服于盲目本能的一切威胁之下的爱，应视为恶的热情。所以每一种热情，要看它所产生的结果如何，而判断为合法的或犯罪的。公式化的社会并非人类正义的最高法庭，它有时会承认恶的热情而制裁美的热情。"她还进一步把这种观点加以具体化，在她看来，最不道德、最不合理的，并不是那种以真正的爱情作为基础但为社会所不容的婚外结合，而恰巧是那种没有爱情但为社会所承认的合法的婚姻，她在《雅克》（*Jacques*，1834）里表现了这种思想，让主人公雅克出来指摘了这种合法却不道德的婚姻"比猪猡的恋爱还要低劣，还要粗野"，并且为了不妨碍自己的妻子与另一个男子的爱情而自杀。

就这些小说所接触的社会问题而言，作者本来可以从中挖掘更深的社会意义，揭示更深刻的社会矛盾，描绘更广阔的社会现实，但她在这些方面显然还准备不足，缺乏必要的条件和能力。从她当时的精神境界和思想水平来说，她还只可能更多地把谴责的矛头指向资产阶级男性，把他们作为悲剧女主人公的对立面。在《印第安娜》中，是那个外貌漂亮、多情、善于言词，但却人格卑劣、虚伪自私的莱蒙；在《雷丽亚》中是那个心怀妒恨、感情阴暗的隐士玛纽斯；在《瓦朗蒂娜》中，即使是那个年轻的情人贝内迪也具有一些不可原谅的缺点：他奢望很高，有虚荣心，感情冷漠，甚至尖酸刻薄。乔治·桑对资产阶级男性的批判，虽然是从很有限的角度出发，但也应该加以肯定。特别是莱蒙这个人物更是具有一定的社会意义，他是资产阶级社会中卑劣男性的代表，以引诱和玩弄妇女为乐事。《印第安娜》发表后不久，关于这个人物，圣伯夫在一篇评论文章中就指出："社会上大多数男人对待妇女的态度，是尽力和这个幸运的家伙相似的。"并且认为："光荣应该归于《印第安娜》的作者，她揭穿了这种人虚假的外表，赤裸裸地摊开了他那不名誉的幸福。"

与此同时，乔治·桑总不忘在她的小说里描写她理想中的男性。《印第安娜》中女主人公的表哥鲁道夫·布隆爵士就是这样一个人物。他与印第安娜从小为伴，一直深深地、无言地爱着她。他虽然是一个富有的继承人，但是忠厚老实，内心的感情深沉丰富，他是印第安娜忠实而高贵的恋人，"无时无刻不像家畜似的，本能地注视着他服务的对象"。正是他，一直暗中保护着印第安娜，把她从自杀中救了出来。最后，印第安娜在他那里获得了爱情的幸福。在《雷丽亚》中，同一类型的人物是特伦莫。他久经磨练，坚忍超脱，他是雷丽亚的朋友和知己，一直像兄长、像导师一样对待这个美貌的少女，最后，是他把雷丽亚埋葬在湖滨她情人坟墓的对面。在《莱婀娜·莱婀尼》(*Léone Léoni*)中，则有忠实不渝的唐·柯莱欧，他一直准备和一个被流氓迷住的少女结婚。到了《雅克》中，乔治·桑更进一步让男主人公把她理想男性的开明、谦让、善良、自我牺牲的美德发展到顶点。显然，在乔治·桑看来，男性的美德和文明化是幸福的爱情不可缺少的保证。她在另一部早期小说《莫普拉》(*Mauprat*，1837)中，描写了一个少女怎样以她的美貌和风度战胜了一个封建家族中男性的野蛮和粗鄙，最后获得了幸福。然而，恰巧在这方面，乔治·桑暴露了她对资本主义社会中妇女问题的解放只具有一种狭隘而浅薄的理解和乌托邦式的天真。她笔下的这种理想的男性在现实生活中是找不到根据的，在作品中，他们极不真实，他们实际上不可能改变生活的规律，充当妇女的救星。即使是在《印第安娜》中，女主人公得到了布隆的救助，获得了真正的爱情，并且乔治·桑为减少原作悲观绝望的色彩，后来又在作品的最后加上了男女主人公并未死于自杀，而是过着幸福生活的尾巴，但他们也是离开了文明社会，隐退到世外桃源，在印第安人的小茅屋里才获得幸福的，这一情节本身就具有十足的乌托邦性质。对此，早就有批评家指出："这个真实故事的结尾却像一首神话诗。"

2. 空想社会主义小说《安吉堡的磨工》及其他

乔治·桑于19世纪30年代后期接受了空想社会主义的影响后，不久就写出了第一部空想社会主义的作品《木工小史》(*Le Compagnon du Tour de France*，1840)。小说以复辟时期19世纪20年代的法国社会为背景,描写一个空想社会主义性质的工人组织成员与贵族小姐恋爱的故事。主人公皮埃尔·于格南是一个细工木匠,是上述空想社会主义组织的一分子,他年轻漂亮、学识丰富、头脑清楚、意志坚强、渴求真理,与其说像工人,不如说像知识分子。他与贵族维勒普厄伯爵的女儿伊瑟尔相爱。伯爵是一个外表开明的虚伪的自由派,他反对皮埃尔与女儿结合。虽然皮埃尔凭伊瑟尔对他的热爱和深情,完全可以克服阻力与她结婚并继承大笔财产,但他唯恐自己在成为富人之后会变质,会"忘掉上帝提出的神圣课题",即社会的平等和正义,害怕富裕的生活"会败坏他的理想"、"改变他那些美好的意愿",因此,他放弃了和伊瑟尔的结合。但这个同样也具有美德并向往高尚理想的贵族少女,对他却忠实不渝,在不得不离开他的时候,发誓将来对父亲尽完孝道以后一定来找皮埃尔,并希望他等待她的到来。在这部小说里,作者第一次歌颂了她所理想的空想社会主义者,表现了她自己的空想社会主义的热情,但男女主人公都是完美道德的化身,抽象苍白,与生活真实相距甚远。

紧接着《木工小史》之后,是另一部空想社会主义小说《康絮爱萝》(*Consuelo*,1842~1843)。小说的故事发生在18世纪的意大利,女主人公康絮爱萝是威尼斯一个社会地位低下的吉卜赛歌女,她不仅美貌出众、才华超人,而且善良温柔,富有同情心,在小说里是一个光辉的平民形象。她在被自己的未婚夫欺骗后离开了威尼斯的舞台生活,放弃了已经获得的成就和光荣,隐姓埋名,到鲁道尔施塔特伯爵家当贵族小姐的女伴。伯爵的祖先是德国贵族,曾参加新教起义,伯爵的独生子阿尔贝具有民主主义的思想和精神,厌恶那个社会中的压迫、不平和本阶级的生活,向往自己祖先的反抗精神,他愤世嫉俗乃至疯疯癫癫,经常臆想自己回到了过去的时代,祖先又借他之身还了魂,每当他头脑如此昏热,他就外出游荡,数日不归。他爱上了康絮爱萝,认为只有她才能医治自己精神上的痛苦,但康絮爱萝当时未能答应他的求婚，又到维也纳恢复了舞台生涯。她与阿尔贝的关系也遭到了各种阻挠，特别是阿尔贝的父亲坚持自己的儿子不能和一个"女戏子"结婚。不久，阿尔贝病重不起，临终前把康絮爱萝召来，一定要在去世之前和她完成婚礼，以求自己的灵魂能够安息。最后，他的愿望终于实现。康絮爱萝在阿尔贝去世之后，拒绝接受任何归于她名下的遗产，又去过舞台生活。尽管《康絮爱萝》以历史生活为题材，并没有表现现代资本主义社会的生活内容和矛盾，但用一个鲜明的平民人物的形象来对照封建社会、贵族阶级，还通过阿尔贝的故事宣扬了社会平等、阶级亲善以及应该到社会下层人物那里去寻求生活和力量的思想，无疑流露了作者的空想社会主义的诗情，也带有鲜明的民主主义色彩，其进步意义是很明显的。但是，作为一部作品，《康絮爱萝》并不完整，它的续篇《鲁道尔施塔特伯爵夫人》充满了勒鲁式的说教，冗长沉闷，即使是前一部，人物也都是想象的产物，缺乏真实感。

在乔治·桑的空想社会主义小说中，《安吉堡的磨工》（*La Meunier d'Angibault*，1845）是较为重要的一部，这不仅因为它的艺术结构比《康絮爱萝》等较为集中，较为完整，还因为它更具体、更直接地触及了现代社会的矛盾，并力图正面提出一种对这种矛盾所应采取的态度，因而也就更为集中地体现了作者的空想社会主义小说在思想上的一般特点。

小说以19世纪40年代的法国社会为背景，主要人物是两对情人，贵族寡妇玛塞尔与机械工列莫尔，安吉堡的磨工格南·路易与农村暴发户的女儿罗斯。玛塞尔幼年就成了孤女，在巴黎修道院长大，很年轻的时候就嫁给了自己的堂兄布朗西蒙。布朗西蒙是一个放荡荒淫、奢侈腐化的贵族，玛塞尔则独立过着简朴的生活，她与机械工列莫尔相遇并深挚相爱。布朗西蒙为争风吃醋死于决斗后，玛塞尔以为自己可以与列莫尔结婚，但列莫尔认为他们两人的经济状况和社会地位悬殊，婚后可能酿成悲剧而予以拒绝，并离开玛塞尔出走。玛塞尔为了缩小自己与情人的差距，准备赴领地清理财产后过平民的生活，但她来到布朗西蒙领地时，发现丈夫生前挥霍无度，早已欠下富农布芮可南等人大量债务，已濒于完全破产。布芮可南利用他的债权企图廉价吞并布朗西蒙领地。玛塞尔得到了磨工格南·路易的帮助，总算没有落入布芮可南的圈套，并恢复了与列莫尔的联系。格南·路易与布芮可南的次女罗斯相爱，但贫富悬殊和资产阶级家庭的偏见成为两人结合的障碍，罗斯因此几乎发疯。玛塞尔为了挽救这一对情人的命运，答应按布芮可南的条件出卖领地，以换取布芮可南允诺罗斯的婚事。最后，火灾使得布芮可南的家财遭到了巨大的损失，但格南·路易却意外地得到一笔钱财，从而使自己获得了满意的婚姻，也使得破了产的玛塞尔得以和自己的情人在乡间过着田园生活。

这个极不真实的故事纯系作者的虚构，但其中却充满了作者对现代资产阶级社会丑恶现实的反感和对理想的人与人关系的向往。在小说里，乔治·桑有意识地揭示了资本主义社会的真面目：在这里，存在着不合理的压迫和剥削，富人们"所享受的一切、所取得的一切、所占有的一切，都是从损害那些不能享受、不能取得、不能占有天然财富和物质财富的人而来的"，那些有权势的人们、教会的主教、资产阶级的民主派关于要给予贫苦的人民以"布施"、"教育"和"自由"的花言巧语，只不过是"谎话和威胁"，这是一个"金钱万能的时代"，乔治·桑让安吉堡的磨工面对腐朽恶浊的社会风气，发出了这样的感慨："钱呀，钱，你转动着世界，恰像水转动着我的磨盘。"她还通过玛塞尔之口，对那个社会进行了这样的指责："一切都可以出卖，一切都可以购买，艺术、科学、光明，甚至道德，就连宗教也在内。"并对穷苦人因为无钱而"注定要受苦"、"被拖到黑暗的歧途上去挣扎"等事实表示愤慨。在这部小说里，整个有产阶级遭到了无情的揭露：布朗西蒙是一条腐朽糜烂的寄生虫；地方上那些有名的绅士原来是靠抢劫起家的强盗；特别是布芮可南这个作者以细致的笔法描绘出来的暴发户，更是充分地展现出资产阶级丑恶的本质。这是一个阿尔巴贡、葛朗台式的人物，积攒金钱、扩充产业是他身上压倒一切的欲望，为此，他可以不择手段。乔治·桑不仅描写了他在买卖生意中的贪婪、卑劣和狡诈，而且特别着重表现了他那种金钱占有欲是如何窒息了正常人的感情，并在家庭中造成了惨剧，他的大女儿正是在他那冰水一般的家庭关系中、在他和妻子冷酷的迫害下变成了一个可怜的疯子。他的疯女放火烧了他家房屋时，他为自己的损失而呼天抢地的场面，与阿尔巴贡失去了自己的银箱、葛朗台临终告别自己的家财的情景十分相似，同样都表现了金钱拜物教能把人的性格毒害、歪曲到何等卑劣、愚蠢、荒谬的地步。这个阿尔巴贡式的人物完全为钱袋而活着，同时又依靠自己的钱袋统治自己的家庭乃至那个地区。别林斯基曾把这个人物称为"一个典型"，并认为他是"他所隶属的那个阶级的卑贱的化身"。此外，乔治·桑还别出心裁在小说里写了一个特殊的有产者加西多。他原来是一个小盗贼，在行劫中得到了一罐金币，实际上变成了一个大财主，但为了掩藏这笔不义之财，他不惜数十年以行乞为生，过着极为卑贱的生活，他唯一的乐趣就是夜晚回到自己像狗窝一样的茅屋里偷偷观赏金币的光泽。这就是乔治·桑为自己的时代和社会所描绘的一幅讽刺性的风俗画。显而易见，作者在这里表现出了鲜明的批判立场，她的揭露和批判是如此自觉、如此明确，她对待统治阶级与被统治阶级的态度具有如此强烈的民主主义精神，使人很容易辨识出，作品中响彻的正是空想社会主义思潮对现代资本主义社会激愤的抗议。法国19世纪上半叶的空想社会主义者，是资本主义社会矛盾的天才的揭露者，他们在这方面达到了相当深刻的程度。在这一思潮影响下写作的乔治·桑，显然从中汲取了思想营养，从而使自己对时代社会的揭露批判，虽不及巴尔扎克的现实主义笔锋那样深刻，却另具一种明快的力量。

《安吉堡的磨工》作为空想社会主义小说的第二个重要的特点，在于它表现了作者接受这种思潮的影响后对理想的人与人关系的向往。由于这一思潮本身的内容和局限性，乔治·桑对于人与人之间关系的理想不外是平等和仁爱。她在小说里把玛塞尔与列莫尔的关系以及另一对情人格南·路易与罗斯的关系，作为这种理想的范例描写出来，而他们之间关系的共同点是：对金钱的厌弃、对社会正义的追求和在此基础上的互助互爱。玛塞尔与列莫尔的爱情完全脱离了金钱利害，他们是在清贫的生活中相识的，一开始就是以互相同情、互相帮助为基础，由真诚的友谊发展为精神恋爱。他们所追求的不是拥有财富、贪图享受，相反，他们把有钱看做一种罪过，认为正是财富形成了人与人之间真诚关系的障碍。列莫尔本人是一个空想社会主义者，他所向往的是人类的平等和社会的正义，他的理想主义影响和感染了玛塞尔，使她也以顽强的毅力去追求这种理想的生活。虽然她个人的能力有限，然而她却身体力行，在自己的行动中实践这种理想的原则：她并不因为格南·路易在社会地位上和她有差距就加以轻视，而是平等相待，因而得到了这个劳动者的友谊；她对路易和罗斯一开始就抱着同情的、善意的态度，充满了仁爱的感情，甚至为了促成他们的幸福不惜牺牲个人利益。最后，她为了把罗斯从火灾中救出来，丧失了自己全部钱财而一文不名了。另一方面，格南·路易对她和列莫尔也是抱着一种兄弟姊妹般的感情，同样也是为了对方的幸福而不惜任何代价。总之，在这几个人物之间，有着共同的理想、高尚的感情和平等仁爱的关系，这样，乔治·桑就在那个人欲横流、腐朽恶浊的社会环境中，安排了一个出污泥而不染的小团体，最后让他们定居在安吉堡优美的自然环境中，过着淳朴的田园生活。乔治·桑这一理想的社会关系的图景，不仅具有空想社会主义的性质，而且也带有卢梭的色彩。这些，乔治·桑是以一种天真的热情来进行描绘的，这更赋予这部小说以理想主义的诗意。

《安吉堡的磨工》作为空想社会主义小说的第三个特点在于，它描绘了新人的形象，力图提供效法的榜样，以指出实现那种空想社会主义理想的途径。在小说中，乔治·桑根据空想社会主义对资本主义社会矛盾的认识，表达了她自己关于如何消除当时社会的不平、纷争和罪恶的思想见解：在她看来，首先必须消除贫富对立，在这个问题上，值得肯定的是，乔治·桑并不是平均地责备对立的双方，并不是要求双方都作出同样的努力和让步，而只是向有产阶级提出要求，要求他们放弃自己的财富，抛弃自己的恶习，以利于实现社会平等。她让列莫尔和玛塞尔两人出来现身说法。亨利·列莫尔本来是一个有产者的子弟，但"父亲的营利思想、冷酷性格和极端自私……引起了慷慨好义的亨利心灵上的愤懑不平"。他实践了自己的空想社会主义理想，在他父亲死后，把出卖父亲的商号之所得，"散发给他父亲一向压榨的那些工人们"，自己去当了一名机械工人。在他的精神和榜样的影响下，有家产的贵族太太玛塞尔也决心放弃贵族生活，以破产为乐事，要以一个平民的身份与列莫尔结成夫妇，最后，他们果真达到了这个目的。乔治·桑不仅通过这一对社会地位悬殊的情人终于结合的故事，再一次宣扬了不同阶级以爱为动力和基础，完全可能达到亲善的思想，而且提出了有钱人出于道德上的自觉，放弃其物质财富以实现社会平等的途径，她以这两个人物为例，向有产者提供了效法的榜样，她还在小说中多处着意表现列莫尔那种理想主义的热情和玛塞尔在抛弃有产者的生活后，由于道德上自我完善而获得精神上的舒畅、豁达与轻快自得，所有这一切，显然都是出于一种说教劝诫的目的。

　　乔治·桑在小说中所描绘的社会关系以及她所提出的实现这种关系的途径，都是十足的乌托邦。她像空想社会主义者一样，不可能理解现代资本主义社会矛盾的性质、其发展的规律和必然的结局，因而只能寻求一种道德的解决方案，对金钱财富进行谴责。显而易见，这并不会行之有效，她的人物列莫尔就说明了这一点。这个人把金钱财富视为罪恶,不愿和它发生关系,在他影响下,玛塞尔也期待着自己彻底破产,以便在清白的贫穷中成为新人,但他们却碰到了这样的问题:如果他们彻底破产,那么,把那个年幼体弱、生活没有保障的孩子"丢在贫穷里"、"抛弃在卑贱的罪恶的深渊里"会有什么后果呢?于是,他们和金钱的"彻底决裂"就不得不大大地打了折扣,玛塞尔放弃了彻底的捐弃,愿意去过一种小康的生活,最后,她从加西多那里得到了自己祖上被劫去的一大笔钱,才有了经济基础和列莫尔去过田园生活,列莫尔当然也接受了这一安排,这一结局多少带有一些讽刺的意味。

列莫尔那种脱离实际的道路行不通,乔治·桑在小说里又另找出路,她让格南·路易来补充列莫尔的不足。这个英俊的磨工孔武有力,但却是一个以慈悲为怀的人物,他待人处世善良仁爱、诚实正直,甚至对那个令人厌恶的老乞丐也充满了善意。他似乎是安吉堡那片优美的大自然中的一棵美好的植物,身上散发出动人的乡土气息。乔治·桑把他当作人民的象征来加以描绘,还赋予他对现代社会生活的广闻博识、真知灼见以及强烈的社会正义感;同时,又让他继承了司卡班、费加罗的传统,让他充满了活力和智慧、乐观和信心,甚至还善于使用策略和手段,能够解决生活中的困难,挫败暴发户的奸诈。乔治·桑通过列莫尔之口对他这样加以礼赞:"啊,人民哟,你是先知……上帝要在你的身上创造奇迹,'圣灵'要在你的心上传授真理,你从不知道灰心,你没有任何怀疑……你深深体会到自己的力量,这就是为什么我要在贫穷的人和心地质朴的人们当中去寻找信仰和热情。"乔治·桑在这里所表达的感情,无疑具有鲜明的人民性,但她把这个人物作为解决社会矛盾的力量,却又不免流于空泛。格南·路易所能采用的办法,虽然不像列莫尔那样不切实际,但归根结底不外是运用金钱的力量来行善抑恶。乔治·桑通过这个人物所提出的靠好人掌握金钱来改造社会的方案,和她以上所提出的方案同样是一种历史唯心主义的幻想，正暴露了她的空想社会主义思想不可弥补的缺陷。

在今天看来，乔治·桑的空想社会主义小说不仅在思想上不成熟、不深刻，在艺术上成就也不高。乔治·桑从一开始创作，就是一个理想主义的作家，而空想社会主义本身空想的、抽象的性质以及她在作品中进行说教的意图，就使得她这类小说与现实生活更为脱节，虽然其中也有一些生动的片断，但从整体来说，更像思想的图解，而人物则像是作者的传声筒。尽管有这些不足，这些小说毕竟是历史上重要思潮的重要思想材料，它们反映了这个思潮的优点和局限，并且的确表现了一种可贵的社会正义感和天真的民主主义激情。

3. 田园小说《魔沼》及其他

在乔治·桑整个文学生涯中，她创作的第三阶段最为重要。在这里，她找到了最适合的题材和艺术形式，写出了一系列田园小说，其中最著名的是《魔沼》《小法岱特》《弃儿弗朗沙》。这些作品之所以优于她早期的小说和第二阶段的空想社会主义小说而更为广大读者所喜爱，是因为它们既不像早期小说那样单纯是她主观感情的倾泻，也不像空想社会主义小说那样带有抽象说教的性质，而是把生动活泼的生活内容和朴实清新的艺术情调结合起来，表现了乔治·桑思想中那些积极动人的东西：对劳动人民的同情、对自然淳朴生活的歌颂以及带有空想社会主义色彩的对理想的人与人之间关系的向往。这些作品基本上都是中篇小说的规模，比乔治·桑很多其他小说要来得精炼集中，在艺术上更为完整成熟。

《魔沼》（*La Mare au diable*，1846）写于1848年革命以前，不论从时间上还是从艺术上来说，在作者的一系列田园小说中都占首要地位。这是一个朴实动人的爱情故事。年轻的农夫日耳曼不幸丧妻，为了更好地抚育三个孩子，又经岳父莫老爹再三劝说，决定再娶。他前往邻区一个有钱的寡妇家相亲，随身带着自己的小儿子，同行的还有到该区当雇工的同村少女玛丽。他们在途中耽误了时间，又在森林的魔沼旁边迷路了一整夜，这劳顿、疲惫、饥饿的一夜，对这三个旅行者来说都是难挨的，但同时对日耳曼和玛丽来说，又是一个同甘共苦、共同克服困难的过程，一次难得的相互加深认识和了解的机会。这个过去从未引起日耳曼注意的牧羊女，在那寒气袭人的森林里给日耳曼父子带来了人间少有的温暖，在那难以辨认出任何形象的黑夜里，光华灿烂地展示出了她道德上、精神上的美，从而打开了日耳曼的眼睛，在他心里燃起了爱情。于是，他在黑夜将要过去的时候，作出了向玛丽求婚的决定，而他第二天在有钱寡妇家里所见到的那种虚伪庸俗的情景，更加坚定了他的决心。小说以他和玛丽的幸福婚姻作结。

《小法岱特》（*La Petite Fadette*，1849）也是一个牧歌式的爱情故事。富裕农民巴尔伯有一对孪生儿子朗德烈与西尔维纳，朗德烈从小参加劳动，发育良好，身心健康；西尔维纳娇生惯养，体质羸弱，多愁善感，不时流连野外，使家人为他担惊受怕。一次，朗德烈在救助西尔维纳时得到了小法岱特的帮助，与这个瘦小的村姑结下了友谊。小法岱特的祖母以卖药治病为生，被乡人视为"懂妖术的巫婆"，母亲是一个离家出走的女人，名声极坏。小法岱特蒙受家庭的不光彩，加上自己缺乏教养、没有整洁的习惯，待人粗野，不懂礼貌，因而是一个经常受人轻蔑耻笑的姑娘。朗德烈为了报答她的帮助，应她的要求在节日舞会上多次邀她跳舞，并保护她免受其他青年人的欺侮。他们的友谊渐渐发展成为爱情，而爱情的力量使她开始注意自己的习惯和教养，显示出她善良的性格和高尚的品行。她洗去身上的泥垢，这个"丑小鸭"式的村姑原来是"天鹅"般的少女。她的德行和能干改变了人们对她的偏见，消除了朗德烈的家庭对她的敌意，最后她与朗德烈结了婚。

《弃儿弗朗沙》（*François le champi*，1850）的爱情故事也颇有特

色。女主人公玛德兰·布朗舍是一个磨坊主的年轻妻子，她出于同情心收养了一个少年孤儿弗朗沙，把他当作自己的孩子，弗朗沙也把玛德兰当作自己的母亲。玛德兰的丈夫一直过着放荡堕落的生活，实际上遗弃了自己的家庭，磨坊的事务全靠玛德兰和弗朗沙共同支撑，两人在长期的共同生活中建立了真挚纯净的感情，彼此相依为命。但磨坊主听信了情妇的谣言，把弗朗沙从家里赶了出去，弗朗沙不得不流落他乡。三年过去，磨坊主在放荡的生活中欠下了大量的债务，自己也染病身亡。玛德兰精神上受到了沉重的打击，又面临即将破产的危险，因而也卧病不起。弗朗沙闻讯赶到，帮助玛德兰恢复健康，重整家业，挫败了磨坊主的情妇企图吞并玛德兰全部家产的阴谋，并用自己的钱替玛德兰偿还了全部的债务，避免了破产，他与玛德兰在深厚感情的基础上，自然结成了夫妇。

  这几部小说明亮欢快，结局充满了幸福的气氛，像一曲曲爱情的凯歌，是乔治·桑对爱的胜利的歌颂。这些小说里都是农村小生产者的社会环境，乔治·桑并没有着力于描绘小生产者的现实生活，而只专注于他们的情感状态，并且把自己对于爱的理想赋予他们，因而这些农村生活的图景，除了其中优美的自然景色以外，都鲜明地染上了乔治·桑的色彩。几乎在每一本小说里，都是一种真挚强烈的爱创造了人间美满的关系，是它消除了人与人之间的障碍，缩短了人与人之间各种各样的差距、财产经济的差距、社会地位的差距、年龄的差距、道德心理的差距等等。在《魔沼》中，它使得富有的农民日耳曼宁愿娶贫苦的牧羊女为妻，而小玛丽也克服了对日耳曼与自己年龄不相称的顾虑；在《小法岱特》中，"漂亮、富裕、受人敬重"的朗德烈不顾家庭的反对和社会舆论的非议，对"又丑又穷、被人藐视的"小法岱特始终怀着坚定不移的爱情；在《弃儿弗朗沙》中，玛德兰与弗朗沙之间不仅存在着社会地位的障碍，他们之间实际上是主仆的关系、雇佣的关系，而且也存在着年龄的差距以及长期生活习惯所造成的道德心理上的差距，他们终于都一一越过了。爱的力量不仅改变了人与人的关系，而且也改变了人的精神、形貌乃至根本的性格。小法岱特由于长期遭到轻视和耻笑，养成了斗嘴和骂人的习惯，一旦这个"从来没有得到过人家的友谊"的姑娘，从朗德烈那里得到了友谊和爱情，这个粗野的姑娘很快就具有了优美的风度，整个人"竟像春天的白蔷薇一般"。西尔维纳的情况也是如此，他自幼受人宠爱，惯于以自我为中心，只知道爱自己，因而多愁善感，疾病缠身。小法岱特针对他的病根，批评了他的自私，教他从只爱自己到爱他人，由此，他的性格完全改变了，成了一个意志坚强、高尚无私、富有自我牺牲精神的男子。他为了克服自己对法岱特日益增长的感情，离家参军，在拿破仑手下晋升为将军，并始终怀着对法岱特的感情而终身不娶。因此，在乔治·桑的田园小说里，超乎一切之上的就是一个"爱"字，它具有最大的力量，它发挥着最大的作用。这正表明了作者非常自觉地贯彻了她自己的"艺术的使命就是情感与爱的使命"这一信条。并且，这些作品中不同社会地位的人们由于爱而结合的故事，小法岱特在婚后"造起一所漂亮的房子，收容本区不幸的孩子们来读书……供给穷困的孩子们的衣食"、玛德兰救济周围的穷人等情节，都体现了泛爱主义的精神，回响着作者空想社会主义理想的余音。

如果说乔治·桑的田园小说还有淡淡的空想社会主义的色彩，那么其中更为强烈的则是卢梭的精神。这些小说的产生，就是卢梭的影响与奥罗尔·杜邦少女时代对农村生活清新的印象，以及"好心的诺昂太太"眼前所享受到的乡间生活的恬静结合起来的成果。在这些作品里，卢梭热爱大自然的思想、崇尚淳朴人性的思想都表现得很明显。乔治·桑声明她是要引导读者"注视青天、原野、绿树、善良而真实的农民"以及他们"安静、自由、富有诗意、勤劳单纯的生活"。她继承了卢梭"只有在庄稼人的粗布衣服下面，而不是在廷臣的绣金衣服下面，才能发现有力的身躯"的思想，在《魔沼》中指出，农民"心灵的质朴"，要胜过"那些自以为享有支配农民的合法的永久权利的人"的"虚伪色彩"。在乔治·桑的笔下，她的农民主人公都具有优秀可贵的品德：牧羊女小玛丽纯洁温柔，"有一副仁慈的心肠"，虽然生活在贫困之中，却"从来没有失掉过勇气"；小法岱特这个"最受虐待的女孩"，一直保持着乐观的性格，她外表丑陋肮脏，像原野上"既不好看又不芬芳的野草"，实际上却是一株"救世良药"，以她的善良、能干和精良的医术为乡人治病而分文不取。虽然她热烈爱着朗德烈，但却带着一种高尚无私的感情，唯恐自己妨碍他从其他的姑娘那里得到更大的幸福；玛德兰则是一个慈善仁爱、纯良圣洁的女性；至于日耳曼、朗德烈、弗朗沙，都具有勤劳勇敢、诚实淳朴、慷慨善良、富有自我牺牲精神的好品质，而且他们都是能干的劳动者。乔治·桑笔下正面农民的家庭关系也是温情脉脉的，充满了爱的气氛，脱离了金钱利害的计较。突出的例子就是《魔沼》中日耳曼的老丈人莫老爹劝他续弦的那一场谈话，里面充满相互的体贴和爱护，涉及财产问题时，不仅不存在利害冲突，反而互相谦让、不分彼此，似乎已经消除了传统的私有观念。甚至这些农民的形貌，也被作者描写得很美，小孩"美丽得像小天使"，女子"美貌得像圣母"，男子也都漂亮强壮，他们干起活来姿态健美，走起路来步伐轻捷，唱起歌来声音高亢。这样一幅幅经过美化的农村人物的画像，再加上那优美动人的大自然的背景，就构成了乔治·桑的理想主义的诗情画意的篇章。

乔治·桑的理想主义的田园生活的图景之所以值得肯定，就在于其中的农夫牧羊女并不是过腻了享乐生活而企图到田园生活中寻找异趣的贵族和资产者的化身，而是作为资本主义关系、资产阶级生活习俗的对立面出现的理想劳动者的代表，因此，在这个意义上，它具有十分鲜明的民主主义的性质。在小说中，乔治·桑在以十分赞赏的笔调描写这些未被资本主义关系侵蚀的淳朴性格的同时，又以否定的态度描写了资本主义的关系和资产阶级的习俗。在《弃儿弗朗沙》中，她明确地提出了资本主义制度下的农村问题，通过人物之口揭示了农民生活的基本状况："从前是贵族把我们束缚在土地上，叫我们辛辛苦苦地劳动，一直到累死；但是，革命粉碎了枷锁，我们还是和从前一样，辛苦流汗，一直到累死。"为什么在封建制度被摧毁后农民仍然没有解放？乔治·桑虽未能像巴尔扎克在《农民》中那样，通过形象深刻地揭示资本主义农村的阶级关系，但也触及了农村高利贷资本的残酷和猖獗：放债者往往用高达8%到10%的利息，把田产交到自耕农手里，这些农民"费尽气力耕种田地，结果得到的收成还不够付给卖主讨索的一半利息"，他们的精耕细作使田产的价值增加了两倍，而自己却"被必须缴付的利息榨干了"，最后都沦于破产。在这个背景下，乔治·桑对农村中贫富的差距和矛盾也有所描写，她笔下那些带有反面色彩的形象总是有钱人或高利贷者，如《弃儿弗朗沙》中的磨坊主的情妇、《小法岱特》中有钱的小姐玛特琅、《魔沼》中阔气的寡妇等。乔治·桑把腐化、自私、傲慢、庸俗的特点加在他们身上，和那些经济地位低下的贫穷者的淳朴性格相对比，从而表现了自己的爱憎和对资本主义现实的批判态度。

乔治·桑这种态度是典型的卢梭式的。她在小说里响应《论人类不平等的起源》中的思想，明确说："原始生活是一切人、一切时代的憧憬和理想。"她指出："社会愈无耻，愈腐败"，对田园生活的各种幻梦就"变得愈是纯洁，愈是热情"。她面对自己所在的资产阶级社会宣称："我只可惜我不再是一个原始人"，并表示"愿意做一个农人，一个不识字、从上天秉承了良好的本质、善良的天性、正直的良心的农人"。在她看来，这样的农人的生活是很美的，在内心生活上，他们"比我们最出色的诗人更自然更完美"；在实际生活中，"一种安静的、自由的、诗意的、勤劳的和简单的生活，对于农民来说并不是难以实现的"。因此，她不赞成德国画家荷尔拜因描绘出农民衣衫褴褛、疲惫不堪、在死神的阴影中劳动的悲惨画面，不赞成艺术家去"描写灾祸、贫贱"，她反问道："把贫苦描绘得这样可怕、堕落，有时还这样恶浊、有罪，他们的目的达到了吗？"她认为这样做"并没有能够使坏人变好，也没有能够使受难的人得到安慰"，而主张艺术家为了"使人喜爱他所关怀的对象"，应该去进行"对理想的真实的追求"。于是，乔治·桑的思想从卢梭那里出发，最后达到了她的理想主义。她在小说中对农民生活的美化、对他们淳朴状态的歌颂，就是本着这种理想主义进行的，她这样做固然表现了她本人的热情和天真，但也必然掩盖了法国19世纪农村生活的真实。

根本的局限性在于，乔治·桑所理想化的是小私有者的生活。作为一个资产阶级作家，她的民主主义、人道主义思想和她长期断断续续的乡居生活，使她不可能反映无产阶级的愿望和意志，而像卢梭一样，成了小私有者的观点和利益的反映者。在她的小说里，正面的主人公往往是磨坊主、自耕农。这一类由法国大革命和拿破仑帝国所造成的小私有者的大量存在，是法国19世纪农村的特点。这个阶层处于不断的分化之中，它本身并不代表一种新的生产方式和新的社会理想。乔治·桑力图在这个阶层的人物身上去发掘道德的力量、精神的美和生活的诗意，就不可能不陷入矛盾之中。按照作者的思想，这些人物生活的诗意是应该和铜臭绝缘的，然而，实际上这种生活的"诗意"却又必须以有基本的生活保障、以不愁衣食为前提，因此，乔治·桑就不得不让她那些人物在经济上都能温饱有余，而对那些较为贫苦的正面主人公，则往往安排他们由于这种或那种意外的幸运而拥有了一笔钱财，也成了小私有者。如小法岱特得到了祖母的遗产，弗朗沙也得到了生母的资助。这样，乔治·桑在避免去描写他们阴暗不幸的现实生活的同时，又把她对田园生活的理想完全建立在对有钱的小资产阶级的理想上。不仅如此，她还让这些正面人物个个都充满了虔诚纯净的宗教感情，这种感情不仅使这些人物具有道德上的美，而且具有一种灵性的力量,在《小法岱特》中,女主人公正是以上帝的名义治好了西尔维纳的心病。于是,在乔治·桑的田园小说里,上帝就成了淳朴高尚的人性、道德美和精神美的源泉。所有这些都说明了这样一个问题:尽管乔治·桑具有对资本主义社会进行批判的自觉性,也具有鲜明的民主主义的感情,但由于只是把自己和现代社会中那个与社会大生产无关,也不那么先进的阶层联系在一起,自然对现代社会的现实关系不可能有切实而深刻的理解,更不可能找到实现自己理想的现实途径,不免流于缺乏科学根据的空想。

4. 晚期作品

乔治·桑在19世纪50年代所写的一系列田园小说是她创作的顶点,19世纪50年代中期以后一直到她逝世前不久,她虽仍不断从事写作,但再也没有超过田园小说的成就。这一时期她的小说作品主要有《金林美男子》(*Les Beaux messieurs de Bois-Doré*,1858)、《维勒梅尔侯爵》(*Le Marquis de Villemer*,1860)、《让·德·拉罗史》(*Jean de la Roche*,1861)、《一个少女的忏悔》(*La Confession d'une jeune fille*,1865)、《梅尔冈小姐》(*Mme de Merquem*,1868)。在这一时期的作品中,乔治·桑重复了她自己,她回到了第一阶段创作的题材,写恋爱故事。不过,这些作品不像她第一阶段的小说那样充满了她个人热情的呼号、痛苦的呻吟和个性解放的激情,只能说是一种言情小说,其中浪漫情调十足的故事情节、温文尔雅的恋人,完全是作者的面壁虚构。这些作品的思想内容和社会意义显然不高。

此外,乔治·桑还从事过一些戏剧创作。她在这方面的活动早在19世纪40年代末、50年代初就已经开始,那时曾把《弃儿弗朗沙》改编成剧本。隐居诺昂后,她对戏剧的兴趣更浓,把《金林美男子》(1862)和《维勒梅尔侯爵》(1864)都改编成戏剧作品,另外还写了一些其他剧本。她经常举行演剧活动,率领自己的儿孙登台。她有的剧本也曾得到某种成功,如《维勒梅尔侯爵》,但这种成功并不是剧本实际上所具有的艺术价值和思想价值所带来的。

乔治·桑晚期比较有趣的作品是她为自己的小孙女奥罗尔·洛洛所写的《祖母的故事》(*Contes d'une grand'mère*,1873、1876)。这些故事是她作为一个老祖母的心情的产物,因而在她的整个创作中别开生面。它们以丰富美丽的想象、细致微妙的情趣,表现了天真、善良的感情,不失为儿童文学的佳作。

乔治·桑在晚期还完成和写作了多种回忆录:《我的生活史》《文学生活的回忆和印象》(*Souvenirs et impressions littéraires*,1862)、《印象与回忆》(*Impressions et souvenirs*,1873)、《回忆一八四八年》(*Souvenir de 1848*,1880)、《回忆与随感》(*Souvenirs et idées*,1904)等,这些散文写得生动具体,真实亲切,对于了解她个人的创作生活和当时的社会生活都有参考价值。

乔治·桑是一个从自己内心生活而不是从社会生活寻找创作源泉的作家,她的作品基本上都带有抒情性,或抒她个人的身世、体验、憧憬、愿望;或抒她的社会理想、哲学见解。她善于感受,乐于抒发,她敏感地接受了大自然的景象、现实生活的启示、人生经历的意义以及各种社会思潮的影响,而且热情冲动地要求自己成为这一切的直译者。但她不像巴尔扎克那样善于观察,也不从事锲而不舍的思考,而且也不愿意按照现实主义的方法去追求有代表性的典型形象,去提炼能表现本质意义的生活细节,因而,她不可能提供真实深刻的社会生活图景。而作为一个重主观、重理想的作家,她又不像雨果那样有广博的社会历史的眼光和磅礴的气势,而且,她写得太快,写得太多,有限的才能在过多的篇幅中就不足以产生宏伟的杰作。不过,她毕竟以妇女的细腻对她自己生活经历中的坎坷和农村生活中的恬静朴实有深切的体验,并把它们加以诗化,因而在19世纪文学中具有了自己独特的题材和领域，特别是以她的田园小说，成了 19 世纪为数很少的写农村生活的作家之一。她的可贵之处还有，她继承了资产阶级民主主义的进步传统，并随着时代前进，把它和空想社会主义思想结合了起来，成为一个热情的鼓吹者，并为这个重要的社会思潮提供了难得的文艺样品。在小说艺术上，乔治·桑表现了出色的讲故事的才能以及创作诗情画意图景的才能，她对大自然景色的描绘是优美动人、富有艺术魅力的，她在语言上并不追求奇异的、强烈的、表面的效果，完全属于一种古典的风格。她的作品所具有的这些价值使她在法国文学史上占有一个虽然不是第一流，但却是不可磨灭的重要地位。

与乔治·桑的名字分不开的，是小说家于勒·桑多（Jules Sandeau，1811~1883）。他是乔治·桑的第一个指导者和合作者。他的作品的思想和社会意义不及乔治·桑，但他在艺术上是一个有才能的作家，在他的小说里，科学的分析和诗意的成分、含蓄的热情和俏皮的诙谐往往结合在一起，有的作品出自作者奇特的想象，有的作品又表现了作者对社会生活细致的观察，其中比较重要的是：《爱尔波医生》（*Docteur Herbeau*）、《有海鸥的礁石》（*La Roche aux mouettes*）、《瑟格利叶小姐》（*Mme de la Seiglière*）等。

第九章 司汤达

司汤达（Stendhal，1783~1842）是法国19世纪上半期一位杰出的批判现实主义作家，他以其鲜明的反封建复辟的思想倾向、对当时社会阶级关系的深刻描写和在典型性格塑造中出色的心理分析方法，在整个法国以至欧洲文学史上占有重要地位。

第一节 司汤达的生平

司汤达本名亨利·贝尔（Henri Beyle），于1783年1月23日生于格勒诺布尔城一个资产阶级家庭。早年丧母，父亲是一个富裕的律师，信仰宗教，思想保守，敌视1789年革命。司汤达生活在冰水一般的资产阶级家庭关系中，深受父亲和姨母的压制和束缚，从小就憎恶自己的家庭。他只敬爱自己的外祖父，这个年老的医生是启蒙思想的信仰者，在法国大革命前曾到菲尔奈去拜见伏尔泰。在外祖父的影响下，司汤达从小就培养了对启蒙思想的爱好和对文学的兴趣，他很早就阅读了伏尔泰、孟德斯鸠和卢梭的作品，对卢梭尤为崇敬，把他视为"思想最高尚、才能最伟大的人物"。

司汤达的童年在资产阶级大革命火热的岁月中度过，深受时代氛围的感染：他听到大革命高潮中从巴黎传来的革命消息不禁神往；他欢送过为保卫新生的共和国开赴前线的士兵；他参加过本地的雅各宾俱乐部；他为路易十六被送上断头台而感到高兴。他在政治上与自己保守反动的家庭完全对立。雅各宾专政时期，他父亲成为反革命嫌疑分子被捕下狱，对此他毫无怨言，认为完全应该。1796年，他进入当地的中心学校读书，这种类型的学校是大革命时期的产物，目的是培养热爱共和的为资产阶级革命任务所需要的人才，教师多是革新派。司汤达在这里受到了进步的教育，他求实的科学精神和对数学这一门要求精确性的学科的爱好，就是在他最敬爱的老师、激进的"人民会社"的成员格罗的影响下培养起来的。

1799年，司汤达以优异的成绩毕业于中心学校。他来到巴黎，由在拿破仑手下任军事要职的亲戚皮埃尔·达乌介绍，在军事部谋到了一个职务。从此他跟随拿破仑的大军转战整个欧洲，直到1814年这位资产阶级皇帝失败为止。在这些年代里，他亲身经历了代表法国革命最后阶段的拿破仑与欧洲封建君主国之间决定"欧洲是共和制的欧洲还是哥萨克式的欧洲"①的大斗争。1800年，他随军来到意大利，在这里待了一年多，目睹拿破仑"唤醒了这沉睡的民族"。1801年底，他脱离军队，定居巴黎，开始他的读书生活和准备从事写作。他大量阅读哲学、历史和文学著作，特别接受了18世纪唯物主义哲学家爱尔维修和孔狄亚克的思想，他对社会和对人的基本哲学观点即由此而来。他在文学上特别赞赏莎士比亚，他的现实主义文艺思想开始在这时候形成。他还特别注意研究人的性格和人的心理，这给他以后的创作带来了精确的心理分析的特点。1806年，他重返军队，跟随拿破仑进驻柏林。在德国，他看到了拿破仑"清扫了德国的奥吉亚斯的牛圈，修筑了文明的交通大道"②。从1807年到1811年，他在帝国

---

① 马克思：《路易·波拿巴的雾月十八日》，《马克思恩格斯选集》第一卷，第689页。
② 马克思、恩格斯：《德意志意识形态》，《马克思恩格斯全集》第三卷，第214页。"奥吉亚斯的牛圈"典出希腊神话。厄利斯王奥吉亚斯的牛圈里养牛三千头，三十年没有打扫过，后由赫拉克勒斯引入俄尔甫斯河和佩纽斯河河水，一日之间冲净了牛圈。

的行政机构里先后任皇室领地总管、军事委员会专员、皇家器物总监等职。1812年随军进攻莫斯科。拿破仑征俄失败后,他于1813年在德国参加了拿破仑抗击欧洲君主国第六次反法联盟的战争。1814年拿破仑垮台前夕,他还在法国后方执行军需后勤的任务。司汤达始终置身于拿破仑的营垒,经历了帝国盛极而失败的整个过程,对拿破仑的事业的历史内容有具体的感受和深切的认识,在这个过程中,拿破仑对外战争所引起的民族矛盾和带给法国的沉重负担,当然也曾在他的思想里不时引起某种程度的苦闷和反复。

1814年波旁王朝复辟后,司汤达"被扫地出门",失掉了自己的"饭碗"。他开始认识到"像我这样一个到过莫斯科的人,在波旁王朝的法国除了受屈辱外不会再有别的"。因此,他离开巴黎前往意大利的米兰,在这里旅居了七年。这期间正是意大利解放运动高涨的时期,司汤达同情从事这一斗争的烧炭党人并和他们有交往,而他与当时作为意大利民族解放斗争组成部分的革命浪漫主义运动关系则更为密切,曾经撰文参加论争。与此同时,他密切关心着法国国内的形势和变化,他把对外屈膝投降、对内复辟倒退的波旁王朝称为"发臭的烂泥";拿破仑"百日政变"失败时,他感叹"一切都完蛋了,甚至国家的荣誉";他听到神圣同盟的军队在巴黎掠夺文物时,更是十分愤慨,决心"不再重见被波旁王朝玷污的法国和巴黎"。他在米兰期间,读书、旅行、欣赏意大利的音乐和美术,正式从事写作。他的第一部作品音乐家传记《海顿、莫扎特、梅达斯泰斯的生平》出版于1815年。1817年,他完成了很久以前就开始搜集材料的《意大利绘画史》(*Histoire de la peinture en Italie*),该书于1817年出版的时候,他特别在卷首写了一篇献词,向当时已被神圣同盟国家囚禁在圣赫勒拿岛上的拿破仑致敬,称颂他是"伟大的人物",对他向欧洲君主国进行的斗争作了高度的评价。同年,他开始写作《拿破仑传》(*Vie de Napoléon*),宣扬他的武功,表彰他的功绩,把他的失败视为最大的历史悲剧。此书断断续续写到 1837 年才完成，作者死后才出版。也是在这一年，司汤达还出版了著名的游记《罗马·那不勒斯·佛罗伦萨》。1821 年，意大利烧炭党人的起义遭到镇压，司汤达被警察当局视为"不信宗教、主张革命、反对正统和一切合法政府"的"极端危险"的人，在白色恐怖即将危害到他的时候，他不得不离开米兰回到巴黎。他对自己在米兰的七年生活一直非常珍视，他说"米兰就像我的祖国"，他生前以米兰人自命，并希望在他死后，墓碑上用意大利文标明他是一个"米兰人"。

司汤达回到巴黎后一直赋闲，生活清贫，有时一天只能吃上一顿正餐。这时法国处于复辟王朝后期，政治更趋反动，后来司汤达回忆说，那时"巴黎的一切都使我讨厌"，特别对路易十八"嫌恶尤为强烈"。为了逃避"丑恶不堪"的现实，他回国后曾两次短期到英国旅行。在国内居住期间，他作为一个对自己时代两个阶级复辟与反复辟的斗争有深切感受的波拿巴主义者，以锐利的目光观察和剖析形形色色的社会现象，他与一些资产阶级反对派的文化人为伍，经常在自由派的文艺沙龙里评议时事，以具有大胆、深刻的反复辟的思想著称。从 1822 年开始，他匿名为英国报刊撰写巴黎的通讯报道，对法国政治社会要闻和思想文化动态，进行深刻的剖析和抨击，这些文章在他死后结成集子，被称为《英国通讯集》。1822 年、1823 年，他先后出版了心理分析论著《论爱情》(*De l'amour*) 和表现了出色的音乐欣赏力和独创见解的音乐家评传《罗西尼的一生》(*Vie de Rossini*)。1823 年、1825 年，他发表了著名的文艺评论集《拉辛与莎士比亚》。1827 年，他的第一部小说《阿尔芒斯》问世。在对社会生活作了长期的观察体验、对自己时代的矛盾有了深刻认识并具备了丰富的写作经验的基础上，司汤达于 1829 年开始写作长篇小说《红与黑》。小说于 1830 年出版。《红与黑》标志着司汤达文学创作的最高峰，这一部深刻反映了现实社会的杰作使他成为整个资产阶级文学中的一个重要的代表人物。

  七月革命后不久，司汤达被任命为法国驻意大利特里雅斯脱的领事，但奥地利首相梅特涅因《罗马·那不勒斯·佛罗伦萨》一书曾无情地揭露了奥地利在意大利的统治而不同意这项外交任命。法国政府只好另外任命他为驻教皇辖下的滨海小城西维达-维基雅的领事。他担任这个职务一直到去世。在此期间，他有时回国居住或旅行，主要精力仍从事写作。1836 年写作了《回忆拿破仑》。1837 年到 1839 年在刊物上陆续发表了后来收入《意大利遗事》一书的几篇中短篇小说。1838 年出版了他在国内旅行的随笔《一个旅游者的见闻录》（*Mémoires d'un touriste*）。1839 年，他另一部重要的描写复辟时期政治斗争的小说《巴马修道院》问世。在他创作生活的后期，他还写了自传性的作品《自我中心主义者回忆录》（*Souvenirs d'égotisme*）和《亨利·布吕拉尔的一生》（*La Vie de Henri Brûlard*），这两部作品在他去世后才出版。此外，他还有不止一部没有最后完成的作品，其中比较重要的是揭露七月王朝社会现实的长篇小说《吕西安·娄万》。

  司汤达于 1842 年中风去世，被安葬在蒙马尔特公墓。

  司汤达属于法国大革命时期社会经济地位不稳的中小资产阶级，因而比较易于接受启蒙运动中较激进的代表人物的思想影响，拥护资产阶级革命和拿破仑。特别是作为这个阶层一个需要谋出路、盼望改善地位的知识分子，拿破仑帝国更适合他的需要，而波旁王朝的复辟不仅违反他一贯的政治信念，也直接损害了他的切身利益。这种社会阶级地位决定了他以波拿巴主义的批判态度去对待复辟时代，成为资产阶级革命后这一历史曲折时期深刻的描写者，成为反对复辟倒退的杰出的资产阶级批判现实主义作家。

第二节　司汤达前期的散文与小说

司汤达最初从事写作，主要是为解决经济困难问题，因而不免抄袭拼凑，他的第一部作品《海顿、莫扎特、梅达斯泰斯的生平》(*Vies de Haydn, Mozart et Métastase*，1815) 就是如此。但是，在他开始写作的时候，他毕竟已经见证过时代的一些巨大的历史事件，在资产阶级与封建贵族阶级争夺统治权的激烈斗争中形成了他先进的政治立场、观点，锻炼了他善于透视社会现象中内在政治意义的敏锐目光，而他在复辟时期的社会地位又决定了他带有深刻的反对派的情绪，这些条件使他在走上写作道路后很快就显示出他思想的深刻与批判的特色。他开始是以随笔作家、政论家、文艺评论家的姿态出现的。他前期的作品是他长期以来形成的政治、文学见解的表现，是他向复辟时代进行斗争的第一批成果，它们对他创作高潮的到来，也是全面的准备。

1.《罗马·那不勒斯·佛罗伦萨》

《罗马·那不勒斯·佛罗伦萨》(*Rome, Naples et Florence*，1817) 是司汤达第一部真正以自己的观感见闻和生活体验为基础的作品。在这部旅行随笔里，他第一次表现了自己鲜明的政治倾向和出色的写作才能。该书于 1817 年出版后，很快就得到德国大诗人歌德的重视，他赞扬作者"文笔生动，流畅自如"，说"这本书只读一遍是不够的"。

司汤达是意大利自然景色、名胜古迹的热烈爱好者，但他在游记里并不专注于地方风光的描绘，而把笔力集中在对社会生活的描绘和分析。游记的大部分篇幅都是记叙意大利的人情风俗、野史轶事、社会新闻，描写各阶级的生活状况，分析社会政治问题，评述文化艺术动态等等，全书再现了 19 世纪初叶意大利的生活风貌，是一部忠实生动的社会政治见闻录。游记具有鲜明的批判特色，作者批判的矛头首先指向统治意大利的奥地利帝国政府和反动教会。他揭露奥地利皇帝每年仅向米兰一城就榨取300万巨款；讽刺奥地利警察当局腐败不堪，贿赂成风，既仇视革命又极其无能；指责教会搜刮民财、耗费巨资修筑教堂，他质问说："难道没有上百种有益的办法去花费这50万，难道不是有20万不幸者急需救济？"他对教会的思想统治异常不满，指出"在罗马人们只讲假话，而思考则是一种危险"。他对在异国统治者卵翼下的意大利封建贵族阶级、上流社会也进行了无情的批判，揭露他们"专门致力于玩弄小骗术和寻欢作乐"，特别把贵族男女鲜廉寡耻的生活、上流社会中醉生梦死的风气，和意大利在异国军队占领下被奴役的现实对比起来加以辛辣的讽刺。

游记鲜明的批判性是以作者明确的政治立场为基础的。意大利在拿破仑失败后重新被奥地利统治，是封建势力在整个欧洲卷土重来的一部分，司汤达所批判的意大利社会现实，正是1814年开始的欧洲资产阶级革命低潮时期的一个样本。司汤达以极端不满的眼光，观察这一历史倒退在意大利生活中的种种表现。他在旅行的过程里，每到一处都不忘追叙拿破仑在1800年至1814年统治意大利时的建树，称颂他"震醒了意大利，铲除了意大利不合理的习俗"，"根绝了舞弊，保护了一切有价值的东西"，"减轻平民的负担使贵族感到恐惧"，"用种种法制手段"改变了意大利的落后状况，"粉碎了谬论"，"把一切都组织得井井有条，向前运转"。他如数家珍地列举拿破仑在意大利创设了有效的政府机构，修筑了宽阔的交通要道，美化了城市的市容，使米兰变成意大利的文化之都等等。他这样总结说："由于有了拿破仑的政府，意大利以连续的跳跃前进了三个世纪"，而对这些建设在奥地利统治下遭到破坏则表示了惋惜和愤慨。他还宣扬拿破仑在人民中的深远影响，介绍意大利人民如何怀念拿破仑，甚至把他当圣者一样崇拜。整个游记自始至终回响着歌颂拿破仑的基调，表现了作者反对封建复辟的政治立场和对历史倒退的抗议。

《罗马·那不勒斯·佛罗伦萨》有两个版本，1817年初版后，司汤达于1826年又进行了修改、补充，特别增加了对拿破仑的肯定、对奥地利当局的揭露、对反动教会的批判，使游记完全成了一本政治性的书籍。修改后的《罗马·那不勒斯·佛罗伦萨》清楚地显示出司汤达在复辟时期政治思想的发展，其中还集中了他面对资产阶级与贵族阶级争夺政治统治权的尖锐斗争而形成的政治观点。

司汤达是18世纪启蒙思想家的信徒，他的政治思想不论从其进步性还是局限性来说，都没有超出资产阶级启蒙思想的范围。他接受了孟德斯鸠关于环境决定政治形式的理论和卢梭关于自由平等的思想。与启蒙思想家完全一致，他对待当时一切重大政治问题的基本出发点，就是对封建制度的否定，他在《罗马·那不勒斯·佛罗伦萨》中这样说："宗教与封建制度在今天是最坏的毒药。"但是，司汤达作为资产阶级的思想家，他所希望建立的社会不外是资产阶级社会，在他的方案里，普通人民是没有地位的。他在《罗马·那不勒斯·佛罗伦萨》中不止一处表现了对下层人民的偏见，甚至表示不赞成共和制把民主扩大到更多的人，而只要求一种能保证资产阶级法权的实施、使"有才能"、"精力充沛"的个人得到"自由发展"的政府形式。他也要求政治平等，在游记中提出过建立资产阶级两院制的议会民主的主张，但他所要求的民主平等，仅仅是在有产者以及附属于它的知识阶层的范围里而言。总之，司汤达的政治方案所依据的原则，归根结底没有超出资产阶级人权宣言的范围，他以这样的原则衡量19世纪头20年在欧洲斗争着的政权形式而确定了自己现实的政治态度，并把它表现在这本游记里。在他看来，拿破仑政府在意大利深得人心的一个主要的原因，就在于它体现了资产阶级法权的原则："药房里小小的学徒只要有一大发明，就可以得十字勋章，受封为伯爵。"他从民主思想出发，也对拿破仑的专制有所非议，但他认为在和封建主义斗争的过程中，这种专制又是十分必要的，是建立共和制的必由之路，他这样说："没有15年拿破仑式的专政，在落后民族之中就不可能建立共和制。"因此,他在游记中多次肯定拿破仑的法治,赞扬他的铁腕。

司汤达在游记中表述的政治观点完全是资产阶级式的,他说:"政治是在不使用金钱和暴力的情况下引诱别人去做使我们惬意的事的那种手段。"他在游记中提出的一些政治主张也正是从资产阶级利益出发,为了达到资产阶级的目的。虽然游记流露了不少阶级的政治偏见,但其中关于反对封建复辟和建立有效的资产阶级政权的政治思想主张,在资产阶级与封建阶级争夺政权的历史条件下,无疑具有进步意义。

2.《拉辛与莎士比亚》及其他

司汤达在他创作活动的前期,虽然作为政论家对复辟时代进行了批判,但他主要还是在文艺批评领域中进行战斗。他特别善于通过揭露和批判意识形态领域中那些维护旧事物的封建文艺现象,以达到政治斗争的效果。文艺论集《拉辛与莎士比亚》(*Racine et Shakespeare*,1823)和《英国通讯集》(*Courrier anglais*)中一些文艺批评文章,就是他这一时期战斗的果实。

直到 19 世纪 20 年代,在法国文坛占统治地位的是奉 17 世纪古典主义作家为偶像、专事模仿的伪古典主义文学。司汤达早在《海顿、莫扎特、梅达斯泰斯的生平》中,就表达了对这种现象的不满。他认为人们对文艺作品的喜爱取决于各人的处境,既然"每一个人、每一个民族都有自己的美的理想",那么,"怎么能设想同一件事物能使如此纷繁复杂的人群都产生愉快?对于两个不同的人是不存在同一种美的"。因此,他在这部传记作品中指出,时代不同,人有变化,文学也应该随着变化。到了《意大利绘画史》中,司汤达更以意大利艺术为实例,系统地阐述了他这种唯物的文艺史观。他接受了斯塔尔夫人关于文艺决定于自然环境和社会环境的理论,并且更强调起决定作用的社会因素。他说:"文学就是社会的表现","艺术中的美就是该社会美德的表现"。所以他在绘画史中特别注重从时代、历史、社会条件、民族特点来说明意大利绘画的发展。他带着明确的目的，在史的论述的基础上，展开他为现实斗争服务的文艺理论，得出"在古代的美与现代的美之间，当然应该有所区别"的结论。他批评伪古典主义是"只按古代的美行事"，而19世纪则应该追求符合当代人趣味的新的美，并且明确提出了和伪古典主义完全对立的崭新的文艺创作纲领："19世纪将以它对人类准确而热烈的描绘，与过去一切时代的文学区分开来。"《意大利绘画史》中这些基本观点，到了19世纪20年代浪漫主义对伪古典主义的斗争中，则又发展扩充为著名的文艺论著《拉辛与莎士比亚》。

早在19世纪20年代后期浪漫主义文学运动高潮兴起以前，司汤达在意大利就参加了要求摆脱古典主义戒条对文学的束缚、表现现实生活和民族解放斗争内容的意大利浪漫主义文学运动，写出了《浪漫主义是什么》《论意大利语言的危机》《美术中的浪漫主义》等文章。当19世纪20年代初法国浪漫主义文学思潮高涨起来，冲击着伪古典主义文学的时候，司汤达早就作为识途者投入了斗争。从1822年10月起，他相继在刊物上发表《要写出使一八二三年的观众感兴趣的悲剧，应该走拉辛的道路还是走莎士比亚的道路》《论笑》和《什么是浪漫主义》，这三篇文章收集在一起于1823年以《拉辛与莎士比亚》为题出版。1825年，法兰西学院终身书记奥日发表了反对浪漫主义文学的演说，官方和报纸、保守的刊物都随之鼓噪，喧嚣一时。司汤达立即写了长篇的答辩，这篇文章后来成为文集《拉辛与莎士比亚》中的第二部分。

司汤达在《拉辛与莎士比亚》中对伪古典主义进行批判的基本出发点是：时代变了，过去时代的文学不应该成为今人不可逾越的样板，他说："人民在他们的风俗和娱乐中，从来没有感到有比1780年到1823年这一时期的变化更为急骤、更为全面的了，可是有人却企图把一种一成不变的文学强加给我们。"他批判了伪古典主义要求19世纪文学向古典主义文学看齐的观点,否定了用来束缚19世纪文学的种种清规戒律,认为被伪古典主义者视为金科玉律的"三一律""丝毫不能引起深刻的激动和真正的戏剧效果",特别是它不符合生活真实;他反对伪古典主义者效法古代文学用韵文写作戏剧,主张改用接近日常生活的散文;反对伪古典主义文学沿用希腊罗马的故事,主张采用民族的题材。他这些意见和主张归结为一点,就是要求文学随时代的发展而有所变化,他所说的"1780年",指的就是法国发生了资产阶级革命的历史时期,他主张文学形式的变革,正是为了使文学适应这一时代的变化,表现新的历史时期的社会内容。

在《拉辛与莎士比亚》中,司汤达提出了表现自己时代的口号,与伪古典主义的模仿过去时代的主张相对抗,并进一步提升到理论规律上,把这两种不同的创作思想归结为文学史中进步与落后、革新与守旧的根本分歧。他称历史上那些表现了自己时代的作家为"浪漫主义",而把那些专门模仿古人的称为"古典主义",他说:"浪漫主义这种文学作品表现人民的习惯和信仰的现实状况,因此它们可能给人民以最大的愉快,古典主义恰好相反,它所提倡的文学则是给他们的祖先以最大的愉快。"他不仅把表现了自己时代的莎士比亚称为浪漫主义作家,而且把伪古典主义者所推崇的希腊剧作家以及拉辛都列为浪漫主义者,因为在他看来,"他们的悲剧是按照人民的道德习惯、宗教信仰,以及人民关于人的尊严的看法创作出来的",表现了"当时的风尚"。司汤达的这一划分并不拘泥于纯粹文学史流派的定义,而是从现实斗争的需要出发,为揭露伪古典主义者盲目模仿的错误服务的。莎士比亚与拉辛,是当时论争中浪漫主义者和伪古典主义者分别树立的旗帜和偶像。司汤达站在浪漫主义运动一边,虽然提出了要写出使当代观众感兴趣的悲剧就不应该走拉辛的道路而应走莎士比亚道路的主张,但他并没有根本否定拉辛等17世纪古典主义作家,即使对莎士比亚，他也不主张"去直接模仿"，他认为："我们应该向这位伟人学习的是对我们生活于其中的世界的研究方法和为我们同时代人创作他们所需要的悲剧的艺术。"具体说来，就是需要学习这位作家描绘自己时代生活的"朴素真实的细节"和"人类激情中最细腻的千变万化"的方法。这里，司汤达实际上站得比当时任何一个浪漫主义者更高，体现了主张真实地描写时代的现实主义创作思想和强调表现人的激情的浪漫主义精神。

复辟时期的伪古典主义文学是为革命后残余的贵族阶级服务的，它得到了官方的支持。对伪古典主义的批判，是反对复辟王朝的政治斗争在文学中的反映。司汤达对两种文学思潮激烈斗争的政治意义有清楚的认识，他在《拉辛与莎士比亚》中明确地提出了"作家必须同战士一样勇敢"的口号，显示了强烈的战斗精神。但是浪漫主义运动中也有反动贵族阶级的代表人物，因此，司汤达作为贵族复辟势力的反对者，在批判伪古典主义的同时，还进行了另一条战线的斗争，即对贵族浪漫主义的批判，这主要表现在《英国通讯集》的一些文章中。

司汤达从米兰回到巴黎后，以敏锐的政治眼光注视着复辟王朝统治下政治思想领域和文化出版界的每一事件，不断以通讯稿的形式为英国报刊写评论文章，其抨击揭露的重点是贵族阶级所喜爱、官方所支持的贵族浪漫派作家夏多布里昂、拉马丁、维尼以及被复辟王朝视为贵宾的英国托利党作家司各特。他批判夏多布里昂"夸张过分而又含糊不清"、"没有价值"，抨击维尼的作品"荒唐"、拉马丁"对生活中基本的东西完全无知"。他深刻地揭示了这些作家与他们本阶级的联系，首先是揭露他们如何以自己的作品为反动的阶级利益服务。他指出："我们法国大多数贵族心爱的理想，就是设法把法国人民拉回到过去时代，而夏多布里昂先生这几年就是施展他的才华，以求把19世纪的法国人民改变成17世纪君主专制的忠实臣民。"他还指出，拉马丁是以自己的作品"给贵族青年的愁怀、郁闷提供真实的写照"。其次，他揭示了这些作家之所以成为时髦人物，完全是由于符合了自己阶级的需要，他分析"拉马丁的著作销路更好"的原因，是"因为支持他的是极端保王党"，而维尼由于投合了贵族阶级的趣味，"现在正受到拥有8万居民的巴黎圣日耳曼区这个大都会的赞美，所有的老贵族和指望从教会那里得到恩惠的人，都称赞他胡言乱语的诗歌是一种杰作"。更为深刻的是，司汤达还看出了贵族阶级反动垂死的本质从根本上决定了这些作家作品不会有好的命运。司汤达站在反封建复辟的政治立场上，察觉了某些文艺现象的阶级根由，其思想见解远远高出当时一般作家的水平。

《英国通讯集》中的文章不限于一般的文艺评论，它们还揭露了波旁王朝的书报检查制度和利用金钱官职收买文化界的勾当，广泛抨击了种种反动的社会现象，在某种意义上具有政治批判的性质，它们笔锋犀利，语调充满嘲讽，是射向统治阶级的锐利投枪，充分显示出司汤达反对复辟势力的战斗姿态。

3.《阿尔芒斯》及其他

司汤达的第一部小说《阿尔芒斯》（Armance，1827），从其反映社会现实的创作意图来说，可以说是《红与黑》的前奏。

小说以复辟时期上流社会一对青年男女的恋爱故事为情节线索。奥克塔夫出身于贵族家庭，他才貌超群，在上流社会里是一个出色的人物。但他落落寡合，对周围的环境难以忍受，只有表妹阿尔芒斯是他的知己。阿尔芒斯是一个被收养的孤女，她性格坚强，与贵族上流社会格格不入。奥克塔夫与阿尔芒斯思想感情的一致使他们彼此相爱。故事发生时，正当复辟势力谋求在议会通过赔偿流亡贵族损失的法案。奥克塔夫的父亲玛利韦侯爵大革命时期曾流亡国外，财产完全被没收，根据法案，他可以得到巨额赔款，而奥克塔夫也将成为富有的继承者。奥克塔夫经济地位的变化使整个上流社会对他更加另眼相待，也引起了他和阿尔芒斯爱情的波折。阿尔芒斯以为奥克塔夫将和其他富有的贵族少女结婚，奥克塔夫对阿尔芒斯也有误解。最后奥克塔夫的母亲弥合了两个青年人的裂痕。但他们婚后不久，奥克塔夫听信了他人对阿尔芒斯的诽谤，误认为她与自己结婚是出于功利的目的。失望之下，他离家出走，前往参加希腊民族解放斗争，在希腊上岸时因疲劳和痛苦过度而死去。

这部中篇小说的副标题是"1827年巴黎沙龙的几个场景"，作者的创作意图在于描绘出复辟时期贵族阶级生活的风俗画。他把1825年波旁王朝颁布赔偿流亡贵族10亿法郎的法令作为小说的历史背景，通过一组人物素描，表现出被革命打倒了的贵族阶级残余势力在复辟时期的生活和精神状态。司汤达在作品的序言中说："这是一组漫画，是用来讽刺由于命运和投胎的偶然而生在被人羡慕的环境中的那些人的。"在他看来，贵族本身并不具有任何价值，只是由于出生在贵族家庭才"高人一等"。他在小说里描写这些人物如何以自己的门第和出身自傲，实际上，借小说中一个人物的话来说，他们恰巧"是一个最缺乏生命力的阶级"，"最爱装腔作势的阶级"。这些残余的贵族势力对社会进步深恶痛绝，总想回到封建专制主义的盛世，恢复过去的特权，或者至少他们在革命时期的损失必须得到赔偿。随同路易十八返回巴黎的流亡贵族玛利韦侯爵就经常悲叹自己的"破落"，并把一切希望寄托在赔偿法案的通过上，他津津乐道："议会里420票中我们有319票，我有把握法案会通过。"事实上，波旁王朝的御用工具"无双议会"的402名议员中，流亡贵族就有350名，正是这个议会在1825年通过了臭名昭彰的赔偿法案。这股反动势力不仅坚持他们在所有制上的特权，而且念念不忘恢复教会特务组织，小说中的人物德·苏比朗爵士就常说："如果不恢复玛尔特会与耶稣会，那么不出10年就会有一个罗伯斯庇尔出现。"因此，他们大肆煽动宗教狂热，在这方面包利维侯爵夫人就是一个代表。她是宗教神秘主义的鼓吹者，"心思都集中在上帝和天使的身上"，她的养子准备终身当教士，每天装模作样向仆人布道，其实他邪恶阴险，像"荒凉的森林中的毒虫"。他们一方面标榜自己的宗教感情和德行，另一方面过着空虚无聊、自私自利、钩心斗角的生活。在小说中，司汤达就是这样力图通过对照，突出表现贵族阶级顽固维护自己的特权地位、等级骄傲与他们在实际生活中的反动、丑恶之间的矛盾，从而对这个暂时还掌握着政治统治权的阶级提供了深刻的讽刺写照。

司汤达还通过奥克塔夫这个人物深化这一主题。司汤达笔下的奥克塔夫是贵族阶级的贰臣逆子，他虽然拥有贵族头衔、高贵门第、巨额遗产，却对这些无动于衷，他整天郁郁不乐，精神极为痛苦。周围那些"感情卑劣"、"公开赞美金钱"的上流人物，使他见而生厌，他家里的豪华富丽也使他反感。他希望赔偿法案被否决掉，因为他认为"这法案不符合正义"。他一想到200万的赔款会使整个上流社会对他逢迎奉承，就感到非常痛苦。他对自己的环境不能忍受，行为举止经常越出上流社会的常规。他想逃避现实，躲到学校与世隔绝的小宿舍里去，甚至想要自杀。爱情也没有医治好他的忧郁症，最后他还是离家出走。当他即将抵达为争取民族独立而战的希腊时，他情不自禁地高呼："啊，英雄的国家，我向你致敬！"司汤达笔下的奥克塔夫是个叛逆者，他追求不同于贵族阶级的、另一种有意义的生活，作者把他的忧郁归根于他对这种生活的向往和他实际上所生活的贵族阶级环境之间的矛盾。奥克塔夫曾经对阿尔芒斯说过："如果上天安排我生为一个毛纺工匠的儿子，我16岁就要在柜台前劳动，我的生活就不会像现在这样只不过是一种浪费，我不会有现在这样多骄傲，但会比现在幸福……啊，我多么讨厌自己。"司汤达后来在重读这篇小说时这样写道："一个生活在1827年的年轻人无法对自己说'好吧，这和我不相干，我可以享受这些非正义的特权'，而说了以后心里还很快活。"他正是要通过奥克塔夫这个人物，说明在1789年革命之后贵族复辟势力仍顽固要求自己的阶级特权是多么荒谬，甚至贵族阶级内部也有人认识到了这种非正义性。

司汤达在《阿尔芒斯》中批判揭露贵族阶级的意图无疑是值得肯定的，但他通过写这个阶级内部一个有识者的思想矛盾，来表现贵族阶级特权要求的非正义性却是无力的。作为复辟时期的一个贵族子弟，奥克塔夫并不典型，作者把哈姆雷特式的忧郁和拜伦式的精神特点，放在复辟时期的一个贵族青年身上，是缺乏生活真实的基础的。此外，小说很大一部分篇幅用来描写男女主人公的感情纠葛，也妨碍了对社会现实作充分的描绘。《阿尔芒斯》表明了这样一个事实：司汤达已经走上了现实主义的创作道路，但还没有达到成熟的程度。

1829年，司汤达发表了著名的以意大利生活为题材的短篇小说《法尼娜·法尼尼》(*Vanina Vanini*)。小说通过革命与爱情尖锐矛盾的故事，反映了意大利烧炭党人争取民族解放的斗争。青年烧炭党人彼特罗越狱后与贵族小姐法尼娜·法尼尼相遇，两人热烈恋爱，法尼娜愿意抛弃自己的门第、财产和他结婚，但彼特罗为了投身于争取民族独立的斗争毅然离开了她。法尼娜为了使彼特罗离开革命回到她身边，不惜破坏革命，出卖了彼特罗领导下密谋起义的同志，使他们遭到逮捕。彼特罗为了与同志们共患难，自己也自动投案。当他知道了出卖者就是自己的情人时，极为愤怒，最后，他唾弃了法尼娜，和她彻底决裂。

小说突出了意大利烧炭党人献身祖国的热情和英勇斗争的精神。在作者笔下，彼特罗是向往自由的革命志士，作者通过他克服儿女之情、放弃个人幸福，表现了他热爱祖国的高贵品质和坚强的革命意志。经过监狱生活的磨炼，他最后在法尼娜的恳求面前完全无动于衷，"只有提到祖国的时候，他眼睛才亮了亮"，他完全摆脱了一切个人利益，决心"不是死在监狱就要努力使意大利获得自由"。通过这个高大的形象，司汤达对意大利的革命运动进行了热情的歌颂。而在突出这个形象的背景上，司汤达又描绘出复辟时期意大利阴暗的社会现实：复辟势力对革命的残酷镇压、贵族阶级的奢侈享乐、官场的阴暗腐朽等等。作者还通过女主人公的形象，把贵族阶级环境中形成的那种唯我主义性格的丑恶本质表现得很深刻。整篇小说具有健康的思想倾向，是司汤达在复辟时期进步的政治立场的创作表现。

第三节 《红与黑》

《红与黑》（*Le Rouge et le Noir*，1830）是司汤达的代表作。它形象地描写了1815年至1830年复辟王朝时期的社会生活，反映了资产阶级革命以后整整一个历史阶段中封建贵族复辟与资产阶级反复辟斗争的一些本质的方面，是文学史上不多见的一部杰作。它写于1828年至1829年，1830年七月革命以后出版。那正是复辟王朝的末年，成熟的阶级斗争形势和即将到来的革命，使司汤达有条件清楚而深刻地认识当时的阶级关系与社会现实，长期以来的写作生活也为他提供了用艺术形象表现深广的政治内容的成熟技巧。

1827年，司汤达在《法院公报》上看到了一个名叫贝尔德的青年家庭教师开枪射击自己女主人的情杀案件的详细报道，不久，他就在这个素材的基础上加工改编，构成了小说《红与黑》的基本情节。

小说的故事发生在复辟时期。于连是一个小业主的儿子，跟随西朗神甫学会了拉丁文。凭着能够熟背拉丁文《圣经》这点本领，于连到维立叶尔城的市长德·瑞那先生家当了家庭教师，不久与市长夫人发生了暧昧关系，事情败露后被迫离开市长家，又由西朗神甫介绍，到贝尚松神学院学习。在这里，他投靠了神学院院长彼拉神甫，卷入了教会内部的宗派斗争。彼拉神甫受教会特务组织耶稣会排挤而离开神学院时，把他介绍给巴黎极端保王党的重要人物德·拉摩尔侯爵当私人秘书。于连的聪明才干很快又深得侯爵的赏识，并且他在侯爵策划的政治阴谋中充当了忠实的工具。与此同时，他与侯爵的女儿玛蒂尔德又有了私情。玛蒂尔德怀孕后，侯爵不得不承认既成事实，准备给他一块地产使他成为贵族，这时教会特务一手策划的告密信揭发了他，使他的飞黄腾达毁于一旦。他气愤之下开枪射击了被教会特务逼迫写了那封告密信的市长夫人，最后被判处死刑。

小说的故事与贝尔德案件有很大的不同，司汤达在原材料的基础上进行了大量的艺术构思和形象塑造，利用了他长期以来对复辟时期社会生活的观察和见闻，影射和联系了当时的政治事件，注入了他对资产阶级革命后旧制度复辟时期社会阶级矛盾的认识，赋予这个故事以浓厚的政治色彩，通过于连的经历，深刻地表现了波旁王朝后期从外省到巴黎的尖锐的阶级斗争，使《红与黑》成为一部复辟与反复辟斗争的形象历史。

1.《红与黑》所反映的时代社会内容

《红与黑》的副标题为"1830年纪事"，对此，司汤达作过这样的说明："作者所要描写的，是路易十八和查理十世的政府带给法国的社会风气。"也就是1814年至1830年波旁王朝复辟时期的社会现实。在作者自觉的创作意图下，小说像一面镜子真实地反映出了复辟时期的反动黑暗，形象地说明了这个时期对大革命和拿破仑帝国而言，是历史的倒退。

司汤达在《红与黑》中有意识地用拿破仑帝国来对照复辟时期，以加深对这一时期的揭露。小说标题的"红"代表充满了英雄业绩的资产阶级革命时期，特别是拿破仑帝国；"黑"代表教会恶势力猖獗的复辟时期。于连生逢这两个时期的交替，他童年时对拿破仑帝国的印象，是一幅幅由那些去抗击欧洲封建君主、凯旋的"身穿白袍头戴银盔"的"威武的骑兵"所构成的动人画面，而他成年后所处的复辟时期则是一片黑暗腐朽。在《红与黑》中，可以看到波旁王朝的"国王"又君临法国、耀武扬威，他出巡外省，煽动宗教狂热，掀起复辟黑潮。像德·拉摩尔侯爵这种在革命时期跑到国外投靠外国封建势力的流亡贵族又回到了巴黎，成为"法兰西的大臣"，他那些亡命的同伙，也都加官晋爵。而像德·瑞那这种残留在国内的贵族，则因在王朝复辟的当年积极参加对人民的屠杀有功而捞到了市长的职务。他们利用自己的政治统治权飞扬跋扈，巧取豪夺，鱼肉人民。德·瑞那市长为了修建自己的大花园，甚至可以使公共河流改道。德·拉摩尔侯爵的权势更是炙手可热，他卖官鬻爵，结党营私，策划阴谋，在他府第出入的都是些"漂亮的坏蛋"和"戴勋章的恶棍"。这个反动阶级过着骄奢淫逸的生活，国王驾到维立叶尔城，排场豪奢，耗资巨大，仅仅在教堂里短短几分钟的演说仪式，就"费去了3800法郎"；巴黎圣日耳曼区的显贵每年要领取巨额的年俸；德·拉摩尔侯爵家的舞会和晚宴，灯火辉煌，通宵达旦。而社会下层则是民不聊生，农村的劳动人民"在冬季的黄昏，从田野回到自己的茅屋时，在家里找不到一片面包，甚至连栗子和土豆也没有"。社会生活极为黑暗，教会特务组织密布全国，无孔不入，白色恐怖笼罩各个角落，卢梭、伏尔泰的名字又成了禁忌，连提到古罗马诗人的名字也被视为思想不轨。于连偷藏了一幅拿破仑的画像就经常胆战心惊，他在神学院里的来往信件都受到严格的检查和扣留，他和市长夫人的关系也被反动教会利用来达到卑鄙的目的。即使是一部分有钱的资产阶级也不得安宁，一个拥有50万法郎的有产者，因为得罪了地方的教会势力而受到没完没了的刁难，最后被排挤得无立足之地。"流氓依靠教会"而飞黄腾达，"虚伪妄诞发展到登峰造极"，在青年主人公于连的眼里，这个社会充满了"公开的贪污"和"卑鄙的虚荣"，到处都是"社会的蠹贼"和"杀人不眨眼的刽子手"。小说中一个人物在听到一些荒谬的社会现象时，这样说："假如你生在拿破仑时代，这一切你都不会遭受到的。"小说的作者通过多方面的描写和前后两个时代的对比，充分揭露了复辟时期的反动，他站在批判的立场上否定了波旁王朝统治的合理性，用形象的描绘向读者揭示：这个使"一般人都感到苦闷"的社会必须加以变革。

这种变革的必然性就在于，经过资产阶级革命改造过的社会基础与1814年上层建筑领域里的反革命复辟这两者之间存在着不可调和的矛盾。《红与黑》深刻地反映了这一矛盾，表现了由这一矛盾所规定的阶级关系。从小说中可以看到，作为封建统治的一个重要支柱的封建等级制度，虽由于王政复辟而恢复了一部分，但在社会生活中，资本主义等价交换的法则已经占主导地位。德·瑞那市长尽管是有权有势的贵族，但他在聘请于连当家庭教师这件事上根本无法使用任何特权，而不得不按等价交换的原则办事。劳动力成为商品，价值规律就有了不可抗拒的作用，于连的父亲就很善于利用市长和暴发户瓦列诺对家庭教师这种劳动力的需求，向市长讨价还价。在这个社会里，金钱取代了门第、特权而成为社会生活的杠杆，市长夫人之所以受人尊敬，主要不是因为她出身名门贵族，而是因为她是一大笔遗产的继承者，她丈夫发现了她与于连有暧昧关系，就是看在这笔遗产的面子上才没有追究。封建贵族虽然复辟了政治统治权和作为这一政权支柱的教权，但在"一切东西，不论是不是商品，都可以变成货币，一切东西都可以买卖"的社会条件下，资本主义关系也侵入了贵族统治的领域。暴发户瓦列诺当上贫民寄养所的所长，再爬到省长的地位并受封为男爵，完全是依靠金钱的力量。同样，教会的职位也往往在金钱的魔力面前门户大开。也正因为等价交换、劳动力商品化、金钱成为社会生活的杠杆等资本主义的条件已经形成，所以不仅新的资产阶级暴发户不断产生，就是那些"尽力重新恢复旧日法国生活方式的标准"[1]的贵族阶级，也往往"被这一暴发户所腐化"[2]，贵族出身的市

---

[1] 恩格斯：1888年4月初致玛·哈克奈斯的信，《马克思恩格斯选集》第四卷，第463页。

[2] 同上。

长以"有利可图"作为行事处世的唯一原则,世袭的大贵族、国王的亲信德·拉摩尔侯爵,也在巴黎市场上投机倒把,大发横财。这两个贵族人物的形象,反映了在当时已成为社会现实的资本主义法则下,一部分贵族阶级已开始资产阶级化。

资产阶级革命后上层建筑意识形态领域里已经形成的资产阶级思潮,也不断地冲击着复辟的旧制度。资产阶级自由平等的观念已经深入人心。在《红与黑》中可以看到,偏僻外省的穷青年,手头也有卢梭宣传个性自由、反对封建等级制度和君主专制的《忏悔录》,并且"全靠这本书来构筑自己的理想世界"。尽管复辟王朝统治了十几年,但还不能恢复等级特权思想的绝对统治地位。德·瑞那市长总想在自己家庭范围里维持严格的等级,经常对妻子这样说:"要保持我们的地位和权威,所有在家生活的人,只要他不是贵族,接受了工钱的,都是你的奴仆。"但就在这个家庭范围里,他这个原则也遭到强有力的挑战,于连受聘的第一个条件,就是要与主人同桌吃饭。当市长向他摆贵族老爷的臭架子时,他不止一次用激烈的言辞维护自己人格的尊严,并且处处计较贵族主人是否以平等的态度对待自己。

对复辟王朝冲击更直接的是社会上对资产阶级皇帝拿破仑的怀念和崇拜,《红与黑》深刻地反映了这种对波旁王朝复辟蕴藏着敌意的风暴般的社会情绪。在小说里,虽然统治阶级把拿破仑崇拜视为一种"大逆不道",但于连就听见有人在公共马车里公开赞扬拿破仑的时代:"法兰西从来没有比他在位的13年里,受到各民族更高的崇敬了。"这一称赞的背后,正是对复辟王朝屈膝投降、成为欧洲神圣同盟的傀儡这一现实的不满。于连少年时遇到的第一个启蒙教师,也是拿破仑的热烈信徒,经常向他讲述拿破仑那些充满进取精神的征战故事,并且送给于连一部拿破仑的《圣赫勒拿岛回忆录》。拿破仑虽然在1821年就已去世,但他的回忆录在法国秘密流行,是青年一代最珍爱的书籍,甚至是行动的指南。《红与黑》中的于连就是复辟时期这种崇拜拿破仑的社会思潮的典型代表。他第一次出场就是在偷看这部遭禁的回忆录，他还珍藏着拿破仑的画像，热烈企望着拿破仑式的资产阶级帝国能够再现，而对复辟社会则充满叛逆的思想。他有机会旅行到空无一人的山顶时，就把会"给他招致危险"的思想写成文章，下山的时候又悄悄把它烧掉。于连这一类青年希望社会变动，用他的话来说，"法国有30万25岁的青年热烈地盼望战争"，而战争，在1789年以后的法国社会生活中，就意味着革命。

《红与黑》就是这样通过对社会矛盾的描写，从经济生活和意识形态领域两方面反映出：资产阶级革命所造成的社会现实，客观上成为贵族阶级的复辟既不能巩固，也不可能长久维持下去的条件，并且在复辟王朝现有秩序面临深刻危机的背景下，突出了1830年七月革命前的阶级斗争，把资产阶级与贵族阶级激烈的争夺表现得很生动。

小说从第一卷就呈现出外省紧张的阶级斗争气氛。一个巴黎的资产阶级自由党人到外省来参观监狱、贫民寄养所和慈善机构，准备收集材料在自由党的报纸上加以揭露。这就使统治当局紧张起来，马上把国家机器开动起来进行阻挠。第一卷第十七章中，围绕着维立叶尔市第一副市长的职位，也展开了两个阶级的争夺战。政府当局与教会支持一个"本地区虔诚的人物"出任，一个很富有的工业家出来和他竞争，而当地的贵族又想方设法挫败这个自由党人。在那位贵族市长眼里，"现在到处都是自由党人"，他面对着副市长职位之争，发出了惊呼："在这个城市里，只有工业家才走红运。这些自由党人都变成了百万财主，他们如饥似渴地想夺取政权。"

小说第二卷的故事是在巴黎大贵族德·拉摩尔侯爵的府第展开的，这个权贵的客厅更是山雨欲来风满楼的整个政治形势的一幅缩影。对革命可能爆发的恐惧笼罩着这个地方。那些胆战心惊的贵族害怕"在每一段篱笆后面都有一个罗伯斯庇尔和他驾来的囚车"。聚集在这里的搞阴谋的政客、刺探消息的奸细、给权贵当走狗的文人，紧张地奔走相告:贝朗瑞在写诗讽刺政府,虽遭到政治迫害,却得到人民的支持;剧院上演了雨果著名的反对专制王权的浪漫剧《欧那尼》等等。沉醉在享乐生活中的贵族,满怀疑惧地打量于连这种和他们不同阶级的青年,互相提醒说:"要当心这个精力充沛的青年人,若是再有一次革命,他会把我们送上断头台去的。"顽固的极端保王党头目德·拉摩尔侯爵也不时设想革命到来时自己的子侄将战死在殿前的情景。这些细节表现了资产阶级革命后,贵族残余势力那种惊弓之鸟的心理状态,以及他们在复辟政权已经岌岌可危的形势下不祥的预感。这是《红与黑》对七月革命前夜法国历史"本质方面"的出色描写之一。

2.《红与黑》所表现的阶级斗争规律

《红与黑》杰出的意义不仅在于反映了复辟时期社会生活的某些本质特征,而且在于以鲜明的批判性和直接的针对性,描写了复辟王朝后期重大的政治斗争,形象地表现了"过了时的社会力量……在咽气以前还要作最后的挣扎,由防御转为进攻,不但不避开斗争,反而挑起斗争,并且企图从那种不但令人怀疑而且早已被历史所谴责的前提中作出最极端的结论来"①。

在小说的第二卷中,作者以整整四章的篇幅描写了极端保王党的阴谋。这几章是以真实的政治事件为蓝本的。1817年,保王党人在后来成为查理十世的阿图瓦伯爵的领导下,向奥地利、俄国等神圣同盟国家递送了秘密备忘录,要求外国军队对法国的军事占领延长下去,以便对付革命危机,保护复辟王朝。次年,保王党又策划阴谋,准备撤换几个色彩温和的大臣,并以几个特别仇恨确定君主立宪政体的1814年宪章的保王党取代之。司汤达以这些政治事件为素材写出小说中的黑会阴谋,把它放在七月革命前夕的背景下,高度概括地反映了

---

① 马克思:《反教会运动——海德公园的示威》,《马克思恩格斯全集》第十一卷,第363页。

1824年查理十世上台后采取一系列反动措施,企图全面复辟君主专制旧秩序这一政治逆流。

阴谋的主要组织者是德·拉摩尔侯爵。参加黑会阴谋的有内阁大臣、教会的主教、拿破仑的叛将、显赫的大贵族等。作者对这些人物的描写带有明显的影射,如其中的一个与会者德·列瓦尔,写的就是复辟王朝最后一任内阁首相、极端反动的波利涅克公爵。这些家伙聚在阴暗的角落里,面临即将到来的革命,发出了狂吠,有的主张用暗杀手段,有的主张在巴黎进行大屠杀。他们虽然由于权力分配不均而矛盾重重、互相攻讦,但总算达成了共同的协议:首先针对即将爆发的革命,策划让神圣同盟再一次对法国进行军事占领,以此来扑灭革命;然后改组内阁,强化贵族阶级的统治,取消宪章,扩大王权;最后是组织一支保王的敢死队,作为王权的可靠保证;而要组织这样一支武装力量,就必须依靠教会,为此,就要全部归还革命时期教会被剥夺的林地。他们提出了上述反动方案后,就打发于连秘密送往国外,征求某个"要人"的同意,以便得到国外反动派的援助。这几章是全书的关键,把决定小说中所有那些现实生活场景的政治缘由表现得再清楚不过。这几章不仅揭露了法国反动贵族阶级与欧洲封建君主的沆瀣一气、互相勾结,而且揭示了整个复辟时期阶级斗争的中心和焦点。

斗争的中心是政权问题。18世纪资产阶级革命把封建社会几百年来的君主专制送进了历史的垃圾堆。1815年波旁王朝复辟,不得不接受了英国式的君主立宪制:在权力的分配上,不是贵族阶级全部垄断,而是不得不允许拿破仑时代的官员保持他们原来的职务和等级;在法律上,国王行使职权要受宪法的约束。查理十世为首的复辟势力对此一直不能容忍,力图恢复革命前的君主专制。因此,扩大还是限制王权就成为复辟时期政治斗争的一个重要内容。《红与黑》中一个人物这样说:"英国的历史是我们的一面镜子,可以照见我们的将来。我们这里肯定会有一个想扩大特权的国王。"这句话正揭露了波旁王朝统治者的反动愿望。第二卷第二十五章中德·拉摩尔侯爵"向宫廷提出了一个很聪明的计划,在3年内取消宪章而不至于出什么乱子",就是指要取消1814年宪章,恢复君主专制。在那个阴谋黑会上,极端保王党明确提出来的政治纲领,是要使"高贵的法国将以我们祖先所缔造的那个样子再现,就像我们在路易十六死前所看到的那样"。而那位德·列瓦尔首相在会上则这样信誓旦旦:"我有一个使命。上天对我说,你或者上断头台,或者把法国的君主制度重建起来,把议会削弱到路易十五统治时的情形,这个使命我一定要完成。"从这里可以看到查理十世的内阁总理波利涅克所奉行的反动政策的影子,这些描写真实而典型地揭露出了保王党反革命复辟的狂热。

斗争的焦点是所有制问题。资产阶级革命没收了大贵族和教会的全部土地,转卖给资产者和农民。在农村中因而出现了大量自由经营的个体农民和资本主义土地所有制。波旁王朝的复辟不仅以夺回政治统治权为目的,而且还要进一步复辟封建土地所有制,而其实质,就是要对大革命后获得土地的大量小生产者进行剥夺。1814年,波旁王朝就颁布了《十二月五日法令》,规定贵族和教会过去被没收而尚未转卖出去的土地一律"物归原主"。此后,流亡贵族伙同教会不断制造已转卖的土地为"非法"的舆论,并对获得土地的农民进行反攻倒算。1825年又颁布赔偿流亡者10亿法郎的法令,其数额之巨相当于被没收土地收益的19倍,而这一巨额赔款又以其他方式完全转嫁在资产阶级、小资产阶级身上。这就引起了各阶级的反对,马克思指出:"纠合在神圣同盟周围的政府和封建主同资产阶级所领导的人民大众之间发生了纠纷;在经济方面是由于工业资本和贵族土地所有权之间发生了纷争,这种纷争在法国是隐藏在小块土地所有制和大土地所有制的对立后面。"[①]《红与黑》作为一部杰出的政治小说,给

---

① 马克思:《资本论》第一卷德文第二版跋,《马克思恩格斯全集》第二十三卷,第17页。

这一巨大深刻的阶级矛盾提供了形象的细节。德·拉摩尔侯爵重返巴黎后,利用自己的权势又夺取和兼并了大量土地,成了大地主,其地产遍布好几个省份,这些地产数量庞大,甚至不得不专门从银行雇请一个人"用复式账登记土地上的全部收入和支出",仅他赏给于连的一块土地的收入就有2万法郎之巨。同样,在夺取和兼并小块土地方面,教会也是一条饿狼,小说中的代理主教、耶稣会特务组织的头子福力列就是一个代表。王政复辟的那年他来到省城时,全部财产只有一个小小的随身旅行袋,然而,财富随着政治统治权而来,到了1827年,他已成为"本省数一数二的大地主"。复辟势力还不满足于此,在那次阴谋黑会上,他们还提出把林地全部归还给教会的口号,并且把这作为"组织一个法兰西武装政党"的关键,而组织这样一支反革命武装力量,又是维护君主政治所必需的措施。马克思、恩格斯指出:"复辟时期的活动家们并不讳言,如要回到美好的旧时代的政治,就应当恢复美好的旧的所有制,封建的所有制,道德的所有制。大家知道,不纳什一税,不服劳役,也就说不上对君主政体的忠诚。"①《红与黑》的形象描写正揭露了复辟势力这一反动的愿望。

3.《红与黑》所描写的典型人物

在深刻的政治经济斗争的背景下,《红与黑》展开了于连的故事。马克思所指出的"小块土地所有制和大土地所有制的对立",正是于连的悲剧结果最深刻的经济根源。

于连出身于小私有者的家庭,父亲是城郊一个锯木工场的小业主,没有雇用工人,本人和家庭成员就是劳动力,还保持着资本主义机器工业尚未充分发展的阶段常有的、由农民家庭手工业发展为手工工场的特色。于连这样的小私有者在资本主义条件下,本来有可能通过发家致富上升到资产阶级的行列,但是这个要求在以恢复旧的所有

---

① 马克思、恩格斯:《论波兰问题》,《马克思恩格斯选集》第一卷,第293页。

制、剥夺小生产者为目的的复辟逆流中受到严重的阻碍,这就决定了于连对当时的统治阶级抱有某种敌意,而由于"第一次革命把半农奴式的农民变成了自由的土地所有者之后,拿破仑巩固和调整了某些条件,保证农民能够自由无阻地利用他们刚得到的法国土地并满足其强烈的私有欲"①,自称"乡下佬"、"农民的儿子"的于连就很自然地成为拿破仑的热烈崇拜者。于连崇拜拿破仑的另一个重要原因是,在拿破仑时代,以等价交换为原则的资产阶级法权有最充分的体现,平民出身的士兵只要战场立功就能提升为将军,普通的文职只要办事干练就能当上高级官吏,这正是小资产阶级青年于连所向往的前途。但是到了复辟时期,封建贵族却力图用封建等级制的原则来堵塞非贵族出身的青年的出路,于连要向上爬,只能投靠教会,充当"教会的一根棍子",干卑鄙肮脏的特务勾当。作者把拿破仑时代的那种前途当作"红",把复辟时期的教会门路称为"黑",写出于连在这种现实面前的苦闷,第一卷第十七章中,他这样独白:"啊,拿破仑真是天主派遣来帮助法兰西青年的人物,将来谁能代替他呢?没有他,我们这些贫困的人又怎么办呢?就是比我富足的人又怎么办呢?我们无论怎样达观,那个致命的回忆将永远阻碍我们的幸福。"他所说的"致命的回忆"是指拿破仑在滑铁卢的失败,"我们的幸福"是指通过自由竞争、个人奋斗得到资产阶级法权所保证的个人利益,而拿破仑式的战争就是达到这种目的的最好机遇。司汤达自己说过:"在法国有20万个于连·索黑尔,他们眼见不少吹鼓手、下级军官和见习生平步青云而成为拿破仑帝国的元老和公侯之先例,你怎么能期望他们不去反对那些昏庸无能的高官显爵呢?"作者正是通过于连这个人物,典型地表现了小资产阶级青年在复辟时期对资产阶级法权的向往和对封建等级制的反感,反映了这两个不同时代不同阶级的原则在整整一代小资产阶级青年身上所引起的矛盾和冲突。

---

① 马克思:《路易·波拿巴的雾月十八日》,《马克思恩格斯选集》第一卷,第695页。

"小生产是经常地、每日每时地、自发地和大批地**产生着**资本主义和资产阶级的。"①于连作为一个小私有者，在资本主义关系还处于上升阶段的社会，只可能以个人的出人头地为其追求的目的，在他身上体现着自由竞争的原则和为达到这个目的而不择手段的特点。虽然他有拿破仑那样"从事于一种伟大事业"的理想，但那条路被堵塞了，他饥不择食地走上他所鄙视的教会道路，把背诵拉丁文《圣经》的本领当作踏入上流社会的敲门砖。他虽然思想上深受启蒙思想的影响，但小心翼翼地把真实思想掩饰起来而虚伪地装出对宗教的虔诚，并标榜自己和一切"无神论诗人的作品"完全绝缘。于连的虚伪正是他作为一个小私有者为适应复辟时期的政治、道德的规范以达到自己向上爬的目的而采取的投机手段。这就使他当上侯爵的秘书后很快就走上了反动的道路。他虽然对上流社会也有一些愤慨，但只是小私有者对大有产者的愤懑，只要一遇到官禄的引诱，便抛到九霄云外去了。德·拉摩尔侯爵因他忠诚效劳给他弄到一枚勋章后，他就自忖"当遵照给我勋章的政府的意旨而行动"，当开始爬上统治阶级的阶梯时，他便意识到将要"干出一些不公正的事来"。从小私有者的"捞一把"的思想出发，他走上了反动的道路，并且愈走愈远，在极端保王党人的政治阴谋中充当了一名走卒。于连这个形象表现出了小私有者那种"只要我能多捞一把，哪管他寸草不生"②的特点。但他为之服务的这个阴谋，正是和他自身阶级的根本利益相敌对的，正是以消灭像他这样一大批小私有者并使他们重新沦为贵族阶级统治下的奴隶为目的的。于连的故事反映了小私有者由于自私自利、目光短浅而陷入的极大盲目性以及对把自己压得粉碎的阶级斗争规律的不理解。这正是《红与黑》在典型人物塑造上的深刻之处。

于连这个人物的典型意义还在于反映了复辟制度下小资产阶级

---

① 列宁:《共产主义运动中的"左派幼稚病"》,《列宁选集》第一卷,第181页。
② 列宁:《苏维埃政权的当前任务》,《列宁选集》第三卷,第519页。

青年的必然命运。司汤达把于连称为"一棵美好的植物",一方面把他写成具有"惊人意志力"和"非凡聪明"的青年,一方面写复辟社会对他的敌意和打击。他凭着自己的才能在市长家当上了家庭教师,这就引起了上流社会的侧目而视;他参加了一次欢迎国王御驾的仪仗队,出了一点小风头,就引起满城风雨,招来上流社会的飞短流长,以致再也无法在本地立足,不得不躲到神学院里当学生。而当他得到侯爵的重用正要挤进上流社会的时候,教会特务一手策划的告密信揭发了他,使他向上爬的美梦毁于一旦,最后死于断头台上。作者通过于连的经历力图说明贵族阶级占统治地位的上流社会,绝不容许一个平民青年挤进来,它必然要通过种种方式把这种青年扔出去,毁灭掉。在法庭上,于连这样说:"我不向你们祈求任何恩惠,我一点也不存幻想,死亡正等待着我……即使我的罪没有这样大,我也会看到许多人并不会因为我年轻而怜惜我,他们想要通过惩罚我来惩戒那些出身微贱、为贫穷所困,可是有幸稍受教育,竟敢混迹于富贵人所谓的上等社会的青年。"于连的话正反映了复辟时期这种社会阶级矛盾。于连所追求的谈不上是美好的理想,他的思想也谈不上先进,他只是对复辟社会表示了个人主义的绝望的反抗。他的故事是小资产阶级青年在与自己的阶级利益完全相反的历史逆流中盲目追求个人利益的悲剧,不论是他这种追求的内容和方式,还是他在当时社会条件下进行追求所必然遭到的结果,都充分地、典型地表现了当时小资产阶级的一代青年的命运。

4.《红与黑》的艺术成就

《红与黑》是19世纪文学中思想性与艺术性高度统一的作品。在这部小说的创作上,司汤达继承了现实主义的传统并加以发展,把现实主义艺术推到它本身所能具有的最高的高度。

对现实生活栩栩如生的描绘和对典型环境中典型人物的塑造是

小说在艺术上最重要的成就。小说像画卷一样展示了一幅幅形象生动的生活场景，从维立叶尔城"像疫病般的财利氛围"、贝尚松神学院阴森可怕的环境，到巴黎圣日耳曼区紧张的政治空气，艺术地构成了复辟时期社会的缩影。司汤达基于对现实生活本质的理解，善于把自己的故事安排在典型的环境中进行，从而使小说作为一个整体反映出时代的全貌；同时他又善于选择生活场景中最具有象征性的细节，不流于繁琐的环境描写，简练而形象地绘制出像生活本身一样真实、自然的画面。更重要的是，小说成功地塑造了产生于这种现实生活的人物形象。《红与黑》的人物很多，但都写得有血有肉，他们既是经济范畴的人格化，是一定的阶级关系和利益的代表者，又具有十分鲜明的个性。同为贵族阶级的成员，顽固而狡黠的德·拉摩尔侯爵不同于愚顽而迟钝的德·瑞那市长；彼拉神甫与福力列代理主教都是教会的当权派，但性格完全不同，而这又与各人的经历、地位有关。司汤达塑造人物不是静止地描写，而是把人物放在典型的环境中，通过人物在那种环境的制约下所必然采取的行动来展示人物的性格。于连刚从农村来到市长家时，是一个外表柔弱、内心对上流社会充满戒心和敌意，而对自己的命运前途又带着沉重压抑感的青年，上流社会的客观环境很快使他身上小私有者的特点发展为投机手段和表里不一的双重人格，而他的日益得意又使他对这个社会的愤慨逐渐转化为妥协，当他向上爬的幻想完全破灭、成为监狱里的囚犯的时候，与贵族上流社会对立的情绪又回到了他的身上。

司汤达塑造人物的一个重要特点，是重视对人物心理活动的揭示。同样，他的心理描写也不是脱离现实生活的繁琐的渲染，而总是人物性格在特定的环境和情势下一种必然的反应，并且又反过来投射在当时的生活场景中。他这种把人物心理活动与现实生活交织在一起相互作用、相互影响的描绘，成为他塑造典型环境中典型性格的一个重要手段。

《红与黑》的故事情节合乎逻辑，小说的结构严谨完整，语言精确、富有表现力，充分显示了现实主义的艺术风格，是19世纪现实主义文学中不可多得的杰作。

第四节 《巴马修道院》与《吕西安·娄万》

七月革命后，司汤达的社会地位有了变化，他成为生活悠闲的政府公职人员。久居意大利使他后期创作中意大利题材占据了显著的地位，而在某种程度上游离了本国的现实，同时也使他易于从过去时代去汲取创作的素材，这就是他创作了一些以16世纪意大利轶事为题材的中短篇小说的原因。这些小说陆续发表于1837年至1839年，是司汤达根据在意大利发现的一些手抄本故事编写而成的，它们于1855年被后人收集为《意大利遗事》（*Chroniques italiennes*）一书出版。这些作品的故事内容，或是社会地位悬殊的青年男女的爱情悲剧，如《卡斯特罗修道院女院长》（*L'Abbesse de Castro*），或是宫廷贵族之间因男女私通而引起的仇杀和阴谋，如《维多利亚·阿考栾保尼》（*Vittoria Accoramboni*）、《帕利阿诺公爵夫人》（*La duchesse de Palliano*）、《桑·方济各在芮帕教堂》（*San Francesco à Ripa*）。这些故事中的人物一般都被写成具有强烈的感情冲动、压倒一切的欲望，由此产生了不顾任何后果的暴烈行为。司汤达企图以此表现他一贯喜爱的"意大利的热情性格"和他对于"力"的崇拜，用来对照资本主义社会中利害关系窒息了人们身上自然的感情、资产阶级的文明和时髦使人变得苍白无力。作者对这种抽象的"热情"和"力"的向往，表现了他对现实的不满与对自然人性的赞赏。

但司汤达从来不是一个逃避社会、不关心现实的作家，他在七月王朝时期继续批判过去的复辟时代，写作了仍具有巨大社会意义的长篇《巴马修道院》。而在经过一个阶段的观察，对七月革命以后法国的现状有了自己的认识和分析后,他就着手写作了深刻揭露七月王朝的小说《吕西安·娄万》。

1.《巴马修道院》

《巴马修道院》(La Chartreuse de Parme,1839)写于1838年,次年出版后立即受到巴尔扎克的高度赞扬,是司汤达生前得到成功的唯一作品。

小说以复辟时期的意大利生活为题材。18世纪末,意大利是一个分裂的封建国家,北部被奥地利统治,南部受西班牙奴役。1789年的法国资产阶级革命对意大利产生了深刻的影响。1796年拿破仑进军意大利,带来了资本主义关系。1814年拿破仑失败后,奥地利又恢复了对意大利的统治,封建势力再度抬头。以烧炭党人为代表的民族解放力量进行了长期的斗争,最后爆发了1820年至1821年的起义,形成了意大利民族解放运动的第一次高潮。《巴马修道院》所反映的就是意大利的这一历史过程。

小说的开头是1796年拿破仑进入意大利的场面,司汤达以热情歌颂的笔调,描写了由此而来的意大利的觉醒:启蒙思想开始传播,"整个民族发现历来受人尊敬的一切事物,原来都极端可笑"。依附于奥地利的封建贵族对这些变化采取敌对的立场,而下层人民则表示了欢迎的态度。随着拿破仑的成败兴衰,资产阶级自由主义思潮与封建贵族的保守反动在这里进行了反复的斗争。这种斗争也反映在一个贵族家庭中。台尔·唐戈侯爵是一个忠于奥地利皇帝的顽固派,拿破仑在意大利得势时,他龟缩在自己的古堡里,伙同他的长子替奥地利进行间谍活动,他的妻子则在米兰结识了一个法国军官,并有了一个孩子,这就是小说的主人公法布利斯·唐戈。侯爵的妹妹也深受自由主义思想影响,不愿嫁给有钱有势的大贵族,而宁愿嫁给热烈拥护新思潮的低级军官彼埃特拉内拉伯爵。法布利斯名义上是侯爵的次子,但在家庭里没有地位，拿破仑失败后，他的父亲在奥地利当局的手下显赫一时，他与父亲更加格格不入，倒是和那些向往法国革命的马车夫、农人颇为投契。1815年拿破仑发动"百日政变"时，法布利斯充满了忠于拿破仑的狂热，立即动身前往投效，但到法国后就被当作奥地利的间谍投入监狱，等他逃出来投奔拿破仑时，已是滑铁卢战役的尾声。他本来怀着为拿破仑而战、参与巨大历史事件的浪漫主义热情，但看到的却是滑铁卢战场上一片死伤和混乱，这一段严酷的现实的经历，"使他从自己性格里一切浪漫的感情中解脱出来了"。

复辟时期更严酷的政治现实等待着他。1815年后，神圣同盟在欧洲猖獗一时，首先是警察特务的统治和对拿破仑信徒的清洗迫害。法布利斯一回到意大利，就被他哥哥告密，成为警方追缉的对象。由于他母亲和姑母多方疏通，他才得以隐居在一个城市里。这时，他那位已经孀居的姑母彼埃特拉内拉伯爵夫人结识了巴马公国的首相莫斯卡伯爵，在他指使下，名义上嫁给桑塞维利纳公爵而实际成为莫斯卡的情妇，并且在巴马宫廷中出尽了风头。在她的栽培下，法布利斯当上了巴马的副主教，但他失手犯了一条人命，被嫉妒桑塞维利纳夫人的大公艾尔纳斯特四世和莫斯卡伯爵的政敌大做文章，他们把法布利斯关在国事犯的古堡监狱里，并判处他死刑。囚禁期间，法布利斯与镇守古堡的龚第将军的女儿克莱莉娅发生了恋爱，在她和桑塞维利纳公爵夫人的帮助下逃出了监狱。桑塞维利纳公爵夫人为了进行报复，指使人毒死了大公。艾尔纳斯特五世继位后，莫斯卡由于帮助他镇压了一次人民起义，得到了更大的权势，即将在法律上宣布法布利斯无罪。但法布利斯听说克莱莉娅遵照父命将和一个侯爵结婚，绝望之下又自投古堡的监狱。龚第将军本系莫斯卡的敌党，他为了报仇，准备把法布利斯毒死，克莱莉娅及时解救了他。桑塞维利纳公爵夫人也向新继位的艾尔纳斯特五世求情，后者提出非分的条件进行要挟。法布利斯被释放后，桑塞维利纳公爵夫人只好履行条件，从此离开了巴马。后来法布利斯成为巴马的大主教，与已婚的克莱莉娅仍保持暧昧的关系。他们的孩子夭折后，克莱莉娅痛苦而死，法布利斯也辞去了大主教的职务，退隐到巴马修道院。

《巴马修道院》与《红与黑》有一点相似，也是表现了由拿破仑时代到复辟时代这一历史的曲折，它通过故事情节和人物的活动，烘托出这一时期政治风云的变幻、社会思潮的起伏及其在家庭内部的反映和对个人命运的影响。在小说里，神圣同盟统治的欧洲，从米兰到维也纳，从日内瓦到巴黎，都是特务警察密布，关卡林立。得势的是那些愚蠢无知、专横顽固的贵族，他们敌视一切新思想，甚至把阅读自由派的《宪政报》也视为大逆不道。作者通过小说的画面，表现了复辟时代的黑暗反动，虽然不及在《红与黑》中那样深刻，但却以一种近似漫画的手笔，把这一切描写得更为醒目。他对复辟时期进行再批判的创作意图，还特别表现在对巴马这个小朝廷政治黑幕的揭露上。

巴马小朝廷和它的统治者艾尔纳斯特四世，都是司汤达的艺术虚构，但完全是当时欧洲神圣同盟君主国的缩影。艾尔纳斯特四世是个专横而无能、残忍而胆怯的专制君主。路易十四是他的理想，他说话、走路都要模仿这位法国专制国王的姿势。他在小公国内进行残酷的镇压，把有新思想的人成批送上绞架，把稍有可疑的人一群群投入监狱。他奉"残暴"二字为自己的原则，认为这是使得人民服从王权的最好办法。他极端害怕人民的起义，整天生活在风声鹤唳的恐慌之中，每晚临寝，他都要搜查床底和房间的每一个角落，唯恐有刺客要对他进行暗杀。在他周围是一大群谄媚逢迎、卑鄙自私的朝臣，其中最无耻的一个是司法大臣，他是大公手下的鹰犬，进行镇压和制造阴谋的工具。大公手里另一个工具是小小的"自由党"，它根本没有任何像样的政治纲领，只是一群热衷于玩弄权术、争权夺利的小人的组合，大公用它来进行牵制对手，玩弄平衡。这个小朝廷不仅钩心斗角，阴谋成风，暗无天日，而且骄奢淫逸，腐化堕落。在这方面，大公是一个倡导者,有了他带头,首相就敢于把桑塞维利纳公爵打发到国外当大使,而半公开地和公爵夫人过姘居的生活。司汤达在小说的第十三章中这样说:"政治,在一部文学作品里,就像音乐会上的一声枪响,既震耳又庸俗,但这样一件事,却没法叫人不去注意。"他在这部小说里,就有意识地描写了现实生活中的政治,把复辟时期欧洲的君主政治加以漫画化,对它进行了绝妙的讽刺。

司汤达对复辟时期的再批判,还表现在对法布利斯这个人物的处理和塑造上。法布利斯虽然出身于贵族,从小养尊处优,但基本上是法国资产阶级自由主义思潮的产儿。他崇拜拿破仑,也梦想参加非凡的英雄事业,但是,时代变了,他不得不隐藏起对拿破仑的热情和对自由主义思想的爱好,而按照本阶级的要求,走上了教会的道路。宫廷的阴谋和教会的伪善使他烦闷,他的聪明才智和充沛的精力没有正当的引导,就逐渐用于谈情说爱和游戏人间的胡闹。他后来当上大主教,表面上道貌岸然,暗地里有不能见人的隐私,最后也悒悒死去。他这样喧哗一时而毫无意义的一生,完全是黑暗的复辟时代所造成的。

虽然司汤达对复辟时期意大利的君主政治进行了淋漓尽致的揭露,但他并没有表现自己正面的、积极的政治理想。他在小说里也写了烧炭党人巴拉·费朗特这个人物,但这个人物的活动仅限于劫富济贫和进行个人复仇,而且他对公爵夫人痴情迷恋,以致完全成为她个人的工具。小说也写到了巴马人民的起义,但作者并没有采取肯定和歌颂的态度,相反,他把政治清明的理想多少寄托在莫斯卡伯爵身上。莫斯卡是帮助巴马专制君主进行统治的得力工具,他曾亲手镇压人民起义,但司汤达把他写成一个通情达理、思想开明、为人高尚、感情真挚的人物,在小说的最后还对他加以美化,说由于他的开明政治,"巴马的监狱空空如也","人民敬爱艾尔纳斯特五世",所有这些都表现出司汤达的政治空想。

《巴马修道院》是司汤达在短短几个月里写成的,但艺术的加工不失精细，它的人物性格鲜明，故事情节进展紧凑，构成了完整的一体。小说的细节描写真实，表现了现实主义创作的风格，如第二、三、四章关于滑铁卢之战的描写，就是严格的现实主义的图景，在文学史上是有名的篇章。但在人物性格的塑造上，司汤达又带有浪漫主义色彩，他把法布利斯、克莱莉娅、桑塞维利纳公爵夫人等都写得热情充沛，在"热情"的支配下，往往不顾社会的规范和舆论，也不顾切身的利害，甚至献身也在所不惜，这就是司汤达所喜欢的"意大利性格"。但是，他描写这些性格的时候，往往把它在现实生活中的作用夸大了，似乎一个人的激情可以成为任何事件，甚至是巨大事件的动因，而阶级斗争、政治生活的重大发展，只不过是某个人的激情的结果，这样就大大削弱了小说的现实主义力量。

2.《吕西安·娄万》

1832年以后，司汤达开始酝酿一部反映七月王朝时期外省正统派贵族的状况、巴黎的政治阴谋和罗马教廷内幕的长篇小说。他于1836年左右完成了前两个内容的初稿，第一部分取名为《绿色的猎人》，第二部分为《电报》。后来，他没有继续完成这部作品，在他逝世以后，未竟的长篇于1894年以《吕西安·娄万》（Lucien Leuwen）为题第一次出版。

吕西安·娄万是一个大银行家的儿子，因具有共和派的思想被学校开除，他父亲安排他进入军队，驻在外省的南锡。他因为有钱，在正统派贵族的沙龙里很受欢迎。他与贵族寡妇夏斯特勒夫人恋爱，当地的贵族青年怕他把这个年轻的富孀带走，便设计了一个圈套离间他和夏斯特勒夫人的关系，使他一气之下离开了南锡。这是小说第一部的梗概。第二部《电报》写他回巴黎后，在其父的安排下担任了内政部长的秘书，卷入了卑鄙的政治活动，后来他因父亲去世而破产。最后，他到驻罗马使馆担任二等秘书的职务。按照司汤达原来的计划，小说的第三部是写吕西安·娄万在罗马的经历。

司汤达在这部小说的第一篇序言中，重申了他在《红与黑》中说过的著名观点"小说应该是一面镜子"，他再次在《吕西安·娄万》中遵循这一现实主义原则，力图反映七月王朝的社会现实。尤其可贵的是，他写出了1830年七月革命的果实被大资产阶级篡夺，银行家的统治代替了波旁王朝，劳动人民依然处在悲惨境地。他让小说的主人公在工人区看到工人们苦难的生活，得到了这样的印象："到处都是令人心酸的活生生的贫困现象"。他还描写了吕西安在南锡的郊外看到农村一片荒凉，"所遇到的农民都是受苦的样子"，不由得发出了"啊，这就是美丽的法兰西"的感慨。在这阴暗的背景下，作者描写了资产阶级的骄奢淫逸和政府的贪污腐化，揭示出这就是人民穷困的根本原因。老吕西安在自己的儿子进入政界的时候，曾露骨地问他："你要搞政治，得看你能不能成为那样一个流氓……从老百姓那里偷。"短短的一段对话尖锐地揭露出，新兴的七月王朝完全是建立在对人民的压榨和剥削的基础之上的。

七月王朝的建立，标志着1789年以后封建贵族阶级与资产阶级争夺政治统治权的斗争告一段落，在资产阶级又建立了自己的统治的历史条件下，现代两大对抗阶级，无产阶级与资产阶级的矛盾开始上升到主导的地位。《吕西安·娄万》反映了这一历史时期的新特点，突出表现了资产阶级政府对工人、对劳动人民的阶级压迫。老吕西安这个操纵政治的大银行家在一次谈话中指出了七月王朝正是资产阶级所资助的、用来镇压无产阶级的专政工具，他说："国王需要庞大的军队才能镇压工人。"而为了维持这样一支军队则需要从资本家那里得到大量金钱，用老吕西安的话来说："金钱是七月以后我们所享受的武装的和平所必不可少的。"小说对这"武装的和平"的狰狞实质也作了形象的描写。吕西安所在的那个团队就曾被派去镇压纺织工人，上级向他们发出了"要毫不留情"的命令，并且用奖金和升级作为诱饵,驱使军官们卖力效劳。但是,由于出身社会下层的士兵还保持着淳朴的阶级感情,要使他们成为镇压的工具,政府当局就不得不使用卑鄙的欺骗手段。内政部长这样说:"士兵和工人老是被'平等'联结在一起,他们互相有好感,因此,为了把他们分开,就老是要警察来操心。"正是这个警察头子指使手下的特务科提斯伪装成工人去袭击单个的士兵,制造军队对工人的不满,以便驱使军队镇压工人。小说对这个政治事件的过程作了细致的描写,无情地揭露了七月王朝政府迫害工人的丑恶面目和它所使用的卑鄙手段。

马克思指出:"七月革命之后,自由派的银行家拉菲特陪他的教父奥尔良公爵向市政厅凯旋行进时,失口说出了一句话:'**从今以后,银行家要统治国家了。**'拉菲特道出了这次革命的秘密。"①作为七月王朝时代的"一面镜子"的《吕西安·娄万》,以真实的形象印证了马克思的论述,表现了七月王朝金融贵族统治国家的阶级本质。小说中的老吕西安就是这样一个金融资本家。他不仅财力雄厚,而且在政治上极有权势,他是国防部长的密友、内政部长的后台,这个内政部长正是在他的资助下搞投机买卖,赚了一大笔钱,才感到自己现在才是名副其实的内政部长。老吕西安本人也是一名议员,并且在议会里拥有自己的派系,能够操纵议会的表决,国王要使某一提案得以通过,必须求助于他。他不仅经常出入宫廷,而且还能够推荐他那个集团的成员到国王那里做客。在政府内阁发生危机时,他更是神通广大,能够决定部长的人选。小说第二部第六十一等章,描写了老吕西安与葛朗台夫人的这样一笔肮脏交易:一旦政府发生危机,老吕西安保证使葛朗台先生当上部长,交换条件是葛朗台夫人当他儿子吕西安·娄万的情妇,以便使吕西安·娄万通过葛朗台夫人控制葛朗台先生,并且最后取而代之。小说中一个人物这样说:"现在部长们想叫

---

① 马克思:《1848年至1850年的法兰西阶级斗争》,《马克思恩格斯选集》第一卷,第393~394页。

谁发财谁就发财,但是谁决定这些部长的人选呢?还不是罗斯契尔德、娄万这些银行家吗?"老吕西安·娄万本人对此并不讳言,他这样露骨地对葛朗台夫人说:"七月王朝以后,银行就成为国家的元首,资产阶级代替了圣日耳曼区,银行界又是资产阶级中的贵族,政府很需要交易所,内阁不能拆毁交易所,交易所却能拆毁内阁。"小说中这些描写令人信服地揭示出"七月王朝不过是剥削法国国民财富的股份公司……路易-菲利普便是这个公司的经理"①。

小说还以大量篇幅揭露了资产阶级政府营私舞弊、贪污腐化的黑幕。作者通过人物之口把七月王朝称作"敲诈的政府"、"强盗窝"。在这里,统治者之间为私利而争斗,只有在做了无耻的交易后才告妥协。国防部长与财政部长的不和引起了政府危机,但财政部长批准了一笔国防订货,使得国防部长的儿子从中大捞油水,于是双方也就和解了。老吕西安在议会中讽刺了内政部长,部长夫人赶快出来求情,答应给吕西安·娄万一枚勋章,并替他手下8个人安排职务。作者在小说的第二部特别着重通过内政部的黑幕表现七月王朝的卑劣:这个内政部操纵着议会的选举,为达到不可告人的目的而使用种种无耻的手段,包括贿赂和收买;它还制造阴谋,镇压工人,指派密探挑起事端,事情败露后又企图杀人灭口。司汤达对资产阶级政治的丑恶作了如此尖锐的揭露,并把这种揭露放在小说的突出地位,这在19世纪上半叶的现实主义小说中是不可多得的。

在《吕西安·娄万》中,司汤达再次显示出他对政治斗争的深刻观察,表现了七月王朝时期政治斗争的特点。在小说里可以看到,丧失了政治统治权的正统派保王党并没有放弃自己反动的阶级要求和复辟愿望,他们组成一个闭关自守的社会圈子,对其他阶级仍保持自己等级的"骄傲",他们仍从事政治活动,参加议员的竞选,力争在议

---

① 马克思:《1848年至1850年的法兰西阶级斗争》,《马克思恩格斯选集》第一卷,第396页。

会里分享一部分权力。对于波旁王朝的幼支奥尔良公爵路易-菲利普来说,这些正统派保王党并不是统治权的主要竞争者,七月王朝的统治者为了对付资产阶级共和派,有时还宁可与正统派联合。小说第一部中,吕西安·娄万在内政部部长的指使下到外省操纵选举,为了阻止一个共和派候选人当选,曾经资助贵族正统派出来竞选,而这些正统派的保王党人有时为了向政府讨价还价,争得更多的东西,又故意给予共和派某种支持。司汤达的这些描写都真实地再现了七月王朝时期错综复杂的政治关系。

这部小说不仅未完成,也未经作者修改润色,加之作者对七月王朝时期社会现实生活的观察体验远远不及他在复辟时期的生活经验,因而,《吕西安·娄万》中的形象描写也远远不及《红与黑》那样丰富和生动。

第十章 梅里美

第一节 梅里美的生平

梅里美（Prosper Mérimée，1803～1870）生于巴黎一个资产阶级知识分子家庭，祖父是律师，父亲雷阿诺·梅里美是颇有才能的画家，后从事教学工作，在美术学校担任常任秘书达数十年之久，并写有论油画的专著。梅里美的母亲是18世纪童话作家博蒙夫人（Mme Le Prince de Beaumont）的孙女，也擅长绘画。在这种家庭条件下，梅里美从小就培养了美术才能、对艺术的热爱和精微的鉴赏能力。在政治上，梅里美的父亲是一个能适应时代潮流的人，大革命期间，他持温和的共和主义态度，拿破仑担任第一执政后，他表示衷心拥护，在第一帝国期间，他更成为拿破仑的热烈崇拜者。梅里美的母亲也是18世纪启蒙思想的忠实信徒。这些条件对梅里美政治思想的形成起了重要的作用。但梅里美的父母是典型的自由资产阶级知识分子，一直与政治保持着某种距离，从不卷入激烈的斗争，而是以冷静的旁观者的态度观看着19世纪最初几十年间多变的历史进程和政权的更迭。这种若即若离的处世态度也使梅里美受到潜移默化的影响，从他以后的生活和创作中可以隐约看出这一点。

梅里美从小生活在优裕的环境中，作为独子深得父母宠爱。纤细、敏感成为他性格的主要特点。1812年，他进入父亲任教的拿破仑中学。他在学校里是一个颇有才能、学习努力但相当任性的少年，长于绘画，对外国语言有浓厚的兴趣。在中学期间，他经历了第一帝国的崩溃和波旁王朝的复辟，眼见他所在的拿破仑中学改名为亨利四世中学。1819年，他中学毕业，按照父亲的安排进入巴黎大学学法律，但他真正的兴趣并不在此。大学期间，他热衷于语言学的研究，学习并掌握了西班牙语、意大利语、英语以及古希腊语和拉丁语，打下了他作为一个优秀的语言学者的深厚基础。他还广泛钻研各国的古典文学、哲学乃至巫术，积累了丰富的知识，这使他在成为一个作家之前成了一个学识渊博的学者，以梅里美对古代历史文化的精湛修养而言，他在19世纪法国作家之中，要算是最突出的一个。大学毕业后不久，梅里美进入商业部任职，同时走上了文学创作的道路。他出入巴黎那些文化名流聚集的沙龙，结识了各方面的代表人物，如贵族浪漫主义作家夏多布里昂，资产阶级自由主义思想家贡斯当、梯也尔，浪漫主义画家德拉克洛瓦，特别还有司汤达。比梅里美年长20岁的司汤达这时已经是一个思想成熟的反复辟王朝的积极斗士，并具有了完整的现实主义文艺思想，梅里美受到了他的影响，与他结成了深挚的忘年之交。当时正是资产阶级自由主义思潮向封建贵族意识形态进行冲击的时期，也是新一代作家在浪漫主义文学口号下向伪古典主义文学开始展开斗争的阶段，梅里美从其出身与教育来看，都属于从启蒙思潮到自由主义思潮这一传统，他置身于这一营垒，是当时新派文人经常聚会的场所之一朗盖教授的沙龙中的常客，这说明他在刚走上文学道路的时候，就接受了方兴未艾的浪漫主义运动的熏陶。

1825年，在巴黎出版了一部名为《克拉拉·加楚尔戏剧集》（*Théâtre De Clara Gazoul*）的作品，作者署名为"西班牙著名女演员克拉拉·加楚尔"，译者为爱斯特朗兹，作品的前边还附有这位女演员的小传和肖像。这些都是戏剧集的真正作者梅里美和他几个朋友合作的伪造和假托，戴着头巾和项链的女演员的肖像就是梅里美的好友兑内克留兹根据他的脸庞绘制的,这一顽皮的行为典型地表现了当时新派文艺青年的某种特点。戏剧集本身并没有重要的社会意义。它包括《非洲人的爱情》《女人即魔鬼》《西班牙人在丹麦》《天堂与地狱》《伊莱斯·芒多》五个短剧,内容轻松而略带讽刺,具有异国情调和轻快自然的风格,完全抛弃了传统的古典主义的戏剧法则,是当时浪漫主义文学思潮的产物,颇引起文艺青年的喜爱,并受到舆论的好评,从时间上来说,这个集子是浪漫主义戏剧的先声。

1826年,梅里美与后来在自己的画幅中热情描绘了七月革命的德拉克洛瓦到英国旅行了大半年,有机会观看了莎士比亚戏剧的演出,这对他后来写作著名的历史剧《雅克团》颇有影响。从英国回来后,他发表了一个具有浪漫主义气息的抒情民谣集。这次他又假托一个意大利政治流亡者之名,伪称这些诗歌都是从中欧地区收集的斯拉夫人、阿尔巴尼亚人的民歌。梅里美的伪造是如此充满地方色彩,在内容和风格上是如此酷似民间的谣曲,以至于人们都信以为真,歌德曾撰文向德国读者介绍这本诗集,普希金也把其中一部分译成俄文。1828年,梅里美第一部重要的作品《雅克团》出版。它是梅里美研究封建社会和接受莎士比亚戏剧影响的产物,它以思想内容方面的民主精神和艺术形式上对三一律的肆意违反而在新的文学潮流中占有重要地位。1829年,他出版了著名的历史小说《查理九世时代轶事》,继《雅克团》之后,再一次表现了他强烈的反封建、反宗教的思想感情,而这两部作品的现实主义风格又使他作为一个与浪漫派有所不同的作家而别具特色。

1829年,梅里美在文学创作上找到了更适合他的道路,在一年多的时间里,他连续写出了一批成功的中篇小说,其中最著名的有《马第奥·法尔哥讷》《塔曼戈》等。1830年七月革命前夕,梅里美到西班牙旅行,结识了日后对他的生活道路很有影响的蒙蒂霍伯爵夫人一家,而且,西班牙之行还扩大了他创作的视野,带给他的小说以新的西班牙题材和对西班牙性格的描写。

1830年以后，梅里美不止一个朋友在七月王朝政府中获得了要职，梅里美本人在行政机关中也得到了晋升，他被任命为历史文物总督察官。担任这个职务后，他成为一个杰出的考古学者、历史学家，在发掘、整理和保存法国古代文物方面作出了重大的贡献。由于他的敦促，政府开始注意对文物的保护。他还多次在全国进行考察，编制散佚于各地的古物目录，于1835年、1836年、1838年、1840年，整理出四册《旅行笔记》（*Notes de Voyage*），不少几乎泯灭的古迹和典籍，多亏梅里美的辛勤劳动才得以保存下来，在这一时期，梅里美还写作和发表了历史学和考古学的著作和论文多种，如《论罗马历史》（*Essai sur l'histoire romaine*）、《论社会战争》（*Essai sur la guerre sociale*）、《关于中世纪艺术的考察》（*Etudes sur les arts au moyen âge*）等等，在学术上提出了不少有价值的创见。相形之下，1830年以后梅里美在文学创作方面远不如在学术方面活跃，每隔好几年才发表一篇小说，不过，最能体现他的思想特点和艺术风格的两篇著名小说《高龙巴》（1840）与《嘉尔曼》（1845）却是发表在这个时期。此外，他还学习了俄语，于1849年翻译了普希金、果戈理与屠格涅夫的小说，使俄国现实主义文学得以在法国流传。

在第二帝国时期，由于他的老朋友蒙蒂霍夫人的女儿欧仁妮·蒙蒂霍成为拿破仑三世的皇后，梅里美身不由己地与这个肮脏的帝国有了联系。1853年，拿破仑三世任命他为上议院议员，并使他实际上成为宫廷的客卿，从此，他在喜庆游乐、仪典宴会中浪费了不少宝贵的年华，他作为文学家和学者的生命实际上已经终结，在文学创作上他已是"江郎才尽"，只写出两篇不足道的小说《罗基斯》（*Lokis*）与《蓝色的房间》（*La Chambre bleue*）。在学术研究上，他也只能偶尔写出一点随笔和论文，另外，他却适应拿破仑专制独裁的需要，编纂了一部《恺撒传》。晚年，他经常到外国旅行，过着悠闲的日子。

1870 年普法战争中,他一直忠于拿破仑三世的宫廷,坚持待在巴黎,后来才出走到南方的小城戛纳,不久在那里去世,他的生命几乎可以说是随着第二帝国的崩溃而终结的,对梅里美来说,这是最为可悲的结局。

第二节　梅里美的文学创作

梅里美在文学创作上称不上伟大,然而却是法国 19 世纪最富有艺术魅力的作家之一。他生活在法国资产阶级从与封建阶级作最后一次严重的较量到建立自己的巩固统治的时代,他的创作在思想内容上也经历了由批判过时的封建阶级到否定资产阶级文明的过程,而作为一个资产阶级作家,他反封建的激情与锐气显然大大超过了他对资本主义社会的揭露,因为他往往只是从某一个侧面对资本主义时代加以贬责。他的文学生涯正好是法国资产阶级文学从浪漫主义发展到批判现实主义的时期,他接受了浪漫主义的影响,但在创作上是一个现实主义者,而当他从资产阶级文明与淳朴、自然、粗犷的人性的对立这一角度来进行他的批判时,又流露出了对强有力个性的浪漫主义式的向往。《雅克团》和《查理九世时代轶事》是他反封建的代表作,而他对资本主义文明的批判则主要表现在《嘉尔曼》等中短篇小说中。

1.《雅克团》

《雅克团》(*La Jacquerie*,1828)是梅里美 25 岁时写出的作品,这时,他正接受了反复辟王朝的自由主义政治思潮和浪漫主义文学思潮的影响,在这部作品里显示出了青年作者反封建的激情。

剧本以法国 14 世纪著名的"雅克团"农民起义为题材。这次起义的爆发有深刻的社会历史根源。14 世纪法国农村阶级矛盾进一步尖锐,商品经济的发展刺激了封建领主的贪欲,促使他们更加重了对农民的压榨剥削。从1337年开始，英法为争夺法国境内的领地和弗朗德勒又进行了长期的"百年战争"，战祸发生在法国的西部和西北部。战争加重了农民的负担，当地的农民更受到英法双方军队的野蛮掠夺。正是在这种条件下，1358年，法国北部爆发了农民大起义。"雅克团"的原文"Jacquerie"意为"乡下佬"，是封建贵族对农民的蔑称，起义由此而得名。起义爆发后，一切反动势力都联合起来力图把它消灭，与法国处于交战状态的英国军队、觊觎着法国王位的纳瓦拉国王，都来帮助法国封建主进行镇压。最后，农民军由于政治上不成熟，中了敌人假谈判的诡计而遭到失败。

剧本的故事发生在英法百年战争的战场包阿锡地方，纪尔伯·达蒲莱蒙是当地凶残横暴的封建领主，在他的统治下，暗无天日，民不聊生。一部分反抗性强的农民相率逃往丛林，化装为狼，过着杀富济贫的生活。广大的农民群众遭受法国封建领主和英国浪人军队的轮番烧杀抢劫，忍无可忍，终于在一个名叫若望的修士的启发和率领下举行起义。若望修士把农民群众单纯复仇主义的要求提高一步，提出了"从地主贵族的压迫下解放出来"、"建立公社联盟"的纲领，他们利用英国浪人部队与法国封建领主的矛盾，和他们采取联合行动，攻克了达蒲莱蒙的城堡，杀死了封建领主，并进而围攻城镇，击败政府军队，取得节节胜利。但起义军内部情况复杂，有以法兰克为首的专为报仇泄恨而不免任意杀戮的狼人，有像皮埃尔这种在思想感情上与农民群众毫无共同点，最后为取悦贵族小姐而私自通敌的叛徒，更有与农民军同床异梦的假盟友英国浪人。因此，当封建统治者一面设下假谈判的骗局进行麻痹，一面勾结英国浪人内外夹攻时，农民军很快就全面崩溃，法兰克又率领他的狼人旧部遁入丛林，缺乏觉悟的农民军与群众在失败的灾难面前，纷纷抱怨若望修士把他们引到了绝境，最后将他杀死。

梅里美在剧本的序言中说明他的意图是"要写出14世纪残暴的

风俗",他力图在剧本中表现出"产生雅克团的原因,其实是不难猜测的,封建统治的暴行自然会引出其他的暴行"。人民在暴虐的统治下不得不奋起而反抗,这就是剧本中全部形象集中显示的主题。梅里美通过不止一个人物的经历表现了这一点。狼人法兰克原来是一个善良的马蹄铁匠,封建领主占有了他的妻子,把他关进监牢,还准备把他吊死,逼得他不得不逃进丛林,从此专与贵族领主为敌;西蒙原是胆小怕事的农民,只因扔石头打了爵主的狗,就受到了"该受吊刑"的威胁,他的妻子已经怀孕,却不得不奉爵主的命令到田里去服劳役,在无故遭到总管的毒打后死去。因此,他被迫起来以暴抗暴。为了突出"官逼民反"的主题,梅里美特别集中地揭露了封建统治阶级的残暴:他们把农民"当牲口看待",任意殴打杀伤,使人民"天天都有新的痛苦",而对胆敢进行反抗者则施以砍手、割舌、烧死的酷刑。他们不仅对农民进行残酷的剥削和压迫,而且在"领地上的一切都属于我们"的借口下,对农民任意进行公开的掠夺,使得"大家都快要饿死了",人民在忍无可忍的情况下,终于喊出了"农民解放、打倒领主"的口号。在历史上,雅克团这样一次农民群众反抗剥削制度的革命斗争,一直是被封建贵族渲染为残忍恐怖的暴行的,梅里美在剧本序言中就曾指出封建阶级历史学家对这次起义的"深恶痛绝";同样,以后的资产阶级学者对雅克团也充满了剥削阶级的偏见。和这些思想材料比较起来,梅里美在剧本中对这次起义的社会阶级根源的描写有着不可比拟的认识价值,它基本上符合社会历史的真实,表现了封建暴力下被剥削被压迫人民进行反抗的必然性和合理性,对人民的革命行动表示了明显的同情,这说明梅里美写作这部作品时思想上达到了资产阶级民主主义可能达到的最高程度。

《雅克团》是19世纪20年代资产阶级反封建复辟思潮的产物,它对当时仍掌握着政治统治权的封建阶级进行了历史的批判,作者针对这个阶级的特权地位和它所施加的封建压迫,在剧本的前面引用了英国的古民谚:"亚当耕,夏娃织,当时有谁是贵人?"又在第四场中通过若望修士之口这样发问:"他们比你们有什么了不起的地方,竟让你们受苦受罪?你们不是跟他们一样都是亚当的子孙吗?"作者从资产阶级民主主义平等观出发,彻底否定了封建制度下压迫与被压迫的阶级关系。他在剧本中对封建统治阶级无耻的卖国行径也有无情的揭露,描绘了法国的封建领主是如何与英国雇佣军沆瀣一气、狼狈为奸,当他们的利害发生冲突时就开打,任何一方都不是为正义而战,都没有那种因民族矛盾而产生的对敌方的激愤,而且,民族矛盾往往退居第二位,双方经常谋求妥协,停止战争,于是,在法国贵族与英国贵族之间就结成了对付农民的联盟,英国浪人成了法国封建领主用来抢劫农民、强化封建统治、镇压农民起义的雇佣军。作者为彻底揭露贵族凶残、腐朽、丑恶的本质,还无情地撕下这个阶级用来伪装自己的种种美丽的外衣,让读者看到,贵族文明只不过是空话连篇、虚文客套,这个标榜自己具有典雅文化的阶级原来大都粗俗无文,甚至"不认识祷告的经文",而贵族骑士风度实际上就是猎取妇女的手段,后面藏着狰狞的兽欲。作者还特别以漫画的笔法描写了这个阶级顽固坚持贵族观念、以自己的血统和门第自傲的种种丑态:贵族小姐伊丽莎白宁可遭到有贵族头衔的英国浪人的奸污,但一听农民出身的武士皮埃尔对自己的痴情就极为恼怒,厉声斥责,不过,当她父亲的城堡被农民军包围时,她为了贵族家庭的利益,又不惜利用自己的色相和身份去向皮埃尔求助;青年贵族在战场上被农民军一箭射中,临死前还"希望这射中我的箭是出于一个骑士之手";贵族骑士虽然"既不会念书也不会写字",比不上"精通各种技艺"的平民,但他们却目空一切,妄自尊大;有的贵族明明是出身不明不白的私生子,却自认为比出身清白的平民来得高贵。作者通过这些描写,表现出封建贵族阶级实际上的毫无价值与他们主观上的骄傲自大之间的尖锐矛盾,对这个阶级的血统、门第观念进行了辛辣的讽刺。此外,梅里美对封建教会也进行了批判,它通过若望修士这个反抗性的人物,揭露教会人物都是"伪君子",戳穿教会为了赚钱如何制造宗教显灵的骗局,为了增加收入如何"保护"逃亡的农奴,为了掠夺东方的财富如何把十字军东侵鼓吹为"圣战"。梅里美在《雅克团》中对封建阶级历史的批判显然是出于1830年七月革命前资产阶级反封建复辟斗争的需要,特别是他批判这个阶级的贪欲和与外国侵略者的勾结更有现实的政治意义,对于企图复辟封建所有制、向欧洲君主国屈膝投降的波旁王朝有着直接的针对性。这正是剧本《雅克团》在当时的进步历史意义。

《雅克团》在艺术上明显表现出莎士比亚的影响。作者在剧本的形象内容方面努力显示莎士比亚式的丰富性,力图像莎士比亚那样描绘出五光十色的社会生活的画面和众多的各阶层的人物形象。在这里,不仅对农村的阶级矛盾有深刻的反映,而且对中世纪城市中资产者与手艺工人的斗争也有生动的描写。但正如作者所说的,"关于雅克团战争,历史参考资料几乎完全没有",这给作者对历史生活的描写带来了一定的困难,因而,剧本显得有些图解式,其中的人物全系作者虚构,都有脸谱化的缺点,并没有真正达到莎士比亚化的水平,而且剧本场面浩大,人物过多,矛盾冲突又不集中,在戏剧艺术上是不成功的,因此一直没有得到上演的机会。在思想性方面,作者在不少地方把受压迫的农民群众表现成"好好地鞭打一下才敢跳出来抓人的猫",而在他们起义之后,又渲染他们是一群贪图私利、反复无常,甚至奴性难以根除的乌合之众,表现了他对人民群众的某些资产阶级偏见。

2.《查理九世时代轶事》

紧接着《雅克团》,梅里美又创作了另一部反封建的作品《查理九世时代轶事》(*Chronique du règne de Charles IX*,1829)。这部长篇小说以16世纪查理九世时期著名的宗教惨案"圣巴托罗缪之夜"为题材，表现了中世纪封建专制的黑暗与残暴。

16世纪初，在德国发生了以马丁·路德为代表的宗教改革运动，它的影响很快超越德国的疆界。法国人约翰·加尔文在路德的基础上又进行了更为激进的改革，形成了加尔文教派，信奉这个教派的被称为胡格诺教徒。由于加尔文教"适合当时资产阶级中最勇敢的人的要求"[①]，在法国得以广泛流传，形成了对抗国教（天主教）实际上也就是对抗王权的力量。尽管国王对新教进行了残酷的迫害，但城市中的市民阶层，包括小业主、小手工业者及城市平民，却热烈支持宗教改革，因而信奉新教的人数有增无减，很多贵族和农民也纷纷加入这个行列，特别是在南部，新教势力更大。到了16世纪四五十年代，有不少高级贵族也信奉新教，他们利用加尔文教派的组织与王权对抗。查理九世时期（1560~1574），大贵族分成了两个集团，一个是国王所支持的以吉斯公爵为首的天主教集团，一个是以海军上将柯里尼为首的新教集团，并爆发了长期的宗教内战。1570年休战后，胡格诺教徒得到了一定程度的宗教自由。但1572年8月，当新教重要人物都聚集在巴黎时，国王和天主教贵族集团于24日，即圣巴托罗缪节发动武装袭击，进行大规模屠杀，死难者达两千余人，史称"圣巴托罗缪之夜"。屠杀很快扩大到外省，由此又触发了长达十几年的宗教大内战。

梅里美的《查理九世时代轶事》写的就是这一段历史。他把小说的故事集中安排在"圣巴托罗缪之夜"前后不久的一段时间里，通过主人公颇有浪漫色彩的经历，展示出16世纪残酷斗争的情景。

主人公麦尔基是外省的胡格诺贵族青年，他的父亲是狂热的新教信奉者，在内战中英勇地为信仰而战，并在麦尔基身上培养了对新教

[①] 恩格斯:《〈社会主义从空想到科学的发展〉英文版导言》，《马克思恩格斯选集》第三卷，第391页。

的忠诚不渝。1570年宗教和平后,他打发自己的儿子前往巴黎投奔新教首领海军上将柯里尼。麦尔基来到巴黎后遇见了分别多年、现任轻骑兵营营长职务的哥哥乔治,乔治在内战中改变了宗教信仰成为天主教徒,遭到其父的唾弃并断绝了和他的父子关系。麦尔基与乔治重逢后恢复了兄弟情谊,在他的带领和引见下参加了宫廷和上流社会的游乐活动,结识了土尔芝伯爵夫人。由于柯里尼的推荐,麦尔基得到了掌旗官的职位。他很快与伯爵夫人的情人柯曼治发生了尖锐的矛盾,在一场生死决斗中他获得胜利,并成为伯爵夫人的新宠。这时在巴黎已经酝酿着可怕的阴谋,国王布置人对柯里尼进行暗杀,8月22日,海军上将遭到刺客的枪击受了重伤,23日晚,在国王直接指挥下,对新教徒的屠杀开始。乔治的轻骑兵营被调来参加这一行动,他拒绝执行血腥的命令,因此被投入监狱。麦尔基幸亏待在伯爵夫人家里才免于惨死,伯爵夫人尽一切力量劝麦尔基改变信仰以换取人身安全,遭到麦尔基的拒绝。不久,他逃出了巴黎,参加了胡格诺城市罗舍尔城对国王的反抗。这时,被释放出狱的乔治又被迫参加了国王围攻罗舍尔城的军队,在战场上,他遭到了麦尔基亲自指挥下的士兵的枪击。小说的最后,乔治死在自己弟弟的怀里,麦尔基也沉浸在莫大的痛苦中。

在小说故事情节的框架中,作者以震撼人心的笔力描绘出"圣巴托罗缪之夜"的悲惨情景:"血从四面八方汇入河内",罗亚尔河上每天都漂流着大量被杀害者的尸体,到处都是焚烧胡格诺教徒所发散的恶臭。在这场浩劫中,甚至无辜的妇女和儿童都不能幸免。乔治在街头看见一个怀里抱着小孩的妇女被杀害的场景,是梅里美以深刻的人道主义激情描绘出来的拉奥孔式的画面。这个妇女死于两个屠杀者的追击之下,她最后一个动作是双膝跪在地上,使出最后的力气把自己的孩子举起来向乔治托孤。作品中这些描写十分有力地表现出"圣巴托罗缪之夜"的罪恶的血腥的性质,实际上是作者对本民族历史上最大的一次宗教迫害的控诉。

作者在小说的序言中谈到这次惨案的罪责时,虽然假装为查理九世开脱,但在作品的形象描绘中,却十分明确地把国王当作罪魁祸首来加以揭露。梅里美笔下的查理九世是一个伪善恶毒的形象,他虚伪地称柯里尼为"我的父亲",在新教徒面前装出一副宽宏大量、大公无私的样子,内心里却充满了仇恨的毒汁。梅里美在《狩猎》一章中,对查理九世那种恶毒的心理状况作了深刻的描写。这个国王把一只驯良的鹿砍倒在地,一边把刀子刺入鹿的胁肋里去,"用刀刃在里面旋转来扩大伤口",一边用天主教对新教徒的蔑称来称呼他的牺牲品。这个场面既是象征性的,预示着不久以后对新教徒的大屠杀,又是心理描写性的,使读者从中看到,查理九世掩藏在伪善外貌下的内心狠毒终于情不自禁地流露了出来。这种蓄谋已久的仇恨和阴谋不久就成为具体的行动,他先是卑劣地怂恿乔治去枪杀柯里尼,遭到拒绝后又另派刺客进行暗杀,紧接着就发动了大屠杀。当那些被追杀的平民新教徒纷纷逃命时,这个国王"拿了一支长长的抬枪,站在王宫的一个窗口朝那些可怜的逃难者射击"。梅里美在揭露查理九世这个历史罪人的同时,也揭露了当权的统治集团和天主教教会。他通过人物之口讽刺宫廷"充斥了强盗",通过柯曼治这个贵族阶级的骄子横行霸道、把人命当儿戏的劣迹,表现了统治阶级、上流社会中残暴野蛮的风习。他让穿黑袍的教士以大屠杀指挥者的身份出现,揭露他们到处把屠杀的狂热愈煽愈烈,"鼓动信徒要加倍残酷",公开号召"残忍就是人道,人道就是残忍"。作者还戳穿了天主教会关于屠杀是保卫宗教信仰的谎言,揭露"圣巴托罗缪之夜"实际上是对新教徒的最残酷的掠夺和抢劫,他还用讽刺的笔墨在宗教信仰的"神圣性"上抹黑,把天主教望弥撒的仪式写成贵族男女传情勾搭的场所,神甫劝诫禁欲的讲道不过是用色情的话题来娱乐那些贵族听众。

梅里美的同情是在新教徒方面。在小说里，新教首领柯里尼是"集英雄与圣者于一身"的"伟大人物"，他在宗教内战中严禁自己的军队掳掠烧杀，甚至部下焚烧了天主教修道院他也要加以惩处，以明军纪。他衷心希望内乱结束、宗教自由，以便能用自己的长剑为国王和祖国效力。停战后，他襟怀坦白，一心要为国抗敌，对天主教会和国王制造的种种卑劣的阴谋都不以为意。另一个新教的代表、贵族青年麦尔基也是梅里美笔下的正面人物，他慷慨大度，豪爽高雅，忠于自己的信仰，宁可失去情人，死于屠杀，也不肯改奉天主教。梅里美这些描写有助于对照国王和天主教集团的卑劣、凶残，但把这两个人物作为新教集团的代表人物加以美化，却掩盖了历史上新教贵族集团的阶级实质和人物作为阶级成员的复杂性、真实性。

虽然梅里美面对历史上著名的惨案，把自己的同情寄予了受迫害的一方，但他并没有站在任何一个教派的立场上。他作为历史学家，表示了自己的爱憎，而他作为思想家却显示了对各种各样宗教学说的批判精神。他在描写那些新教徒狂热的宗教信仰时，经常略带嘲讽，还在不止一个地方通过表现新教派方面的阴暗面，说明新教与天主教同样的虚妄。他特别通过乔治这个人物表现了对一切宗教的否定。乔治本来是新教的坚强英勇的战士，但内战中残忍的行为把他的宗教信仰连根拔掉了。他爱上一个贵妇人，新教的首领刚德亲王为了争夺这个女人，就诬陷他是"反宗教的恶魔"，并使他在战场上陷于敌人的重围。他死里逃生后就改奉了天主教，实际上，他在思想上已经成为一个无神论者，已经没有宗教信仰，在他看来，两派宗教都是"异端邪说"、"荒诞无稽的东西"。他的一生虽然具有浓厚的悲剧色彩，最后牺牲在自己兄弟手下，但他临终时明确声称既不要天主教的弥撒，也不要新教的圣诗，拒绝向牧师、修士进行忏悔，表现出一种理性思想的光辉。梅里美把 18 世纪的理性精神注入这个 16 世纪的人物形象，并且让宗教信仰最为坚定的麦尔基因为乔治的死而永远得不到安慰，正说明了他自己是站在启蒙思想的立场来写这部小说，对宗教进行批判的。在教权主义猖獗的反动黑暗的复辟时期，《查理九世时代轶事》中的形象描写，无疑具有尖锐的针对性和现实的进步意义。

3. 前阶段的中短篇小说：《马第奥·法尔哥讷》《塔曼戈》及其他

梅里美在文学史上作为艺术大师的地位，在一定程度上是靠他的中短篇小说奠定的。他这方面作品的数量并不多，一共不到20篇，但它们从思想内容到艺术风格都具有鲜明的特点，其中不少都是精致的艺术佳作。从这些作品的创作时期来看，以1830年七月革命为界，可分为前后两个阶段。前一个阶段从他第一篇短篇发表的1829年到1830年，主要作品有《马第奥·法尔哥讷》《塔曼戈》等。由于复辟时期的梅里美在政治上和文艺上都属于和波旁王朝对立的资产阶级自由主义的阵营，他这一时期的短篇小说不论采用什么题材，都具有较鲜明的政治色彩，作者的爱憎也流露得比较清楚。

1829年，梅里美第一篇短篇《马第奥·法尔哥讷》(*Matteo Falcone*)的发表，显示出他是一个颇具特色的优秀的短篇小说家。这篇小说以极短的篇幅描绘出19世纪文学中一个独特的个性，一个令人难以忘却的人物形象。马第奥·法尔哥讷是科西嘉岛上一个强悍粗犷的农民，他为人豪爽，重义气，在当地赢得了好汉的名声，甚至也得到那些被政府追捕不得不逃遁山林的"匪徒"的信任。某天，他外出未归时，一个"匪徒"逃到他家，被他的小儿子收容藏匿了起来，官兵追到，以金表引诱孩子，使他交出了这个逃犯。马第奥·法尔哥讷回到家里得知此事后，为了洗刷不义，亲手处死了自己的独子。马第奥·法尔哥讷这个人物在当时的文学中具有特殊的意义，他在那人欲横流的社会现实面前，发散出一种淳朴的豪迈的气息，梅里美怀着明显的赞赏之情来描写这个人物，特别肯定了他那种以不法者之间的

"义"来对抗法律、对抗国家机器的精神和他为忠于这种"义"不惜牺牲自己儿子的非凡品德,体现了梅里美自己与统治阶级、上流社会大不相同的政治标准。接着发表的《查理十一的幻觉》(La Vision de Charles XI)通过神怪故事的情节再现了18世纪瑞典国王居斯达夫三世被刺案件的审判场面,在这里,鬼怪小说的手法把封建时代的宫廷生活、专制王权下的阴谋案件描写得十分阴森可怕,令人毛骨悚然,作者强烈的反封建精神,正是通过那充满了鬼怪和鲜血的封建时代的画面流露出来的。短篇《勇克棱堡》(L'Enlèvement de la redoute)叙述了拿破仑的军队攻克俄国固守的一个堡垒的经过,描写出帝国时期法国士兵的英勇善战和乐观精神,表现出作者在丧权辱国的复辟王朝的统治下对拿破仑帝国的怀念。在《一盘棋》(La Partie de Trictrac)中,梅里美又以欣赏的态度写出拿破仑时期一个青年军官的形象,他是一个颇有豪士之风的人物,任何人有困难求助于他,他莫不倾囊相助,但在一次为了"维持自己国家的体面"和外国人进行的赌博中有过不诚实的行为,他为此而内疚得几乎自杀,他在与英国舰队的海战中宁肯战死也不投降敌人,最后英勇牺牲。梅里美在波旁王朝统治下所描写的这些正面人物所属的时代和社会阵营以及他们身上的特点,正表现了梅里美对自己时代和社会的批判倾向,而且,也是复辟时期流行的拿破仑崇拜这一社会思潮的反映,这种思潮明显地具有与复辟王朝相敌对的性质。

这一时期梅里美最具批判意义的作品是《塔曼戈》(Tamango),这篇小说揭露了复辟时期贩卖黑奴的法国殖民主义者的罪恶。几内亚的土豪人贩子塔曼戈向法国船长勒多卖出了一批黑人同胞后,自己也被勒多劫持成了奴隶。在勒多把他们运回法国的途中,塔曼戈在船上发动黑奴起义,杀死了勒多和全体船员,但因不会驾驶海船,自己和全体黑奴都覆灭在海上,塔曼戈一人被救出后不久也悒郁死去。

作者把法国殖民主义者贩卖黑人的罪恶活动及其残酷、狡诈的手段作为小说揭露的主要内容。在塔曼戈与勒多船长成交的场面里，我们可以看到殖民主义者那些惨无人道的手段和最为可耻的诈骗：这些从非洲内陆各地被劫持来的黑人，像牲口一样被驱上了奴隶市场，160多个黑人，勒多只付给一些破破烂烂的物资作为代价，有的老人和妇女每人只值一瓶烧酒，有的甚至只值一杯烧酒。即使如此，勒多还刁钻地抱怨黑种人退化了，以此作为借口竭力压低价格。作者对贩奴船"希望号"和船上奴隶的非人生活的描写，更是充满了最辛辣的讽刺：勒多船长"绝没有守旧的精神"，因为他把最新的科学技术用于禁锢黑奴，船上的手铐和铁链都是"按照某种新方法制造出来的"，整个"希望号"的结构都是为了尽可能多装奴隶，因此，在6个星期以上的航程里，黑奴在船上只能拥挤地坐在一起，连伸腰的空间都没有，在勒多看来，这完全正常："他们有什么站立的必要呢？""到了殖民地他们只会站得太多的！"勒多有时也"讲点人道"，他声称："黑人也和白人一样是人呀！"因此，他要维持这些黑奴在途中的健康，办法是每天让他们戴着镣铐出来"跳舞"、"玩耍"，用皮鞭驱使他们在甲板上蹦跳，就像"马贩子驱使那些圈在船上作长途远航的马匹踏足一样"。通过对19世纪这些贩奴新技术的描写，梅里美把他批判的矛头指向了整个资产阶级的文明，尖锐地讽刺这些技术"正大可表示欧洲文明的优越"。他还把揭露扩大到政府当局的身上，在不止一个地方以暗示性的描写，使读者看出黑奴贩子的罪恶活动实际上是在法国海关当局的默许下进行的。《塔曼戈》在不长的篇幅中以巨大的艺术力量提出了19世纪资产阶级时代一个重大的社会问题：殖民主义者的罪恶活动与非洲黑人的悲惨处境，而且，在作品貌似冷静的形象描写之中，深深地渗透着作家的愤慨之情，这在当时的文学中是不可多得的。然而，梅里美在作品中的思想高度，并没有超出资产阶级人道主义的水平，他当然不可能看出黑人解放的途径，因而，作品笼罩着一种悲观甚至绝望的气氛，过多地渲染了黑人的蒙昧与落后，最终他仍然没有完全摆脱一个白种"文明人"的偏见。

梅里美在发表以上著名的中短篇的同一时期，还发表了一部颇有意思的独幕喜剧《送最后圣餐的四轮马车》（*Le Carrosse du saint-sacrement*，1829）。剧本的故事虽然被作者安排在18世纪的西班牙殖民地秘鲁，但实际上写的是复辟时期法国的现实。剧本中那个身体衰弱、暮气沉沉、整天抱怨神经痛、昏庸不堪、极端顽固的总督，很容易使读者联想到波旁王朝的统治者。这个总督和他的同僚营私舞弊、贪图特权，也是复辟时期统治阶级的真实写照，特别是在剧本中，不仅总督花钱养了一个妖冶放荡的女戏子，而且主教大人和大学士最后也都以这个女戏子为中心，互相勾结、沆瀣一气，确是为整个统治阶级的腐朽糜烂绘制出的一幅绝妙的漫画式的场景。作者的讽刺在这里是如此大胆无情，他所讽刺的对象又是这样生动并具有代表性，因而，虽然是一个短短的独幕剧，却一直到20世纪还不止一次在法兰西剧院上演。

4. 后阶段的中短篇小说：《高龙巴》《嘉尔曼》及其他

1830年七月革命后是梅里美中短篇小说创作的第二阶段，这个阶段的主要作品是《高龙巴》和《嘉尔曼》。

七月革命前夕，梅里美出发到西班牙旅行，革命的爆发并没有中止他在异国的游历。作为这次游历的收获，他写了三篇关于西班牙风俗人情的报道：《斗牛》《一次死刑的见闻》和《强盗》。在这里他对政治社会问题是漠不关心的，完全像一个猎奇的游客，以鉴赏的态度把当时也存在着资产阶级与封建阶级激烈斗争的西班牙，仅仅描写成一幅轻松有趣的图画。在作者笔下，流血事件并不可怕，像儿戏一样，死刑的执行也不残酷，似乎还颇有人情味，强盗没有一个是凶残的，他们不过像恶作剧的顽童，甚至有些可爱。虽然作者避开一切政治社会问题,但是却的确从西班牙风土民俗中发掘了某些较少被资本主义文明沾染的东西,如豪爽热情的性格、粗犷勇敢的风尚、注重信义的观念、恩怨分明和不计功利的风气等等,并把它们当作正常的符合人情的东西,以欣赏的态度和调侃的笔调加以描写,奠定了这三篇报道独特的基调。这种基调后来又进一步在梅里美第二阶段的中短篇小说中发展为一种以轻松幽默的方式来叙述粗犷强烈、震撼人心的事件的风格。从这个意义上来说,西班牙之行,的确是梅里美第二阶段创作的起点。

梅里美后阶段中短篇小说的特点,决定于梅里美在七月革命以后阶级地位的变化。七月革命结束了资产阶级与封建阶级争夺政权的斗争,也中止了梅里美在复辟时期那种强烈的反封建的创作灵感。他与政府当局的关系也有了变化,他不再是当局的反对派,而是与七月王朝有了千丝万缕的联系,他不仅有朋友在政府里担任要职,而且自己也成了政府官员。因此,他也不再从新的银行家王朝统治下的社会现实中汲取批判现实主义创作的素材,他的创作量较之1829年至1830年有了锐减。而且,在这一时期,他力图使自己的作品远离现实的政治,有意把作品的政治色彩和社会意义降到最低的程度,最突出的例子就是他1837年写的《伊尔的美神》(*La Vénus d'Ille*)。这篇小说讲的是一个恐怖故事:一个青年在结婚前夕无意中把自己的订婚戒指套在一具新出土的铜铸美神塑像的手指上,在这青年的新婚之夜,美神塑像闯进了房间把青年活活地吻死。小说的表现手法带有神秘主义的色彩,主题抽象,只具有某种含糊的唯美主义的寓意,作者似乎要说明,美是认真而严肃的,它要求人对它绝对忠实。尽管梅里美后阶段的小说缺乏对现实的针对性,但是还具有一定的进步意义,他发展了在《马第奥·法尔哥讷》和西班牙书简中的主题,在著名的小说《高龙巴》和《嘉尔曼》中追求某种与资本主义文明相对立的强有力的个性和资产阶级道德体系之外的人物形象,在银行家统治时代的资产阶级文学中别开生面。

《高龙巴》(*Colomba*，1840)的故事以科西嘉为背景，这一地中海的法属岛屿就是拿破仑的故乡。这里民风强悍，仇杀成风。小说中雷皮诺与巴里契尼两家有世仇，台拉·雷皮诺上校是拿破仑部下一个英勇的军官，拿破仑倒台后，他被迫回到科西嘉岛，与在复辟时期得势当了村长的巴里契尼律师不和，并被巴里契尼暗杀，留下了一子一女：奥索与高龙巴。奥索本来也是拿破仑军队里的中尉，在他父亲被害后不久，也被迫退伍回到了故乡。由于巴里契尼消灭了罪证，一直逍遥法外，就连奥索也不相信他就是凶手。只有高龙巴对巴里契尼怀着不共戴天的仇恨，长期策划报仇泄恨，为此，她暗中与绿林好汉互通声气，得到他们的支持。她竭力怂恿奥索报父仇，并使用各种办法激起奥索的仇恨。当州长来调解两家的纠纷时，她当面对巴里契尼进行了揭露，使奥索相信了巴里契尼就是凶手，终于燃起了两家斗争的烈火。这时，奥索从法国回科西嘉途中结识的英国上校和他的女儿丽娣亚前来拜访，当奥索出迎时，遭到了巴里契尼两个儿子的伏击，他出于自卫击毙了两个伏击者，幸亏高龙巴起了关键作用，奥索被迫自卫的真相得以大白，他才免于被法庭起诉，并且在高龙巴的撮合下，和丽娣亚结了婚。

高龙巴是整个故事的中心和动力，她是一个没有完全开化的村姑，性格开朗，作风泼辣，带有几分野性。她总是按照自然的本性和强烈的感情行事，不在乎什么"体统"，而"只问事情对不对"。她的是非标准和道德观念与统治阶级的偏见格格不入，甚至完全相反。她不受法律和道德规范的束缚，完全目无统治阶级的法纪和权威。她对那些不幸的受法律追捕的犯人富有同情心，而对那个代表着法律和权力的恶人巴里契尼却凶猛异常。作者还有意把她和深受资产阶级文明熏陶的人物加以对照，让她不仅远比文雅纤弱的英国小姐丽娣亚充满生气，而且远比少壮英武的奥索有魄力、有毅力、有个性、有才智，足以在生活中或挑起事端，或解决矛盾，使得事件波澜起伏，局面翻新。作者正是通过这样有意的对比，表现了他对资产阶级文明的讽刺和对远离这种文明的强悍个性的赞赏，在他看来，正是这种文明使人变得矫饰而不自然，软弱而缺乏坚强的个性，顾虑重重而丧失行动的活力，总之，在某种程度上是一种蜕化。因此，在作品里，代表文明人的正面形象如丽娣亚、奥索等都是以略带讽刺意味的笔调写出来的。

值得注意的是，作者对资产阶级文明的核心，即统治阶级的法律和道德作了明显的否定。小说中的反面人物就是精通法律、代表法律的巴里契尼，他完全是作者揭露鞭挞的对象。而且，法律在这里只起了助纣为虐的作用，奥索希望"法律会替我报仇"的幻想在现实面前碰得粉碎，还几乎丧失性命。最后，惩罚了恶人的并不是法律和道德手段，而是奥索身上残留的科西嘉人的勇敢。在这样的描写中，作者突出了对统治阶级法律的蔑视与批判。

为了把这一批判的主题表现得更清楚，梅里美有意在作品中描写了两个强盗的形象。一个是拿破仑时代的老兵勃朗陶拉凯沃，他因为报了杀父之仇被迫流落绿林；一个是神学院的穷学生加斯德里高尼，他也是犯了命案而当了强盗。梅里美把这两个为法律所不容的人描写得十分令人同情、不同凡俗，在他们粗野的外貌之下有着除暴安良的侠义心肠，他们只与恶人为敌，保护穷人和弱者。他们把钱财视为粪土，当奥索送给勃朗陶拉凯沃一些钱时，他当即予以拒绝，声称自己"不是乞丐"。作者还通过人物之口，指出他们是"公开的反抗社会"，因此，在小说的最后，他们拒绝了奥索要他们回到社会去的建议，因为他们认为社会是恶浊的，在那里"金钱代表一切"，而他们自己却"不谈金钱"、"只看重绝对自由的生活"，自认为精神上道德上都高于社会。他们以一种自豪的感情这样宣称："我们在枪弹射程以内到处称王,发号施令,除暴安良……这的确是最合乎道德的……我们绝不放弃……世界上没有一种生活比得上土匪的生活。"特别有意思的是,梅里美还让他的强盗具有高度的文化修养,加斯德里高尼能够随口引用拉丁诗人的名句,最后,当他摒弃社会生活的时候,却向奥索讨取了一本贺拉斯的诗集。这样,梅里美就完成了他理想的强盗的勾画,在这勾画中,既表现了他对阶级文明的批判,又表现了他对古典文化的喜爱,在这里,两者是被区别对待的。

在《高龙巴》里,梅里美再一次表达了他对拿破仑时代的缅怀和对复辟王朝的反感。他通过英国上校这个人物之口,对拿破仑军队的英勇壮烈作了有声有色、十分动人的描写,他笔下的拿破仑旧部,不论是台拉·雷皮诺上校,还是他的儿子奥索以及勃朗陶拉凯沃,都是性格刚烈、光明磊落的男子汉,而在复辟时期得势的巴里契尼则卑劣猥琐、诡诈阴险。梅里美不仅在描写拿破仑与波旁王朝的反复斗争在科西嘉岛所引起的两派纷争时,把同情寄予台拉·雷皮诺上校一边,而且通过不止一个人物之口,直接赞美了拿破仑时代。这些描写使作品具有了一定的政治色彩。然而,在复辟王朝已经垮台10年之久,法国社会政治生活又出现了新的课题的条件下,作者这种政治态度不过是属于历史范畴,并不具有直接的现实意义。仅仅从历史的斗争中汲取自己的诗情,正反映出作者并没有随着现实的发展向前进,仍停留在他反封建复辟的民主主义思想的阶段上。

《嘉尔曼》(*Carmen*,1845)是梅里美最著名的中篇小说,它叙述了文学史上一个极富有特点的爱情悲剧故事,表现了法国文学人物画廊中一个最为鲜明突出的女性形象。

故事以平易而引人入胜的叙述开始:1830年初秋,"我"在西班牙进行考古活动,在旅途中结识了一个剽悍的青年,他是当地著名的大盗唐·若瑟。幸亏有了"我"的帮助,唐·若瑟在途中得以逃脱了官兵的搜捕。分手9个月以后,"我"再见到唐·若瑟时,他已经是一个死囚了：他杀死了自己的情妇嘉尔曼，自己也投官自首。在赴死之前，他向"我"讲述了自己与嘉尔曼的爱情悲剧。

唐·若瑟原是一个有贵族血统的青年，在骑兵团当伍长，担任塞维勒城一个工厂的警戒任务。一天，一个名叫嘉尔曼的女工在吵架中砍伤了自己的同伴，由唐·若瑟押送她进监狱。嘉尔曼是一个容貌妖艳、性格泼辣的年轻吉卜赛女人，属于一个走私集团，专事刺探消息、充当耳目，公开的职业和身份从不固定，以巫术和美色行骗是她惯用的手段。在去监狱的路上，她引诱唐·若瑟放她逃走。唐·若瑟因此受到降级的处分，并在监牢里关了一个月。出狱后，唐·若瑟又遇见了嘉尔曼，嘉尔曼为了报答他，成为了他的情妇。但嘉尔曼犯罪的职业和她放荡的品性，又使她经常与别的男人勾搭。在一次争风吃醋时，唐·若瑟失手杀死了一个军官，成为法律所不容的杀人犯，他在嘉尔曼的帮助下参加了她的走私帮。不久，嘉尔曼原来的丈夫迦奇阿从监狱里逃了出来，他是一个心狠手辣的恶棍，在他的带领下，这个走私帮更堕落为杀人越货的强盗帮。唐·若瑟因为憎恶迦奇阿的残酷，也因为要独占嘉尔曼，所以在决斗中杀死了这个恶徒，并劝说嘉尔曼和他离开西班牙到美洲去过新的生活，但为嘉尔曼所拒绝，他只好继续干着走私的行业。不久，嘉尔曼又另外爱上了一个斗牛士，这导致她和唐·若瑟感情的破裂。唐·若瑟哀求嘉尔曼继续爱他，被嘉尔曼断然拒绝，他盛怒之下把嘉尔曼砍死，自己也去自首，准备一死。

这样一个故事在现实生活中只不过是一个混杂着罪恶的情杀案。主人公嘉尔曼不属于文学史上那种窈窕淑女或高贵命妇的人物体系。她是一个邪恶的人物。她的职业就是犯罪，现实生活中任何一个人，只要是有钱财可以偷可以抢，就成为她狩猎的对象。任何道德原则对她都是不存在的，唯一的原则就是有利可图。"在西班牙，一支雪茄的授受可以建立起一种友谊"，但在她身上也是行不通的，小说中"我"对她的善意，并没有妨碍她使这个外国考古学家怀里的金表不翼而飞。她进行抢劫和偷盗惯用的"武器"是她的色相,她为了走私帮某一笔大买卖,可以以卖身为代价。在这方面,她与娼妓没有多少区别,甚至比娼妓更为可怕,她的卖身本身就是一个可怕的陷阱,不仅要夺去对方的全部钱财,而且还有对方的生命。邪恶的生涯带来了她身上邪恶的特点:狡诈、欺骗以及某种程度的残忍和厚颜无耻,即使是对她如醉如痴的唐·若瑟也称她为"妖精",她也承认自己就是"魔鬼",会害得唐·若瑟"上绞架"。

但是,嘉尔曼并不单纯是一个邪恶的形象。她的复杂性在于,尽管她具有一些"恶"的特点,梅里美却力图把她表现为一朵"恶之花",赋予了她某些闪闪发光的东西,让她与周围的环境鲜明地对照起来。她自觉地站在社会的对立面,声称自己"不属于这些恶棍的专卖烂橘子的商人国家"。她对这个异己的国家和社会的道德规范表示公开的轻蔑,往往以触犯它们为乐事,还经常对那些不敢越出这些规范的庸人作风加以嘲笑。唐·若瑟在还没有成为资产阶级社会的"化外之民"的时候,就被她揶揄地称为"金丝鸟"。她对这个青年的循规蹈矩表示轻视,说:"你是一个黑奴,愿意让别人随便拿一根棍子来驱使你吗?"她是一个社会的叛逆者的形象,她以"恶"的方式来蔑视和反抗这个社会。她又是独立不羁性格的典型,不能忍受社会的任何束缚,她身上最突出的特点是热爱自由和忠于自己。在她看来,"自由比什么都重要",她说:"宁可把整个城市烧掉而不愿去坐一天的监牢。"她力图保持自己个性的绝对自由,不受任何道德原则、习俗偏见的限制。她经常声称自己以吉卜赛人的方式来行动,也就是按自己的本性来行动。因此,忠于自己成为她特有的道德原则,当她爱唐·若瑟的时候,她情愿在危急的关头与他共患难,一步也不离开,但当她对唐·若瑟的爱情终止后,任何劝说和威逼都改变不了她的决定,即使是在死亡的威胁面前,她也始终不让步。于是,以整个生命为代价来坚持个性自由和忠于自己的原则,就成为嘉尔曼这个人物最突出也最吸引人的标志。这是她在精神上优越于很多爱情作品中女主人公的所在，也是她成为文学史上最吸引人的一个艺术形象的原因。

《嘉尔曼》作为一篇爱情小说，在文学史上之所以特别有名，一方面在于它打破了当时资产阶级文学中爱情故事的俗套，竟然把一对情人的感情风暴描写得那么强烈可怕，以至于双方都付出了生命的代价，明显地赞赏了资产阶级作家经常向往的那种粗犷强烈的"激情"，别开生面地为资产阶级人性论的爱情描写提供出另一种类型的典范，因而引起资产阶级文艺家的广泛重视。但在我们看来，小说的价值却在于作者赋予了这个爱情故事以较深的社会意义，通过男女主人公的爱情冲突表现了一定的社会矛盾。男主人公唐·若瑟本来和嘉尔曼是不属于同一个世界的，他从和嘉尔曼相对立的社会阶层中出来，他的思想和愿望都打上了这个阶层的烙印。虽然他已经破落，但他以自己的贵族血统自豪。他本来要通过教会的道路向上爬，只不过因为游乐成性而断送了自己的前程；他当上了伍长，一心想逢迎上司以获得警长的臂章，还幻想当上军官。他循规蹈矩，从不敢越出自己作为国家机器一个小部件的职守和规范，他之所以改变了自己原来的生活道路，成为社会的逃犯，并不由于他具有反抗性，而只因为他更爱美色，在美色之前身不由己，不仅再没有意志力去坚持他的功名打算，而且放弃了自己的职责，与嘉尔曼串通一气，卷入了她的非法活动，最后成为了杀人犯。虽然他从原来和嘉尔曼处于对立状态的社会营垒中走了出来，与她为伍，然而身上毕竟还带着社会和传统的羁绊，这种羁绊始终和他的处境发生矛盾冲突，使他不甘心于这种非法的生活，念念不忘自己成了"坏蛋"，想要"重新做人"，而不像嘉尔曼那样认为这种生活本身就是正常的、无可非议的。因此，在嘉尔曼与唐·若瑟之间一直存在着两种生活理想、两种生活态度、两种是非标准的矛盾。唐·若瑟在迷恋之中又经常对嘉尔曼看不惯。他像那个社会里有攒财习惯的庸人一样，看见嘉尔曼把金钱视为身外之物，任意挥霍，就不免有些诧异；他身上还有道德廉耻的影子，对嘉尔曼在行劫和行骗中不择手段，不时感到愤怒；嘉尔曼声称"自己永远是自由的"，这条原则他当然不能理解，也绝不承认嘉尔曼那种独立自由的生活态度，而要实行阶级社会中形成的那种男子对妇女的专横。嘉尔曼早就看出了自己和唐·若瑟之间深刻的矛盾，也了解他们双方都是各自的原则和观念的固执的坚持者，因而也早就预感到他们会同归于尽。事实上，这一对男女最后悲惨的结局，正是两种观念、两种生活态度激烈冲突的必然结果。《嘉尔曼》既具有了这样的社会内容，也就不流于简单庸俗的情杀故事，而具有了一定的社会意义，这是小说的价值所在。《嘉尔曼》被不同国家的读者广泛喜爱，而且，被不止一个音乐家改编为歌剧和乐曲广泛流传，主要原因也在这里。

在小说里，梅里美的同情是在嘉尔曼这一方面的，他把这个自由的、粗犷的吉卜赛人的典型，和虚伪、苍白的文明社会相对照，把她的非法活动、惊世骇俗的生活态度，与社会法律、传统观念相对立，让她以勇敢地忠于自己的死超越于文明社会之上，让这个"恶的精灵"在那个社会的凡夫俗子面前闪闪发光，正表现了梅里美对资产阶级文明社会的批判和否定。这是他的进步的一方面。

第三节　梅里美的艺术特色

从整体来说，梅里美的创作不是以题材的重大和反映现实的深刻见长，他的作品特别是他的中短篇小说之所以吸引读者，主要在于其独特的艺术风格。在思想上，梅里美毫无疑义深受18世纪启蒙思想的影响，是一个资产阶级民主主义者，但他对现实的态度并不执着而热烈，多少有些游离，他对生活的观察总是采取一种多少有些超脱的观赏者的态度，因而，他的作品中既没有热烈的赞美也没有强烈的憎恨，对正面人物的描写略带揶揄，对不合理事物的揭露并无不可抑制的义愤，倒是含着讥讽的微笑。他在叙述某一惊心动魄的事件或某个少见的悲剧时，总是用一种平静的态度，让自己和这一事件保持着一定的距离。所有这些就决定了梅里美的作品具有一种幽默调侃的基调。批判揭露的微温是其缺点，但他这种对待现实和表现现实的方式，对读者却也有平易近人的效果。

梅里美在他的中短篇中，自己往往以讲述者的身份出现，他总把自己如何获得故事的经过交代得很清楚，或者自己也参与故事情节的发展，在其中掺杂一些对历史、考古、地理、民俗的感想和议论，这给他的作品以真闻实录的效果。不过，这种手法并不意味着作者在感情上投入到作品中的事件，恰恰相反，他竭力避免在人物和情节上表现自己的爱憎，而以一种冷静的态度来进行描述和刻画。这样，他作品中的事件和图景就很少有明显的主观色彩，给人以客观的现实生活本身的印象，这是梅里美的现实主义风格的特点。但同时，梅里美作为现实主义者，却又喜爱强悍的不平凡的性格，也喜爱选用震撼人心的事件，如马第奥·法尔哥讷为了义气亲手杀死自己的儿子，嘉尔曼为了自由宁可丢掉自己的生命，虽然这些是通过对事件过程和生活场景的现实主义的描写表现出来的，但不可避免地透露着鲜明的浪漫主义的色泽。

梅里美的作品具有高度精练的优点。他的作品篇幅不长，但是其中浓缩着丰富的生活内容和复杂的矛盾，如《塔曼戈》就是以短短的篇幅表现了巨大的社会问题和深刻的阶级矛盾。梅里美善于抓住事件的关键和主要方面，紧凑地展开，简繁得当，结构严谨。他也善于抓住人物最带表征性的言行突出其性格，他总是让自己的人物行动，而避免用作者抽象的分析来代替。他是一个高明的故事讲述者，他的叙述和描写既不铺陈，也不繁杂，因而整个作品呈现出明快流畅的特点。梅里美还是一个善于设置众多艺术层次的作者，他并不满足于让读者一眼就看透自己的主题和意图,而是用一些描述来挑起读者的兴趣和思考,随着情节的进展和深化最后才揭示作品的真谛。他的构思充满智慧,耐人寻味,很有情趣,《伊尔的美神》就是这样一篇作品。总之,梅里美是一个具有精巧技艺的小说家,他的中短篇小说在艺术上很有借鉴的价值。

第十一章 巴尔扎克

第一节 巴尔扎克的生平和思想

1. 巴尔扎克的生平

奥诺雷·德·巴尔扎克（Honoré de Balzac，1799～1850）是法国，也是西欧前期批判现实主义的代表作家，他不仅在法国文学史上具有崇高的地位，而且在世界文学中也有重要的意义。

巴尔扎克于1799年5月20日出生于一个工商业相当发达的城市图尔。他的父亲本是农民出身，早年进城，在大革命和帝国时期因善于钻营，终于跻身资产阶级。他对启蒙思想很感兴趣，同时也沾染了当时资产阶级钦慕贵族的习气，把自己的姓氏改成贵族的姓氏。作家的母亲出身于富裕的资产阶级家庭，深信"财产于今就是一切"。这样一个资产阶级家庭对巴尔扎克世界观的形成，起着重要作用。

巴尔扎克一生正好生活在19世纪上半叶，即从拿破仑帝国到1848年革命，这是法国资本主义的上升时期。巴尔扎克不满5岁便到郊外的圣西尔上学。1807年至1813年，巴尔扎克在旺多姆教会学校寄宿，6年中只同家人见了两次面。1814年全家迁至巴黎，巴尔扎克在几所私立的、其中有保王党人开办的寄宿学校读书。他在巴黎目睹了拿破仑帝国的末期、百日时期和复辟王朝的建立。1816年至1819

年，根据家庭的安排，他攻读法律，先后在诉讼代理人和公证人事务所当见习生。这是巴尔扎克的社会大学，他通过形形色色的案件，看到了围绕着财产展开的一场场斗争的内幕。巴尔扎克无意从事法律，他醉心的是文学创作，他设法去听巴黎大学的文学讲座，获得了文学学士的学位。1819年他的父亲退职，他则宣布了自己的志愿。经过激烈的争执，家里只给了他两年时间去证明他有无文学才能。

然而巴尔扎克用了整整10年时间才走完了文学创作的准备阶段。头两年写出的一部悲剧宣告失败了，巴尔扎克并没有气馁。1821年至1824年他化名与别人合作出版了一系列神怪小说，但所得摆脱不了经济的拮据。他转而想在商业上碰碰运气，1825年至1827年，他出版古典作家作品、开办印刷厂、铸造铅字，结果负债累累，拖累终身。他亲身经历了资本主义自由竞争的残酷现实，又重新回到创作上来。经过两年的搜集材料和写作，于1829年用真名发表了《舒昂党人》，这是《人间喜剧》（*La Comédie humaine*，1829~1848）的第一部作品。

在1819年至1829年这段时期中，巴尔扎克的思想经历了深刻的变化，同时在艺术上渐渐趋于成熟。从青年时期到这一阶段结束，恰好是整个复辟时期，历史的兴衰际遇、激烈的阶级斗争，对巴尔扎克的思想产生了巨大影响。早先，巴尔扎克赞成共和国，倾向于资产阶级自由派，同时也抨击过天主教。后来，他研究斯宾诺莎，接受了后者的自然神论。从1824年开始，他接触斯威登堡等神秘主义哲学家的著述。查理十世上台以后推行的反动政策，金融资产阶级的日益得势，社会的现实矛盾，加上自身的经历，给巴尔扎克提出了一系列问题。巴尔扎克为寻求对社会问题的解答，如饥似渴地广泛阅读了哲学、经济学、历史和自然科学的著述。他住在简陋的阁楼上，过着清贫的生活，接触到下层社会。1828年春，巴尔扎克同圣西门的信徒开始来往，受到圣西门学说的深刻影响。然而，巴尔扎克并没有完全接受圣西门的空想社会主义,和它保持很大距离。经过这一阶段的探索,在政治上,巴尔扎克形成了从中小资产阶级的立场来反对金融资产阶级的思想;在文学上,则走上了现实主义的道路,他把注意力投向社会风俗,写了一些素描式的随笔,谈论巴黎的商业和城市面貌,刻画各种不同类型的社会人物,对女子教育、婚姻、家庭等问题发表意见,赞扬当时的一些社会讽刺画和风俗画。

巴尔扎克就是在这样的基础上开始《人间喜剧》的创作的。1830年他创办《政治报副刊》,出版了以《私人生活场景》(1830)和《哲理研究》(1831)为题的短篇小说集。获得文学声誉之后,他开始涉足贵族上流社会。七月革命的爆发在作家思想上引起了强烈反响,他欢呼起义的胜利,但金融资产阶级的上台却使巴尔扎克转向反对派的行列。1831年末他加入了保王党,次年参加议员选举。同时期又继续发表《哲理研究》和《私人生活场景》。1834年至1835年在《十九世纪风俗研究》的总题目下出版了《私人生活场景》《外省生活场景》《巴黎生活场景》等多卷小说集。1835年至1840年出版了多卷小说集《哲理研究》。成名的巴尔扎克一方面沾染了巴黎生活的恶习,追求奢侈的生活,另一方面要设法躲避债主的追逼,经常隐居在偏僻的处所。1836年他创办《巴黎纪事》。1838年他到撒丁岛企图开采废置的银矿。1840年创办《巴黎评论》。至1842年,巴尔扎克已创作了70多部作品,超过了他长期酝酿、最后定名为《人间喜剧》的庞大计划的半数。他为这部《人间喜剧》写了《前言》,重新进行了分类编目,将全部作品分为三个部分:《风俗研究》《哲理研究》和《分析研究》。《风俗研究》从各个不同角度全面地反映法国当代社会生活,是《人间喜剧》的主干,根据小说的不同侧重点,又分为私人生活、外省生活、巴黎生活、政治生活、军旅生活和乡村生活等六个场景。

根据巴尔扎克的设想,《私人生活场景》应着重表现人们在青少年时期因生活经验不足或感情冲动酿成的种种错误与不幸,主要作品有：《苏城舞会》（*Le Bal de Sceaux*，1830）、《高布赛克》（*Gobsek*，1830）、《家族复仇》（*La Vendetta*，1830）、《猫打球商店》（*La Maison du Chat-qui-pelote*，1830）、《夏倍上校》（*Le Colonel Chabert*，1832）、《高老头》（1834～1835）、《无神论者做弥撒》（*La Messe de L'Athée*，1836）、《禁治产》（*L'Interdiction*，1836）、《入世之初》（*Un Début dans la vie*，1842）等。

《外省生活场景》着重描写人们走向成年时，因野心、欲望、自私自利的盘算引起的冲突，主要作品有：《图尔的本堂神甫》（*Le Curé de Tours*，1832）、《欧也妮·葛朗台》（1833）、《老姑娘》（*La Vieille fille*，1837）、《古物陈列室》（*Le Cabinet des antiques*，1836～1839）、《比哀兰特》（*Pierrette*，1840）、《于絮尔·弥罗埃》（*Ursule Mirouet*，1841）、《搅水女人》（*La Rabouilleuse*，1841～1842）、《幻灭》（1837～1843）等。

《巴黎生活场景》着重描写人心的衰老、腐化、恶的欲念代替了一切真诚朴素的感情，主要作品有：《十三人故事》（*Ferragus*，1833）、《法西诺·卡讷》（*Facino Cane*，1836）、《赛查·皮罗多盛衰记》（*Histoire de la grandeur et de la décadence de César Birotteau*，1837）、《纽沁根银行》（*La Maison Nucingen*，1838）、《烟花女荣辱记》（*Splendeurs et misères des courtisanes*，1839～1847）、《贝姨》（1846）、《邦斯舅舅》（*Le Cousin Pons*，1847）、《小市民》（*Les Petits bourgeois*，遗著，1854年出版）等。

《政治生活场景》的主要作品有：《泽·马尔卡斯》（*Z. Marcas*，1840）、《一桩神秘案件》（*Une Ténébreuse Affaire*，1841）、《阿尔西的议员》（*Le Député d'Arcis*，1847，未完）等。

《军旅生活场景》的主要作品是《舒昂党人》（*Les Chouans*，1829）。

《乡村生活场景》的主要作品是：《乡村医生》（*Le Médecin de*

campagne，1833）、《幽谷百合》（*Le Lys dans la vallée*，1835）、《乡村教士》（*Le Curé de village*，1838~1839）、《农民》（1844）。

《哲理研究》探讨产生这些社会现象的"原因"，企求寻出"隐藏在广大的人物、热情和故事里面的意义"，其中较重要的作品是：《驴皮记》（*La Peau de chagrin*，1831）、《红房子旅馆》（*L'Auberge rouge*，1831）、《长寿药水》（*L'Elixir de longue vie*，1830）、《受诅咒的孩子》（*L'Enfant maudit*，1831~1836）、《玄妙的杰作》（*Le Chef-d'oeuvre inconnu*，1831）、《柯内留斯老板》（*Maître Cornélius*，1831）、《玛拉娜母女》（*Les Marana*，1832）、《绝对之探求》（*La Recherche de l'absolu*，1834）、《海滨惨剧》（*Un Drame au bord de la mer*，1835）、《改邪归正的梅莫特》（*Melmoth réconcilié*，1835）等。

《分析研究》意在从人类的自然法则出发，来分析社会的不合理状态。但这一类作品完成得不多，仅随笔集《婚姻生理学》（*Physiologie du mariage*，1829）和《夫妻生活的烦恼》（*Petites Misères de la vie conjugale*），而且社会意义及艺术价值都大不如前两类作品。

《人间喜剧》约完成了原计划的五分之三，共有篇幅不等的小说及随笔集九十余部（包括部分未完成的作品）。此外，巴尔扎克还写过《伏脱冷》（*Vautrin*，1840）、《后娘》（*La Marâtre*，1848）等几部剧本。

巴尔扎克经常夜以继日地工作十几个小时，以致积劳成疾。1850年他从国外归来后便一病不起，于当年8月18日与世长辞。

2. 巴尔扎克的思想

巴尔扎克的思想十分复杂，而且充满了矛盾，但总的倾向是进步的。

巴尔扎克的哲学思想

在哲学上巴尔扎克主要是一个唯物主义者。对思维和存在这个哲学的根本问题，他一直在进行思考和探讨。他在自传性小说《路易·朗贝尔》中，曾通过他自己的化身路易·朗贝尔谈到"理智完全是物质的产物"，他"承认思维的物质性"，还"认为思想和观念是人的内部机体的运动和行动"。这表明巴尔扎克认识到物质是第一性，精神是第二性。巴尔扎克在晚年写的《社会问题入门》（Catéchisme social）中重申思维产生于有机体，再次表现了他坚持唯物反映论的立场。

巴尔扎克显然接受了当时自然科学某些进步的学说。例如，在长篇小说《绝对之探求》中，他正确地指出，"化学将自然界截然分为两部分：有机界和无机界。"这部小说描写一个科学家通过分解炭的合成炼出了人造钻石，并幻想分解出物质的本原。巴尔扎克也懂得物质可以改变，但不能消灭的物质不灭定律。巴尔扎克是内分泌学的预见者。他对物质和运动的理解完全符合唯物主义原理。路易·朗贝尔认为："世间的一切都是通过运动和数才存在的。"他在《驴皮记》中通过一个人物之口这样说："一切都是运动。思维是运动。自然界建立在运动之上。死亡是运动，其结果我们还不甚了然。如果上帝是永恒的，那么请相信，它也永远在运动之中。上帝也许就是运动。"这一观点在巴尔扎克的小说中屡见不鲜。

巴尔扎克的哲学思想的另一重要方面是对自然界一切事物之间的关系的认识。他认为："自然界是一个密不可分的整体……一切都服从这一法则。每一生物都在自身再生小型的准确的形象，植物液体、人类的血液、星球的运行都是这样"，"自然界在统一体中存在着多样性"，"大自然中没有任何孤立的东西，一切相连，一切精神现象相连，一切物质现象相连"。正是从这一观点出发，巴尔扎克注意到经济对社会发展的制约作用以及社会环境对人物思想的重要影响。

但是，巴尔扎克并不是一个彻底的唯物主义者，巴尔扎克的唯物论仍然属于机械唯物论范畴。而且在对待物质与精神的关系问题上，他有时又表现为二元论者，认为唯物论和唯灵论可以同时并存："也许唯物论和唯灵论表达了同一事实的两个方面。"这就为唯灵论留下了地盘。当时自然科学发展水平还很低，有许多基本问题不能解决，巴尔扎克把这归之为"人类科学的幼稚"，他笔下的科学家公然声称相信魔鬼或上帝。巴尔扎克并没有真正了解物质运动的现象，因而认为"运动就像上帝一样不可解释；像上帝一样深邃、无边无际、不可了解、不可捉摸"。巴尔扎克只看到各种事物之间的联系，而不了解事物变化的根本原因，也就是说，不懂得内因是事物变化的主要原因，外因则是次要原因的辩证唯物论。因此巴尔扎克的唯物论没有摆脱形而上学的桎梏。

巴尔扎克的经济学思想

巴尔扎克是自由贸易的鼓吹者。他通过《乡村医生》的主人公贝纳西说："一个国家真正的政策应该致力于解脱对外国的一切纳贡，但并不需要丢脸地求助于关税和禁运。"在《关于劳动的信》中也说："国家与其致力于规约和组织劳动，还不如效法英国，鼓励出售，给国民生产寻找和开辟出路。这是保护工人和商业的唯一方法。"巴尔扎克要求加速发展工商业，也就是加速发展资本主义。他大声疾呼："必须有一个工业的波拿巴，给共和国一个组织者。"他认为金融资产阶级统治下的七月王朝压制了其他资产阶级的利益，工商业得不到充分的发展，"法兰西自1830年以来一直停滞不前"。而他正是代表中小资产阶级的利益提出自由贸易的主张的。

对资本主义经济规律的探讨是巴尔扎克经济观点的重要部分。巴尔扎克接受了瑞士经济学家西斯蒙第的这一理论：劳动力的低价格一般可使生产者建立优越的商品市场。巴尔扎克的出发点在于要同英国在工业方面竞争，这就需要工业产品价格低廉，而"成品价格决定于成本费和工资"。他还认为"一个国家之富有，不在于它能把许多钱从一个金库调拨到另一金库中，而在于人们可以用很少的钱买到很多的食品"。巴尔扎克认识到这最终必然要同农业联系起来,因为"一切来自土地的东西……都是工资和原料的综合产品"。但是当时的农业状况是一个巨大的障碍。要发展资本主义的工商业,就必须发展资本主义的农业,改变当时农村的落后状况。巴尔扎克认为近40多年中,由于农业的关系,光利息就损失了6亿法郎,即少了12亿法郎的农业产品,亦即损失了商品流通可能获得的30亿法郎。巴尔扎克指出,英国的资本由于能够不停地运转,每年有100亿的产值,而法国的产值连它的十分之一都不到。总起来看,巴尔扎克的观点反映了工商业资产阶级,包括农村资产阶级的利益。

巴尔扎克自己也意识到要实现他的经济主张是不可能的。他说:"工农业之间必然引起冲突,因为工业在竞争的推动下希望食品低价格,以便压低劳动力价值。可是农业供应食品不能低于成本值。这是现代政治解决不了的问题。"(《社会问题入门》)巴尔扎克提出要降低三分之一的捐税,改变捐税的分配制度,也纯属改良主义的幻想。巴尔扎克毕竟还没有认识到资本主义经济制度的根本弊病,也没有认识到"物质生活的生产方式制约着整个社会生活、政治生活和精神生活的过程"[①]。因此他的经济主张只能是改良主义的。

巴尔扎克之所以如此重视经济问题,是因为他认识到经济同社会政治之间的内在联系。"没有流通,也就没有商业、没有思想交流、没有任何类型的财富",这段话包含着经济活动与人们思想之间的制约关系。巴尔扎克很早就看到一定的经济地位决定人们的思想愿望:"工匠要把他的儿子送去当法官,商人要把他的儿子培养为公证人;而公证人和法官则希图在议会里扬名。"(《论长子继承权》)巴尔扎克还发现了经济利益和意识形态的关系:"天主教是王权、领主和教会的物质利益的体现者。"(《两个梦》,*Les Deux rêves*,1830)巴尔扎克认识到复辟时期的贵族阶级失去了以往的经济条件,多半都背上了

[①] 马克思:《〈政治经济学批判〉导言》,《马克思恩格斯选集》第二卷,第82页。

债,"无钱的阀阅世家在法国大贵族中根本找不到富有的女继承人"(《莫黛斯特·米尼翁》,*Modeste Mignon*,1844),因而只能同大资产阶级联姻。贵族阶级在经济上的没落导致了政治上的灭亡,而资产阶级在经济上的日益得势也不可避免地导向它的上台。巴尔扎克还发现里昂起义和巴黎起义的起因开初纯粹是经济上的,最后转成了政治性的(《论工人》,*Sur les ouvriers*,1840)。巴尔扎克看到小农经济的落后造成了农民的闭塞、守旧,农村成为封建势力的最后营垒。巴尔扎克已开始注意到大工业对社会的影响。所有这些,使《人间喜剧》具有极其丰富的社会内容。

巴尔扎克的政治思想

阶级斗争的观点是巴尔扎克政治思想的重要部分。巴尔扎克曾经听过基佐的课,后来研究过这一法国资产阶级历史学派的著作。更重要的是,巴尔扎克接受过圣西门和傅立叶空想社会主义的影响。巴尔扎克关于阶级斗争的观点就来自这两个方面。他在复辟王朝后期写成的《婚姻生理学》已经注意到各阶级的存在。据他分析,在法国,穷人有1800万,中等阶级有1000万,富人有200万,数字比例相当准确。他认为不同阶级之间必然产生斗争,他在《老实人指南》一文中曾指出:"生活可被看成穷人和富人之间的一场持久的战斗。"在《论保王党的处境》(1832)一文中又通过历史的回顾,指出自高卢人入侵以后,就形成了压迫者和被压迫者阶级;被压迫者要争取解放,引起了利益之间的冲突,随着第三等级的日益强大,产生了派别;1789年以后,资产阶级又从第三等级中分化出来。巴尔扎克的这些描述表明他是以阶级斗争的观点来研究法国历史的。在理解现代史和当代史时,他划分了贵族和高级僧侣、资产者、农民、下层人民和士兵、无产者等几个阶级(《金眼女郎》,*La Fille aux yeux d'or*,1834~1835;《耶稣降临弗朗德勒》,*Jésus-Christ en Flandre*,1831)。他从阶级斗争的观点出发,在复辟时期就预言:"革命尚未结束,从社会骚动的情况来看,我预见到将有风暴。"在七月王朝时期,巴尔扎克又断言:"我不相信再过十年,现存制度还会存在……青年将会像蒸汽机的锅炉一样爆炸。"(《泽·马尔卡斯》)。巴尔扎克深知这个道理:"生活悲惨的人达到一定数目,而富人屈指可数时,革命就不远了。"总之,巴尔扎克把历史看做一系列的阶级斗争,他的《人间喜剧》之所以能深刻地反映社会现实,一个重要原因是由于他掌握了阶级斗争的观点。

公开参加正统派反映了巴尔扎克政治思想的另一重要方面。毫无疑问,巴尔扎克从倾向自由派转到参加保王党,对他的创作产生了消极影响。"他的伟大的作品是对上流社会必然崩溃的一曲无尽的挽歌;他的全部同情都在注定要灭亡的那个阶级方面。"①《人间喜剧》充斥着巴尔扎克心爱的贵族男女,充分流露了巴尔扎克对贵族上流社会的赞赏和留恋,表达了他对失意的贵妇和"正直"的贵族的极大同情。巴尔扎克还发展到对路易十六的同情,描写杀他的刽子手如何内疚,暗中把国王的遗物交给一个暗藏的教士,后来处决罗伯斯庇尔的也是他,"全法国没有心肝,而钢刀却有!"(《恐怖时代的一个插曲》,Un Episode sous la terreur,1830)巴尔扎克还在《现代史拾遗》(L'Envers de l'histoire contemporaine,1842~1844)中描写一群旧贵族如何组织了一个慈善机构,为首的是一个反对大革命的女贵族,她的女儿上了断头台,而她则被判20年监禁,但她后来却救助了变得穷困潦倒的那个当年判她徒刑的法官。

然而,不能因为巴尔扎克参加了保王党,在作品中流露了对贵族阶级的同情,就把他和贵族等同起来。

马克思曾深刻地指出,当时法国的资产阶级"分裂成为两大集

---

① 恩格斯:1888年4月初致玛·哈克奈斯的信,《马克思恩格斯选集》第四卷,第463页。

团"，即"两大保王主义集团——联合起来的正统派和奥尔良派"[1]，前者代表土地资产阶级，后者代表大金融资产阶级。奥尔良派在七月王朝掌权，因此，巴尔扎克参加的是一个资产阶级反对派。一方面，大地主阶级"虽然还摆着封建主义的资格，抱着高贵门第的高傲态度，但是在现代社会发展的影响下已经完全资产阶级化了"[2]。另一方面，由于土地资产阶级同贵族有着更多的联系，所以正统派也就带有更多的贵族色彩。法国大革命以后，贵族阶级融合到资产阶级中去的社会现象与日俱增，而资产阶级也乐于带有贵族称号，攀附显贵。巴尔扎克的倾向具有贵族色彩就是这种现象的反映。

巴尔扎克之所以加入正统派，主要原因是由于对金融资产阶级的垄断统治不满。巴尔扎克在七月革命后不久就观察到："由七月所产生的伟大准则，没有一条写进立法中去……政府重操复辟时期的旧业"(《关于巴黎的信》，1830~1831)。他在《一年两遇》(*Deux rencontres en un an*)里写到七月革命的参加者如何在法庭和监狱里相遇："整个时代的历史可以用两个字来表达：叛变！"巴尔扎克的思想代表了中小资产阶级，而在七月王朝，"所有阶层的**小资产阶级，以及农民阶级**，都完全被排斥于政权之外"[3]。巴尔扎克正是由此而参加反对派的，他甚至宣称："如果我不能生活在绝对君主制之下，我宁愿要共和国，也不愿要这些没有行动、没有基础、没有原则的卑劣的不合法政府。"

然而，巴尔扎克并不是一个正统的保王派。他因观点不同，和保王党有不少矛盾。巴尔扎克曾直言不讳地指出："保王党和自由党都有极大的错误：它们为了稳住党内群众而屈服于自己的偏见，进行无

---

[1] 马克思：《1848年至1850年的法兰西阶级斗争》，《马克思恩格斯选集》第一卷，第445、451页。
[2] 马克思：《路易·波拿巴的雾月十八日》，《马克思恩格斯选集》第一卷，第629~630页。
[3] 马克思：《1848年至1850年的法兰西阶级斗争》，《马克思恩格斯选集》第一卷，第394页。

理的争论。故而最忠实反映保王党精神的报纸不敢谈论宪章,虽然这份报纸的撰稿者,党内最有头脑的人,孕育了伟大的设想,即在全国范围建立仿效英国托利党的保王党。"(《论保王党的处境》)巴尔扎克始终保持着中小资产阶级的立场,并提出了一系列反映这个阶级的利益的主张。在《乡村医生》中,针对金融资产阶级独占的统治,他提出"竞争是实业的生命";针对大资产阶级对中小资产阶级的排挤,他主张给人们提供"崭露头角"的机会;针对金钱的腐蚀力量,他希望"金钱一方面使人安居乐业,一方面带来健康、富足和快乐";针对社会的停滞不前,他主张发展资本主义工商业;针对政府的无能,他主张实行强权政治;针对人民的贫苦,他提倡改善人民生活;针对农村的落后,他提出建立资本主义的农场;他还提出宗教和宗法式的家长制。他这本小说遭到了保王党报纸的指责,因为巴尔扎克的种种主张同保王党的主张相去甚远。然而巴尔扎克没有放弃自己的观点,在《乡村教士》中,他更进一步发展了建立资本主义农村的理想。可见,巴尔扎克同保王党始终是貌合神离的。

巴尔扎克参加保王党后,并没有改变他对哲学、经济和有关阶级斗争的基本观点。而且,1837 年巴尔扎克曾一度对傅立叶的空想社会主义发生了兴趣;他对共和党人表示高度赞赏;直到 19 世纪 40 年代后期,他仍然把空想社会主义者看做先锋;巴尔扎克把共产主义者也放到这一行列中(《不自知的喜剧演员》,*Les Comédiens sans le savoir*,1846),认为共产主义是"民主的既生动又活跃的逻辑发展"(《农民》)。这一切说明巴尔扎克始终保持着中小资产阶级的较民主的观点。

正因为巴尔扎克的政治观点没有离开中小资产阶级的立场,所以他对人民的态度既有同情其疾苦的一面,也有反对人民参与政权的消极一面。如他认为"人民参加政府,等于力要做机器","由群众统治的政府,这是唯一不负责任的政府";他认为人民永远应处于被统治、"被保护"的地位，社会应保持资产阶级统治的局面，既然阶级是永存的，现代社会的秩序，亦即资本主义秩序也应该永存。

巴尔扎克的宗教思想

巴尔扎克是鼓吹天主教信仰的。他有几部小说专门描写宗教"感化"人的力量。如《乡村教士》描写一个教士如何把一个偷盗成风的村子淳化成路不拾遗；小说女主人公在他的感化下作了忏悔，承认曾引诱一个学徒爱上自己，最后她出资改变山村的落后面貌，自己则苦修而死。作者以此说明"基督教是一个对抗人的败坏倾向的完整体系"。

巴尔扎克深深懂得宗教可以作为阶级统治的工具。他说："来生的教义不单是一种安慰，而且还是一种适于统治的方法"；天主教"是稳定社会的最大因素"；"宗教感情是唯一能制驭精神的叛逆、野心的算计和形形色色贪婪的"；"在政府所能运用的一切方法中，宗教难道不是使人民逆来顺受、一生劳碌的最有效方法吗？"巴尔扎克最后这样剖析宗教："这也许不是神的旨意，而是人的需要。"他还通过作品中的人物指出，"宗教是使富人得以安逸地生活的保守原则的纽结"。如此直言不讳地道出宗教的秘密，完全有别于统治阶级和教会；如此清醒地、透辟地分析宗教的性质和作用，更有别于一般的教徒。巴尔扎克说过："我根本不是正统的教徒，我根本不相信罗马教会。"巴尔扎克既不是真正信教，却又大力鼓吹宗教，原因在于他看到了社会某些不可克服的弊病，而又找不到出路。他认为宗教"是一切社会里，把恶的数量减少，把善的数量增加的唯一手段"，认为"基督教告诉穷人容忍富人，告诉富人减轻穷人的困难"。因此，鼓吹宗教是巴尔扎克的改良主义立场所导致的必然结果。

总之，巴尔扎克的世界观充满了矛盾。一方面，他主要是一个唯物论者，这是他能够接受当时进步思想、正确地理解各种事物的基础，而同时又带有唯灵论的成分，甚至相信荒谬绝伦的骨相学、神秘主义、催眠术、占卜术等等；一方面他鼓吹发展资本主义工商业和农业，而有时又幻想回到宗法制社会里去；一方面他掌握了阶级斗争的观点，以此去揭露社会生活深刻而广泛的斗争、变化和发展，另一方面则流露了对必然灭亡的贵族阶级的同情；一方面是个清醒的无神论者，另一方面又狂热地鼓吹宗教。这个自称要成为"社会医学的普通医生"的作家，其实并没有，也不可能解决社会问题，最后他只能得出这个消极的结论："福祉在理论上是可能的，在实践上却不可能。"巴尔扎克思想上的种种矛盾现象有着深刻的社会和阶级的根源。这种矛盾是当时极其复杂的阶级矛盾、社会斗争和历史传统的反映，是19世纪上半叶法国社会生活所处的矛盾状况的表现，也是巴尔扎克所处的阶级地位和所代表的阶级利益的表露。

19世纪上半叶是法国资本主义同封建主义继续斗争、取得最终胜利的时期。随着阶级斗争的深入发展和曲折变化，中小资产阶级的政治地位也发生了变化，从而也影响着其政治态度的变化。在拿破仑时期，中小资产阶级在政治上和经济上都获得了利益。农民也分得了土地，成为自由农民。中小资产阶级还可以通过入伍的途径往上爬。这一时期，中小资产阶级拥护大革命的成果，拥护拿破仑。巴尔扎克的家庭和他自己都采取这种立场。随着拿破仑的失败和复辟王朝的建立，中小资产阶级的"黄金时代"过去了。在这个阶层里，"几年里出现的破产，同旧王朝的两个世纪里出现的一样多"。政治上往上爬的途径更是完全断绝了。这一时期的中小资产阶级走投无路，四处碰壁，有的倾向于空想社会主义，有的投靠复辟王朝。巴尔扎克这时期的思想也处于不断变化之中。在七月王朝时期，金融资产阶级垄断了政权，中小资产阶级为了反对金融资产阶级日甚一日的压迫，采取了不同的对抗形式，包括同作为反对派的保王党的联合。"农民反对高利贷和反对抵押制的斗争，小资产者反对大商人、银行家和工厂主等即反对破产的斗争，还隐蔽在反对金融贵族的普遍起义外壳下面。"①巴尔扎克参加保王党正符合这一社会现象。

19世纪上半叶的法国还是个以农业为主的国家,农民和小资产阶级占人口的压倒多数。毫无疑问,巴尔扎克在很大程度上反映了他们的情绪、愿望和要求。巴尔扎克广泛地描写了农民的悲惨处境。他尖锐地提出了农民的贫困在于不断分割小块土地,《乡村教士》列举了小块土地的危害,指出法国有4000万公顷土地,却分成1.25亿块;土地愈分散,农民在经济上愈弱小,农业上的落后状况也就不能得到改变,当时农民收入极低,有的只有15至25生丁收入。而这一切的根源正在拿破仑的《民法》之中。"'拿破仑的'所有制形式,在19世纪初期原是保证法国农村居民解放和富裕的条件,在这个世纪却已变成使他们受奴役和贫穷化的法律了。"②巴尔扎克曾大声疾呼要改革捐税制度,裁减庞大的官僚机构(《公务员》,*Les Employés*,1837),显然,巴尔扎克反映了要求摆脱这种贫困生活条件的农民的愿望。另一方面,由于农村的闭塞落后,一部分农民仍对封建贵族俯首帖耳,仍然"处在依赖自然力的地位并且对保护它的最高权力采取顺从态度"③;一部分农民则迷信宗教。这些,都可以在巴尔扎克的思想里找到反映。可以说,汪洋大海般的农民和小资产阶级的革命要求、弱点和弊病,直接影响了巴尔扎克,这无疑是巴尔扎克思想矛盾的社会根源。

第二节 《人间喜剧》的社会历史内容

恩格斯曾经指出:巴尔扎克"在《人间喜剧》里给我们提供了一

---

① 马克思:《1848年至1850年的法兰西阶级斗争》,《马克思恩格斯选集》第一卷,第403页。
② 马克思:《路易·波拿巴的雾月十八日》,《马克思恩格斯选集》第一卷,第695~696页。
③ 同上书,《马克思恩格斯选集》第一卷,第698页。

部法国'社会'特别是巴黎'上流社会'的卓越的现实主义历史"①，"他汇集了法国社会的全部历史"②。恩格斯的论述准确地概括了《人间喜剧》的思想内容，指出了它的不朽价值。

巴尔扎克给自己规定的任务也正在于反映整个社会。他在《人间喜剧》前言中写道："法国社会将要做历史学家，我只能当它的书记"，"从来小说家就是自己同时代人们的秘书"。在法国文学史上，还没有一个作家给自己提出这样巨大的任务。巴尔扎克要真实地深刻地"再现自己的时代"，不是部分地再现，而是整体地再现，使之构成一部通过形象来表现的历史。他反复地强调，要"完成一部描写19世纪法国的作品"，他要研究"法国历史的主要统治时期"，以描绘"构成这个社会的通史"的全部风俗，这部风俗史正是"许多历史学家忘记了写的那部历史"。巴尔扎克感到一部作品难以完成这个任务，于是他想到把自己的作品"串联起来，编写成为一篇完整的历史，其中每一章都是一部小说，每一部小说都描写一个时代"，这样集合起来，便构成一部"包罗万象的社会史"。可以说，巴尔扎克出色地完成了这个任务。

《人间喜剧》首先反映了资产阶级取代贵族阶级的罪恶发家史。恩格斯指出，巴尔扎克"用编年史的方式几乎逐年地把上升的资产阶级在1816年至1848年这一时期对贵族社会日甚一日的冲击描写出来"③。恩格斯强调"用编年史的方式"，也就是说表现得非常细致，像一部历史记录。1816年至1848年恰是巴尔扎克的青年时期和创作时期，他对这一段历史最熟悉。为了表现资产阶级如何取代贵族阶级，巴尔扎克对资产阶级的兴起作了深入的研究。他发现从中世纪起，资产阶级的前身市民阶级就逐渐强大起来，它"以商业和一切社

---

① 恩格斯：1888年4月初致玛·哈克奈斯的信，《马克思恩格斯选集》第四卷，第462页。
② 同上书，第463页。
③ 同上书，第462页。

会联系反对封建主义，以科学、智谋、金钱反对强权，以天赋人权反对强加的法权，以罗马法反对领主司法"（《论保王党的处境》）。他的小说《柯内留斯老板》就是以15世纪下半叶为历史背景，其中的国王路易十一被写成一个保护资产阶级、为资本主义发展最先开辟道路的贤明君主。在小说《两个梦》中，他又明确指出封建王朝覆灭的起因要追溯到16世纪的宗教改革运动。在《玛拉娜母女》中，他分析道："法国大革命改变了经过战乱的地方的风俗。"在《婚约》中他进一步指出："自上次法国革命以来，资产阶级的风俗已经渗入贵族世家。"这是波旁王朝返回法国之前的社会状况。这一发展趋势并不因为波旁王朝的复辟而中止，"革命在继续，它植根于法律之中，刻写在土地之上，始终存留在精神之中"（《两个新嫁娘》，*Mémoires de deux jeunes mariées*，1841~1842）。在大革命和拿破仑时期发了横财的大资产阶级，在复辟时期经济实力不但没有削弱，而且以更快的速度增长起来，如《欧也妮·葛朗台》中的资产者葛朗台就是这样。《老姑娘》描写在外省阿朗松地方资产阶级的头面人物杜布斯基耶如何战胜旧贵族，娶了当地最有钱的老处女，终于完全控制了这个城市，"毫无能耐的共和国最后终于战胜了标榜骁勇的贵族，而且是在复辟王朝的盛期"。作者在这里指出这个资产者获胜的原因是："社会改变了……随着政治变动而来的，是风俗的改变。"长篇小说《农民》和《幻灭》描写的也是外省资产阶级怎样控制了当地的经济命脉和政权。巴尔扎克淋漓尽致地描写了这场阶级斗争，它不仅表现在经济领域，而且表现在宗教领域和政治领域。《图尔的本堂神甫》描写依附于贵族的皮罗托神甫被同资产阶级和修道会有密切关系的脱罗倍神甫赶出了图尔城。《比哀兰特》描写以维奈为首的资产者在自由派的支持下，同当地贵族进行党派斗争，其中还穿插着婚姻的角逐，最后维奈获得了完全的胜利。《公务员》中描写了高利贷者高布赛克和吉戈奈以债务相逼，让复辟王朝政府中的主任秘书任命他们的人为司长,"胜利归于金钱"。金融资产阶级能够左右高级官员的任命,说明政权已逐渐落入它的手中。七月革命之后,金融资产阶级成为法国的统治者。巴尔扎克在他的作品中对这个阶级作了深刻的揭露,如《纽沁根银行》描写了一个银行家的发家史。1815 年纽沁根以 40% 的价钱买下了破产银行的信用券,然后通过政府官员,让复辟王朝以百分之百的价值偿付帝国时期留下的债务,赚了一笔钱。早在 1804 年他借口清理,停止支付金币,而发行银行券,用黄金从事他种投机。他利用酒商的困难,用纸币贱买了 30 万瓶酒,滑铁卢战役后,外国军队进入巴黎,他把酒抛了出去,买进时是每瓶一个半法郎,卖出时 6 法郎,发了巨额的国难财。1815 年他用获得信誉的纸币购买国家发行的证券,再换成黄金,然后再一次停止支付,用低于原价 20% 的价钱买进的铅锌股票来偿付,黄金却用于购买当时正处于低价的公债。铅锌矿由于不景气,使股票持有者纷纷破产,1827 年经济危机之际,纽沁根掌握着 1100 万,他把 500 万投资到美洲,其余的让别人出面开设一个银号,以高于实际价值 20% 的价格出售股票。他以这个银号的股票同降价的铅锌矿股票交换,结果使银号股票一下跌到原价值的 40%,纽沁根又把股票收回。1830 年 7 月公债升到最高价时他抛出,七月革命后他以 45% 的价格收回。纽沁根就是这样以买空卖空的手段大发横财。他的发家史是典型的金融资产阶级的发家史,它建筑在成千上万人的破产和贫困之上。高布赛克自称是"无人知晓的国王"、"命运的主宰",王公侯爵要向他借钱,都得听命于他,他的利息起码是一分二,"我有的是钱,那些左右大臣的人物,我可以收买他们的良心"。七月革命以后,他被任命为管理海地商务的官员。《小市民》写到高利贷者在七月王朝肆虐的情形,那个在《幻灭》中投靠戈安得兄弟的赛利才更为狠毒,他的借贷每星期是二分利息,"从星期四到星期五他是造物主,是上帝"。《阿尔西的议员》和《夏娃的女儿》(*Une fille d'Eve*, 1838～1839)都描写了银行家如何把持了议会选举，贵族完全依附于他们。总之，巴尔扎克写出了在七月王朝金融贵族已代替了封建贵族，统治着一切。在《人间喜剧》里，资产阶级的上升发展和它逐渐取代贵族阶级的过程，得到了鲜明的、完整的再现。

在《人间喜剧》中，与这幅图画紧密联系着的是贵族阶级的没落衰亡史。巴尔扎克描写了"贵族社会在1815年以后又重整旗鼓，尽力重新恢复旧日法国生活方式的标准。他描写了这个在他看来是模范社会的最后残余怎样在庸俗的、满身铜臭的暴发户的逼攻之下逐渐灭亡，或者被这一暴发户所腐化"。虽然"巴尔扎克在政治上是一个正统派；他的伟大的作品是对上流社会必然崩溃的一曲无尽的挽歌；他的全部同情都在注定要灭亡的那个阶级方面。但是，尽管如此，当他让他所深切同情的那些贵族男女行动的时候，他的嘲笑是空前尖刻的，他的讽刺是空前辛辣的"①。巴尔扎克注意到，从资产阶级壮大到足以同贵族阶级对抗的时候起，贵族阶级的腐朽已明显地暴露出来了。《受诅咒的孩子》的故事发生在16世纪末17世纪初，即宗教战争末期及稍后的年代，小说抨击了贵族阶级传宗接代的封建继承观念，把埃鲁德公爵写成一个十分横暴的人物，他象征着没落贵族。《舒昂党人》揭露了在1799年煽动暴乱、反对共和国的大贵族和教会，为了恢复封建特权和失去的利益，用天神显灵去欺骗农民，这伙乌合之众终于被共和国的军队镇压下去了。《婚约》(*Le Contrat de mariage*，1835)写拿破仑帝国后期在外省加斯科涅，贵族保尔·德·玛奈维尔同一个惯于挥霍的女子结婚，最后破产的经过。《幽谷百合》的背景是在"百日政变"时期前后，作者以极大的同情描写莫尔索伯爵夫人企图改革土地管理和租佃制度，以不彻底的资本主义方式去经营农业，以挽救贵族的没落命运，随着她的死，这个庄园势必迅速陷于破产。《朗热公爵夫人》(*La Duchesse de Langeais*,

---

① 恩格斯：1888年4月初致玛·哈克奈斯的信，《马克思恩格斯选集》第四卷，第463页。

1833~1834）写复辟时期巴黎的贵族住宅区圣日耳曼区聚集着"路易十五时代最有诗意的残余"，"现代的遗迹"，因而它"不但没有变得年轻，反而变得衰老了"，作者认为这样的贵族"更容易被战胜"。《古物陈列室》写的也是复辟时期。被自由党称为"贵族绿洲"、"古物陈列室"的贵族沙龙，聚集着以埃斯格里尼翁侯爵为首的最顽固的贵族老古董，"在那里，皇帝和国王永远是指波拿巴先生；在那里，路易十八才是君主"，他们甚至认为保王党的报纸在宣传愚昧、异教和革命的思想。他们企图恢复旧日的生活方式。同这个集团相对立的是以杜克鲁瓦谢为首的资产者集团，他的沙龙人更多，更年轻，更活跃，实际上对社会有着更大的影响。杜克鲁瓦谢本想娶埃斯格里尼翁侯爵的妹妹，但是被拒绝了。侯爵本想把儿子维克蒂尼安送到巴黎，做一番光宗耀祖的事业，不料他反而背了一身债，而且债主就是杜克鲁瓦谢，"可怕的命运等待着没落的贵族"。杜克鲁瓦谢声称要贵族承认资产阶级的存在，提出要维克蒂尼安同他的侄孙女结婚，却又被拒绝。小说中的一个人物说："眼下我们是在 19 世纪，你们难道还想停留在 15 世纪吗？亲爱的孩子们，今天已经没有贵族阶级了，而只有贵族风气。拿破仑的《民法》已经砍倒了爵位，正如大炮已经轰毁了封建主义。只要你有钱，就会比现在显得更高贵"，"我们比在拿破仑治下更为强大"。侯爵死后 8 天，他的儿子就同意和杜克鲁瓦谢的侄孙女结婚。这个结局表明贵族阶级已寿终正寝。《老姑娘》中的瓦卢瓦骑士也是旧贵族的代表，奇蠢无比，却自视甚高。阿朗松城最富有的老处女的先辈本来一直同贵族联姻，但她最后选择了资产者，瓦卢瓦败在资产者杜布斯基耶（即杜克鲁瓦谢）手下。巴尔扎克清醒地看到，贵族社会"在复辟时期 15 年这一段意外胜利期间，没有能够重建，它在资产阶级的羊角槌撞击下，分崩离析了"（《贝娅特丽丝》，*Béatrix*，1839），复辟王朝的政客"不管如何出色，不但没有帮助我们巩固这座建筑，反而继续着使这个社会毁灭的工作"（《两个新嫁娘》)。在这里,巴尔扎克不得不违反自己的阶级同情和政治偏见;他看到了他心爱的贵族们灭亡的必然性,从而把他们描写成不配有更好命运的人。巴尔扎克还注意到,贵族阶级的必然灭亡的趋势使得一部分贵族采取了同资产阶级联姻的态度。《苏城舞会》中的德·封丹纳伯爵就是其中的代表。他是贵族世家出身,为波旁王室效过犬马之劳,但他认识到"一切都完蛋了",因而"识时务地"与资产阶级攀亲。他的大女儿嫁给总税务官,二女儿嫁给富有的法官,大儿子娶了大盐商的女儿,二儿子娶了银行家的女儿,三儿子娶了布尔日总税务官的独生女。他认为这样做"符合19世纪进程和改革君主制的思想"。当时这已经成了一种社会风气:"法国的贵族院议员都在为儿子寻找富有的女继承人。"在《人间喜剧》中,贵族阶级的败落衰亡、被资产阶级所融合的社会现象,得到了真实的、充分的反映。

资产阶级的得势和贵族阶级的衰亡是《人间喜剧》所反映的主要历史内容,而如此重大的历史内容却常常通过家庭、婚姻问题的纠葛得到表现,围绕着这一"中心图画",巴尔扎克描写了一幕幕为争夺金钱而展开的惨剧。《高布赛克》写到妻子为了夺取遗产想尽方法监视垂危的丈夫,并烧毁丈夫的遗嘱。《夏倍上校》写一个拿破仑时期的骑兵上校受了重伤归来,其妻已与别人结婚,她为了吞没他的财产,不承认他就是夏倍,并千方百计把他关进监狱或疯人院。《金眼女郎》指出金钱和寻欢作乐是一切感情、信仰和风俗的出发点。《弃妇》(*La Femme abandonnée*,1832)、《石榴园》(*La Grenadière*,1832)等篇写出了贵妇人"怎样让位给专为金钱或衣着而不忠于丈夫的资产阶级妇女"[①]。《改邪归正的梅莫特》指出:"1815年以来,金钱的原则代替了荣誉的原则。"小说叙述一个把灵魂卖给魔鬼可以获得无限权力的故事,贵族或小职员终于厌倦了这种享受,宁愿死去

---

① 恩格斯:1888年4月初致玛·哈克奈斯的信,《马克思恩格斯选集》第四卷,第463页。

也要把这一权力转让，但交易所的经纪人居然能从这里生出赚钱的办法，他们用买空卖空的方法转手，自身不损分毫，反而捞了一笔。小说对金钱和资产阶级发财手段的抨击非常辛辣。《禁治产》写妻子为了剥夺丈夫的财产，竟诬告丈夫是白痴。《古物陈列室》写到最守旧的贵族的后代终于拜倒在金钱之下。《老姑娘》描写的婚姻争夺同时又是阶级对垒。《赛查·皮罗多盛衰记》通过一个商人的破产，写出"金钱是没有心肝的"。《幻灭》通过金钱操纵报纸的描述，指出"一切都是被金钱所决定的"，父与子也是金钱关系，彼此好像两个互不相识的买卖人，或者利益相悖的对手。《泽·马尔卡斯》的主人公因为缺乏金钱，在政治上只能扮演配角，他"忧愤于金钱对思想的影响"，最后潦倒死去。《搅水女人》围绕外省一家财主的遗产而展开剧烈争夺，"在生活中，利益置于感情之上"。寡廉鲜耻的菲利普背弃了他的密谋伙伴，气死了他的舅外婆，杀死另一恶棍，不管母亲与弟弟，一个人独占了舅舅的财产。《于絮尔·弥罗埃》写的也是争夺遗产的故事。在外省的纳摩，有钱的医生米诺莱被他的亲戚包围着，"金钱是这个新社会的轴心，独一无二的敲门砖"，人们不问你是什么，"只问你纳多少税"。医生的遗嘱被利欲熏心的车行老板偷走后，亲戚们展开了激烈的争夺。《烟花女荣辱记》中的吕西安同拉斯蒂涅一样，也在追逐富有的女继承人，不同的是，他最后失败了。"今日，金钱已经成了社会的通行证。"在《邦斯舅舅》中，一个"穷"亲戚受到百般侮辱，这些上等人一旦知道他是个富有的收藏家，便抓住不放，他周围的人也个个如狼似虎，连偷带抢，谋财害命，而邦斯的挚友因心地善良，却两手空空，被抛在一边，最后也被气死。那班坏家伙如愿以偿，步步高升。在描绘这部金钱统治一切的社会风俗史时，巴尔扎克一再声称："在社会阶梯上你越往上走，就知道获得财产的方法越巧妙"；"总而言之，小说家自以为是虚构出来的丑史秽行，都在这事实之下"。《人间喜剧》力图再现的，恰是《共产党宣言》中的这一论断：资产阶级使人和人之间除了赤裸裸的利害关系，除了冷酷无情的"现金交易"，就再也没有任何别的联系了。

《人间喜剧》另一重要内容，是真实地反映了当时社会的经济状况。恩格斯指出："我从这里，甚至在经济细节方面（如革命以后动产和不动产的重新分配）所学到的东西，也要比从当时所有职业的历史学家、经济学家和统计学家那里学到的全部东西还要多。"[①]就这方面来说，《人间喜剧》的描写，主要集中在资产阶级如何聚敛财富，并使其他阶级日益贫困或破产的社会现象上。19世纪上半叶的法国农村十分落后。布列塔尼的农民活像牲畜，荞麦、栗子是他们的主要粮食，施肥和耕作方法还十分原始（《舒昂党人》）。大革命以后，农民分得了土地，然而一遇天灾人祸，便只得出卖土地，住在兽窝一样的土屋里（《乡村医生》）。渔民的生活也一样悲惨，每天收入是5至12个苏（《海滨惨剧》）。小块土地的获得并不能解决农民的问题。他们受到高利贷者或贵族的残酷剥削，最后只得租种农业资本家的土地（《农民》《乡村教士》）。这一发生在复辟时期的重大社会现象，表明资产阶级在经济上已在农村占统治地位。贵族阶级在经济上的变化同样显著。在拿破仑帝国后期，贵族企图把本钱都放在土地上，同资产阶级对抗（《婚约》），因为贵族如果失去了庄园，也就不能存在了。然而，不事生产的大贵族经过大革命的动乱已经不同于旧王朝时期，他们重新回到法国，也只能得到部分的赔偿，10亿法郎赔款实际也未如数发放，因而只有部分贵族用这笔钱买回领地（《莫黛斯特·米尼翁》）。大贵族由于仍然过着豪华的生活，入不敷出，"王公负债，所有的贵族都负债"（《古物陈列室》）。由于取消了长子继承权，遗产平分的结果使得世家旧族维持不了往日的显赫。即使景况较好的，也只有一两万法郎的收入（《幻灭》）。因此，贵族圈子比起资产阶级的圈

[①] 恩格斯：1888年4月初致玛·哈克奈斯的信，《马克思恩格斯选集》第四卷，第463页。

子,总是一穷一富。资产阶级和贵族在农村进行着殊死的斗争,迫使贵族出卖自己的庄园(《农民》《外省的诗神》)。"今天,《民法》的槌子摧毁了贵族的巨大家产。"(《三十岁的女人》,La Femme de trente ans,1831~1842)因而大贵族纷纷同资产阶级联姻,摆脱经济困难。另一部分贵族或者企图改革经营方式(《幽谷百合》),或者兴办农场,盖房出租(《绝对之探求》),或者出卖土地,买入公债,因为公债利息远远超过土地收入(《两个新嫁娘》《朗热公爵夫人》)。至于外省小贵族,则连门面都难以维持,他们的子弟只能到巴黎另谋生财之道(《高老头》)。至于资产阶级,本身也经历着兼并的过程,不善经营的(《幻灭》)或囿于老式经营的(《赛查·皮罗多盛衰记》)中小资本家被大资本家吞并了。大资产阶级还利用囤积居奇、哄抬物价、控制市场、买空卖空、弄虚作假、贩卖人口、销售鸦片等方法聚敛财富,达到触目惊心的程度。巴尔扎克还注意到每个历史阶段都有一些新生的资产阶级暴发户出现。总之,在经济方面,《人间喜剧》的描写提供了丰富的、形象的实例,对认识19世纪上半叶法国资本主义的发展状况无疑具有巨大的价值。

《人间喜剧》最后一个值得注意的内容,就是对人民群众的描述。巴尔扎克对工人的贫困生活十分同情。《法西诺·卡讷》中描写工人区的工人穿着破衣烂衫,他们有时不得不愤而反抗虐待他们的工头,小说流露了作者对工人深切的同情。《纽沁根银行》里提到里昂的丝织工人起义,政府军炮轰了街垒,"没有人说出真相……工人快要饿死了,劳动所得难以糊口,苦役犯也要比工人幸福。七月革命之后,贫困使得丝织工人揭竿而起:要面包,否则毋宁死!"巴尔扎克在《论工人》中还说:"工人的起义不是一件孤立的事情,这是一种弊病。"《无神论者做弥撒》写了一个贫苦的挑水工用自己22年的积蓄供一个有才能的穷大学生上学。《海滨惨剧》也写到盐场工人艰苦的劳动。巴尔扎克还注意到农民暴动:"1830年后,由于法国过于动荡，竟没有注意到伊苏屯种葡萄的农民声势浩大的暴动……当局不得不向为首的作出让步，他们有六七千葡萄农的支持。"暴动的原因是，他们"日益受到种植费用和捐税的重压"(《搅水女人》)。由此可以看出，巴尔扎克正确地找到了工人和农民起义的真正原因，这是十分难能可贵的。

《人间喜剧》的成就确实是卓绝的。尽管巴尔扎克曾受到许多不公正的指责和攻击，但法国第一流的大作家都众口一词地赞赏《人间喜剧》具有重大的认识价值。雨果称赞他表现了"整个现代文明"；乔治·桑认为他的作品是"风俗史的卷宗，刚过去的半个世纪的回忆录"；福楼拜曾说"今后，不参考巴尔扎克，就不能写出路易-菲利普统治的历史"；法朗士叹服巴尔扎克是"现代法国的伟大历史学家"。应该说，巴尔扎克是无愧于这样的赞誉的。

第三节 《人间喜剧》的主要作品

巴尔扎克从 1829 年开始创作《人间喜剧》，到 1848 年实际上已停止创作，其间经过整整 20 年。从创作发展道路来看，大约可以分为三个阶段。

1. 第一阶段：《欧也妮·葛朗台》和《高老头》

1829 年到 1835 年左右，是巴尔扎克创作的第一阶段，这是他的创作走向成熟的时期。在这期间，巴尔扎克一共写了四十几部作品，大部分是中短篇。其中较重要的有：《舒昂党人》《苏城舞会》《高布赛克》《家族复仇》《猫打球商店》《长寿药水》《受诅咒的孩子》《玄妙的杰作》《驴皮记》《红房子旅馆》《柯内留斯老板》《夏倍上校》《图尔的本堂神甫》《十三人故事》《乡村医生》《绝对之探求》《海滨惨剧》《改邪归正的梅莫特》《婚约》《欧也妮·葛朗台》和《高老头》等。

《欧也妮·葛朗台》和《高老头》是这一时期的代表作。《欧也妮·葛朗台》(*Eugénie Grandet*, 1833) 真实而生动地再现了19世纪初期法国的外省生活,塑造了形形色色的人物,特别是刻画了一个狡诈、贪婪、吝啬的资产阶级暴发户的典型形象,揭露了当时社会上人与人之间的金钱关系,在思想和艺术上都有很高的成就,成为批判现实主义文学中的一部著名作品,巴尔扎克曾说这是他"最完美的绘写之一"。这部小说显示作家在创作上已经达到完全成熟的阶段。

《欧也妮·葛朗台》的故事发生在法国西部的索漠城。该城首富葛朗台的独生女欧也妮·葛朗台的生日之夜,从巴黎来了个不速之客——欧也妮的堂弟查理。原来查理的父亲被骗破产,开枪自杀,让葛朗台照顾他儿子的前程。葛朗台看了他弟弟的绝命书后,不动声色,第二天午饭后才把消息告诉查理,查理悲痛万分。当夜,葛朗台想好了一套诡计。他请公证人克罗旭一家吃饭,银行家格拉桑一家闻讯赶来。葛朗台借口家里事忙,分不开身,不能到巴黎去料理弟弟的事务。公证人克罗旭老奸巨猾,认为不便插手,不许他的侄儿蓬风过于热心。格拉桑趁机毛遂自荐,愿意自费到巴黎为查理的父亲清理债务。格拉桑在巴黎拍卖了死者的家产,偿还了部分债款,剩下的债务葛朗台却按预订计划长期拖延,他在这件重大的清理事务中非但分文不花,还利用格拉桑代他在巴黎大做公债买卖,赚了一大笔钱。但是这个吝啬鬼的女儿却有一副侠义心肠,她同情查理的不幸,并深深爱上了他,了解到他去印度经商缺少资金,便把自己积蓄的金币全数送给了查理,查理则把他母亲给他的一个金梳妆匣委托欧也妮保管,两人定下了海誓山盟。查理终于走了。当年元旦,葛朗台发现欧也妮的金币不在了,立刻大发雷霆,把她监禁起来。他妻子惊恐过度,一病不起。公证人警告他,他妻子一死,欧也妮有权继承母亲的遗产,葛朗台害怕,只好同女儿讲和,妻子一死,葛朗台马上要欧也妮签署放弃继承母亲财产的文件。1827年吝啬鬼去世,留下1700万法郎的家产。富比王侯的欧也妮在地方上受着众人的包围与奉承,而她却立志等待查理。这时查理在印度靠买卖人口等卑劣手段发了横财,但他一心想攀附权贵,早把欧也妮撇在脑后,一回到巴黎就写信给欧也妮毁约。但因他不肯偿还父亲的债务,与贵族小姐的婚姻也受到阻挠。欧也妮悲愤之下,一方面答应与蓬风结婚,条件是保持童身,同时要他到巴黎为查理还清其父的债务。查理得知欧也妮如此富有,后悔莫及。欧也妮33岁成为寡妇,又有人"开始包围这个有钱的寡妇,像当年克罗旭他们一样"。

《欧也妮·葛朗台》通过小说的中心人物葛朗台的发迹史,写出了法国大革命以后资产阶级暴发户的发家过程,揭示了在新的历史条件下资产阶级积聚财富的特点。1789年法国大革命爆发时,葛朗台只是一个富裕的箍桶匠。共和政府时期,当局标卖教会产业,他用钱贿赂了标卖监督官,贱价买到了当地最好的葡萄园、一座修道院和几块分租田。有了产业作为后盾以后,他便登上政治舞台,见风使舵,成了共和党人,当上索漠的行政委员。他利用职务之便,向军队承包一两千桶白酒,作为交换,把另一处修道院的产业弄到了手。他当市长时修筑了几条公路,直达他的产业,大大便利了自家产品的运销;他的房产与地产上税很轻,占尽便宜。仅仅十几年,他便一跃成为索漠城首富,拥有几百万资财。他发家过程中使用的卑劣手段在当时是有代表性的,巴尔扎克说过,法国每个省都有自己的葛朗台。这个通过政权更迭大发横财的暴发户,是大革命后得势的资产阶级的代表。复辟王朝时期,葛朗台不但没有停止积聚财产,反而获得了更快增长财富的机会。葛朗台使出手腕,鼓动索漠附近的葡萄农和中小业主压着酒不卖,他自己却偷偷找到着了急的外国商人,以高价成交,从而使酒价下跌,把所有的人都坑害了。索漠城的人无不这样被他的利爪"干净利落地抓过一下"。葛朗台像是老虎、巨蟒,"他会躺着、蹲着,长时间窥视着猎物,然后扑上去;他打开钱袋的口,倒进大量的钱币,然后安安宁宁地睡觉,像蛇一样不动声色,冷漠无情,按部就班,慢慢消化"。大资产阶级无不像葛朗台这样,通过控制市场、哄抬物价等卑劣手段,损人利己,使他人破产,从中致富。他们的发家史是一部部有血腥味的罪恶史。除了葛朗台的发迹,作者还以简练的笔墨描述了查理在海外的发家过程,再现了资产阶级早期发家的累累罪恶。查理为了寻找发财机会,在海外混了许多年,完全成了一个卑鄙无耻、凶狠毒辣的商人。他"一天到晚为利益打算",变得"狠心刻薄,贪婪到了极点"。他贩卖人口(包括黑人、中国人和儿童),放高利贷,收买海盗的赃物,偷税走私,不择手段地发了大财。查理的发家手段反映了资本原始积累时期海外掠夺的残忍无耻,具有深刻的社会揭露意义。

在描写资产阶级发家史的过程中,作者成功地塑造了葛朗台这个吝啬鬼的形象,通过这个形象暴露了资产阶级的一些本质特征,这是小说最突出的成就。作者选取了一系列富有典型意义的细节来表现他的悭吝性格:葛朗台家阴森森的老房子年久失修,楼梯踏级都被虫蛀坏了,女仆差点摔了跤,他还怪她不挑结实的地方落脚;每一顿饭的面包、每天要点的蜡烛,葛朗台都亲自分发,一点儿不能多;女儿过生日那天葛朗台要"大放光明",也不过点了一支蜡烛。有人来了,要拿蜡烛去照明开门,客厅里的客人便被撇在黑暗里。他不给妻子零用钱,连买主送给他妻子的中金,他也要一个子儿、一个子儿地设法搜刮走;来了亲戚,他不让加菜,竟叫佃户打些乌鸦来熬汤;妻子卧床不起,他首先想到的是请医生得破钞。葛朗台的吝啬是同贪得无厌地追逐金钱紧密联系在一起的。在他的心目中,金钱高于一切,"没有钱,什么都完了","看到金子、占有金子,成了他的嗜癖"。他的侄儿查理知道父亲死后痛哭不已,他便觉得这孩子把死人看得比钱还重,真没出息。他瘫痪之后,坐在手推车上,整天让人在卧室与库房之间推来推去，生怕有人来偷盗，他的耳朵非常灵敏，佃户来交租，他马上督促女儿把钱藏好。直到临死前，他还让女儿把金币铺在桌子上，长时间地盯着，这样才感到心里暖和。他最后一句话是叫女儿料理好一切，到阴间去向他交账。巴尔扎克把资产者嗜钱如命的真实本质披露得淋漓尽致。葛朗台的形象是对资产阶级金钱拜物教的生动写照。正如恩格斯所指出的："在资产阶级看来，世界上没有一样东西不是为了金钱而存在的，连他们本身也不例外，因为他们活着就是为了赚钱，除了快快发财，他们不知道还有别的幸福，除了金钱的损失，也不知道还有别的痛苦。"[①]葛朗台就是这样一个资产者的典型。

巴尔扎克不仅摄取了葛朗台日常生活中的一个个镜头，塑造了一个活生生的吝啬鬼形象，而且他还写出了葛朗台懂得商品流通和投机买卖的诀窍，突出了人物的时代特征。这种特征是同葛朗台的狡黠狠毒互相联系的。葛朗台虽然喜欢贮存货币，但他到必要时便毫不犹豫地抛出黄金，买进公债股票。他看准了公债股票落价的时机买进，等到涨价时再抛出。公债投机是刚刚出现的一种金融投机活动，在法国内地，一般人比较闭塞保守，还不相信公债投机可以发大财，而葛朗台不但弄明白了，而且非常精于此道。公债投机成了他在复辟王朝时期主要的活动，他的财产成倍增加，到他死时，竟达到1700万之多，相当于今天的亿万富翁。他用贮存的黄金买了第一笔公债后，为充实财库起见，把草原上的白杨树和其他树木砍掉出卖，草原往后准备种植饲草，因为干草的收入更大；他在河岸边种植白杨，这样可以不用纳税。这一系列行动说明他懂得资金周转在商业活动上的重要性。他还精通债务关系，深知"债券是一种商品，也有市价涨落"，他利用自己和格拉桑的商业信用，骗取了他弟弟的债权人的信任，不用怎么破费就把这些债权人应付过去。在设下这个圈套的时候，作者描写葛朗台如何假装口吃耳聋，使愚蠢的银行家格拉桑以为他思想糊

---

① 恩格斯：《英国工人阶级状况》，《马克思恩格斯全集》第二卷，第564页。

涂，替他说了要说的话，为他到巴黎去奔走。而葛朗台目的达到以后却把格拉桑一脚踢开。他从不留下字迹，让人抓住把柄；无论谈什么事，绝不给人以明确的答复。他的狡黠奸猾跃然纸上。葛朗台善于搞投机活动，并精通商业事务，正是资本主义社会初期活跃于经济领域的狡诈、贪婪的大资产者的写照。复辟王朝时期，金融资产阶级逐渐取得了优势，控制了社会经济命脉。葛朗台既是个大土地所有者，又是个金融资本家。他在索漠城的日益得势反映了法国19世纪20年代土地、金融资产阶级实际主宰一切的社会现实，葛朗台这个典型的意义正在这里。

揭露资本主义社会人与人之间的金钱关系是贯穿全书的一个重要内容，这方面的描绘也是相当出色的。小说围绕着葛朗台的女儿欧也妮的婚事，展开了一幕幕钩心斗角的场景。在小说中，克罗旭家为一方，格拉桑家为另一方，彼此为争夺欧也妮的巨大家产而明争暗斗。克罗旭是老奸巨猾的公证人，他的兄弟是当地神甫，他们的侄儿是初级裁判所所长；格拉桑则是银行家。这两家都是当地的富户，双方都有势力，正是旗鼓相当。小说对他们两家争夺欧也妮的丑态作了生动的描写，但查理和欧也妮的爱情转移了两家的斗争，使小说情节急转直下。欧也妮把她的金币全部送给查理，引起了一场轩然大波，演出了一场"没有毒药、没有匕首、没有流血的资产阶级家庭的悲剧"：葛朗台勃然大怒，把欧也妮关在房里，只许她吃清水面包。葛朗台把平时钟爱女儿的脸面放了下来，一时之间父女关系荡然无存。曾经侈谈"从今以后，应当是感情高于一切"的查理，到发财以后便公然宣称："我只想为了地位财产而结婚。"欧也妮在查理毁约的情况下答应同蓬风先生结婚，蓬风激动得哆哆嗦嗦，一迭连声地表示："我一定做你的奴隶"，"赴汤蹈火都可以"。实际上他一心想独吞这份家产，在结婚时订明财产互相遗赠这一条，结果他先死，落了个人财两空。《欧也妮·葛朗台》中这些描绘，入木三分地暴露了金钱的罪恶，抨击了资本主义社会人与人之间冷酷无情的金钱关系。

《欧也妮·葛朗台》写于19世纪30年代初,它的问世具有巨大的现实意义。像这样深刻揭露资产阶级的发家过程、本质特征和金钱的罪恶作用的小说,在当时还是绝无仅有的。七月王朝是金融资产阶级独霸统治的天下,巴尔扎克发现,七月革命被大资产阶级叛卖了,中小资产阶级连革命成果的一杯羹也分不到,从而对七月王朝的现实感到极大的失望。他对七月王朝的阶级实质认识得相当清楚。他对这个社会从上到下充塞着糜烂污秽的风气表示深恶痛绝。《欧也妮·葛朗台》揭露和批判的锋芒毫无疑问地指向了当时的大资产阶级,表达了作家对这个阶级的统治的愤懑情绪。

欧也妮在小说中是个正面人物,作者对她充满了同情。虽然巴尔扎克写到她继承了父亲精明的经营产业的本领,"还是逃不了人间利益的盘算",金钱不免把它冷冰冰的光彩沾染到她的身上,但是,巴尔扎克仍然肯定这样一个豪富的女继承人的品质,把欧也妮说成有一颗"只知有温情而不知有其他的高尚的心",她能"超脱一切";巴尔扎克还从宗教可以遏止人欲横流的错误观点出发,描写欧也妮笃信宗教,广行善事,"挟着一连串善行义举向天国前进。心灵的伟大,抵消了教育的鄙陋和早年的习惯"。

《高老头》(*Le Père Goriot*,1834~1835)是巴尔扎克最著名的作品。这部小说深刻地反映了复辟王朝的法国社会,暴露了金钱的罪恶作用,塑造了一系列鲜明生动、富有典型意义的人物形象,尤其是刻画了资产阶级个人野心家的典型。《高老头》在《人间喜剧》中占据十分重要的地位,是批判现实主义文学中的一部优秀作品,在艺术上也是巴尔扎克作品的一个高峰。

《高老头》的故事发生在1819年末至1820年初的巴黎。在偏僻的街区,有一座外表不堪入目的伏盖公寓,这里住着形形色色的人物,有穷大学生拉斯蒂涅,有落魄潦倒的高里奥,有令人摸不透的议论家伏脱冷,有被父亲遗弃的泰伊番小姐,有阴险的老小姐米旭诺和她的影子波阿莱。高老头是其余17个房客捉弄的对象。奇怪的是总有穿着华丽的女人来找高老头,大家很难相信这就是他的两个女儿:雷斯托伯爵夫人和纽沁根夫人。拉斯蒂涅偶然发现高老头夜里把餐具扭成银棒,又发现伏脱冷房里有人,并发出洋钱的响声。原来高老头是要为女儿还债,伏脱冷是在搞非法的秘密勾当。拉斯蒂涅一心想通过贵妇的门路踏入上流社会,他先看中了雷斯托伯爵夫人,但她早有情夫。拉斯蒂涅被撵出她家以后,去找他的远房表姐鲍赛昂子爵夫人,她正处于被情夫遗弃之际,绝望之余,她指点拉斯蒂涅去追求纽沁根夫人。伏脱冷看准了拉斯蒂涅的心思和处境,给他解剖社会,让他去追求泰伊番小姐,说是只要她的哥哥死去,遗产就会落到拉斯蒂涅手里。在鲍赛昂子爵夫人的引荐下,拉斯蒂涅见到了纽沁根夫人,他利用她被情夫抛弃的时机去接近她,他追求纽沁根夫人的行动得到高老头的赞助。这时,伏脱冷的行踪被警察发现了,暗探收买了米旭诺和波阿莱,他俩下迷药灌倒伏脱冷,验出他是苦役监逃犯,警察把他抓走了。此时传来泰伊番小姐的哥哥决斗身亡的消息。房客们都同情伏脱冷,把两个被警察收买的"奸细"赶了出去。雷斯托伯爵夫人为了替情夫还债,把夫家的钻石项链卖了,被丈夫抓住了把柄;纽沁根夫人的财产也被丈夫夺去,无权过问。高老头的钱早被榨干了,他因无力再资助两个女儿而受到极大的打击,得了中风症。他的两个女儿不来看他,照旧参加了鲍赛昂子爵夫人告别上流社会的盛大舞会。高老头在痛苦的叫喊声中死去,只有拉斯蒂涅为他料理后事。

　　小说以复辟王朝时期的巴黎为背景,由四条线索紧密交织在一起:退休面条商高里奥被他的两个女儿搜刮净尽,最后悲惨地死在伏盖公寓的阁楼里;贵族青年拉斯蒂涅在巴黎社会的腐蚀下,迈出了向上爬的第一步;苦役监逃犯伏脱冷引诱拉斯蒂涅,合谋争夺遗产,身份暴露后被捕;巴黎贵妇鲍赛昂子爵夫人败在资产阶级女子手下,凄凉地退出上流社会。其中拉斯蒂涅的经历和见闻贯穿全书,起着穿针引线的作用。小说描写的范围从巴黎的下层社会一直到上流社会,充分表现了时代的风貌。

首先,《高老头》淋漓尽致地揭露了金钱的统治作用和拜金主义的种种罪恶。这在高老头和他的两个女儿的故事中得到了集中的表现。高老头是个靠饥荒牟取暴利而后发家的富有的面条商,他把自己全部感情都放在女儿身上。他的大女儿仰慕贵族,他让她成了雷斯托伯爵夫人,他的小女儿喜欢金钱,他让她当了银行家纽沁根的太太。由于他给了两个女儿每人 80 万法郎的陪嫁,所以,最初他在两个女儿家里受到上宾的待遇,但随着他拥有的钱财日益减少,他的地位也就每况愈下:从每星期有一两次在女儿家做客,到每个月一两次,最后竟被闭门不纳。高老头在两个女儿家的遭遇表现了资本主义社会的炎凉世态,家族关系和感情是以金钱的多寡为转移的。小说开始时,高老头和两个女儿的关系已经是若即若离了。作者指出,正是社会教育和社会风气败坏了高老头的两个女儿的心灵。高老头的两个女儿从小娇生惯养,过惯了奢侈的生活,需要大量金钱供她们挥霍,结婚以后她们仍然没有停止过搜刮高老头的钱财,而且彼此互相争夺,闹得势不两立。高老头有钱的时候,她们喊他好爸爸,高老头没有多少钱了,她们便怕别人看出他们之间的父女关系,等到榨干了高老头的钱袋,高老头便像挤干了汁水的柠檬一样被她们扔掉。这个家庭惨剧于是达到了高潮:高老头因为再也拿不出钱来,被两个女儿逼得中了风,临终前,他渴望见女儿一面,她们却托辞不来。她们为了参加舞会,"即使踩着父亲的身体走过去也在所不惜"。面对这残酷的现实,高老头终于醒悟过来:他的两个女儿从来就没有爱过他,她们爱的只是他的钱。高老头悲愤地喊出:"钱能买到一切,买到女儿。"他意识到如果他有钱,留着财产没有分给她们,她们就会来了,会用亲吻来舐他的脸。他对容忍这一切的社会法律提出了抗议。高老头是拜金主义的牺牲品：他用金钱去笼络两个女儿的感情，结果金钱用尽了，他和两个女儿的感情纽带也就断裂了。巴尔扎克以高老头的"父爱"反衬出金钱败坏人心到了触目惊心的地步。高老头死前的长篇独白是一份深沉有力的控诉书。作者通过高老头喊出："把父亲踩在脚下，国家不要亡了吗？……不要天翻地覆吗？"对现存社会赤裸裸的金钱关系发出愤怒的谴责。

金钱不仅腐蚀了高老头的两个女儿，而且腐蚀了大大小小的人物：整个社会从上到下都以不同的形式向金钱顶礼膜拜。伏盖太太是一个小房东，高老头刚搬到伏盖公寓时，她看中高老头的钱财，一心想成为高里奥太太，做起巴黎市民的黄金梦，渴望当上本区一个显要的夫人。看到伏脱冷手面阔绰，她又生再醮的念头。两次都丑态百出。她甚至连死人也不放过，为了给高老头入殓，她狠狠敲了拉斯蒂涅一笔竹杠。这个人物就像她经营的膳宿公寓一样，浑身发出庸俗酸腐的臭气。老姑娘米旭诺和波阿莱先生也是两个贪利图财的卑鄙角色，他们为了得到3000法郎，当了官方密探的走狗。为了灌醉伏脱冷，验明他的苦役犯身份，米旭诺也顾不得保持文雅身份，使出了早年学会的浑身解数，露出可憎的面目。伏脱冷所属的"万字帮"集团，专门引诱年轻人上钩，榨取巨额金钱，这样的罪犯集团正是金钱社会的产物。银行家泰伊番为了保住自己的产业，使之世代相传，竟不认他的亲生女儿，怕她带走一笔陪嫁，于是把她撵出家门。纽沁根则借口经营地产，要挪用妻子的陪嫁，最后占有了这笔财产。高老头死时，两个女婿雷斯托伯爵和纽沁根男爵根本不闻不问，只派出两辆有爵徽的空车跟随柩车到公墓。对此，作家深有感慨地说："没有一个讽刺作家能写尽隐藏在金银珠宝底下的丑恶。"

在揭露金钱统治作用的基础上，巴尔扎克进一步描写了在这种土壤上滋生的政治毒菌。他从不同的角度写出了政治野心家的形成过程，揭露了统治阶层的卑鄙丑恶，抨击了资产阶级的道德原则，从而揭示了人欲横流的社会现实。

拉斯蒂涅是复辟王朝时期青年野心家的典型。巴尔扎克细致入微地写出了他思想变化的过程和所走过的道路，具有巨大的揭露意义。拉斯蒂涅是外省小贵族的子弟，家中收入仅能支撑门面。他是长子，家里把他送到巴黎，为的是让他在巴黎寻找机会发迹。在复辟王朝，贵族子弟已不能单靠贵族身份在宫廷中谋职。拉斯蒂涅也不愿埋头读书，顺着社会阶梯一步一步攀登。目睹上流社会中一些贵族青年过着灯红酒绿、挥金如土的生活，他"刚会欣赏，跟着就眼红了"。他的姑母指点他走远房表姐鲍赛昂子爵夫人的门路，他在子爵夫人那里接受了社会教育的第一课。子爵夫人告诉他如何对待这个又卑鄙又残忍的社会："你越没有心肝，越高升得快。你得不留情地打击人家，叫人家怕你。只能把男男女女当作驿马，把他们骑得精疲力竭，到了站上丢下来；这样你就能达到欲望的最高峰。"她让他去追求纽沁根夫人，以便在上流社会中崭露头角，"拿到权势的宝钥"，"那时你多大的欲望都不成问题，可以实现"。拉斯蒂涅憧憬能过上这种糜烂龌龊的社交生活，"奢侈的欲望像魔鬼般咬着他的心，攫取财富的狂热煽动他的头脑，黄金的饥渴使他喉干舌燥"。但是，他一来初见世面，不懂得在上流社会如何交际，二来常常囊空如洗，不能随心所欲地享乐。伏脱冷对他的处境了解得一清二楚，看到他"不顾一切地往上爬"，便直截了当地告诉他："要弄大钱，就该大刀阔斧地干，要不就完事大吉。"伏脱冷的手段在本质上同鲍赛昂子爵夫人的"教诲"并无二致，只不过鲍赛昂子爵夫人向上爬的手段是"合法的"，而伏脱冷的手段则要触犯社会法律。如果不是伏脱冷的被捕，拉斯蒂涅几乎就要走上犯罪这条道路了。伏脱冷的邪恶说教在他心里留下难以磨灭的印象，涉世不深的拉斯蒂涅经过伏脱冷的启发，又往社会这个名利场的泥坑深陷了一步。鲍赛昂子爵夫人退出上流社会，使拉斯蒂涅更清楚地看到上流社会根本不讲什么感情，只讲金钱和个人利益。高老头之死，完成了拉斯蒂涅的社会教育。他看到两对女儿女婿的无情无义和这个社会寡廉鲜耻的真实面貌。在埋葬高老头的同时，他把剩下的最后一点神圣的感情也一起埋葬了。他欲火炎炎地投入上流社会的罪恶深渊，踏上了资产阶级个人野心家的道路。在《夏娃的女儿》中，拉斯蒂涅成为副国务秘书；在《不自知的喜剧演员》中，成为贵族院议员，有30万里弗收入。他靠纽沁根夫人爬了上去，后来却把她抛弃了，最后竟娶了她的女儿（《阿尔西的议员》）。他利用政治情报大搞交易所投机买卖（《纽沁根银行》《小市民》），并被封为伯爵（《贝姨》）；由于他的关系，他的两个姊妹都嫁给了有钱有势的人家，他的弟弟竟然27岁就当上了主教。他所尊奉的原则就是鲍赛昂子爵夫人，特别是伏脱冷给他指点的极端利己主义。

伏脱冷的身份是苦役监逃犯，实际上是政客和野心家的另一种典型。他深谙这个社会的黑暗内幕，用愤愤不平的语言揭露出来："雄才大略是少有的，遍地风行的是腐化堕落"；"凡是浑身污泥而坐在车上的都是正人君子，浑身污泥而搬着两条腿走路的都是小人流氓。扒窃一件随便什么东西，你就给牵到法院广场上去示众，大家拿你当把戏看。偷上100万，交际场中就说你大贤大德。你们花3000万养着宪兵队和司法人员来维持这种道德。妙极了！"这种抨击确也一针见血，道出了真相，但这种愤愤不平并不是站在反对社会的立场上的，而是一个不得意的野心家发自怨恨的言辞。他千方百计要爬上去，当上"正人君子"。他利用自己对这个社会政治经济关系的了解，干的是大买卖：他研究了法网上哪儿有漏洞可钻，然后设法利用。他垂涎欲滴地羡慕那些心毒手狠的奴隶贩子，幻想10年之内能挣到三四百万，过上小皇帝一样的日子。他看透了这个社会跟"厨房一样腥臭"，心里信奉的是不择手段向上爬的卑劣原则，因此他主张"不像炮弹一般轰进去，就得像瘟疫一般钻进去。清白老实一无用处"；

"要捞油水不能怕弄脏手，只消事后洗干净"。这几句话已把一个野心家的面目和盘托出了。他的处世哲学是："有人要收买你的主张，不妨出卖……世界上没有原则，只有世故；没有法律，只有时势；高明的人同世故跟时势打成一片，任意支配。"这句话透露了向统治者卖身投靠的信息。在《高老头》中，他最后被逮捕，遭到暂时挫折。可是，这个恶魔般的人物的道德观和他所使用的无耻手段，实际上同当权者并无二致。后来，他终于同当局做了一笔肮脏交易，当上了巴黎警察厅的副处长和处长（分别见《烟花女荣辱记》和《贝姨》），挤进了统治阶层。

无论拉斯蒂涅也好，伏脱冷也好，都是复辟王朝末期和七月王朝时期的政治家和野心家的典型。巴尔扎克选取了他们踏上仕途之前的经历，剖析了他们的思想灵魂，这对于暴露资产阶级野心家的面目是极其有效的手法。这两个人物主要是在七月王朝，甚至在第二帝国时期才飞黄腾达的，马克思曾经指出，巴尔扎克预先创造了在七月王朝时还不过处于萌芽状态，而直到拿破仑三世时代，即巴尔扎克死了以后才发展成熟的典型人物。伏脱冷就是这样的形象。路易·波拿巴策划的"12月10日会"是由刑事犯、逃脱的劳役犯、骗子等等组成的，他们是波拿巴在第二帝国时期的政治打手。伏脱冷难道不是他们之中活生生的一分子吗？不难看出，巴尔扎克笔下的形象对现实的揭露意义是非常深远的。

同《人间喜剧》的许多作品一样，《高老头》反映了巴尔扎克对现实的阶级关系的深刻理解。这部小说对复辟王朝时期贵族阶级逐渐被资产阶级所取代的历史过程，作了细致深入的描绘。小说通过鲍赛昂子爵夫人情场失意的描写，形象地显示了这一历史过程。鲍赛昂子爵夫人是"贵族社会的一个领袖"。她的客厅是资产阶级妇女梦寐以求的地方，"能够在那些金碧辉煌的客厅中露面，就等于有了一纸阀阅世家的证书"，其他地方便都可以通行无阻。光是她的姓氏就有很大的力量，能像"魔术棒一样"，使"周围的人为之改容"。然而，她的情夫阿瞿达侯爵为了娶上暴发户的女儿罗什菲德，得到20万法郎利息的陪嫁，竟然抛弃了她，而且这一行动还得到国王的批准！这个结局是意味深长的，它说明资产阶级暴发户终于打败了世代簪缨的贵族。鲍赛昂子爵夫人告别上流社会的盛大舞会表面上一派繁华景象，府邸周围被照得通明雪亮，府邸内部被布置得花团锦簇，但是，主妇的内心却不胜悲哀，在她看来，"这个地方已经变成一片荒凉"。回到内室，她禁不住流泪发抖，烧毁情书，做着诀别的准备。这个场面非常具有象征意义：贵族社会表面的荣华富贵，掩盖不住实力的衰败，贵族阶级的统治已经被资产阶级所取代了。鲍赛昂子爵夫人的遭遇反映了复辟王朝这一最本质的历史变化。

2. 第二阶段：《幻灭》

1836年至1842年左右可以看做巴尔扎克创作的第二阶段。在这一阶段里，作家写了三十几部作品。这一时期，巴尔扎克对社会生活的探索更为广阔了，他更密切地注意下层人民的生活状况，深入研究国家政府机构的种种弊端，他开始更多地反映七月王朝的现实，他密切地注视着社会动乱，包括工人起义、农民暴动和共和党人的起义。这一时期较重要的作品有：《幽谷百合》《无神论者做弥撒》《法西诺·卡讷》《古物陈列室》《老姑娘》《公务员》《赛查·皮罗多盛衰记》《纽沁根银行》《乡村教士》《比哀兰特》《泽·马尔卡斯》《搅水女人》《于絮尔·弥罗埃》《幻灭》等。这一时期最重要的作品是《幻灭》。

《幻灭》（*Illusions perdues*，1837～1843）是巴尔扎克的代表作之一，写于1837年至1843年。这部长篇小说在构思上颇有特点，它把复辟王朝时期的外省生活和巴黎的社会生活交织在一起，力图反映出当时社会的概貌。小说生动而真实地再现了外省贵族阶级和资产阶级的尖锐对立，以及巴黎社会围绕着新闻报纸、政治党派的利益而展开的角逐，在这一政治斗争的背景下，塑造了众多鲜明的典型人物。除了政治斗争，小说还描写了经济领域的自由竞争吞并现象。这部小说以其深刻的思想内容深得马克思和恩格斯的赞赏，马克思在批判资产阶级报痞福格特时，特别提到了巴尔扎克这部"著名小说"①。

《幻灭》共分三部，故事发生在1821年至1823年间。小说第一部《两个诗人》叙述的是昂古莱姆的两个青年吕西安和大卫的故事。吕西安是个年轻野心家，他的父亲是药剂师，母亲出身贵族。大卫的父亲是印刷厂老板，大卫刚从巴黎毕业归来，与吕西安的妹妹夏娃相爱，专心致志于廉价纸的发明。吕西安设法进入贵族社会巴日东太太的沙龙，并追求巴日东太太，由此遭到贵族社会的排斥和打击。他不顾家庭反对，偷偷同巴日东太太一起前往巴黎。第二部《外省大人物在巴黎》写吕西安在巴黎的经历。老谋深算的夏特莱先生是在官场上混过来的，他也在暗中追求巴日东太太，获悉了他们两人的计划后，他跟踪而至，最后迫使巴日东太太疏远了吕西安。吕西安举目无亲，投身报界，为自由党报纸撰稿。从这时起，他同当时的著名演员高拉莉同居。由于吕西安在报界获得了一定的声誉，贵族社会又以贵族头衔为诱饵来拉拢腐蚀他，吕西安渴望能获准袭用母亲的贵族姓氏，以跻身于上流社会，便转而投靠保王党。而吕西安一旦失去自由党支持，保王党便立即下手打击他。吕西安两面受敌，与所有朋友的关系都告破裂，并同共和党人克雷斯蒂安决斗受伤。夏特莱等还施展诡计，打击高拉莉，使她患病身亡。吕西安身无分文，伪造了大卫签署的3000法郎期票，但转眼也化为乌有，最后丧魂落魄地返回故乡。第三部《发明家的苦难》写大卫的遭遇。大卫无法偿还吕西安冒名顶替签下的期票，一直觊觎着他的发明的库安泰兄弟便乘虚而入，利用商务法庭的诉讼，使大卫负债1万多法郎。大卫躲避商务法庭的追捕而藏匿起来。这时，巴日东太太已同成为州长的夏特莱结了婚，吕西

---

① 马克思:《福格特先生》,《马克思恩格斯全集》第十四卷，第682页。

安企图通过她帮助大卫。然而库安泰兄弟早有安排,把大卫骗出来加以逮捕。吕西安失望之余,想离家自杀,不期遇上化装成西班牙教士的伏脱冷,被他带走。大卫和妻子夏娃终于屈服,让库安泰兄弟夺去了发明专利。库安泰兄弟利用大卫的发明发了财,他们的同党也步步高升。大卫从此心灰意懒,放弃了科学,后来继承了父亲的遗产,在乡间过着悠闲的生活。

《幻灭》深刻地反映了复辟王朝时期尖锐的阶级对立和党派斗争。小说第一部展示了昂古莱姆城的贵族阶级和资产阶级的对立情绪,反映了复辟王朝时期的外省这两个阶级日益尖锐的矛盾和斗争。昂古莱姆城既是个古城,也是个工商业发达的城市。由于历史的原因,这个城分成两个区域:上城是贵族居住的禁地,这是政权的中心所在;下城的乌莫镇是工商业区,是资产阶级居住的地方。上城衰败凋零,下城繁荣昌盛;贵族破落寒酸,资产阶级富有豪华。但贵族自命高雅,门禁森严,不容资产阶级涉足他们的沙龙,他们极端仇视资产阶级,把资产阶级看成"印度的贱民",十分鄙视。贵族和资产阶级之间剑拔弩张,势不两立,它们的对立冲突"自从王政复辟以后,9年之间变得严重了"。原因就在于,掌握了经济命脉的资产阶级势必要同执掌着权力的贵族发生利益上的冲突,进行最后的较量。作者通过主人公吕西安和巴日东太太的一段恋爱史,对这场斗争的一个侧面作了生动的反映。巴日东太太是当地贵族上流社会的领袖,她的府邸犹如外省的王宫。这是一个郁悒寡欢、百无聊赖、浮夸造作的贵族妇女。她嫁给一个老贵族,得不到爱情的欢乐,脑子里幻想着"崇高的、非凡的、古怪的、神奇的、不可思议的"事物。她对文学表现出兴趣,为的是附庸风雅,显得不同凡俗,实际上精神极度空虚。她有意接纳吕西安这个药剂师的儿子进入她的沙龙,企图做出惊人之举,而且同吕西安谈情说爱,引起众人非议,其实只不过是逢场作戏,寻求新的刺激。巴日东太太的行动激起了贵族社会的愤慨。这些"头脑最贫乏,思想最鄙陋的人物",坚守着他们的阶级意识和生活习惯,不敢越雷池一步,也不让任何人破坏这一切。他们个个虚情假意、庸俗浅薄、卑污丑恶、伪善无耻,作者以辛辣无情的笔触刻画了他们的丑恶嘴脸。他们不能容忍吕西安进入贵族圈子,认为这是让贱民闯入他们的领域。在老奸巨猾、居心叵测的夏特莱的挑动下,他们制造事端,挑起决斗,不让巴日东太太和吕西安的暧昧关系维持下去。巴尔扎克尖锐地指出,贵族社会是从保守狭隘的立场上去排斥资产阶级的,他们保存着"落后的风俗习惯","抱着闭塞的保王思想",这一矛盾发展下去,终于导致1830年七月革命的到来。这样,作者从一个侧面剖析了贵族阶级退出历史舞台的原因,反映了复辟王朝的历史真实。

如果说,在昂古莱姆贵族和资产阶级的对立还比较隐蔽的话,那么在巴黎这种对立就是公开的,短兵相接的。小说通过青年野心家吕西安的遭遇,揭露了其中的内幕。吕西安怀着自私的打算,抛弃了亲人,跟着巴日东太太来到了巴黎。但是,一则他不是贵族,二则夏特莱男爵从中作梗,他受到巴黎上流社会的排斥,巴日东太太也嫌他显得土气,和他分手了。吕西安并没有气馁,以为凭借自己的聪明才智,从事文学创作,照旧可以发迹。他发现当记者是在文坛扬名的捷径,便一头扎进了新闻界。报业正是在复辟王朝得到迅速发展的,而且日益成为激烈的党派斗争的重要工具。巴尔扎克以他对现实的敏锐观察,在小说中揭示了报纸对出版界、思想界、文坛和政界的重大影响,这座"神圣的殿堂"已变成进行无耻交易的场所。在作者笔下,新闻界是一面天窗,通过它可以看到当时政党斗争是如何不择手段。例如,在报上写文章是捧是骂要根据政党需要,听凭老板指挥,不能发表自己真正的见解:"按照是非曲直去打击人,报纸还有什么作用?"吕西安从自己的经历中看出了新闻界是个"不法、欺骗和变节的地狱","贩卖思想的妓院"。他先在自由派的报馆工作,自由派的报纸利用宗教问题抨击教会,利用宪章反对国王,抨击政府和官吏，但这一切只不过表露了资产阶级自由派对贵族政权的觊觎，"它做的投机生意，打的算盘，比最肮脏的买卖还要狠毒"。报馆编辑毫不掩饰地宣称："飞黄腾达的秘诀不在于自己的工作，而在于利用别人的工作"，"良心这根棍子，我们是用来专打别人，不打自己的"。吕西安还看到，不论出版界、文坛还是政界，到处贿赂成风，哪里都有金钱的影子，样样要靠金钱决定。他在这一片污秽的泥坑里越陷越深。他从个人野心出发，赞叹笔杆子的力量，明白了"报刊才智，竟是现代社会的敲门砖"，于是他企图利用报纸的力量，实现向上爬的野心。他渴望获得母系的贵族头衔，以取得进身的基础，因此，他离开自由党报刊，转而投靠保王党报界，并昧着良心攻击自己以前的朋友，最后完全堕落为反动保王党的走卒。在保王党的报馆里，吕西安又眼见人们"在赃物面前竟像群犬争食一样猖猖狂吠，张牙舞爪，本性毕露"，彼此打击倾轧，手段层出不穷。吕西安由于没有靠山，而且缺乏经验，他在文学上的才华不是被人利用，就是走向邪道，结果非但得不到贵族头衔，反而身败名裂，落到走投无路的境地。吕西安代表了当时一部分寻找出路、怀才不遇的小资产阶级青年，他们受着社会风气的腐化，成为政治斗争的牺牲品，最终还是被排斥在上层社会的大门之外。通过吕西安的经历，作者对卑鄙无耻的党派斗争和黑暗的社会现实提出了尖锐的谴责，指出正是"复辟政府把青年人逼上腐化堕落的道路"。

《幻灭》还对当时人与人之间尔虞我诈、互相倾轧的关系和道德原则进行了深刻的剖析揭露。作者通过伏脱冷之口对这种关系和原则作了赤裸裸的阐述。伏脱冷告诉吕西安，要支配社会，先要研究社会，不能相信官方的书所写的，上面都是骗人的话，其实所有的大人物都是禽兽，"大人先生干的丑事不比穷光蛋少，不过是暗地里干的，他们平时炫耀德行，所以始终是大人先生"。而吕西安之所以失败，是由于他把自己的疮口暴露给别人看，如果他像那些老于世故的人那样，一面暗中维持与女戏子的关系，一面又追求并娶上巴日东太太，那就可以成为伯爵和州长。因为这个社会遵循着假冒为善的原则，不这样做，就会从社会阶梯上跌下来，被社会吞没。伏脱冷又说，为了获得成功，要把人看做工具，对上要谄媚，等到得到好处再把他一脚踢开："对付人要像犹太人一样的狠心，一样的卑鄙；他们为着金钱不择手段，我们为着权势也要不择手段。"既然这个社会不讲什么道德原则，那么，越是阴险狡猾的人就越得到别人尊重，为此就必须"别爱惜你的人格，别爱惜你的所谓尊严"。伏脱冷在这里宣扬的是资产阶级野心家不顾一切向上爬的秘诀，同时这也是尔虞我诈的社会关系的真实写照。伏脱冷也承认，这是一种"强盗理论"，然而它正是这个社会所遵循的最高准则。巴尔扎克把这一堂"道德课"放在小说结尾，起到了总结小说主人公的经历以深化揭露意义的作用：它精辟地、令人信服地揭示了资产阶级极端利己主义的人生观，无情地撕下了统治阶层虚伪的面纱，还其丑恶的本来面目。

在对复辟王朝恶浊混溷的现实加以揭露的同时，作者描写了一个小团体，塑造了自己理想的人物形象，表达了自己钦羡的政治倾向，这在《人间喜剧》中也具有特别重要的意义。在巴尔扎克笔下，这个小团体由当时社会上一些最优秀的人物组成，他们博学多才，彼此尊重，重视友情，无私相助，以诚待人，其中最引人注目的是"雄才大略的共和党人"米歇尔·克雷斯蒂安。巴尔扎克用极大的热情歌颂了这个人物。他生活穷困，处于社会底层；他多才多艺，特别喜爱革命民主主义诗人贝朗瑞的歌谣；他的生活信念是："我们先要献身于人类，再想到个人。"他的政治才具不亚于法国大革命时期的英雄人物圣茹斯特和丹东。他的政治理想是实现欧洲联邦，这一主张对欧洲贵族威胁极大。作者认为，那些自命为法国大革命期间产生的国民议会的继承者，他们提倡的自由观念毫不可取，"克雷斯蒂安的理想可不像他们那样荒唐，要合理得多"。这里巴尔扎克明确地表示了自己对共和党人政治理想的赞赏态度。作者还特别注意到，克雷斯蒂安抱着实现欧洲联邦的理想，曾经为19世纪30年代的圣西门运动出过不少力，就是说这个共和党人同空想社会主义者有过非常密切的联系。最后，作家以赞美的口吻写道，这个"或许还是一个会改变世界面目的大政治家，后来像小兵一般死在圣梅丽修道院"。他参加了1832年6月的起义，资产阶级政府派来的军队射出的子弹，打中了他——"法兰西最高尚的一个人物"。对于克雷斯蒂安的牺牲，作者表示了极大的愤懑，强烈谴责了七月王朝统治者的暴虐。他饱含着激情写道，认识克雷斯蒂安的人无不惋惜他，时常想起这个无名英雄。巴尔扎克同当时的共和党领袖有过频繁的接触，克雷斯蒂安的原型就是他所钦佩的共和党领袖人物。巴尔扎克把他与卑鄙无耻的资产阶级政治人物相对照，愈加显出他的形象高大突出。恩格斯曾经指出，巴尔扎克"经常毫不掩饰地加以赞赏的人物，却正是他政治上的死对头，圣梅丽修道院的共和党英雄们，这些人在那时（1830～1836）的确是代表人民群众的"[①]。

《幻灭》另一个值得注意的地方，在于表现了资本主义自由竞争的吞并现象。在法国文学史上，巴尔扎克是描绘这个题材的第一个人，巴尔扎克在小说中正面接触到大工业生产，就这一点而言，《幻灭》在《人间喜剧》中也占据着一个突出的地位。小说写到在复辟王朝时期发展起来的大工业之一印刷造纸工业的发展。这一发展也是资本集中和吞并的过程：库安泰兄弟的资本飞快地增长到几百万，并吞掉了发明家大卫的印刷所，这一描写揭示了资本集中过程的一个剖面，反映了资本主义自由竞争的内幕。发明家大卫是一个不善经营的小业主，他看到纸张的需求在急剧增加，发明廉价纸将使他发一笔大财，于是他无心经营印刷所，一心埋头于他的科学实验。库安泰兄弟

[①] 恩格斯：1888年4月初致玛·哈克奈斯的信，《马克思恩格斯选集》第四卷，第463页。

则是精明狡猾的资本家,在政治上,他们附和保王党的论调,并且经常上大教堂,故意让人知道他们守斋,他们还赶印宗教书籍,这一切都是为了趋炎附势,站稳脚跟,便于放手经营,而无后顾之忧。为了得到大卫的发明秘密和吞没他的印刷所,他们布下了天罗地网:他们先收买了大卫一手栽培起来的助手赛利才和吕西安的同窗、诉讼代理人柏蒂-格劳,又利用大卫父亲赛夏的吝啬,使大卫得不到金钱的接济,还利用吕西安以大卫名义开出的 3000 法郎票据,要大卫还债,终于把大卫逼到绝境,迫使他同意出让印刷所和交出发明的秘密。在这个过程中,巴尔扎克描写了商业诉讼和法庭是怎样为大资产阶级服务的:负债的一方由于商务追索,在短短的两三个月中,债务竟从 3000 法郎上升到 1 万多法郎,最后只好任凭债主宰割。库安泰兄弟的精明狡猾还表现在假惺惺地让大卫为他们继续实验,大卫的科学实验并未最后完成,但他的一些研究成果却被库安泰兄弟偷偷用在纸浆生产中,大卫一无所获,库安泰兄弟却发了大财。这场激烈的、惊心动魄的斗争,以资本更为雄厚、手段更为狡猾的资产者获胜,这是符合现实生活的真实情况的。小说的描绘是对自由竞争和资产阶级的资本积累过程的深刻揭露。

3. 第三阶段:《农民》和《贝姨》

从 1843 年至 1848 年是巴尔扎克创作的后期,这个时期也正是七月王朝的末期,当时的阶级矛盾已经十分尖锐,社会的腐败也日益明显。于是,在巴尔扎克的笔下,七月王朝的现实便成为他作品中正面描述的重大题材。这一时期他创作了十来部作品,较重要的有:《烟花女荣辱记》,描写一个青年野心家失败自杀,另一个则挤入统治阶层的故事;《外省的诗神》(La Muse du département,1843),通过外省一个女诗人的经历,反映内地生活;《邦斯舅舅》,描绘争夺一个名画收藏家的遗产的故事;《阿尔西的议员》,描述七月王朝金融资产阶级和中小资产阶级的矛盾。《农民》和《贝姨》是这一时期的代表作。

《农民》(*Les Paysans*，1844~1855)在《人间喜剧》中占有重要地位。这是一部直接描写农村阶级斗争的长篇小说。巴尔扎克从解剖一个农村庄园着手，描绘了复辟王朝时期资产阶级如何联合农民，同返回农村的贵族地主进行了较量，终于把贵族赶了出去。这一过程，深刻地反映了复辟时期法国农村发生的变化，而这个变化也正是整个社会所经历的历史变革。巴尔扎克在卷首提到这部小说"是一篇触目惊心的实录"，它记录了"时代的进程"，因此，这是自己作品中"极为重要的一种"。马克思高度评价了《农民》，指出从这部作品中可以看出巴尔扎克"对现实关系具有深刻理解"[①]。

《农民》没有写完，作者生前只发表了第一部和第二部的前四章，遗稿经过整理续成较简单的后六章。

故事发生在复辟王朝时期（1823）的勃艮第农村。蒙柯奈将军是帝国时代晋升的伯爵，他在1817年买下了艾格庄的产业。他发现管家戈贝坦克扣收入，中饱私囊。有一次他把戈贝坦当场抓住，飨以鞭子，赶了出去，事后蒙柯奈伯爵回到巴黎去过社交生活。3年以后，他带着妻子回到艾格庄。这时，戈贝坦已成为当地首屈一指的资产者，他同里谷、苏德里结成一伙，垂涎蒙柯奈伯爵的产业，从而展开了一场激烈的斗争。蒙柯奈伯爵加强了对农民的压迫：他建立了一支新的护林队，严禁贫苦农民拣拾麦穗和砍伐树枝，激起农民强烈的不满。这一措施等于为渊驱鱼，被戈贝坦等所利用，当地资产阶级反对蒙柯奈伯爵的斗争于是得到农民的支持。蒙柯奈伯爵来势汹汹，其实势单力薄。戈贝坦、里谷和苏德里三巨头早已控制了当地的经济命脉和政权组织，蒙柯奈伯爵丝毫动摇不了他们的根基，他设法解除了苏德里的宪兵队长职务，苏德里却当上了附近一个市的市长。相反，戈贝坦却派心腹打入蒙柯奈伯爵家当管家。等到伯爵发觉自己四面受

[①] 马克思：《资本论》第三卷，第47页。

敌，想到要小心提防并想笼络农民的时候，已经无济于事了。一天夜里，伯爵的护林队长被资产者收买的农民神不知鬼不觉地打死了，伯爵从巴黎请来密探，却怎么也破不了案。又一个晚上，在田间的路上，伯爵被一个农民拦住，这个农民负有杀死他的使命，农民要他知趣地离开此地。蒙柯奈伯爵终于将艾格庄拍卖，里谷出面买下，与戈贝坦和苏德里瓜分。他们把土地分成小块，租给农民耕种。农民们赶走了地主，却迎来了更加残酷、更加狡猾的剥削者。

《农民》可说是描写复辟王朝时期尖锐复杂的阶级斗争的一部杰作。巴尔扎克在《人间喜剧》的创作中一向以阶级斗争的观点去看待社会历史的发展，并从多方面去加以反映。但是如此深入地描绘贵族、资产阶级和农民之间的激烈冲突的作品却是这部《农民》。巴尔扎克为此花了多年的精力："8 年以来，我把它放下了一百次，又重新拿起一百次。"巴尔扎克花费了这样大的力气，为的是把这部小说写成反映一个时代的纪念碑式的作品。

小说再现的这场资产阶级、农民同贵族地主之间的生死搏斗，正是复辟王朝时期在农村的一对主要矛盾的反映。在这场斗争中，蒙柯奈伯爵处于极其不利的地位，他的遭遇正代表了贵族阶级的命运。蒙柯奈伯爵本是在拿破仑帝国时期发家的新贵族，他在复辟王朝时期投靠了当局，并同大贵族联姻，与封建贵族结成一体。在巴黎，他得到大贵族的支持；在外省，他得到省长的保护。他初到艾格庄，真是一副威风凛凛、不可一世的气势。他刚愎自用，专横愚蠢，不懂得运用斗争策略，"人们以为他是一个巨人，但骨子里他却是一个侏儒"。他一到艾格庄，便要重整秩序，振兴家业，但他并不会管理家产，更不懂得资本主义的土地经营。他以为禁止农民拣拾麦穗和砍伐树枝就可以增加收入，殊不知这样就使原来已经十分贫困的农民难以生活下去，使得农民和他（贵族）之间的矛盾立刻激化起来。农民谈起他"恨得牙痒痒的"，毫不留情地诅咒他，把他看成"人民的敌人"。

蒙柯奈伯爵的不利地位还表现在地方政权早已为资产阶级所把持，省里的行政权力鞭长莫及，因此蒙柯奈伯爵显得非常孤立，最后连生命都受到威胁。从经济上说，他在土地方面的收入很有限，不超过3万法郎，而出卖产业得到的200多万法郎拿去购买公债，却有8万法郎利息收入，这种明显的出入更为蒙柯奈伯爵的败退铺平了道路。蒙柯奈伯爵拍卖艾格庄，离开了这片鲁殿灵光的庄园，象征着贵族阶级的权势得而复失。贵族阶级在七月革命之前早已被资产阶级彻底打败，这场斗争首先是在农村见分晓的。《农民》反映了这一历史过程，它的重要意义是不言而喻的。

巴尔扎克十分成功地描绘了资产阶级在农村的势力和活动方式，并进行了深入的揭露，《农民》是资本主义在农村取得统治地位的生动纪录。小说集中描绘了农村商业大资产阶级的三个代表：戈贝坦、里谷和苏德里。戈贝坦是精明狡猾、凶狠毒辣的资产者形象。他靠克扣艾格庄女主人的收入发家，后来成为当地商业的首脑人物。他作为本地木材业的总代理人同巴黎商人打交道，掌握着巴黎三分之一的木材供应。由于他资本雄厚，当地的巨富大族的"本钱、积蓄、藏起来的金钱都听他调度"。他还掌握了政治权力：他是维勒·奥·斐伊的市长，他的亲戚遍布政府各部门，包括法院、市政府、议会，甚至连当地教会都听从他的意志行动，成为他的活动支柱。在同蒙柯奈伯爵的斗争中，他是一个关键人物，一切都在他的实际调度之下。戈贝坦是主宰农村经济的大资产者的真实写照。巴尔扎克通过这个人物，写出了复辟王朝时期资产阶级在农村的实力。当地的另一个主宰人物里谷是戈贝坦的亲家。里谷是农村高利贷者的典型，他的经营方式具有资本主义社会发展初期的特点：他把资本主义的土地经营同放高利贷结合在一起，更加巧妙也更加残酷地盘剥农民。他利用大革命后农民得到人身自由却又无力购买土地的情况，把国家标卖的土地收购下来，分成小块，抵押给农民耕种。农民无法偿还买金和租税，他允许延缓偿付，条件是要为他无偿地打场、修仓、入库，做这一类"真正的徭役"，"这样农民付给里谷的利息有时比土地的本金还高"。事实是农民怎么也还不清里谷的租税，他就利用这一点迫使农民把他们的女儿送到他家当女仆，实际上是供他蹂躏，20多年来，他换了10个漂亮的女仆。他不但是个色鬼、吝啬鬼，而且出身教士，是个僧侣式的深藏不露的狡诈人物。例如，里谷把农民的仇恨从自己身上巧妙地转移到重返故园的贵族身上；他当上了布朗吉的市长，似乎站在农民一边，农民也以为里谷在为他们的利益着想。另一个代表人物苏德里仿效里谷，也成为地方上一个巨富。这是一个浑身散发着铜臭气的庸俗资产者形象。他喜欢排场，他的家是当地头面人物的聚会场所，同这个沙龙的主人一样，这些头面人物也都庸俗不堪，可憎可厌。从苏德里和这些人物身上，可以看到大资产阶级精神的极度空虚。可是，正是戈贝坦、里谷和苏德里这一伙左右着农村的经济生活和基层组织，他们联合起来共同对付贵族，终于完全取代了贵族在农村的地位。

资产阶级的取胜，全仗与农民的联盟；农民在这场斗争中被推到第一线上。巴尔扎克清楚地认识到农民的这种作用，对之作了充分的反映，这一描绘使《农民》中的阶级斗争显出它广阔的规模，真实地再现了当时斗争的激烈情景。在小说中，巴尔扎克以同情的态度描绘了农民的贫困生活，指出这是农民反对地主贵族的根本原因。富尔雄老爹和他的一家是作为农民家庭的典型出现的。富尔雄老爹本是佃农，后来经营手工业，他生活贫困，衣衫褴褛，经常在露天过夜。他饱经风霜，对贵族怀着深深的仇恨。他明确地对蒙柯奈伯爵说："你们仍然想做主人，我们就永远是敌人，30年前是这样，现在还是这样。"听到富尔雄老爹这段愤怒的指责，蒙柯奈伯爵惊呼这是一篇宣战书。富尔雄的女婿通萨尔也是满怀愤懑，一触即发。他开小酒店，但一家7口还要靠拣拾麦穗、葡萄和砍伐柴火来补贴开支，他的老娘因拣拾柴火同护林队发生冲突，护林队几乎在小酒店动起武来。小酒店是农民们议事的地点,正是在这儿他们商量如何打死护林队队长。正因为贵族断绝了农民的生路,所以一旦资产阶级对农民许下宏愿,农民便甘愿铤而走险,同贵族地主直接对峙起来。在作者笔下,农民反抗贵族是同心协力的,他们大批破坏树木,行动起来十分周密,不露破绽,下手时机选择得恰到好处,而且坚决果断。这场激烈的阶级斗争写得栩栩如生,农民的仇恨、力量和作用都得到了绘声绘色的表现,小说深刻地再现了农民反抗贵族的斗争的壮阔场面,具有十分宝贵的历史价值。巴尔扎克提出要把这场斗争以及农民阶层的代表人物刻画出来,他确实达到了目的,这是他高于同时代作家的地方。

巴尔扎克对农村经济制度的描写进一步表明他对法国农村有着相当深入的观察和了解。当时农村的经济制度和生产方式决定了阶级斗争的内容和进程。巴尔扎克正是把握住了这把钥匙,所以能透辟地理解农村复杂的阶级关系。巴尔扎克看到,法国大革命后出现的大批小农耕种着小块土地,表面上农民得到了自由,实际上,这小块土地并不能改善农民的处境,农民经不起天灾人祸,纷纷破产,在这 30 年中,事实越来越清楚,小块土地虽使农民得到某种自由,却又成为农民贫困的根源。农民缺乏必要的资金,缺少肥料,耕作方法也无法改良,因而土地收成很低,难以糊口。农民的境况就是这样经历着恶性的循环。农民同贵族的矛盾相当集中地表现在土地问题上:复辟王朝把大部分国有土地归还了贵族,贵族又重新占有大块土地,这就尖锐地侵犯了农民的利益,在他们心中播下了仇恨的种子。资产阶级正是利用农民对土地的私有欲,煽动农民对贵族的仇恨,才成功地借用农民的力量去对付贵族。后来,资产者把蒙柯奈伯爵的土地分成小块,租给了农民。农村中又出现了一种新的阶级斗争局面。小说末尾已写到复辟王朝末期,在艾格庄一带,小农土地所有制达到了鼎盛的阶段,一眼望去,在一片片小块田地上点缀着破烂的茅屋。作家通过小说中的人物讽刺说:"这就是进步!"这一系列描写深刻地反映了这一资本主义农业发展初期的社会现实，得到了马克思和恩格斯的赞扬。

在小农土地所有制的鼎盛中，已经隐伏着农民与资产阶级的矛盾，《农民》的一个重要内容，就是描写这一矛盾的发展变化。资产者与农民的关系是剥削与被剥削的关系，它们之间的矛盾本来也是极其尖锐的，但是，由于贵族的返回，农民与贵族的矛盾居于主要地位，而农民与资产阶级的矛盾便退居次要地位。这种阶级矛盾所呈现的复杂关系在《农民》中有着恰如其分的表现。巴尔扎克简括地写出了资产者对农民进行的敲骨吸髓的剥削，库特居斯的遭遇具有代表性。里谷卖给他一小块地，答应先付一半地价，条件是要他同蒙柯奈伯爵作对。库特居斯以为这是里谷对他的厚待，情愿白白地替高利贷者里谷干各种活计，而且还以为这样做并没有付出什么，因为他的劳动不需要花费现金。马克思在《资本论》中援引了这个例子，指出巴尔扎克的描写是非常恰当的。高利贷者里谷的方法一箭双雕："他既节省了工资的现金支出，同时又使那个由于不在自有土地上劳动而日趋没落的农民，越来越深地陷入高利贷的蜘蛛网中。"[①]库特居斯起早摸黑地干活，可是收成却只能偿付所欠地租的利息。一家人生活极其贫苦，女儿在外做工，工钱贴补家里，即使这样仍然不能偿还那另一半地价，最后只好让里谷收回土地，白丢了付出的一半地价。里谷这种剥削比起贵族的地租剥削要毒辣得多。富尔雄老爹对农民们说："这30年来，里谷老头咂着你们的骨髓，难道你们还不明白资产者比大老爷还要狠毒吗？"他认识到资产者过着舒适的生活，是"靠农民过活"；农民同资产者联合，到头来只充当了资产者的工具而已。事实上，农民对资产者的仇恨是暂时压抑着的，通萨尔曾经表示，如果里谷欺骗农民，"我要用子弹跟他算账"。里谷也知道农民对他的仇恨，天一黑，他便不敢在野外走动，怕遭到暗算。这个细节充分反映了农民同资产者之间隐藏着的矛盾。巴尔扎克没有来得及充分展开农

---

① 马克思：《资本论》第三卷，第47~48页。

民与资产者的尖锐斗争,但在他的遗稿里仍然可以看到这场斗争的前景:蒙柯奈伯爵被赶走后,农民和资产者的斗争便提到日程上来了。

最后,作者在小说中还塑造了一个正直农民的形象:尼斯龙老爹,这是《人间喜剧》中又一个刻画得比较成功的共和主义者。巴尔扎克以赞赏的口吻写出他光明磊落、嫉恶如仇的品格。他是一个种葡萄的老农,大革命时期是当地雅各宾俱乐部的主席,县革命法庭的陪审员,他向往卢梭提出的共和国主张。这个"坚硬如铁、纯净如金"的共和党人,"用自己的鲜血去贯彻他的主张"。他胸襟坦白,性格耿直,"全镇的侠肝义胆都集中在他一个人身上"。他憎恨富人,"永远不放过谴责罪恶的机会",因此得到农民的爱戴:"尼斯龙老爹不喜欢有钱人,他是咱们的人。"他虽贫穷,但不屑去拣拾树枝和葡萄,因为他从不占人便宜,他"把最后一点私心都抛弃了"。这个品格高尚的农民形象在《人间喜剧》中占据着独特的地位,再一次表明了巴尔扎克的思想并非是正统的保王党立场。

然而,巴尔扎克在《农民》中也表露了他对农民的偏见。他认为农民狡猾,如写富尔雄专以捉水獭为名,欺骗外地人;他认为农民贪婪,描写农民不以砍伐枯枝为满足,还大批破坏树木,充满贪欲;他认为农民之所以"堕落",是因为宗教信念减弱,他们连做弥撒时也聚集在教堂外做买卖;他认为农民野蛮,描写青年农民薄奈沙追逐幼女,等等。巴尔扎克对于农民的反抗也怀着恐惧,提醒"将来的立法者"注意:农民"有一天会把资产阶级消灭掉"。这些地方都暴露了他的资产阶级立场。

在以七月王朝为背景的小说中,《贝姨》(*La Cousine Bette*,1846)是较有代表性的一部。这部小说和《邦斯舅舅》一起被列在《穷亲戚》的标题下。小说对七月王朝的社会现实作了广阔细致的描绘,从大资产阶级的糜烂生活,到下层人民的悲惨处境,从高级官吏的营私舞弊，到下级雇员的钻营攀附，都有生动丰富的刻画。小说塑造了腐朽堕落的资产者典型，抨击了七月王朝的腐朽本质。《贝姨》是巴尔扎克后期创作中的优秀作品。

《贝姨》的情节发生在1838年至1846年。小说开始，暴发户克勒韦尔大模大样来到于洛男爵的家。于洛男爵由于好色，把家产都败光了。克勒韦尔借口于洛抢走了他的情妇，一直在追求于洛太太，趁她家无钱嫁女而提出要挟。于洛这时又勾引上了一个淫妇玛奈弗太太。为了监视她的行动，他让贝姨（他妻子的堂妹）住到玛奈弗太太的新居去。贝姨是个老处女，几年前救了一个波兰流亡者——雕刻家文赛斯拉，并爱上了他，一直供他食宿。但是，于洛的女儿奥棠丝也爱上了这个波兰人，在家庭的支持下，把他从贝姨那里抢了过去。贝姨本来就嫉妒她的堂姐，这下便立意报仇。她和玛奈弗太太串通一气。玛奈弗太太不仅同于洛姘居，而且暗中和克勒韦尔来往。文赛斯拉同于洛的女儿结婚后十分怠惰。贝姨为了破坏他的家庭生活，又指使玛奈弗太太勾引他。奥棠丝知道丈夫的行径后，和他分居了。玛奈弗太太却有自己的打算，为了得到克勒韦尔的财产，她准备丈夫一死便同他结婚。于洛太太的叔叔被于洛派到阿尔及利亚去搞投机，因舞弊事发而自杀，于洛为了躲债离家出走。于洛的儿子维克托兰是克勒韦尔的女婿，维克托兰开始觉察到玛奈弗太太的企图；伏脱冷答应帮他的忙。玛奈弗太太终于成了克勒韦尔夫人，但夫妇俩得了怪病一同死去。贝姨的计划纷纷落空，她本来打算同元帅结婚，元帅又不幸去世。至于于洛太太，她在慈善会中任职，一天偶然碰到了几经转移的于洛男爵，他这时成了一个代笔人，同一个小姑娘姘居，于洛太太把他领回了家。一天夜里，她发现丈夫跑到胖女佣那里求爱。于洛太太气极而死，于洛在第二年就同女佣结了婚。

《贝姨》深刻地揭露了七月王朝时期大资产阶级腐朽糜烂的本质。暴发户克勒韦尔就是大资产阶级的典型代表。他做花粉生意发了大财，拥有500万法郎，退出商界以后，当上副区长、区长，兼任国民自卫队连长、营长，平时摆出一副趾高气扬、不可一世的架势，他有钱有势，俨然是社会的统治者。作为大资产阶级的一分子，他的本性就是崇拜金钱："我怕上帝，我更怕贫穷的地狱。……我是这个时代的人，我崇拜金钱！"投机得来的大量钱财，他挥霍无度，用于享乐。克勒韦尔追求享乐，既表现了资产阶级的腐朽本质，同时也反映了当时糜烂的社会风气。小说中描写一次上流社会的宴会，女主人衣服上的花边价值足够一个村子吃用一个月，一个公爵的外室颈上所戴的项链值到12万法郎。克勒韦尔在几个外室身上花费了几十万法郎，还专门供养十几岁的女孩子，供他日后蹂躏。然而，比起纽沁根在情妇身上花费几百万，他只不过是小巫见大巫。这样的穷奢极欲充斥着资产阶级的上层。马克思指出："正是在资产阶级社会的上层，不健康的和不道德的欲望以毫无节制的，甚至每一步都和资产阶级法律抵触的形式表现出来，在这种形式下，投机得来的财富自然要寻求满足，于是享乐变成淫荡，金钱、污秽和鲜血就汇为一流了。"①《贝姨》所揭露的，正是这种丑恶的社会现象。克勒韦尔奉行的就是这种享乐至上主义。

作者还更进一步揭露了克勒韦尔精神面貌的特点：他对于享乐"有一套仁义道德的理由做辩护"，表现出一副十分虚伪的面目，这种虚伪的品格构成了这个人物的重要思想特征。他嘴上说为了女儿不续弦，其实是为了寻欢作乐的方便，可以随意寻找外室，供养情妇；他追求自己的亲家于洛太太，完全是要满足自己的情欲，却推说是因为于洛抢走他的外室，他要以牙还牙，报仇雪恨；他提出同样理由，和于洛争夺巴黎荡妇玛奈弗太太，实际上他同于洛一样好色。这个自称吮吸过大革命的奶汁、具有霍尔巴赫精神的暴发户，是1830年登

---

① 马克思：《1848年至1850年的法兰西阶级斗争》，《马克思恩格斯选集》第一卷，第396页。

上统治宝座的大资产阶级的精神代表。他鼓吹堂而皇之的道德观点，为的是掩盖灵魂的卑鄙丑恶，这正是当时统治阶层人物所共有的特征。他越是吹嘘自己的资产阶级正统地位，就越说明他所代表的资产阶级的精神堕落。马克思曾经非常精辟地把克勒韦尔看做钻进政府和军队的"12月10日会的道德守护者"[1]，指出了这个人物的典型意义：他不仅是七月王朝大资产阶级的思想化身，而且体现了第二帝国时期政治人物的精神面貌。

《贝姨》还着力塑造了另一种资产阶级人物，这是在资产阶级大革命期间曾经建立过功勋的英雄，但随着历史的发展，特别是到了七月王朝，已蜕变为极端腐朽卑劣的人物了。于洛男爵就是由资产阶级的英雄变为淫欲化身的一个代表。于洛早年在拿破仑的军队中担任军需总监，"是一军中最能干、最诚实、最活跃的一个"，他因为功劳卓著，在七月王朝时期重新进入政府机构，担任了高级职务。然而，他在第一帝国末期已经染上好色的恶习。在七月王朝的前8年，他把一大笔家私花得干干净净，家中一片败落景象，家具陈设都是一二十年前的东西。他年近七旬，仍然放纵情欲。由于经济拮据，他无法同克勒韦尔竞争，在丢掉了自己的外室之后，竟然去追逐下属玛奈弗的妻室。为了得到玛奈弗太太的欢心，他硬把玛奈弗这个宵小之徒提拔为副科长和科长。他甚至把自己的薪金、人寿保险金都提前支出，并派出妻子的叔叔到阿尔及利亚去营私舞弊，侵吞公款。事发之后，他被迫辞职，他的哥哥被气死，他却离家出走，隐姓埋名，继续找寻穷人家的小姑娘姘居。他的妻子过了好几年才找到他，然而他秉性不改，竟然对家里的厨娘许愿，等他妻子一死，马上娶她为妻。这个资产阶级的精英人物，就这样堕落为"一个魔鬼，一头公猪"。于洛男爵无可挽救的堕落，深刻地反映了资产阶级精神上的日益破产。作者在他旁边描写了一个坚持共和信念的老军人于洛元帅加以衬托。于洛元帅

---

[1] 马克思：《路易·波拿巴的雾月十八日》，《马克思恩格斯选集》第一卷，第702页。

不能容忍他的弟弟贪污公款，于是把自己几十年的私蓄拿出来偿还。对于这个老共和党人，巴尔扎克怀着深深的敬意："一个党派里能有这等人，便是党派的荣誉。"他象征着有崇高信念的共和党英雄，他死后无数的人都来向他致哀。作者对这两个人物的态度，充分反映了他的爱憎立场。

小说还揭露上层资产阶级这种腐化堕落的风气已经传染到整个社会，描写追求奢华、道德败坏在社会上已成了司空见惯的现象，通过这些描写，进一步揭露了七月王朝的丑恶现实。年轻雕刻家文赛斯拉好不容易才娶上了于洛的女儿奥棠丝，却经不住玛奈弗太太的挑逗引诱，居然抛弃了妻子，过着荒唐堕落的生活。公务员玛奈弗早就沾染了糜烂的生活恶习，他只要自己能够高升，有钱开销，找上淫荡的女人，甘愿妻子去勾引自己的上级，把妻子当摇钱树。玛奈弗太太和约瑟法是两个资产阶级荡妇，她们专做大资产者的外室，过着挥金如土的奢侈生活，像这样的交际花在巴黎比比皆是，她们的存在对上层资产阶级的享乐生活是必不可少的，同时她们也逐渐成为上层社会的一分子，她们的堕落生活是淫靡的社会风气的一个突出表现。小说还通过一个细节，指出连专门捉奸的治安法官也是风月场中的老手，他暗暗羡慕当事人的所为。这部小说形象地再现了马克思的论断："在一切地方，上至宫廷，下至低级的咖啡馆，到处都是一样卖淫，一样无耻欺诈。"[①]作者对这一场不堪入目的社会图景给以无情的鞭挞，充分表达了他对社会现实的不满。

巴尔扎克看到，在七月王朝，一方面是财产高度集中，金钱花得像海水一样流淌；而另一方面则是极度贫困，穷人在艰难饥饿中挣扎，《贝姨》的一个重要内容，就是描述贫富之间的尖锐对立。小说中展现了下层人民的悲苦生活，并同大资产阶级的豪华生活相对照，

[①] 马克思：《1848年至1850年的法兰西阶级斗争》，《马克思恩格斯选集》第一卷，第396页。

真实地再现了七月王朝阶级矛盾的日益激化。作者以同情的态度提到土伦港的工人每天只有30个铜子的收入，可是少于40个铜子是很难养活一家人的。作者还说："现在大家非常同情工人阶级的命运，认为他们被厂商扼住咽喉。"在贫民区，到处都是破败景象，房客根本交不出房租，平民中竟有四分之三的人交纳不了结婚费用，因为他们首先要顾到吃穿。小公务员"薪金微薄到荒谬的程度"，他们生活拮据，大多到了山穷水尽的田地。流落到巴黎的外国人，因为袋无分文、前途渺茫而企图自杀。小说所描绘的，正是马克思所指出的"金融贵族过着花天酒地的无耻生活，同时人民却要为起码的生计而斗争！"[①]贫富两极的分化必然要引起对立和斗争。小说关于刺绣女工贝姨的描写，是贯穿全书的重要情节。贝姨当了一二十年工人，却仍然蛰居在冰冷恶浊的房间里，并且终年要受富亲戚的窝囊气。文赛斯拉本是她的恋人，却被她的侄女奥棠丝夺走，她气愤地说："穷人的幸福只有一条羊，富人有着一群羊，却把穷人的羊抢走了，连问也不问一声。"于是她决心要复仇。虽然巴尔扎克站在资产阶级的立场上去对待这种贫富对抗现象，把贝姨刻画成阴险毒辣、忌妒成性的小人，但是仍然可以看出贝姨的复仇斗争包含着当时贫富尖锐对立的实际意义。贝姨的报复是失败了，她的失败却具有揭露的性质。这场斗争的关键人物是于洛男爵的儿子维克托兰，他是1830年革命后的社会哺育的资产阶级新一代。他性格冷静明智，讲求实际利益，采取了一切手段来维护家庭的财产。他身为律师，却同社会上的犯罪集团勾结起来。具有讽刺意味的是，警察同这个犯罪集团也有着秘密关系，并互相利用。维克托兰在他的活动中采取了假手于人来消灭对方的办法，于洛一家终于恢复了往日的烜赫声势。贝姨作为一个穷亲戚反对这个富有家庭的斗争，如同"陶罐碰铁罐"，这个结果是符合当时阶级斗

[①] 马克思：《1848年至1850年的法兰西阶级斗争》，《马克思恩格斯选集》第一卷，第397页。

争的状况的。《贝姨》写作的年代已临近1848年革命,当时阶级矛盾和阶级斗争已经十分激烈,从小说中人们可以感受到这一时代气息。

小说对金钱罪恶的揭露是同对七月王朝的抨击紧密结合在一起的,这方面的描写广泛而深入,在小说中占据十分重要的篇幅。巴尔扎克通过克勒韦尔一语道破金钱在这个社会中的作用:"在宪章之上是神圣的、受尊崇的、牢固的、可爱的、妩媚的、漂亮的、高贵的、年轻的、神通广大的5法郎钱币。"他又说:"没有钱,在眼前这个社会秩序下,是最深重的苦难。"作者还通过毕安训医生分析七月王朝的风尚,指出从前金钱并不能买到一切,"但是今天,法律把金钱定为衡量一切的尺度,把它作为政治才具的基础"!在婚姻问题上,金钱也起着支配作用。于洛太太为自己女儿的婚事发愁,因为她女儿尽管长得漂亮,但"没有陪嫁就没有人要"。于洛太太有三条路可供选择:一是以出卖自身为代价,让克勒韦尔拿出陪嫁费;二是让女儿找一个富翁老头;三是物色一个有才华的贫穷青年,等待将来发迹。家道中落的人家就如于洛太太那样找不到女婿。至于贫苦人家的女儿,长得有点模样的,很早就得成为有钱人的外室,或者不得不走卖淫的道路。连贝姨同文赛斯拉的关系也打上金钱的烙印。文赛斯拉自杀未遂,被贝姨救活后,由贝姨供给他生活和学习雕塑的费用。经过商务裁判的指点,贝姨把这笔供养费记录在案,作为穷艺术家欠她的一笔债,好约束他以后的行动。文赛斯拉和贝姨的关系成为债务人和债权人的关系。当贝姨发现文赛斯拉背叛了她,她又在商务裁判的指点下,毫不留情地把文赛斯拉投入债务监狱。最后,发生在克勒韦尔和于洛家的一场丑剧也是围绕着财产的争夺而展开的。玛奈弗太太认为克勒韦尔活不长久,打算同他结婚,以便吞没他的财产;而维克托兰为了破坏她的计划,拿出了5万法郎作为害死她的酬劳。这一幕幕以金钱为争夺对象的丑剧,写出了七月王朝人与人之间的残酷关系。

虽然巴尔扎克的思想是以人性论为基础的,但面对这黑暗的社会现实，他有时也感到道德感化不足以抵制人欲横流。于洛太太在作者笔下是个贤妻良母的典型，她对于丈夫的放荡、家庭经济的拮据，一味地忍气吞声，逆来顺受，她笃信上帝，把精神完全寄托于宗教，并投身于慈善事业。她深信社会、人生和上帝要以最残酷的痛苦去磨炼她，她说："我们女人天然倾向于牺牲。"巴尔扎克认为她这种精神是极其崇高的。在这个人物身上寄托了作者的某些思想信念，但巴尔扎克并没有完全离开现实。在小说中，于洛太太对丈夫一次又一次的容忍并没有使他回心转意，她付出的"牺牲"并不能感动丈夫，最后，她的丈夫死不回头，再一次堕落，她终于受不了打击而死去：仁慈、宽容毕竟敌不过荒唐、淫逸。而于洛太太的女儿奥棠丝则不信她母亲的这一套，在文赛斯拉背叛了她之后，坚决同他分居，最后文赛斯拉终于回到她身边。从这个对比，可以看出作家对道德感化能否改变人的恶习和陋俗有了新的认识。

第四节 《人间喜剧》的艺术成就

恩格斯指出，《人间喜剧》取得的成就"是现实主义的最伟大胜利之一"[①]。巴尔扎克大大丰富和发展了现实主义创作方法。《人间喜剧》在法国乃至欧洲的现实主义发展史上起着举足轻重的作用，放射着丰富的、独特的、灿烂的异彩，在艺术上无疑是资产阶级文学的一个高峰。巴尔扎克的创作方法和艺术技巧对后世的世界文学产生了极其深远的影响。

巴尔扎克对法国以及欧洲的文学有过深入的研究，据统计，巴尔扎克对之有过较多论述的作家有五六十个。同时，他对当代作家的作品也十分注意，如对当时还没有多大名声的司汤达的《巴马修道院》

---

① 恩格斯：1888年4月初致玛·哈克奈斯的信，《马克思恩格斯选集》第四卷，第463页。

作了极有见地的长篇分析。正是在这个基础上，巴尔扎克对小说艺术进行了大胆的探索。1840年，他在回顾自己的探索经验和当时文坛的收获时说："25年来，文学经历的变化，改变了诗艺的法则。"巴尔扎克的创作确实取得了开一代新风的巨大艺术成就。

在理论上，巴尔扎克提出了一系列现实主义的见解。他发表的文学主张虽然比较分散，但集中起来却十分完整和全面。

巴尔扎克能正确理解文学艺术的特点："最高的艺术是要把观念纳入形象"，即要形象思维，同时，要把"逻辑和感情藏在最强烈的色彩之下；一个字要包含无数的思想，一个画面要概括整套的哲理"（《幻灭》），即形象思维也要蕴含着思想和概括。他还对文学艺术典型化的要求有充分的认识，指出生活现象只是一堆素材，需要进行艺术加工，"并不是现实生活中发生的一切都得描写成文学中的真实，同样，文学中的全部真实也不等于现实生活的真实"，因为"艺术的任务不是摹写自然，而是再现自然"。他认为生活中充满了细小的、偶然的事件，经过艺术加工，都可以从中谱写一个世界，关键在于要"选择能成为文学真实因素的自然生活的种种状况"，如果一个作家做不到这点，"他的材料不能一气铸成一座光彩夺目的塑像，那么他的作品就得失败"。这种选择就是艺术概括的本领。巴尔扎克关于艺术真实的见解并不完全是以往现实主义文艺理论的重复，这里面还贯注着他自己艺术创作的丰富经验。重要的是，巴尔扎克把艺术真实同塑造典型紧密联系起来。关于典型，巴尔扎克作过这样的解说："'典型'这个概念应该具有这样的意义，'典型'指的是人物，在这个人物身上，包括所有那些在某种程度上跟它相似的人们的最鲜明的性格特征；典型是类的样本。"他把典型视为共性与个性的统一体。关于如何塑造典型，巴尔扎克指出："为了塑造一个人物，往往必须掌握几个相似的人物"，"文学采用的也是绘画的方法，它为了塑造一个美丽的形象，就取这个模特儿的手，取另一个模特儿的脚，取这个的胸，取那个的肩"，以此创造出"比真人更真实的人物"。而在具体描绘典型时，巴尔扎克又十分注重人物的外形，但更强调"不要放过任何本质的东西"，因为"艺术作品就是用最小的面积惊人地集中了最大量的思想"。巴尔扎克关于文学典型化的一系列重要观点，无疑是对传统的现实主义创作方法的继承和发展，是《人间喜剧》在艺术上取得辉煌成就的基础。

《人间喜剧》的成就集中表现在对典型的塑造上。他把塑造典型作为再现社会的主要手段。《人间喜剧》素以典型众多著称。据统计，在《人间喜剧》中出现的人物达到2400多个，这在世界文学史上是罕见的。《人间喜剧》中出现了社会各阶层的人物，其中具有典型意义的人物就有六七十个，包括资产者、贵族、野心家、政治家、司法人员、军人、教士、艺术家、农民、工人、科学家、职员、警探等，其中贵族和资产者的形象最多。巴尔扎克认为描写出两三千个人物，就能反映整个社会。《人间喜剧》的创造已达到这一目的，出现的人物群已获得"巴尔扎克社会"的称誉。这个社会其实就是当时的法国社会。

巴尔扎克在《人间喜剧》里，从来都是把描写典型人物与表现社会生活结合在一起，即努力塑造典型环境中的典型性格，通过环境描写来再现时代、社会的风貌、烘托人物个性，因此精细入微、生动逼真的环境描写，构成了《人间喜剧》小说艺术的一个重要特色。《人间喜剧》的绝大多数作品都穿插了大段的环境描写，有的描写城市面貌，有的描写农村风光，有的描写街道楼房，有的描写沙龙内室，有的描写招牌招贴，有的描写家具什物。这些环境描写还伴随着作者有关政治、经济、宗教、法律……的议论。虽然它们有时过于冗长繁琐，妨碍了情节的开展，但在大多数场合下，巴尔扎克笔下的环境描写或者以其叙述的逼真，或者以其观察的细致，或者以其分析的深刻，或者以其安排的得当，紧紧吸引着读者。这些环境描绘是时代和社会风貌的忠实写照,如在《高老头》中,对伏盖公寓和鲍赛昂夫人府邸的描写,就提供了一幅巴黎生活的缩影。小说开卷对伏盖公寓的长篇描绘,就是一幅精雕细刻的风俗画。作家首先让读者看到这个坐落在偏僻角落里的下等公寓恶俗不堪的外表,接着在夹叙夹议之中带领读者走进公寓,深入到这个下层社会的活动舞台。随着作者对屋内陈设的描绘,读者仿佛能闻到公寓"闭塞的、霉烂的、酸腐的气味"。这幅图画散发着现实生活的浓烈气息,是下层社会真实的再现。随着情节进展,读者跟随拉斯蒂涅来到鲍赛昂子爵夫人的府邸,所见立时换了一个天地。院子里停着华丽的马车,置办这样一部马车至少要3万法郎。连门丁也穿着金边大红礼服。楼梯上是金漆栏杆,铺着大红地毯,两旁供满鲜花,布置精雅绝伦,别出心裁。复辟王朝时期贵族生活的穷奢极侈跃然纸上。两处环境采取了不同的描写方法,前者由作者介绍,后者是人物的所见,富有变化。

巴尔扎克在《人间喜剧》中的环境描写是同人物塑造紧密结合的。一种方法是,紧接着环境描写之后,引出在其中活动的人物,环境描写是人物描写的先导。如先写伏盖公寓,再介绍它的主人伏盖太太,伏盖太太的性格特征——庸俗小气、见钱眼开,便有了非常坚实的基础,令人感到这样的性格确是这种环境的产物;第二种手法,是把环境描写同人物的心理变化和精神状态糅合在一起,一面描写环境,一面塑造人物。例如,作者在描写鲍赛昂子爵府时,也描绘了拉斯蒂涅的心理,随着景物的变换,细腻地刻画了这个人物渴望挤入上流社会的心理活动,写出了这个青年野心家成长过程的一个侧面。又如,作者描写鲍赛昂子爵夫人的告别舞会的盛大场面,采用色彩强烈的对照手法,衬托出鲍赛昂子爵夫人表面强颜欢笑,私下里黯然神伤的精神状态,勾画出贵族阶级"无可奈何花落去"的衰败处境。

在塑造典型环境中的典型性格方面,《人间喜剧》无疑提供了丰富的艺术经验,在这里,作者善作精细的外貌描写,擅长个性化的对话，并以夸张的手法刻画性格特征。

在巴尔扎克之前，还很少有人像他那样注重人物外形的描绘。他笔下的肖像画往往能使人物像浮雕一样突现出来。巴尔扎克之所以重视人物外形，是因为他发现人物外形很能反映人物的阶级地位、精神面貌、性格特征（当然，他也受到拉瓦特和加尔骨相学的影响）。以《幽谷百合》的莫尔索伯爵为例，这是一个腐朽没落贵族的典型：

> 只有45岁，他仿佛已近60，在结束18世纪的大动乱中，他一下子衰老了……他的脸孔颇像一只白狼，嘴巴红殷殷的，就像生命受到自身原则的影响而销蚀的人一样，他的鼻子火一般红，他的胃十分羸弱，种种旧病使他的脾气变得很坏。他的脸下部尖尖的，因而平板的脑门显得太宽敞了，上面布满了参差不齐的横皱纹，表明他过惯露天生活，而并非是思想的疲惫；表明他经受过长年的不幸，而并非反映控制不幸的努力……他的黄眼睛明澈严峻，活像冬天的阳光一样，虽然明亮，却没有热力，透露出不安，却不包含思想，疑虑不决，却毫无目标……

这幅肖像把一个被资产阶级大革命逐出法国，多年来过着流亡生活的大贵族的生平、思想、精神状态活生生地呈现在读者面前。像这样成功的外形描绘在《人间喜剧》中比比皆是。巴尔扎克在《法西诺·卡讷》中写道："在我身上，观察已变成直觉，它深入到灵魂，但又不忽略躯体；或者不如说，它这样出色地抓住了外表细节，一下子就鞭辟入里。"这段话用来说明巴尔扎克如何成功地通过外貌描绘去反映人物的内在心灵，是再恰当不过了。

巴尔扎克塑造人物的另一特点是非常重视人物对话，认为对话是能否写活人物的重要因素。他说，对话一向被人认为是"最末等的文学形式，最不受人重视，认为最容易；可是请看司各特把对话提高到怎样的地步,他用对话来完成肖像的刻画"。巴尔扎克认识到人物的语言必须符合身份地位,因此,他把各行各业的行话土语纯熟贴切地写到人物的对话之中,银行家有银行家的语言,杂货商有杂货商的语汇,书商、出版商又另有他们的行话,至于沙龙语言、法律词句、军事术语、宗教词汇,甚至小偷强盗的切口,都杂然纷呈。《人间喜剧》人物语言的丰富远远超过以语言丰富著称的《巨人传》和莫里哀的喜剧。巴尔扎克对人物对话作了如下的研究:有一种对话长篇大论,写来是为展开情节服务的,或者是要点出情节的含义;另一种对话则比较简短,但寥寥数语就能赋予人物以鲜明特征,这样的对话容量其实更大。巴尔扎克更欣赏后一种写法,他认为毫无特点的长篇对话不如用描述来代替。巴尔扎克所主张的是人物对话要个性化。在这方面最符合巴尔扎克主张的莫过于葛朗台的语言。这个人物几乎没有长篇讲话,出口往往只有一两个句子,可是句句都符合人物的吝啬性格。下面这段对话是在葛朗台的侄子从巴黎来拜访他,他的女仆为了款待客人要上街买肉时进行的,葛朗台对女仆拿侬说:

"不用买了;你慢慢给我们炖个野味汤,佃户不会让你闲着的。不过我得关照科努瓦耶打几只乌鸦,这个东西煮汤再好没有了。"

"先生,乌鸦吃死人可是真的?"

"你真是个傻瓜,拿侬!它们还不是跟大家一样有什么吃什么。难道我们就不吃死人了吗?什么叫做遗产呢?"

这段绝妙的对话,既写出了葛朗台的吝啬,又写出了这个大资产者歹毒凶狠的心理,是非常形象化个性化的语言。不过,巴尔扎克笔下的人物有的也擅长于滔滔不绝的演说。例如伏脱冷,他的长篇讲话不但不显得啰嗦冗长,相反构成了刻画这个人物思想面貌、性格特征不可或缺的重要手段。看过《高老头》的人再读到《幻灭》里那个西班牙教士发表言词激烈的高论时,马上会认出这就是伏脱冷。可见巴尔扎克对于这一类野心家的思想和言论把握得多么准确。巴尔扎克还善于在一个盛大的场面中写出各类人物的言谈。高尔基曾经赞叹地指出过,巴尔扎克精于用对话描写人物:"当我在巴尔扎克的长篇小说《驴皮记》里,读到描写银行家举行盛宴和20来个人同时讲话因而造成一片喧声的篇章时,我简直惊愕万分,各种不同的声音我仿佛现在还听见,而且也看见谁在怎样讲话,看见这些人的眼睛、微笑和姿势,虽然巴尔扎克并没有描写出这位银行家的客人们的脸孔和体态。"对话写得如此出色,是《人间喜剧》在艺术上取得重大成就的标志之一。

巴尔扎克还善用夸张手法去塑造典型性格,他把某一种性格的各种表现都集中在某一个人物身上,不论在什么情况下,这个人物的行动都受某种欲望所支配,这样就形成极为强烈的艺术效果,使人物的性格显得非常鲜明突出。他把这种欲望(或称为情欲)看成是典型性格的主要特征。在表现吝啬鬼、好色鬼、野心家等典型时,他是刻画得淋漓尽致的,但在表现嫉妒、父爱、母爱这些所谓情欲时,就暴露出巴尔扎克这种见解的弱点。不过,巴尔扎克在大多数场合下是成功地描写出典型性格的,他这种夸张的,即极度概括集中的手法,建立在他对社会各阶层人物极其细密的观察、分析和研究的基础之上,他实际上是把日常生活中司空见惯的现象提取出来,加以集中表现而已。

巴尔扎克采用这种高度概括集中的手法并不妨碍形象本身的丰富性。正如他自己所说,在他的作品里,"个人、社会、人类都得到描绘、判断、分析,而绝不重复"。巴尔扎克的高度艺术造诣表现在,即使是同一类型的人物,他也能写出千差万别,彼此绝不雷同。巴尔扎克笔下的吝啬鬼形象是一个很好的例子。在《舒昂党人》中,出现过一个吝啬鬼高利贷者奥日芒,他三句不离本行,爱用金币来打比喻，对救了他的人还念念不忘要借贷给她。《高布赛克》的主人公高布赛克是早期资产者的代表，他怕别人知道自己有钱，别人捡到他掉下的金币，他矢口否认，生怕露财；他的储藏室既有古董，也堆满了腐烂生虫的食物，他显然还不懂得商品流通和资本周转。柯内留斯老板由于爱财成癖，患了一种夜游症，晚上要起来把自己的珍贵首饰藏在别处，事后反认为家中有贼，最后他因找不到财宝而自杀。葛朗台则不同，他既过着清苦的生活，爱钱如命，又懂得商业投机和证券交易，精明狡猾，这是一个资本主义社会处于上升时期的资产者形象。《幻灭》中的赛夏年纪大了，按理说应当让儿子来接管印刷厂，但他"只打算跟儿子做一笔好买卖"，而"做买卖根本谈不上父子"，他把小到木夹子之类的东西都列入清单，用三倍的价钱把印刷厂盘给儿子。因儿子付不起房租，盈利还得对半均分。他把妻子的一份遗产吞没了。儿子欠债，他为了控制儿子，宁愿"让他不得自由，倒霉倒下去"。他甚至要偷看儿子做试验，想知道儿子的秘密。赛夏的吝啬发展到对一切人，包括妻子和儿子在内都是如此。纽沁根则是金融资产阶级的典型。他从1815年起"就明白了我们迟至今日才明白的事情：金钱只有到了其多无比时才具有强大的力量。……他有了500万，就想要1000万！因为他知道，用1000万就能挣到3000万，而500万却只挣到1500万"。他的贪婪不同于老式的剥削者，对别人他是穷凶极恶的，连对妻子也不例外，而自己的生活却穷奢极欲，腐朽透顶。《乡村教士》写到的一个吝啬鬼有点像阿尔巴贡，他家里全是破烂，而把金币埋在地下。《搅水女人》中的奥勋则另有特点。他连借一段细绳给别人也要提醒归还。他比妻子大15岁，却希望能继承她的遗产，有朝一日掌握所有的财产。他不同于别的吝啬鬼之处，还在于他精通法律，深谙宗教在干预遗产分配方面能起极大作用。拉博德赖则是一个执着于"家族观念的吝啬鬼"。里谷的特点是追求肉欲享受，他狠命盘剥四乡农民，要以年轻姑娘给他做女仆来抵债。他

"像僧侣那样深藏不露，像一个埋头于写历史的本笃会教士那样沉默"。他是当时农村高利贷者的典型。以上吝啬鬼的形象各有自己的特点，充分显示了巴尔扎克观察的细致和描绘人物性格的杰出才能。

巴尔扎克塑造人物还有一个独创的手法，就是使人物重复出现。巴尔扎克看到，一部小说只能表现人物的一个生活阶段和一个生活侧面。另一方面，巴尔扎克想到要把自己的作品联成一个整体。于是，他别开生面地采用了人物重复出现的手法。在《高老头》中，巴尔扎克作了第一次尝试。《人间喜剧》的人物再现有多种形式：一种是小说人物在不同作品中反复出现，一些重要人物往往出现过二三十次，在多部小说中反映他们不同的经历，最后构成这个人物的完整形象，这是主要的一种手法；另一种是通过小说人物的叙述，说明小说所发生的事在社会上屡见不鲜，而这些事例都散见于其他小说之中，作者把人物和事件者都一一排列出来；还有一种是并列出同一阶层人物的代表，或把小说人物的性格作一对比，而这些人物都是在不同的小说中出现的。《人间喜剧》中重复出现的人物约有四百多个，分散在75部作品之中，以《烟花女荣辱记》中出现得最多，达到155个。巴尔扎克采用这种独创手法，起到了很好的作用：《人间喜剧》中活动着的男男女女恰如生活中的人物一样，时隐时现，彼此关联；形象显得更加丰满，《人间喜剧》也连成了一个整体。人物重复出现的手法是巴尔扎克的一大创造，大大丰富了人物典型的塑造方法，为不少后世作家所仿效。

巴尔扎克对小说艺术的发展还表现在小说结构方面。巴尔扎克的小说一向以构思巧妙著称，《人间喜剧》的小说结构多种多样，而又具有独特的风格。大体说来，巴尔扎克的小说开始是陈述部分，介绍本篇故事的背景和环境，但他的写法有很多变化，有时从一场谈话开始（《贝姨》），有时从描写肖像开始（《邦斯舅舅》），有时从叙述家庭的变迁开始（《古物陈列室》），有时从描述住宅的面貌开始（《高老头》），有时从描绘城市的风貌开始（《欧也妮·葛朗台》《幻灭》）。他的行文夹叙夹议，有声有色，读来毫不沉闷，这是巴尔扎克擅长的一种本领。陈述之后引出人物，交代故事发生前的种种情势，构成序幕。故事接着转入正文，正文一开始就展开了矛盾斗争，一环紧扣一环，它或者围绕着婚姻问题，或者围绕着遗产问题，或者围绕着商业上的竞争，或者围绕着政治党派的争斗，或者围绕着宗教势力的角逐，加上法律问题的纠葛，如蜘蛛结网，逐层展开，细针密缕。此时，作者不再浪费笔墨，情节非常紧凑，随着高潮迭起，故事急转直下，迅速结束，并且结束得不同一般。可以看出，《人间喜剧》的小说酷似剧本，有序幕、开场、矛盾斗争、高潮、尾声等完整的几个部分。他的大多数小说都是以悲剧结束。小说人物往往分成两大集团，彼此之间展开激烈的斗争，而其中大多数人物（包括主人公在内）总是以失败告终，只有狡猾的人物（次要角色）得胜。这种安排和结局完全符合生活的真实，所以，巴尔扎克许多小说的情节虽然是虚构的，而且十分曲折，但读来却很真实，具有巨大的说服力。以上是巴尔扎克小说结构的一般规律，而在这规律之中，仍然存在着不同的写法。《驴皮记》是古典式逐层展开的，《高老头》则是巧妙地把几个互相关联的情节交织在一起，头绪繁多而又条理分明。《搅水女人》的序幕几乎占了小说的一半篇幅，而序幕同故事本身是相得益彰的，并不显得头重脚轻。《幻灭》则分成几个部分，在不同的环境中进行，彼此互有联系，采取通过几个局部反映出整体的手法。巴尔扎克的后期作品情节更是跌宕起伏，显示出作家在驾驭材料方面达到了更为纯熟的境界。巴尔扎克的小说有的情节并不曲折，如：《哲理研究》中的某些小说几乎没有什么情节，或者情节十分简单，而且充斥着作者的长篇议论，但巴尔扎克不仅能以其深刻独特的见解吸引读者，还能把议论安排得恰到好处，娓娓动听，引人入胜。

巴尔扎克虽然是批判现实主义作家，但他的作品有不少都带有浓厚的浪漫色彩,特别是《哲理研究》所收的小说,其中不乏绚丽多彩的想象和离奇怪诞的情节。巴尔扎克的浪漫手法的特点是把他对现实关系的深刻理解寓于大胆新奇的幻想之中:《驴皮记》的驴皮随着据有者欲望的实现而逐步缩小;《改邪归正的梅莫特》中,与魔鬼做了交易,享有无限权力的人随着欲望的实现,他的生命也趋于枯竭;《长寿药水》中能起死回生的药水成为争夺遗产的工具。这是对资本主义社会无边的贪欲的一种夸张的再现,所以《人间喜剧》中的浪漫手法反映的仍然是具有本质意义的现实。浪漫手法虽在《人间喜剧》中没有占据主导地位,但这一艺术特点不应忽视。在作家如长河滔滔、气势浩瀚的行文中,不时会闪现出瑰丽奇伟的灿烂色彩。这就是为什么巴尔扎克的描绘常给人以浓墨重彩的油画感的原因所在。

《人间喜剧》的艺术成就是巨大的,它在各个方面都对小说艺术的发展作出了贡献,不愧为人类文化宝库中的珍贵遗产。

第十二章 福楼拜

第一节 福楼拜的生平

居斯塔夫·福楼拜（Gustave Flaubert，1821~1880）是19世纪中叶继巴尔扎克之后最重要的批判现实主义作家。他继承了19世纪前期批判现实主义的传统，又为19世纪后期的作家所师承，起着重要的桥梁作用。

他于1821年12月21日生在鲁昂一个世代为医的家庭里。父亲是主任外科医生，从1818年起任鲁昂市立医院院长。福楼拜从小在医院的环境中长大，对解剖尸体习以为常，这种环境培养了他与宗教格格不入的思想。他的父亲希望他学法律，他18岁来到巴黎攻读这门学科。但他自小便偏好文学，对法律丝毫不感兴趣。在巴黎文艺界，他结识了仰慕已久的雨果。1843年他因神经系统的疾病放弃了学法律，此后便专心致志转向文学创作。1845年父亲死后，他搬到鲁昂近郊的克鲁瓦塞庄园居住，埋头写作，就在那里终其一生。

福楼拜正式发表作品之前，经历过一个相当长的积累生活经验和试笔的阶段。青年时期他常到母亲的家乡土镇游玩，土镇是个渔村，风景优美。他曾经到过比利牛斯山区和科西嘉岛，了解那里的风土人情。1847年他经过充分的准备，同好友杜刚一起到布列塔尼、诺曼底等地作了一次愉快的旅行，有意识地考察社会，了解农村生活。1848

年革命时期，资产阶级当局的反动使他更加憎恶现实，他企图到近东去找寻他想象中的新天地，同时医生也建议他到炎热的地方小住疗养。于是他在1849年10月同杜刚一起出发，经马耳他、埃及至巴勒斯坦、叙利亚、土耳其、希腊和意大利，作了一次历时18个月的长途旅行。归来时他却很失望，近东各国的社会状况，同他原来的浪漫想象并不符合。但这次旅行给他以后的几部小说提供了实地观察到的材料。1852年9月他到伦敦参观轰动一时的盛大的博览会。福楼拜在国内国外所看到的，一方面是资产阶级文明和生产的迅速发展，另一方面是充斥社会的丑恶不堪的现象，他对资产阶级社会日益感到绝望。

福楼拜从十几岁起开始创作，写过一些小说和剧本。这些作品深受浪漫主义的影响，它们或者表达了作者的忧思愁绪，如《狂人回忆》(*Mémoires d'un fou*，1838)，或者描绘了中世纪惨无人道的罪行和恶魔般的人物，如《佛罗伦萨的鼠疫》(*Une peste à Florence*)和《路易十一》(*Louis XI*)，或者嘲弄资产者，表达对社会的不满，如《伙计》(*Garçon*)，或者描写隐士与魔鬼冲突的宗教传说，如《斯玛尔，古老的秘密》(*Smarh, vieux mystère*，1839)，等等。小说《十一月》(*Novembre*，1842)结束了福楼拜青年时代的习作。这部作品描写一个年轻人的遭遇，他追求爱情，遇到的却是妓女，等待着他的是死亡。小说的忧郁悲观情调反映了福楼拜当时的思想状况。1843年至1845年他着手创作一部长篇小说，这就是后来《情感教育》的初稿。这部长篇叙述了两个年轻人的生活，作者在其中发表了许多哲学和美学见解，并表达了对自由、正义、幸福、爱情的向往，从中可以看到作者深受斯宾诺莎的影响。1848年至1849年，福楼拜曾尝试写作《圣安东尼的诱惑》，他还写了一些旅行札记。所有这些早期习作都不成熟。只是在走上了现实主义的写作道路以后，福楼拜才取得了真正的成就。

从 1852 年起，福楼拜花了 4 年多的时间从事长篇小说《包法利夫人》的写作。福楼拜并不急于发表作品，他说："出名不是我主要关心的事。"他不想再走前人已经走过的路，"我寻找的不是港口，而是大海"，他要闯出自己的新路。1856 年这部小说在《巴黎评论》上发表后轰动了文坛，福楼拜获得了盛誉。但小说的批判锋芒触犯了当局，福楼拜受到控告。这场官司对福楼拜产生很大压力，他于是从写当代生活题材转向写古代，埋头写作五六年之久。1862 年他发表了《萨朗波》(*Salammbô*)，为了写作这部小说，他曾到北非游历，察看古代迦太基的遗址。这部小说颇受好评。可是，现实题材仍然是他最关心的，此后几年中，他致力于写作《情感教育》，从根本上改写了他青年时期的旧稿，于 1869 年发表。这部小说遭到资产阶级把持的舆论界的冷遇，失望之余，福楼拜又转向古代题材，修改出版了他的旧稿《圣安东尼的诱惑》(*La Tentation de saint Antoine*，1874)。同年他还写了一个剧本《候选人》(*Le Candidat*，1874)。1875 年至 1876 年，他和自己所尊敬的前辈作家乔治·桑发生文学论争。这次论争使福楼拜写出了《三故事》(*Trois contes*，1877) 中的《淳朴的心》。

福楼拜在晚年培养了莫泊桑，左拉和都德等作家也都尊他为老师，并受到他的直接影响。福楼拜死于 1880 年 5 月 8 日。他未完成的遗作《布瓦尔和佩库歇》于 1881 年问世。

第二节　福楼拜的作品

福楼拜的作品数量不多，但其中有几部在法国文学史上占有相当重要的地位。福楼拜开始创作活动的时候，巴尔扎克已经去世。19 世纪 50 年代初期，法国一直没有出现重要的长篇小说。《包法利夫人》的发表标志着巴尔扎克之后第一部重要的长篇小说的出现，此后，他发表的作品中，以《情感教育》和《淳朴的心》较为重要。

1.《包法利夫人》

《包法利夫人》(*Madame Bovary*，1856）是福楼拜的代表作，它以简洁而细腻的笔触，再现了19世纪中叶法国的外省生活，描绘了鲜明逼真的人物形象，具有巨大的揭露意义，成为法国19世纪批判现实主义文学中的一部优秀作品。

小说描写外省一个富裕农民的女儿爱玛悲剧的一生。爱玛在修道院度过青年时代，深受消极浪漫主义文学的不良影响和宗教的熏陶。成年后，父亲把她嫁给了市镇医生包法利。包法利平庸低能，感情贫乏，使爱玛陷入失望之中。她羡慕上流社会的豪华奢侈，愈加看不惯小城镇的平淡生活。包法利为了解除她的烦闷，便迁居永镇。在永镇，爱玛接触到了形形色色的市侩人物。一个偶然的机会使她遇上地主罗道耳弗。罗道耳弗是个攀花折柳的老手，熟悉巴黎的糜烂生活，在他的勾引下爱玛成了他的情妇，并要和他私奔。罗道耳弗本是逢场作戏，为了摆脱爱玛，他暂避外地。爱玛的精神受到了很大的打击。但不久，她又在鲁昂遇到过去相识的见习生赖昂，赖昂对她早就有意，这时便乘机追求。爱玛为了同赖昂幽会，常常找借口往来于鲁昂与永镇之间，这种堕落腐化的生活，使她债台高筑，不久包法利的积蓄和财产都经爱玛之手进了高利贷者的腰包。此时，赖昂对爱玛也已生厌。爱玛在高利贷者的逼迫之下，走投无路，只得吞砒霜自杀。

《包法利夫人》描写了一个小资产阶级女子的悲剧，小说通过爱玛的经历对恶浊的社会现实提出了愤怒的抗议。爱玛本来并不坏，她的弱点只是对生活充满了幻想，至多不过是羡慕奢华的生活而已，她后来落到那样悲惨的下场，正是狭隘闭塞、庸俗丑恶的现实生活所造成的。作者细致入微地描写了包法利夫人的堕落过程，使作品具有巨大的揭露的力量。首先，本书揭露了修道院教育和社会上流传的消极浪漫主义文学作品对她的毒害。19世纪上半叶，法国中上层的资产阶级女子大都要进修道院接受一段时期的教育,以陶冶性情,约束思想,为日后进入上流社会打下基础。但这种宗教教育实际上是对人的正常心灵的戕害,宗教的禁欲主义的说教、宗教音乐和布道都以虚幻的情调刺激人们的欲望,在人们的心灵里种下淫猥堕落的种子。爱玛性格热情,想象丰富,宗教布道和宗教音乐深入她少女多幻想的心灵,使她受压抑的情感更加猛烈地爆发出来,于是她沉湎于对爱情虚无缥缈的遐想。她在修道院里,又读到流行的贵族浪漫主义文学作品,夏多布里昂的《基督教真谛》充满了"浪漫主义的忧郁,回应大地和永生"的呓语;拉马丁的诗句使她向往浪漫色彩的幽会和消极虚幻的情调。正是以上这两种消极的影响,在爱玛精神上造成了堕落的温床,而现实生活中的平庸、丑恶、腐朽又一步步促使爱玛走向堕落。她怀着对爱情的美好憧憬结了婚,但她的丈夫却是个庸碌之辈,使她的憧憬遭到幻灭,她在家庭生活中找不到幻想中的爱情,便急于要在社会上去寻觅。侯爵家的舞会开始了爱玛的社会教育,在舞会上,她接触到许多寻欢作乐的"上流人士",她看到荒淫无度的老贵族和传情递信的命妇,以为这就是爱情,邀她共舞的年轻贵族更让她留下难以磨灭的印象。舞会后,她对巴黎上流社会的糜烂生活越发悠然神往。在永镇,周围环境又充斥着腐化堕落的气氛,进一步腐蚀了她的心灵,以致她对眼前平淡生活的不满,对享乐生活的向往纠缠在一起,揉成了一团痛苦,使她难以忍受。在这种情况下,罗道耳弗乘机引诱她,把她带上了堕落的道路。通过这样一些情节,作者对现实生活进行了批判。他把爱玛堕落的责任归于不健康的宗教生活和文化生活、单调沉闷的外省环境和腐化淫荡的社会习俗。他认为不道德的不是爱玛,而是整个资产阶级社会。他透过资本主义文明的华丽薄纱,看到了资产阶级的精神堕落及其带来的可悲后果,并对那种掩饰资本主义社会现实的腐朽、侈谈资产阶级道德的高调进行了辛辣的讽刺,从而表明了小说真正严正的道德立场和健康的思想意义。

福楼拜的批判并不就此止步，他进一步通过这个社会把爱玛推到绝境，最后把她吞噬掉的结局，深化了作品的揭露意义。具有讽刺意味的是，爱玛在寻求"幸福"的过程中，却变成了别人的玩物；她由于借债，经济日益拮据，却让高利贷者发了一笔财；家产花尽以后，眼看身败名裂，她去找律师求援，律师却想趁火打劫。爱玛的堕落是社会造成的，爱玛的死则更是社会逼出来的。她是冷酷无情的资本主义社会中受摧残妇女的一个代表，福楼拜自己就说过："就在此刻，同时在20个村庄中，我可怜的包法利夫人正在那里忍受苦难，伤心饮泣。"他对爱玛的悲剧命运深表同情，还在小说结尾画龙点睛地描绘出，像爱玛这样柔弱的女子被社会毁灭了，她死后反被世人指责，但对她的悲剧应负责任的那些卑鄙无耻之徒——勒乐、罗道耳弗、郝麦等，却左右逢源，步步高升，志得意满。这对比的笔法，饱含着作者对现实社会愤怒的控诉。

《包法利夫人》是19世纪中叶法国社会的一幅现实主义画卷，小说对形形色色的资产阶级人物作了淋漓尽致的揭露。郝麦是自由资产阶级的代表。他是一个没有营业执照的药剂师，却靠了弄虚作假、善于周旋而把药店经营得十分兴旺。他渴求名誉地位，在报道农业展览会的盛况时，把自己也算做"社会名流"，在文章中为自己插入一段特写。他招摇撞骗，欺世盗名，炮制各种各样骗人的小册子，跻身各种科学研究机构和委员会之中。他不懂医术，却想医好瞎子，一鸣惊人，但医不好瞎子时，就把瞎子当作仇敌，他为了摆脱瞎子，不惜利用报纸制造舆论，把瞎子押送到收容所，永远禁闭起来。他善于自我标榜，以自由民主人士自居，他的孩子一个取名拿破仑，"代表光荣"，另一个取名富兰克林，"代表自由"，他想以此显示自己具有"开明"的政治信念。他有政治野心，参加竞选时，"卖身求荣，无所不至"。他厚颜无耻地公然声称别人"尽管会装蒜，会骗人，我比他们合起来还多！"他这样一个卑劣丑恶的人物，在那个社会里竟然如鱼得水,"当道宽容他,舆论保护他",最后还获得了十字勋章。这个人物是外省自由资产阶级的生动写照。勒乐是19世纪中叶商人兼高利贷者的形象,他在招揽生意的时候,低声下气,谦和恭顺;他具有职业上的敏锐感,察知哪家主妇有偷情的勾当,便悄然而至,兜售奢华的用品,从中牟利,还放债盘剥,并替对方变卖产业,直至使债务人倾家荡产,这时候,他就凶相毕露,严加追逼,置人于死地。他通过这种阎王债,把那些小店主逐家一一吞并,最后主宰了永镇的经济命脉。罗道耳弗是外省地主的典型,他灵魂肮脏,过着声色犬马的生活,时而到巴黎、鲁昂去享乐,时而回到乡间勾引妇女、调情说爱,对女人就像对衣服一样,随意更换,他正是外省上流社会中腐化堕落风气的产物。律师居耶曼道貌岸然,彬彬有礼,名为社会的护法者,却趁爱玛孤立无援之际,企图占有她,撕下了自己的伪善面具,丑态百出。见习生赖昂在勾引妇女方面是一个新手,他渴慕堕落生活,由畏缩而逐渐变得大胆无耻,但当自己的前程要受到影响时,他为顾全自己往上爬的欲望,就竭力摆脱爱玛的纠缠。福楼拜不仅勾画了各种地主、资产阶级人物的丑恶嘴脸,还描绘了一些作为那个社会现实生活产物的低劣、无所作为的庸人的形象。查理·包法利对于现状十分满足,麻木不仁,思想平庸,"谈吐和街上的人行道一样平板"。他医术平常,但在郝麦的鼓动下,竟然想"名满天下"。他异想天开地要给一个跛脚的饭店伙计开刀,做整形手术,结果把残废人折磨得不成样子,不得不把病腿锯掉。爱玛死后,他发现爱玛同罗道耳弗和赖昂的不正当关系,先是发怒,继而忍气吞声。他的晚年非常潦倒。国民自卫队队长毕耐更是生活空虚,百无聊赖,他整天关在屋子里开动旋床,不停地切削,以消磨时光。无论是这一类人物,还是上一类人物,在现实生活中都被看成是资产阶级社会中的精英!福楼拜用素描的笔法勾画出他们的思想特征,对这些"精英"作了无情的鞭挞和嘲弄,并通过这些人物对资产阶级社会的各个方面进行了揭发批判。

《包法利夫人》强烈的批判特色还表现在对法国资本主义的"经济繁荣"进行了辛辣的嘲讽和深刻的揭露。小说中卷第八节"农业展览会"是极为精彩的一章。在这里,法国外省村镇五光十色的生活场景、人情风俗、形形色色人物的活动与对人物的心理刻画,有机地结合在一起,其中又交替穿插着集会上官方人物庄严的演说和罗道耳弗引诱爱玛的花言巧语,构成了绝妙的讽刺的篇章,显示了作者现实主义的高度艺术技巧。小说的背景安排在1837年至1846年,这一时期,法国的资本主义工商业有较迅速的发展,资本主义的农业生产也有了相应的进步,农业技术的改良尤为突出,正如小说所描写的,在种植、肥料、牲畜配种、排灌等方面都有所改进。资产阶级当然不放过机会对此大吹大擂。州行政委员廖万代表政府在会上讲话,对经济繁荣大加颂扬:"处处商业繁盛,百业俱兴,处处兴修新的道路,仿佛国家添了许多新的动脉,构成新的联系;我们伟大的工业中心又活跃起来;……我们的码头堆满货物,信心再起,法兰西终于得到了新生。"福楼拜对官方人物所吹嘘的这种繁荣升平作了深刻的揭露,他在展览会的发奖仪式中安置了一个老农妇勒鲁的形象。她劳动了整整54年,几乎与法国资本主义社会的年龄相等,这时,她穿着褴褛的衣服,走到衣冠楚楚的绅士们面前,"一脸老皱纹,干瘪了的坏苹果也没有她的褶皱多……两只长手,关节疙里疙瘩,谷仓的灰尘、洗衣服的碱水、羊毛的油脂在手上留下一层厚皮,全是裂缝,指节发僵;清水再洗,也显着肮脏;苦干多年,闭也闭不拢来;好像明摆着这一双手,就是千辛万苦的卑微的凭证一样"。这完全是一个在资本主义剥削下被榨干了的形象,然而她几十年的辛勤劳动,到头来却只换得一枚值25个法郎的银质奖章!在这个场面里,"经济繁荣"的实质、资产阶级的虚伪和对劳动人民的欺骗,表现得再清楚不过。当时,法国农村十分贫困,有1600万农民依然过着原始人一样的生活,其中500

万人不得不在死亡线上挣扎。这在小说里也有所反映：普通农民穿着破衣烂衫，茅舍里四壁皆空。与这种残酷的剥削压榨同时进行的，还有资本主义的自由竞争、弱肉强食。正当展览会上州行政委员高唱赞歌的同时，在市镇上，金狮饭店破产了。资本主义的发展必然伴随着大批中小企业倒闭，金狮饭店的遭遇不过是一例而已。小说中所有这些描写，都深刻地再现了资本主义发展时期的社会现实。

《包法利夫人》虽然写的是七月王朝，但小说对第二帝国的现实显然也有所影射。在第二帝国时期，资本主义经济继续得到发展。继在伦敦举行的世界博览会之后，1855年在巴黎也举行了一届博览会，第二帝国借博览会和其他展览会的召开，大肆炫耀经济发达和拿破仑三世的政绩。小说中"农业展览会"上颂扬"最高当局、政府、国君讲求和平，看重战争、工业、商业、农业与艺术"，显然隐含着对第二帝国政府多次发动战争、扩大殖民地的讽刺。其中所描写的政府当局提出"政治的冲突要比空气的骚乱可怕多了"，也影射了当时的政治气氛和第二帝国人们紧张的心理。

小说对社会现实的深刻揭露激怒了第二帝国政府当局。福楼拜很快就收到传票，罪名是败坏道德、有伤风化、诽谤宗教，当局认为外省风俗淳厚，小说的描写是"污蔑法兰西"，公诉状要求法庭对"主犯福楼拜，必须从严惩办！"福楼拜不得不忍受着"政府攻击、报纸谩骂、教士仇视"的局面。统治阶级异乎寻常地对小说和作者进行指责和迫害，恰好说明了《包法利夫人》具有强烈的现实意义。

《包法利夫人》的局限性表现在流露了浓厚的宿命论思想。小说中有一个瞎子，他来往于永镇和鲁昂的大道之间，爱玛临终时他再一次出现。作者运用象征的手法，以表明在生活的旅途上，爱玛也是一个"瞎子"：她是"盲目"的，看不到幸福的所在和生活的出路。与其说爱玛找不到这些，毋宁说福楼拜自己找不到。他虽然指出了社会教育和社会环境对爱玛的堕落产生了不可救药的影响，却不能认识这种教育和环境是资本主义制度的必然产物。他于是把爱玛的悲剧归结为命运所致，爱玛在遗嘱中嘱咐"什么人也不要怪罪"，"要怨只有怨命"。这种宿命论观点同作品的分析揭露是矛盾的，而且削弱了作品的批判力量。另外，在描写爱玛的堕落过程中，作者对她的堕落生活也作了过分的渲染和描绘，流于自然主义的弊病。

2.《情感教育》

《情感教育》（*L'Education sentimentale*，1869）是福楼拜的第二部重要小说。这部作品基本上以19世纪40年代的巴黎为背景，通过一个思想平庸、性格懦弱的青年日益堕落的生活道路，反映了当时特别是1848年革命前后的社会现实，是19世纪中叶法国社会、政治生活的再现。

小说主人公是个中等资产阶级出身的青年弗雷德里克·莫罗。1840年他中学毕业后来到巴黎学法律，认识了画商阿尔努夫妇，对阿尔努夫人极为钟情并想方设法和她接近，结识了各种政治倾向的人物，无心学习，整天到处游逛，结果考试不及格。后来，阿尔努夫人对他表示好感，莫罗精神大振，发奋用功，通过了考试。回到家乡以后，他的母亲告诉他家庭经济十分拮据，不允许他在巴黎随意挥霍。他只得蛰居家乡，直至1845年12月，他得到了盼望已久的叔父的遗产，这才急匆匆地重返巴黎去见阿尔努夫人。这时，在巴黎到处都谈论政治，空气中遍布不满的情绪。莫罗把自己的财产汇到巴黎，做起公债和股票投机生意，过着悠闲自在的生活。1848年2月的一天早上，他正准备去会见阿尔努夫人，恰好遇上二月革命爆发。莫罗也赶时髦，跟着他的朋友们狂热了一阵。他因为得不到阿尔努夫人的爱情，便搭上了交际花萝莎奈特。两人同游枫丹白露时，适值六月起义爆发。这时，莫罗的政治热情已经冷却。他企图追求银行家当布勒兹的夫人，借以挤入上流社会。银行家一死，他就决定同当布勒兹夫人结婚，而那时他同萝莎奈特已有了一个孩子。他对阿尔努夫人仍然十分眷恋；阿尔努破了产，家产被拍卖，他憋不住要去看拍卖情景。当布勒兹夫人发现了他的秘密，由此两人决裂。莫罗不得已返回家乡，想重新去找过去一直迷恋着他的总管罗克的女儿路易莎，但他的朋友戴洛里耶已钻了他的空子，追上了路易莎，莫罗回乡，正碰上他们的婚礼。第二帝国时期，莫罗挥霍掉三分之二的财产，只能过着小资产者的清寒日子。1867年他见到阿尔努夫人时，她已经满头白发了。他还不时回忆起青年时期那段荒唐的生活。

《情感教育》是一部政治性很强的小说。福楼拜继承了巴尔扎克的传统，非常注意确切的历史日期，小说的主要情节几乎都围绕着一些重大历史事件而展开。人物的思想和性格的变化，也通过这些重要事件来表现，这些重要事件构成了小说具体的社会背景。小说从1840年写起，那正是在布朗基领导的"四季社"暴动失败以后，当时阶级矛盾日趋尖锐。莫罗刚到巴黎，就遇上街头的群众集会，群众中正酝酿着对金融贵族统治的极大不满。莫罗的一些朋友，包括店员、教师、律师书记、艺术家等，代表了中下层人物，他们谈论农民暴动、1845年的谷场歉收造成的食品恐慌、工人工资微薄不够维持生活等等；他们也抨击路易－菲利普的内政外交政策，"咒骂交易所的财棍和官吏的腐败"，反对政府禁止工人聚会等镇压措施；他们认为宪法都是谎言，渴望着新的革命到来，把资产阶级老爷们都赶下台去。面对着群众的不满和愤恨，大地主、大资产阶级感到惴惴不安。银行家当布勒兹的家是上层社会的一个聚会场所，聚集着政界和商界人物，他们都认为法国不能实施共和制，反对中小资产阶级和人民大众执掌政权。有个地主声称，如果有这样的企图，那就是要造反；有个经理说："我要是晓得我兄弟图谋不轨，我先告发他！"当布勒兹则表达了大资产阶级的观点和愿望："只有资本雄厚才有好办法。……只有那些能够增加公众财产的人，才有可能推动进步。"作者在描绘这些人物的同时，又尖锐地指出：在这儿聚会的人大多数"至少侍奉过四个政府；为了保全财产，给自己解除危难，或者甚至于仅仅因为卑鄙和对权力的本能膜拜，他们宁可出卖法兰西或者人类。他们同声宣布政治的罪恶不可饶恕"。小说上卷和中卷的这些片段，十分真实而深刻地反映了七月王朝中期和后期的社会危机和各阶层的情绪。在小说下卷，作者又细致地描绘了1848年革命的过程。最初，议会里的在野党为了要挟政府，宣布要举行集会，当政府下令禁止集会以后，他们马上就退缩了。但人民群众并没有停止行动，他们上街游行，高呼"改革万岁！打倒基佐！"由于当局派军警镇压，冲突演变为起义，二月革命终于爆发了。人民筑起街垒，同政府军奋战。这次革命正是1830年以后多次反七月王朝的革命的继续，小说中有一个插曲，描写一个女门房要她丈夫待在家里，男的说："让我走好了！你一个人足可以看房子。公民，我请问你，这对吗？我没有一次错过我的责任，一八三〇年，三二年，三四年，三九年！今天，大家又在打仗！我也得打！"这一细节，表现了这场革命的意义和人民群众的激昂情绪。终于，群众"像一条海潮倒灌的大河"，冲向王宫，席卷一切，七月王朝在革命的冲击下崩溃了。但是革命的成果马上被资产阶级所篡夺，以致又引起了六月工人起义。福楼拜以愤慨的笔触描写了刽子手卡芬雅克如何残酷地镇压工人，仅仅被他囚禁的工人就多达23000人，他们受到恶劣的对待，"发烧、打寒战，气闷得直喊叫；他们中间死了的那些人，也没有搬开"。同时小说也揭露了反动资产阶级在革命被镇压后的那种狂喜，他们"发出热情的呼喊；举起帽子，拍手，跳舞"，开宴会大肆庆祝，狂喊要用铁腕治理国家，要把暴动者统统杀掉。在这样的形势下，迎来了拿破仑三世的政变和第二帝国的建立。小说以1848年革命为核心，对这一时期前前后后的社会状况展开了充分的描绘，再现了这一时期的历史面貌，可以说是19世纪中叶，尤其是1848年革命的形象编年史。

福楼拜并没有停留在对历史政治事件的一般描绘上,他的现实主义的成就在于能够通过历史事件的叙述,塑造各种类型的人物,特别引人注目的是他对几种不同类型的革命者的刻画。1848年革命属于资产阶级民主主义性质,参加者的思想却各不相同,人民群众虽然起了主要作用,却是为他人作嫁衣裳。小说中几个人物的经历反映了这次革命的复杂性。小说的重要人物戴洛里耶是个执达吏的儿子,家境贫寒,他耻于自己的出身,忌恨有钱人能过豪华生活,总在谋求发财的机会,企图通过革命改变自己的地位,"焦急地期待世道大乱,好给自己打开出路",他怀着这样的目的才成为一个"革命者"。他开始表现得很"左",高喊要"全部毁灭"资产阶级社会的一切。他想创办一份杂志来发泄自己的不满,深信"财产和名誉会随之而来"。他企图组织一个秘密团体,满足"自己好做首领"的虚荣心。他认为人人膜拜权势,自己这样做也是理所当然。二月革命爆发后他到外省担任政府特派员,同煤矿工人组织发生争执,变得"憎恨工人"。特派员的职务并不能满足他的欲望和野心。他曾参加截获军火的阴谋而被捕。一事无成之后,他又想方设法通过婚姻发财,卑劣地把自己朋友的未婚妻据为己有。这个标榜自己是共和派的人物,在1848年革命时期从拥护革命到实际上反对革命的过程,反映了社会上一部分有野心的小资产阶级青年的实况。赛内卡尔也是共和派,他原来是个数学补习教员,经常研读路易·勃朗和其他社会主义者的著作,他从道德和社会不平等的角度去反对上层阶级和抨击现实。他参加过"四季社"的暴动,试图用燃烧弹去实现阴谋计划。然而他是个工头的儿子,一旦当了工厂的管理人,便严厉地对待工人。他希望一觉醒来发生了革命,可以爬上去出人头地。二月革命爆发后,他主持了一个俱乐部,言辞激烈,一面攻击富人,一面诉说穷人的困境。但是,拿破仑三世发动政变时,他成了警探,亲手杀害了他的同伴杜萨迪埃。他从反对当局到投靠当局的变化,十分符合这个人物的阶级出身和地位，这是另一种类型的有野心的资产阶级青年。杜萨迪埃也是一个共和派，但他是个店员，受过压迫，在福楼拜笔下，他才是一个真正的革命者。他醉心于建立共和国，认为共和国代表"解放和普遍的幸福"。他认定当局是"不公道的化身"。二月革命时，他带领群众冲进杜伊勒里宫、众议院和市政厅，连续48小时站岗。资产阶级对工人的镇压激起了他的无比愤怒，他指斥资产阶级"戕害了我们的共和国"。十二月政变时，他走上街头游行，喊着"共和国万岁"，英勇牺牲了。福楼拜对革命潮流中各种人物区别对待地加以描写，把他们的政治表现同他们的出身或阶级地位紧密联系起来，使这些人物形象真实而典型，他还把政治事件的进程和人物思想的变化二者之间的内在联系描写出来，显示了现实主义艺术的卓越技巧。

小说主人公莫罗的形象塑造得十分成功。莫罗是个意志薄弱、耽于幻想、无所作为、消极庸俗的典型。他到巴黎以后，根本不想读书，被声色犬马的生活弄得昏昏然。他时而想写诗，时而又想画画，这会儿爱好音乐，那一阵又想创作小说剧本，意志飘忽不定。他迷恋着阿尔努夫人，却又迟迟疑疑，不敢表白。他愈是无所事事，就愈加愁肠百结。他成天耽于幻想和欲望之中，缺少的只是行动。为了维护自己崇拜的对象，他一时冲动之下要同自己的朋友决斗；想到决斗，他又六神无主，坐卧不宁，十分畏怯。二月革命爆发后，他似乎来了点热情：在报上发表一篇文章，而且忽然发了官瘾，想当议员，但白忙了一阵，热情转瞬即逝。他并不想极力钻营，因为他连向上爬的意志都十分薄弱。他缺乏极端个人主义者的无耻大胆，爱情上又得不到满足，只好同交际花来往。由于优柔寡断，又失去了通过婚姻向上爬的机会。他的一生是灰溜溜地度过的。在回忆往事的时候，使他兴奋的只是有一次他和朋友去逛妓院的经历，可是那一次他因为胆怯，并没有敢跨进妓院的门槛。莫罗的性格被打上了深刻的时代、阶级的烙印。在金融资产阶级统治下的七月王朝时期，中小资产阶级不但被排斥在政权之外，而且时刻面临被大资产阶级吞并以至破产的威胁。中小资产阶级出身的子弟处于无所作为、前途茫茫的境地。另一方面，社会上充满了淫荡享乐、腐败庸俗的风气，对中小资产阶级青年的意志起着很大的销蚀作用。这是莫罗懦怯平庸、猥琐颓废性格产生的社会根源。这类青年对于革命不是没有向往，正如莫罗那样，他初到巴黎时对集会的工人也"充满了赞美，反感于当局的残暴"，对革命持欢迎态度。但是，这一阶级的青年，在革命中只是带着个人目的狂热一阵，享乐淫荡的风气终归要把他们俘虏过去。具有讽刺意味的是，莫罗走上堕落这个过程，恰好和政治的日趋反动同时并行。当局对六月起义的工人实行弹压时，他同交际花正打得火热；而到拿破仑三世政变时，他同时搞上两个女人。莫罗所走过的道路，是一部分在七月王朝时期长大的资产阶级青年的真实写照。莫罗是时代的产物，是资本主义秩序稳定以后产生的一种人物典型。作者塑造这个人物，目的显然在于表现那个时代社会的卑污恶浊。

《情感教育》反映的社会生活面是相当广泛的，它描绘了各个阶层、各种类型的人物。银行家当布勒兹是金融资产阶级的典型代表。他在乡下拥有广大的田产，是省议会议员，又是众议院议员，被称作七月王朝的"柱石"。他反对革命，当革命到来时，他异常恐惧，生怕威胁到他的财产，但很快他就适应了形势，当上了代表。当局镇压六月工人起义时，他欢呼卡芬雅克挽救了资产阶级。这个人物半个世纪以来在每一个时代都起过重要作用，政治上是条变色龙。通过他，作者揭露了大资产阶级的反动面目。罗克是他在乡下的总管，靠克扣主人的收入而致富，在地方上有权有势，六月起义时他带领人马赶到巴黎镇压工人，反动气焰极为嚣张，他代表了外省的资产阶级。阿尔努是一个寡廉鲜耻、唯利是图的商人，灵魂卑劣，耽于淫乐。瓦特纳兹是个赶时髦的女作家，曾经一度鼓吹过社会主义，提倡妇女解放，后来却做了女工头，克扣女工的收入。佩勒兰和于索奈乃是两个末流文人。同这些人物相对照的，是阿尔努夫人。作者把她写成善良、贤淑的妇女形象。她得不到家庭和爱情的幸福，是这个恶浊混沌的社会的牺牲品。正由于《情感教育》描绘了各阶层人物，深入地反映了当时的社会，所以有的评论家认为，这部小说对于了解1851年以前的法国历史，有极大的参考价值。

3. 其他小说

《淳朴的心》是福楼拜的短篇杰作，收入小说集《三故事》。

小说写一个女仆平凡而感人的一生。费莉西泰是个泥瓦匠的女儿，她最初在农场当女工，后来到主教桥当女仆。她以勤俭闻名乡里，一手带大了主妇的两个孩子，对主妇家有着深挚的感情。有一次经过草场，遇到一匹公牛撒野，由于她的勇敢机智，主妇一家老少才化险为夷。孩子们长大后都离家了，她便把感情转移到一个冒名的侄子身上，不幸侄子死在美洲。她的感情于是又落在一只鹦鹉身上，然而鹦鹉后来也死了，她把鹦鹉做成标本珍藏着。晚年她把全部感情寄托于宗教。

小说的故事平淡无奇，作者通过女仆费莉西泰的身世遭遇，塑造了一个朴实动人的劳动妇女形象。她的童年十分不幸。小时候，她的父亲从脚手架上掉下来摔死了，母亲不久也去世，她成了孤儿，只得给人放牛。她衣衫褴褛，常常冻得发抖，渴了就趴在地上喝塘里的水，挨打受骂，受尽凌辱。长大以后，她在爱情上又遇到挫折，精神上受了很大的打击。她那时才18岁，同邻村的一个年轻人相爱。她的情人最后却娶了个有钱的老太婆。她知道这消息以后，"顿时伤心得几乎发狂"，在田野里哭泣了一个通宵。自此之后，她才来到主教桥当女仆。这段经历给她以后的生活投下了浓重的阴影，她对爱情和人生的美好憧憬已经破灭了，她的精神无所寄托，青春便倏忽而逝，她的外形很快就开始萎缩、衰老。这是一个劳动妇女典型的一生，福楼拜在对她进行描绘的时候，寄予了深切的同情。

在小说里，主人公的性格是通过时代和环境的变迁来表现的。费莉西泰的经历和故事是在复辟王朝到第二帝国的半个世纪中进行的。福楼拜认为，这半个世纪中，尽管发生了不止一次革命，但只是更换了统治者，至于社会现实的本质方面，并没有发生多大的变化，外省的农村更是这样。费莉西泰的生活中值得回忆的大事几乎没有，无非是些琐碎小事，什么过道请人上油漆啦，什么屋顶倒塌几乎伤人啦，什么轮到主妇奉献祝福面包啦，等等。七月革命在这里的后果，只不过是换了个新县长，也是个主妇的熟人。1848年革命更没有什么值得提起的。整个生活环境极其单调、平淡、闭塞、保守。费莉西泰既受不到教育，也接触不到多少新鲜事物，她的思想只能局限在最狭隘的范围里，这就形成了她平凡简单，甚至麻木愚骏的性格。自己在生活中毫无幸福，她的精神只好寄托在小主人和"侄子"的身上，她对他们的爱是那么真挚淳朴而又打上了她所生活的那个现实环境的烙印。例如，"侄子"走后，她日夜想念他，甚至要人家在地图上标出他在美洲的住所，既表现出了她心灵的淳朴，又表现出了她的闭塞无知。她笃信宗教也是如此，既是为了寻找精神寄托，又显出她的愚昧，在她的眼里，圣画同她死去的心爱的鹦鹉十分相像，二者在她心头都占据着一样的位置，前者是抽象的，而后者是具体的，抽象的事物在具体的事物中得到了印证。正因如此，她把鹦鹉标本献出作为祭品，她临终时也仿佛看见鹦鹉在天国的门前等待着她。从福楼拜的描写中可以清楚地看出，女主人公的愚昧是闭塞、停滞的社会现实所造成的，这样一个淳朴的妇女正是那个社会环境的牺牲品。福楼拜以他的形象描绘表现了他对现实的批判。

女主人公的形象之所以感人，还在于作者描绘了她的劳动者的优秀品质。她和主妇一家过草场的遭遇，曾经一度传为美谈。当时，一条发怒的公牛向她们直冲过来，她用泥土撒向公牛的眼睛，掩护着孩子们和主妇。"公牛把费莉西泰逼到栅栏前面，口沫溅着她的脸，再一秒钟就要顶穿她的肚皮。她恰好从两根棍子中间钻了出去，于是这庞大的畜牲，大吃一惊，停住了。"她的镇静沉着和有效地对付公牛的办法，显示了劳动者的本色，这是以她干过农活、熟悉牲口为基础的。正因如此，所以她觉得这件事稀松平常，从不以此为骄傲。又例如，有一个参加过1793年雅各宾党人革命活动的老人，孤苦伶仃，卧病在床，住在河边一个破猪圈里。别人不但不怜悯他，反而捉弄他，唯独费莉西泰给他细心照料，打扫房间，给他胳臂上的大毒瘤换药，带吃的给他，而且从不要他道谢。这些描写使这个普通的女仆成为法国文学史上一个动人的劳动妇女的形象。

《淳朴的心》是一篇具有浓郁生活气息的现实主义作品。福楼拜描绘了法国北部滨海地区的农村：秋天熙攘热闹的晚会，薄雾荡漾的牧场，辽阔平展的草原，浪花翻卷的海滩，渔船返回时水手和家属的欢腾以及小城镇中一片乱哄哄的景象。福楼拜长期生活在法国北部地区，熟悉当地的风尚习俗，描画起来十分得心应手。在读者眼前呈现出一幅社会风俗画，有的地方用浓重的色彩，有的地方只轻描淡抹一笔，大大增加了作品的魅力。

这篇小说也有明显的局限。主人公费莉西泰虽是资本主义社会吞没掉的千千万万劳动者当中的一个，但她还没有阶级觉悟，更没有产生反抗的意识。作者在给她以赞美与怜悯的同时，对她的俯首听命、精神萎缩和笃信宗教都予以过分客观的描述。在福楼拜眼里，劳动者值得同情的地方只因她是弱小者、被损害者，而不是反抗者。这样低沉哀怨的思想，就像作者自己所承认的，使这篇小说通篇显得"非常忧郁"，从而削弱了作品的批判意义。

福楼拜的创作还包括另一种类型的小说，即以古代历史事件和宗教传说为题材、带有浓厚浪漫主义色彩的作品，它们是《萨朗波》《圣安东尼的诱惑》与短篇小说集《三故事》中的另外两篇：《希罗迪娅》(*Hérodias*,1877)和《圣朱利安传奇》(*La Légende de saint Julien l'hospitalier*,1877)。

《圣安东尼的诱惑》通过中世纪埃及的一个圣者克服魔鬼种种诱惑的故事,表达作者对社会贪欲的极端厌弃。《希罗迪娅》描写中世纪近东基督教的兴起与内部纷争。《圣朱利安传奇》是另一则根据宗教传说改写的故事。

《萨朗波》在这类作品中具有代表性。这是一部历史小说。作者选取古代迦太基最严峻的时刻之一为时代背景,那是在公元前3世纪罗马和迦太基斗争的时代。迦太基是古代腓尼基人建立的奴隶制国家,它的领土东起西西里,西达西班牙和摩洛哥,它垄断了西地中海的贸易,同罗马争夺霸权,由于连年战争,人民穷困不堪,但统治者却过着荒淫无度的生活。迦太基的雇佣兵在它的首领马托带领下,联合民众起义。在起义过程中,马托为了得到迦太基统帅哈米尔卡尔的女儿萨朗波的爱情,潜入城内,并偷走了代表迦太基命运的月神纱帔。为了夺回纱帔,萨朗波被迫只身来到起义军之中,同马托相会,并趁着混乱,携纱帔逃回。起义终于被镇压下去。在残忍地处死马托的刑场上,萨朗波也倒地而死。

小说表现了迦太基尖锐复杂的阶级斗争,相当真实地再现了古代富有社会意义的历史场面。作者在研究古代历史的时候,能够准确地把握住制约当时社会发展的钥匙,描绘了人民同统治者之间尖锐的阶级矛盾,以此反映迦太基的没落原因。在小说中可以看到受富户盘剥、穷得衣不蔽体的贫民,被苛捐杂税弄得破产的受害者,被流放的囚犯,干苦工的奴隶,他们成群结队地流窜;而统治者、执政官却吃得肥头大耳,他们克扣着雇佣兵的饷银不发,像榨油机一样榨取人民,用严刑来惩罚交不出赋税的人和稍有怨言的人。正是贫富悬殊、政治腐败导致了雇佣兵和民众的哗变起义。起义者虽然遭到失败,被统治者极其残酷地加以镇压,但由于这次起义,迦太基的国势从此一蹶不振。福楼拜选取了人民起义作为历史小说的题材,真实地写出了这次起义的原因和历史作用,这是《萨朗波》的主要成就。

作者对起义军的态度基本上是同情的。起义领袖马托英勇善战,有胆有识,使起义军迅速发展,声势浩大,是一个正面英雄人物。作者还通过小说主人公萨朗波的爱情悲剧表现了对起义军领袖的同情。萨朗波是一个富有浪漫色彩的人物。她作为执政官的女儿,被幽禁在家中,不能与外人接触,她的父亲准备从政治利益出发替她结下一门亲事。她得不到自由行动的机会,深感郁悒烦躁。她见到起义军领袖马托以后,被他的勇敢正直所吸引。她胆量过人,敢于只身潜入起义军中,取回纱帔。但她的"高贵"身份使她不可能与叛逆者的首领结合,相反,哈米尔卡尔把她许给了投降的将领,一个卑劣的小人,使她的精神受到极大的打击。最后,她目睹马托一面受刑一面被拉到刑场,忍受不了这强烈的刺激而死去。这悲剧结局的处理正表露了作者对起义军的同情态度。

小说对统治阶级进行了辛辣的嘲讽。作者描写了统治阶层内部争权夺利的斗争:两个执政官汉诺和哈米尔卡尔彼此是死对头。在元老院中两人钩心斗角、争吵不休。面对起义军,他们各自为自己打算,准备日后可以压倒对方,夺取全权。汉诺是个饕餮淫逸之徒,在绫罗绸缎包裹之下,浑身长满了癞疮。他为了使哈米尔卡尔断绝后代,力主用童男祭祀日神,逼迫哈米尔卡尔献出儿子。哈米尔卡尔心毒手狠,以奴隶的孩子充当了自己儿子的替身。小说还写到,正当迦太基笼罩着饥饿的时候,元老们主张宰杀马匹敬神,他们"便每夜都要到庙中来表示虔诚,其实是躲着来享受马肉"。这一细节无情地揭露了统治者卑劣无耻的面目。

福楼拜一方面描写了迦太基人虐杀俘虏,用刑残酷;另一方面也描写雇佣兵如法炮制,竟至于"大口大口地去喝"被刺死的迦太基人的血,对俘虏"从脚胫起一直细细砍到额头,并把脑顶一周的皮揭下来盖在自己头上……在伤口上倾注尘土、醋和陶器碎片"。

福楼拜的遗作《布瓦尔和佩库歇》是一部值得一提的作品。这部小说可说是《情感教育》的姊妹篇。《情感教育》正面描写1848年革命在巴黎爆发的情形,只间接提到外省;《布瓦尔和佩库歇》则主要描写1848年革命在外省引起的反响。

小说梗概如下:布瓦尔和佩库歇都是抄写员,两人结成莫逆之交。佩库歇得了巨额遗产,他们退休到乡下买了一座田庄,对农学、化学、医学、地质学、考古学、史学和文学都一一进行研究,又逐一加以摒弃。1848年二月革命消息传来,在当地引起剧烈的动荡和反响。他们两人随后又转向体育、方术、哲学、神学、教育学、法学等方面的探索。小说在这里中断,未完成的部分计划要写他们几乎下狱,最后还是回到抄写的老本行。

这部小说揭露了外省生活的保守、闭塞和落后。1848年至1851年的政治事件在小说中占据着中心位置。同《情感教育》一样,福楼拜描写了政治事件对各阶层人物的影响,通过各类人物的表现,暴露丑恶的现实。当二月革命爆发,传来宣布共和国成立的消息时,资产者先是惊恐不安,随后慢慢放下心来。六月工人起义时,他们纷纷表示要"火急援救巴黎",参加对工人的镇压。1850年12月10日,他们都"投票赞成波拿巴","要求一个救主"降临。1851年12月3日,波拿巴解散内阁,监禁议员,实行政变,乡绅都深表赞同,叫嚷要把民主派都禁闭起来,他们赞同大街上的枪杀事件,宣称"对失败者不要宽恕,对罹难者不要怜悯!只要造反就是犯罪"。当地的国民自卫队队长还带头呼喊"皇帝万岁!"外省资产者的保守、反动跃然纸上。至于教士,也站在资产者一边,他们欢呼政局的演变,声称"革命就是不幸",宣扬路易·拿破仑周围"簇拥着最高贵的人"。小说还描写了1848年革命期间外省农民和工人的动向。农民对45生丁税非常不满；工人举行游行，支持二月革命；厂主制造停工事件，工人集合起来要求工作。这些描写把1848年革命期间外省动荡不安的局势和保守反动势力的面目表现得非常真实。

小说还表达了作者对资本主义文明的不满和厌弃，进一步抨击了现存秩序。小说的两个主人公布瓦尔和佩库歇靠食利过活，他们闲得无聊，大发雅兴，要研究学问，对各个文化领域都进行了钻研，但他们在这些领域中所发现的却是一团混乱，得到的也是悲观的结论，没有满足他们求知的欲望。作者以此说明资本主义所炫耀的文明并没有解决社会进步的问题。在福楼拜的笔下，资产阶级社会虽然经过历次革命，但本质上并没有什么变化。拿破仑、路易十八、查理十世、路易－菲利普，一个个朝代过去了，他们都成了历史上的陈迹，如今，他们的胸像都受到冷落，被扔在杂乱的房间里，盖满了尘土。这个事实象征着，政权虽不断变化，却没有带来新的景象和进步，这个社会在各个方面都走入了死胡同。作者对资本主义的前途深表绝望。

但在对社会现实进行揭露批判时，作家并没有找到这一切弊病的根源，他的讽刺和暴露有时便流于图解式，过多地罗列现象，而不能击中要害；人物形象也有点漫画化，显得不够丰满。

第三节 福楼拜的艺术特点

福楼拜的艺术观点基本上是属于现实主义的。他认为艺术应该反映现实生活，要敢于揭露社会的丑恶现象。他遵循小说要通过人物形象来再现现实的原则。他既注意刻画人物的内心活动，也注意描写人物的外貌特征，表现完整的人物典型。他认为文学必须严格地、细密地、忠实地描绘事物。所有这些都与前期批判现实主义一脉相通。但福楼拜又主张可以将丑恶的生活现象原原本本地描写出来，实际上是容许将生活不加选择地搬到文学作品中，这就为19世纪后期的自然主义开辟了道路。同时，福楼拜又把内容和形式割裂开来，过分强调文艺形式的作用，他屡次三番认为艺术的唯一任务就是创造形式美，把形式置于绝对的地位上，这种观点又使19世纪后期的唯美主义初露端倪。虽然现实主义的艺术观点在福楼拜的创作中占了主导地位，但他的自然主义、唯美主义倾向也有很多表现，并产生了不良的影响。

福楼拜的艺术成就主要表现在塑造典型上。福楼拜善于在一个篇幅不算很长的长篇小说中塑造一系列个性突出的典型人物，《包法利夫人》和《情感教育》就是这样的作品。就《包法利夫人》而言，除了主人公爱玛以外，郝麦、罗道耳弗、勒乐、赖昂、毕耐、包法利、卢欧老爹、包法利的双亲等等，都是某一方面的典型，甚至连只出现过一次的老农妇勒鲁也是一个特点鲜明的典型人物。

为了塑造典型，福楼拜十分注意观察事物，力求掌握用三言两语便抓住人物特点的表现能力。他指出："对你所要表现的东西，要长时间很注意地去观察它，以便能发现别人没有发现过和没有写过的特点。"他认为世界上没有完全相同的事物，因此，要能"用几句话就把一个人或一件事表现得特点分明，并和同种其他的人、同类其他的事有所不同"。他提出，描写人物时，要"用形象化的手法描绘出他们的包藏着道德本性的身体外貌"，并且不能同其他人混同。这种方法，其实就是要用最精练的语言刻画个性，塑造典型。福楼拜正是熟练地掌握了这种方法，才使得他的人物总是一出现就性格鲜明，栩栩如生。

为了塑造典型，福楼拜十分注意细节的真实。为此，他特别重视写作前的考察工作。为要了解农村，他几次出外旅行。为了写《淳朴的心》，他特意再到儿时熟悉的主教桥和翁花镇去了一趟，在描写鹦鹉时，他在自己面前摆上一个鹦鹉标本；为了写作《萨朗波》，他除了翻阅大量的有关书籍，还特地到突尼斯和迦太基的遗址去进行考察，获得感性的知识；为了写《圣安东尼的诱惑》，他搜集了有关这个传说的图片，丰富自己的想象；为了写《布瓦尔和佩库歇》，他翻看了1500部以上的书籍，笔记卷宗有8寸厚。他的目的，是为了通过细节的真实表现出生活和历史的真实面貌。

为了塑造典型，福楼拜十分注重环境描写，着意于时代和环境对人物的性格和精神所产生的作用，把环境描写和人物塑造紧密结合起来。例如，他在塑造莫罗这个典型时，并没有专门描写莫罗居住的地方，而是描写时代的动乱使莫罗日益变得平庸无能和精神堕落。他既没有孤立地写1848年革命，也没有孤立地写人物的精神变化，而是二者紧密结合。

福楼拜是个语言巨匠，他认识到语言在艺术创作和塑造人物方面的重要作用。他认为："形式和思想就像身体和灵魂；在我看来，这是一个整体，是不可分割的，我不知道没有这一个、另一个会变成什么。思想越是美好，词句就越是铿锵，思想的准确会造成语言的准确。"又说："表达愈是接近思想，用词就愈是贴切，就愈是美"，"没有美好的形式就没有美好的思想，反之亦然"。这几段话都强调形式和内容的统一，强调思想和语言的统一。他为了锤炼语言和句子，总是苦心推敲，惨淡经营。为了选择一个形容词，他说要累出一身汗。写完一部分，他要吟诵一番，听听是否和谐优美。他的稿本总是经过反复修改，以求词章、结构、意境尽可能完美。他每部作品的写作都要花费若干年之久。

第十三章 文艺批评家与历史散文家

第一节 圣伯夫

圣伯夫（Charles-Augustin Sainte-Beuve，1804～1869）是法国19世纪文艺批评的代表人物。在他之前，法国还没有专业的文艺批评家，一些重要作家只是偶尔写些评论文章，只有圣伯夫才以毕生精力从事法国文学的评论，写出了大量的古典文学和当代文学的批评论著。从此文艺评论成了一个专门的领域，在法国获得了蓬勃的发展。

1. 圣伯夫的生平

圣伯夫于1804年12月生在滨海布洛涅。父亲原是管理税收的公务员，在他出生前两个多月死去。圣伯夫由母亲抚养长大，家庭收入微薄，童年生活相当黯淡。圣伯夫祖上的姓氏前原有一个代表贵族身份的前置词"德"，由于公证人的疏忽，在圣伯夫的出生证上没有填上，后来圣伯夫也不再要求恢复。14岁时，他跟随母亲迁居巴黎。他在中学里学业成绩优良，特别是在古典文学知识方面打下了深厚的基础，会考时获得拉丁文诗歌第一名。他对生理学、化学等自然科学也具有浓厚的兴趣。1823年中学毕业后，他选择医学为自己的终身事业，进入巴黎大学医学院学医。这使他深受自然科学的熏陶，并影响他后来把自然科学的研究方法运用于文艺批评，还计划写出一部《精神的自然史》。他也研究过 18 世纪启蒙思想家的哲学,由此逐渐摆脱了母亲和学校给予他的宗教影响。

1824 年,圣伯夫经一位中学老师的推荐,参加了刚刚创办的《地球报》的编辑工作。这是一家自由主义的报纸,圣伯夫在这报上发表的较好的文学批评文章,后来被收集成三卷本的《月曜日丛谈初集》(*Premiers Lundis*),在他死后于 1875 年出版。在《地球报》任职时,圣伯夫曾被派去采访维克多·雨果的诗集《颂歌与吟唱集》增订本的出版情况,他和雨果恰好是近邻。从此以后,他们结下了亲密的友谊,直到由于文学方面和私生活方面的原因才关系破裂。在整个浪漫主义文学运动发展期间,圣伯夫一直是一个积极的参加者,经常出席诺迪埃文艺沙龙中的聚会,在这里结识了缪塞等浪漫派诗人和艺术家。这个时期圣伯夫的思想非常活跃,在宗教、道德、哲学等各个方面都进行了探讨,他一会儿热衷于唯灵论,一会儿拥护圣西门的学说,一会儿为《国民报》撰稿,一会儿又离开这家共和派的报纸而进入奥尔良派的沙龙。后来他不无悲哀地承认,所有这些探索都没有得到令人满意的结果。

由于跟浪漫派交往,圣伯夫也开始从事文学创作,在两年之内发表了两部诗集:《约瑟夫·德洛姆的生活、诗歌和思想》(*La Vie, poésie et pensées de Joseph Delorme*,1829)和《安慰集》(*Les Consolations*,1830)。1834 年又发表长篇小说《情欲》,再加上 1837 年出版的诗集《八月的思想》(*Pensée d'août*),就构成了他全部的文学创作。但从 19 世纪 20 年代起,圣伯夫的主要精力还是放在文艺批评方面,他的评论文章愈来愈产生巨大影响,取得了显著成就。1828 年,为了探求浪漫派的渊源,他写出了专著《十六世纪法国诗歌和法国戏剧概貌》,表现出他渊博的学识和批评的才能。从 1830 年起,他在《巴黎杂志》《两世界杂志》《国民报》上发表了许多文章,获得了很大的声誉。1838 年他去瑞士,在洛桑待了几个月,作了一次著名的关于冉森派作家的讲学，讲稿后经补充以《王港修道院史》为书名陆续发表，共六卷，第一卷出版于1840年，最后一卷出版于1859年。1840年，圣伯夫被任命为著名的马扎然图书馆的馆员。1844年当选为法兰西学院院士。他没有其他经济来源，稿费收入又很微薄，经常借债度日。但也正是在这个时期，他写出了几本优秀的评论集：《文学家肖像》《妇女肖像》和《当代人物肖像》。这种专事写作的平静生活在1848年2月突然中断，他被人诬控为私自挪用公款。于是他决定辞去图书馆的职务，出走比利时。他在比利时被任命为列日大学的法国文学教授。他讲述了夏多布里昂，并把讲学的成果写成批评专著《帝政时期的夏多布里昂和他的文学团体》（*Chateaubriand et son groupe littéraire sous l'Empire*, 1861）。在这本书里，他对贵族浪漫主义作家夏多布里昂作了严厉的批判。

1849年，圣伯夫回到巴黎，同正在向文学报方向发展的《宪政报》合作，每星期一定期"评介一部既严肃又有趣的作品"，后来这些文章收集成为著名的批评文集《月曜日丛谈》。1850年11月，圣伯夫的母亲去世，他孑然一身，既没有兄弟姐妹，也没有妻子儿女，过着孤独的生活。拿破仑三世发动政变时，圣伯夫没有看清他的反动面貌，相反从要求秩序和安定的工作条件出发，错误地采取了支持他的立场。为此，圣伯夫离开《宪政报》，转到官方所办的《指南报》上继续发表《月曜日丛谈》，并在法国最高学府之一的法兰西公学当教授。圣伯夫的这种态度引起一些进步作家和青年学生的反感，纷纷对他提出指责，迫使他很快辞去法兰西公学的教职。在《月曜日丛谈》中，他尽量回避容易引起争论的当代文学问题，着重研究古典文学和历史题材。1857年，他被任命为高等师范学院的法国文学史教授，并发表专著《维吉尔研究》（*Etude sur Virgile*, 1857）。

1861年，圣伯夫决定放弃所有的工作，重新同《宪政报》合作，开始撰写一系列新的论文，接连写了5年，最后结集为《新月曜日丛谈》，这是圣伯夫文学批评活动的最后阶段。这时期他完全摆脱了宗教信仰，甚至成为反教权主义者，他专心致力于写作，放弃了许多次学院的会议。1863 年以后，他又恢复和《两世界杂志》的合作关系。同时他出入上层社会，经常受到拿破仑三世的妹妹玛蒂尔德公主的款待，可以说成了她的文学顾问。

1865 年，圣伯夫被任命为参议员，经济上得到了改善。他没有放弃文学评论工作，但是由于生病，文章写得少了，他也很少参加参议院的政治活动。他以参议院中的"左"派自居，对拿破仑三世的政策抱不以为然的态度。帝国末期，他在参议院扮演"维护思想自由的角色"，重新得到进步党派和青年学生的好感。1869 年，圣伯夫在巴黎逝世。

2. 圣伯夫的文学作品和文艺批评

圣伯夫一生所写的四部文学作品都不成功，没有文学价值，唯一值得一提的是他的心理分析小说《情欲》（*La Volupté*，1834）。

《情欲》是一部忏悔录式的长篇小说。在去美洲的路上，一个教士写下他青年时期的故事，现身说法，告诫年轻人。他名叫阿摩里，出身于布列塔尼的一个贵族家庭，从小成了孤儿，由他叔父抚养长大。他最初是一个纯洁的少女阿美莉的未婚夫，但他喜欢社交生活，不愿意马上娶她。在一次打猎期间，他结识了外省保王党的头子古亚恩先生，成了他家的座上客。不久，阿摩里和古亚恩夫人之间建立起一种柏拉图式的爱情关系。古亚恩的阴谋败露，被当时的执政府逮捕后递解至京城，阿摩里也陪伴古亚恩夫人前去。在巴黎，他不满足于这种暧昧的友谊，又受到一个 R. 夫人的诱惑，但她也只是尽情玩弄这个年轻人，对他并无真意。阿摩里灰心失望，下决心选择宗教的道路，进了修道院，终于当了神甫，和过去告别，一直漂泊到美洲。

和夏多布里昂的小说《勒内》相似，《情欲》反映了法国资产阶级大革命后一部分贵族青年无所事事的状态和苦闷、彷徨的心情，主人公也是一个"世纪病"患者，最后不得不从宗教寻求解脱。圣伯夫在作品中劝导人们克制情欲，遵循道德规范，信奉天主教的教义，表现出他当时保守落后的思想。从写作技巧来看，圣伯夫也不是一个优秀的小说家，《情欲》情节拖沓、不够紧凑，读来使人感到疲倦。

与他在文学创作方面的平庸无奇相反，圣伯夫在文学批评方面却表现出极大的才能，他具有丰富的文化史、艺术史的知识，"准确惊人的记忆力"；他文思敏捷，才华横溢，又是一个勤奋的智力劳动者，即使在散步的时候，也为自己的文章构思草稿；他长期担任教职和编辑，除写成系统的专著外，每周还写一篇评论文章，几乎没有中辍。他通过辛勤劳动，留下了卷帙繁多、篇幅浩大的批评论著，显示了一个批评家惊人的创作能量。他的主要批评论著就是前面提到的《十六世纪法国诗歌和法国戏剧概貌》《妇女肖像》《当代人物肖像》《文学家肖像》《王港修道院史》《月曜日丛谈》和《新月曜日丛谈》。

《十六世纪法国诗歌和法国戏剧概貌》（*Tableau de la poésie française et du théâtre française au XVIe siècle*，1828）是圣伯夫第一部评论著作，写于浪漫主义运动初期，紧接在雨果发表著名的《〈克伦威尔〉序》一年以后。当时浪漫派要求冲破古典主义清规戒律的束缚，追求创作自由和新风格、新形式，圣伯夫为了替浪漫主义运动找寻文学史上的根据，写出了这部专著，介绍了当时不大为人所知的法国16世纪的"七星诗社"，指出龙萨等诗人不但具有独创性，还曾大胆地用法文移植了古希腊、古罗马等外国诗歌的形式，认为"七星诗社"是浪漫派的先驱。这部书带有明显的"古为今用"的意图。在深入分析16世纪诗歌的同时，圣伯夫还否定了古典主义大师布瓦洛的理论，企图为浪漫主义探索出新的法则。

《妇女肖像》（*Portraits de femmes*，1848）一书收集了圣伯夫一系列有关妇女的文章，但内容不尽相同，其中文学研究方面的有《塞维尼夫人》《拉法耶特夫人》《斯塔尔夫人》等。虽然在圣伯夫之前，已经有人对这些女作家作过一些评论，但圣伯夫从新的角度进行观察，用细腻的心理分析的方法，给她们画出了非常真实的肖像。有些"肖像"具有史料的价值，可以帮助读者了解这些女作家生活的时代背景和社会情况。

《当代人物肖像》(*Portraits contemporains*，1846年发表，1869～1871年增订) 共五卷，是关于当代作家的评论集，材料准确，行文清楚，分析细致，判断敏锐。这个文集不仅论及许多当代著名的作家，如巴尔扎克、缪塞、贡斯当、梅里美等，也涉及一些今日已被人遗忘的作家。它提供了与圣伯夫同时代作家的丰富的第一手材料，具有历史文献的价值，还为今日已经失传的某些作品提供了研究的线索。其中有关雨果、乔治·桑等作家与作品的评论，写得相当动人，颇有吸引力，但和后来的《月曜日丛谈》相比，有些文章显得较为单薄。

《文学家肖像》(*Portraits littéraires*，1862～1864) 共三卷，限于评论已故的作家：布瓦洛、高乃依、拉封丹、拉辛、莫里哀、狄德罗等，研究古典主义的美学理论以及当时文艺界的斗争情况。圣伯夫对所论及的每个作家的个性描写得很细致，表现出他敏锐的洞察力和心理分析的特长。其中还有一部分谈论他自己，正是在这类文章里，他宣称要写出批评界的"自然史"，作为精神的"博物学家"，他要在不同作家的作品中"采集标本"，对于各种各样的题材进行分门别类的整理。

《王港修道院史》(*Port-Royal*，1840～1859) 是圣伯夫的主要论著之一。从1834年发表小说《情欲》的时候起，圣伯夫就想对17世纪天主教内部接近新教的冉森派进行系统的研究，而王港修道院正是当时冉森派的大本营。在这部专著里，圣伯夫对冉森派表示了敬意，但又不是没有保留，他认为他们既有健康的一面，也有病态的一面。全书分六卷。第一卷写王港修道院的起源和复兴；第二卷对当时被认为是"异端"的冉森派人物逐个进行介绍；第三卷写《致外省人书简》的作者帕斯卡尔；第四卷写王港修道院的教育方法，包括介绍一些古典主义作家；第五卷评论王港修道院的第二代；第六卷写冉森派受到迫害，王港修道院走向衰落。其中第三卷、第四卷是重点。和原来的计划有所出入，圣伯夫在这部专著里研究和论述的范围实际上是扩大了，他在考察宗教社会问题的同时，也细致地阐述了冉森派与古典主义作家的关系，特别是它对帕斯卡尔、拉辛、布瓦洛、塞维尼夫人等的影响，因此，《王港修道院史》成了一部17世纪法国社会、思想、文学的综合历史。圣伯夫本人对这部论著十分重视，他晚年这样说过："《王港修道院史》是我所写的最深入、最有个人特征的作品，仔细读它，就能找到整个的我。"

《月曜日丛谈》(*Les Causeries du lundi*，1851～1862) 共十五卷，《新月曜日丛谈》(*Les Nouveaux lundis*，1863～1870) 共十三卷，收集了圣伯夫在《宪政报》《指南报》《两世界杂志》《巴黎杂志》等报刊上发表的评论文章，基本上每周一篇。这些文章彼此独立，缺乏有机的联系，结集为书完全按时间顺序，并未加以分类，就像采集来的一批珍奇的标本，一一陈列，因此，有的史家形容它们是一本本"植物图集"。这些评论文章论述的范围极为广泛，从古罗马奥古斯都时代的文学到当代作家，都在评论之列，有著名的大作家，也有只写过少数文章的次要的作者。在这里，圣伯夫对作品的考察，总结合着对作家本人心理气质的解释，他还参考作家大量未发表的信件、文献，或长期被人忽略的作品，像工笔画家似的对他所论的作家进行精心的描绘。在古典文学方面，圣伯夫的评论在当时是有权威性的；在当代文学方面，圣伯夫的评论则带有鲜明的个人的感情，有时很苛刻，如对巴尔扎克和司汤达，有时对他所喜爱的作家则推崇备至，如对贝朗瑞等。虽然圣伯夫的评论经常夹杂偏见，但总的说来，这两部文集文笔流畅，资料丰富，反映了当时社会和文坛的情况，具有史料价值，不失为圣伯夫的代表性著作。

圣伯夫的文学批评的基本特点是：他从作家的个人条件去解释作品，把文学现象当作作家的性格、气质、心理等因素的反映，从而与从社会条件去考察文学的斯塔尔夫人有根本的不同，成为另一种类型文学批评的代表。

在圣伯夫看来，任何一部作品都不是自发的现象，而是某一特定的头脑、某一特定的人的产物，为了透彻理解一部作品，就有必要深入认识创造这一作品的个人，其关键在于要"抓住、概括、分析这整个的人"，要找出促使他写出这样一部作品的内外因素。为此，圣伯夫在他的批评论著中，总致力于阐明作家本人的性格、气质和心理条件，他把他不止一部批评论著以及很多文章都称为"作家肖像"，就明确地表现了这种意图。

圣伯夫把在文学批评中为作家画肖像视为一种创造性的活动，像创作诗歌或小说一样。他认为，批评家是创造者，所评论的作家则是模特儿，批评家的任务就是要让自己的"模特儿"活起来，对于原来抽象模糊的历史人物，要赋予"具体而真实的个性"，使他"越来越突出，强烈地发出光芒；眼看着日益酷似"，直到"抓住了他为人所熟知的习癖、他显露的笑容、他稀疏的头发所遮盖不住的令人痛苦的深刻的皱纹"，在圣伯夫看来，只有达到这种地步，批评家的"分析"才会"消失在创作之中"，肖像才会说起话来，行动起来，而批评家也才"发现了人"。

圣伯夫力图把自然科学的方法用于他的文学批评，把作家当作标本一样加以研究考察，画出他们的形象。力求真实，是他制作肖像的基本要求，他甚至提出了"唯有真实"的格言。为了要表现出一幅真实的肖像，揭示作家隐秘的内在的自我，他绝不满足于只根据作家已发表的作品本身，只要可能，他还努力掌握作家任何其他的文字材料，如未发表的文章、通信、日记等等，希望从中发现一些更为深刻的事实或隐情;为了全面了解作家"一切有关性格和品行的细节",他还经常向作家的亲属、继承人、朋友进行具体调查,并参阅同时代人所写的有关材料。圣伯夫这种重视搜集材料事实的态度决定了他的文学批评活动的艰巨性,但的确也体现了他作为一个批评家所具有的严肃负责的精神。

圣伯夫在为作家描绘肖像时,还进一步提出,应该抓住对象的基本特征,使人认识作家主要的轮廓和主要的方面,而不应该大量罗列琐碎的现象。他还认为,"画家"和"模特儿"都不是一成不变的,批评家是"动的",可以采取不同的态度和观点,批评家所评判的作家也是"动的"人,既有不同的发展阶段,又处于复杂的情况之中,由此,他主张,对作家不同的阶段、不同的方面,可以作出不同的"肖像",他自己就经常采取这种方法,从不同的角度评论同一个作家。并且,他还主张,批评家也可以在不同的阶段,对自己作过的判断作出更正或修改,使"肖像"更符合作家本来的面目。圣伯夫这些主张和方法,显然也有助于他对作家作品作出更为准确、更符合实际的评论。

圣伯夫的成就在于他所写的作家论,而不在他对于带规律性的理论问题的意见。他的功绩是,为法国一系列重要的作家作品提供了真实而生动的"肖像",也为当时一些次要的作家作品留下了某些有资料意义的"小影"。他的批评方法使他的论著具有丰富翔实的材料,写得生动具体,兴味盎然;而他的才华又使这些论著充满了敏锐的观察、精辟的见解和机智的语言,并带着批评家自己的感情色彩和个性。但是,圣伯夫的文学批评也有严重的缺陷,他轻视社会历史条件和时代背景,单纯从作家本身的情况来进行分析,把作家当作一个游离于阶级社会之外的抽象的个人,显然这就不能正确阐明作品的社会意义和作家的阶级属性。圣伯夫认为作品的内容和风格完全取决于作家的生平经历和气质、性格,处处用作家的传记去印证他们的作品,这种方法也带有巨大的局限性,这既否定了社会生活的作用,也忽视了文学创作的集中、概括、想象和虚构的重要性。而且，圣伯夫对同时代作家的评论往往夹杂着一些个人成见，有失偏颇，因此，他的作家论虽然具有一定的资料价值和艺术价值，却缺乏真正的科学性。

第二节　历史散文家

19世纪上半期也是历史散文空前丰收的时期，这时期出现了相当一批历史散文作家，他们开辟了历史研究中的新领域，在理论、方法和材料等方面，都达到了新的科学的高度，特别是他们所叙述的"阶级斗争的历史发展"，不仅在历史学中具有重要意义，而且对当时的社会意识形态，包括文学，都有显著的影响。他们的历史著作对过去时代的生活有具体的描写，对历史过程有生动的叙述，在文体风格方面都达到了较高的水平，因而，也具有文学的价值。

1. 梯叶里

梯叶里（Augustin Thierry，1795～1856）生于布卢瓦一个清贫的家庭，上中学时成绩优异，1811年进入法国著名学府高等师范学院学习。青年时代曾一度信奉圣西门主义，并担任过圣西门的秘书，这一段经历，加深了他对下层人民的同情；圣西门主义的影响，使他形成了把社会关系理解为人与人之间息息相通的感应的思想。1817年他开始成为报刊作者，先与自由派的刊物《欧洲批评家》（*Le Censeur européen*）合作，该刊被封闭后，又为《法兰西邮报》（*Courrier français*）写稿。当时，保王党、反动贵族势力在意识形态领域里对1789年以来的历史进行了反攻倒算，蒙特洛西叶（Montloisier）的《论法国的君主政体》的发表就是一个标志。由此展开了一场论争，在这次论争中冲锋陷阵的就是梯叶里。由于论争的需要，他求助于历史研究，正如他自己所说："在1817年，我怀着要对立宪主义思想的胜利有所贡献的热烈愿望,开始到史书中去寻找例证和材料,以支持我的政治信仰。"(《〈历史研究十年〉序》)从此,他从事于历史研究。在复辟时期,他发表了《诺曼人征服英格兰的历史》(*Histoire de la conquête de l'Angleterre par les normands*,1825)和《论法国历史的书信集》(*Lettres sur l'histoire de France*,1827),在19世纪三四十年代,又发表《历史研究十年》(*Dix ans d'études historiques*,1834)、《墨洛温王朝概述》(*Récits des temps mérovingiens*,1840)和《关于法国历史的思考》(*Considérations sur l'histoire de France*,1840)等。他的另一部名著《第三等级的形成和发展史概论》(*Essai sur l'histoire de la formation et des progrès du Tiers Etat*)则是19世纪50年代的成果(1853)。

当梯叶里力图用历史研究为现实斗争服务的时候,他从社会发展史中总结出了一个具有重大意义的结论,即各民族的历史是征服者民族与被征服者民族之间的斗争,社会的历史是各个阶级之间的斗争。他在《法国农民真正的历史》(*Histoire véritable de Jacques Bonhomme*)中建立了这一理论,并贯彻在他以后的历史著作中。他通过诺曼人征服英格兰的过程,说明征服者民族与被征服者民族的关系;他论述了英国资产阶级革命的历史,就是资产阶级与贵族阶级斗争的历史。他不满足于历史人物在前台的活动,而透过这类活动看到了更为深刻的阶级运动;他指出,在英国资产阶级革命中,实际的历史内容是这样的:"两支军队集合了起来,一个以安逸和权力为名,另一个则以劳动和自由为名。不管其出身如何,一切游手好闲的人,一切在生活中只追求不劳而获的人,都站在国王的旗帜下,保护着类似他们本身利益的利益;相反,那些当时以工业为业的英国征服者的后裔,则加入了平民的党派。"梯叶里从根本的阶级利益来观察社会历史,因而在一些问题上能得出过去历史学所不可能达到的较为深刻的结论。如在他看来,英国政治历史中复杂的政派或教派的斗争,只不过是各政党为各阶级的财产利益而进行的争夺,"双方都为现实的利益而战,其他一切只是外衣或借口"。由于梯叶里较早地在资产阶级历史学中运用了阶级论的观点,马克思曾称他为"法国历史编纂学中的'阶级斗争'之父",并且特别称赞他的《第三等级的形成和发展史概论》中对资产阶级发展过程的论述,认为"任何著作也没有把这个阶级在它成为统治阶级以前的这一系列演变作过这样好的描述"[①]。

在资产阶级历史学中,梯叶里被认为是"想象学派"的代表。在谈到英国古代史的写作时,他曾经这样说:"这些人民不存在已经有700年了,何妨加以想象?对于想象来说,根本就不存在什么过去。"他告诉读者,当他阅读大量的材料时,他总是同时进行想象,于是,"那些同一个种族而习惯、面貌和命运都各不相同的人,都呈现在我的想象里,一些人弹着克尔特的竖琴,歌唱着亚瑟王永久的期待,另一些人在风暴中航行,他们镇定自若,就像天鹅在湖面上游玩……"他不仅想象,而且还由生动的想象而对自己所叙述的历史和民族产生一种热情和亲切感,甚至"怀着一种相当广泛的同情,像关心某一个人的命运一样,关注整整一个民族的命运,像在坎坷的行程中追随某一个朋友一样,以巨大的兴趣和热情跟随着这个民族经历好几个世纪"。用这种态度和方法来处理历史,梯叶里就得以在他笔下把过去时代的历史复活过来之前,使整个历史先活在他的心里。

梯叶里所强调的想象,并不是以主观的臆想来代替事实。他的想象以真实和科学为前提。作为一个历史学家,梯叶里在真实描述历史面貌这方面,作出了超过前人的贡献。他批判了过去历史学中那种"人工的伪造的体系",认为那些编年史造成了对古代社会的虚假的观念,从那些史书里不可能看到一个民族真实的历史,他强调在历史研究中要有科学精神,还特别强调细节上的真实,主张对那些有表征

[①] 马克思:1854年7月27日致恩格斯的信,《马克思恩格斯全集》第二十八卷,第383页。

性的细节加以真实的描绘,以表现确切的时代气氛和地方色彩,他自己便是这样做的:"有一些事实,如果只从它们本身考虑,几乎没有什么重要性,但我从中汲取了强烈的现实色彩来渲染整个画面。"

在以上这些思想原则的指导下,梯叶里在他的论著里显示出了两个方面的特点:一方面,他比较真切地掌握了过去时代的生活和历史的面貌,以生动具体的叙述,使古老的时代又带着自己固有的特征、色彩,复活在读者的眼前,其中还有一幅幅历史场面的写照和历史事件的画面;另一方面,他的笔端不乏感情,他的论著所构成的历史图景,往往泛出他自己的感情色彩。加之梯叶里不仅要求自己作为历史学家来论述,而且也要求自己作为艺术家来描绘:"我一直怀着这样一个野心,在运用科学的同时也运用艺术,力图靠那些真实而精确的材料把历史写得有戏剧性。"所有这些就使得他的历史论著在一定程度上像史实小说而具有了文学价值。梯叶里的描绘色调合适、分寸得体、风格朴实、文笔简洁,追求编年史式的明晰,他善于描绘悲壮的历史事件而又不流于卖弄技巧,他经常注意表现历史人物的思想感情,在读者面前展示富有感情色彩的场面,使历史的情景历历在目、历史人物的言谈举止跃然纸上。

总起来说,梯叶里的作品文学价值高于历史价值。他既着意于描绘、追求生动具体,也就难免偏重写作的艺术性而没有照顾到历史学本身的要求,次要的历史事件往往花费了不少笔墨,而主要的却又一笔带过,而且史实也不够严格精确,这些都曾受到后来的历史学家的批评。而在思想观点上,更为根本的缺陷则是,梯叶里没有也不可能把他的阶级论思想贯彻始终。他在论著里力图证明,除了僧侣、贵族阶级以外,只有"其余可以通称之为人民的那些人",资产阶级则"起着所有这些其他成分的代表者的作用"[①],因而,他不承认近代社

---

① 马克思:1854年7月27日致恩格斯的信,《马克思恩格斯全集》第二十八卷,第382页。

会中资产阶级和无产阶级之间的对立和斗争，并对历史科学领域中看到了这种对立的"新人物"表示愤怒。在他看来，整个第三等级的共同利益是广泛的，第三等级反对封建阶级的斗争是必要的、正义的，而无产阶级对资产阶级的斗争则破坏了社会的安全。由此，梯叶里就从根本上否定了无产阶级对资产阶级的阶级斗争，这正是他作为资产阶级历史学家所起的阶级作用，也正是他资产阶级局限性的所在。

2. 米什莱

在资产阶级历史学的"想象学派"中，另一个出色的代表人物是米什莱（Jules Michelet，1798~1874），实际上，他的意义并不局限于狭隘的历史学范围以内，他显示了多方面的才智，他不仅是历史学家，而且也是"诗人"，是大自然的出色的描绘者。不论是研究古代历史、现代生活，还是说明社会问题、自然现象，他笔端皆有灵感，字里行间充满了活跃的想象。有的批评家曾经这样指出："米什莱是一位诗人，一位特殊种类的诗人，他写作就像德拉克洛瓦描绘，像多拉构图一样，他的散文具有绘画的价值。"

米什莱生于巴黎一个印刷工人的家庭，从小饱尝贫穷困苦的辛酸，父母亲沉重的债务和法吏无情的逼迫，使他的童年格外阴暗悲惨。但由于父亲的职业，他总算有机会接触到文化。他如饥似渴地阅读，特别喜爱古罗马诗人维吉尔和18世纪意大利思想家维科，后来他说："我从维吉尔和维科那里获得了生命。"由于其他家庭成员作出牺牲，他得以进入中学读书。在学校，他受尽歧视和捉弄，孤僻成性，但却以优异的成绩名列前茅。他立志做一个文人，为获得生活独立、尊严和思想自由而努力奋斗。1822年，他进入罗楠学校任教，得到青年学生的爱戴，与他们建立了亲切的关系，"教课对于我来说，就是友谊"。婚后，他深居简出，厌弃世俗的交际应酬，潜心治学。1827年，他开始在高等师范学院讲授古代史，并写出了《近代史概要》(Précis d'histoire moderne)，节译了维科的《新科学》，很快成为高等师范学院的讲师和青年学生崇拜的对象。

七月王朝时期，他很受路易-菲利普的重视，被聘请为宫廷的历史学教授，但他不为王室的利诱所动，在他们面前态度矜持，保持着平民的本色。1838年，他被任命为国家档案馆历史部主任，获得了做研究工作的理想条件。他利用档案馆的材料，集中精力著书立说，他还在巴黎大学担任过基佐的助手，在法兰西公学任专职教授。他在讲授中有力地宣传了他在早年穷困生活中就已经形成的资产阶级民主自由思想。他为1848年欢呼，因此不久即被停职，1851年又被解聘，到1852年，他不得不告别了国家档案馆。

在写作方面，米什莱在1830年以后的主要工作是他的巨著《法国史》(Histoire de France)。在他看来，法国史的序幕是强盛的罗马帝国，为此，他先完成了两卷本的《罗马史》(Histoire romaine，1831)，接着于1833年出版了《法国史》的前两卷中世纪部分。而为了对法国社会的发展有更深的理解，他跳过文艺复兴时期与17世纪，直接研究法国大革命，从1845年起，用了8年的时间写出了《法国史》中大革命部分。1852年他遭受打击以后，并没有放弃完成《法国史》的计划，这部论著的最后一部《文艺复兴与近代》是在1867年完成的。在后期这一段失意的时间里，他先后居住在巴黎郊区、大西洋之滨和意大利的惹勒港，从大自然中找寻安慰，并作为自然研究者和诗人写作了一系列散文作品：《鸟》(L'Oiseau, 1856)、《昆虫》(L'Insecte, 1857)、《海》(La Mer, 1861)、《山》(La Montagne, 1868)。除此以外，他在这一阶段还写了说理散文作品：《人民》(Le Peuple, 1846)、《爱情》(L'Amour, 1858)、《妇女》(La Femme, 1859)和《人道的圣经》(La Bible de l'humanité, 1876)。当他1874年逝世时，他还正在写《十九世纪史》(Histoire du XIX siècle, 1876)。

米什莱的史学理论和方法有好几方面的思想来源，比较复杂。一方面，他翻译过维科的《新科学》中有关历史的部分，把这个译本题名为《历史哲学的诸原则》(Principes de la philosophie de l'histoire, 1827)，从维科的著作中，既接受了他关于古代社会中平民与贵族之间斗争的唯物主义的论述的影响，也接受了他唯心主义的历史循环论的影响。再一方面，18世纪德国哲学家赫尔德的《关于人类历史哲学的思想》一书，也给米什莱提供了精神营养。此外，19世纪法国哲学家维克多·库辛在《历史哲学》一书中的论述，对他也有所启发，而在所有这一切之中，赫尔德的理论所起的作用似乎更大。在赫尔德的影响下，米什莱提出了历史发展的基础在于地理条件的思想。他在《法国史》1869年的序言中这样总结说："在我看来，物质生活、种族和使历史得以延续的人民，需要我们为它们提供一个合理的坚实的基础，那就是大地。它负载着它们，它供养着它们。而且，我们还要指出，这地理环境并不仅仅是历史事件的舞台。它通过食物、气候等等条件，以千变万化的方式影响历史。有什么样的巢，就有什么样的鸟，有什么样的国度，就有什么样的人。"他在《法国史》中，具体描述了法国各地区由于不同的地理条件，如何形成了它们之间在历史社会特点方面的差异。不过，米什莱并不完全是一个地理环境决定论者，他并不把地理环境中的人民视为消极被动的力量，而承认它具有能动地创造自己的能力，他说："我从历史本身发现了一个重大的、几乎从没有人注意到的富有思想意义的事实，那就是强大的自我作用的能力，正是在这种能力的作用下，法兰西民族通过自己的进步，在改变它身上所有那些粗野不文的因素……法兰西造就了法兰西。"

米什莱虽然在阶级论方面不及梯叶里，也不及基佐和米涅，但他是资产阶级民主主义在19世纪历史学中的杰出代表。他贫寒的出身使他一直保持着平民的气节，忠诚地去维护民主主义的原则。他具有强烈的人道主义精神："畸形者、残废者、弱者，甚至那些接近我们的动物,都能使我感动,我愿意我周围所有一切都幸福地生活。"他从人道主义的立场出发,对人民抱有同情,并愿意充当他们的代言人。米什莱是19世纪比较具有人格力量的一位资产阶级历史学家,正直和勇敢是他为人的特点。1848年革命失败后,他强烈地表示了对当权者的憎恶,认为他们是造成人民不幸的罪魁祸首。

米什莱的论著是他的思想和人格的忠实体现。他把自己的资产阶级民主主义精神贯彻在学术活动中,他对法国大革命的研究集中体现了他的民主主义思想。在这里,他把人民视为创造历史、推动历史前进的动力,他明确地这样说:"整个大革命的历史,从第一页到最后一页,只有一个主人公,那就是人民。"带着这一基本观点,他从来不忘记描绘重大历史事件中如火如荼的群众斗争场面,并把它们提到具有重大历史意义的高度。在这一点上,他并没有超出其他同时代的资产阶级历史学家多少,但米什莱具有特色的是,他以明显的热情来描绘,因而字里行间充满了一种礼赞的基调。如,他这样描写攻陷巴士底狱时群众所显示的威力:

> 向巴士底狱进攻根本不是理智考虑的结果,它是一次信仰的行动。并没有人提出进攻的建议,但所有的人都认为应该这样,所有的人也都如此行动。沿着街道、码头、桥梁和林荫大道,人群互相高呼:"打到巴士底狱去!打到巴士底狱去!"在一片警钟声中,人们听到不断的喊声:"打到巴士底狱去!"……
>
> 巴士底堡垒上的大炮往后安置,伪装起来,严阵以待,从这一百四十尺高的城楼上望去,空旷无垠,令人惊骇;人民遍布巴黎的街道和广场,阿尔塞纳公园里满是武装的人群……但从另一面看,一片黑压压的队伍正朝这边进发……
>
> ……守备司令面色变得苍白……
>
> 应该说,巴士底狱并不是被攻陷的。它是自己投降的。它的

惶恐使得它六神无主、陷于疯狂,丧失了自己的意志。

他这样描写瓦尔米战役中法国士兵群众抗击干涉军的英雄主义:

> 普鲁士人对自己的对手一无所知……他们这样想象:这支军队就像那些从法国逃亡出来的贵族所说的,是一批无业游民、裁缝、皮鞋匠所组成的乌合之众,肯定是急急忙忙躲起来了。因此,当他们看见这批人竟然敢于驻守在瓦尔米磨坊的时候,多少有点惊奇。他们至少这样猜想,那些人大部分从没有听见过炮声,只要一听到他们的六十门火炮齐鸣,肯定都会吓得目瞪口呆的……
>
> 炮声一时静了下来,硝烟散处,普鲁士人已经冲下来了,他们以弗里德里希大帝时代古老军队的庄严步伐,越过两军之间的地带,马上就要冲到法军身上了。普军将领布龙斯威克举起他的望远镜,他却看到了一幅意想不到的非凡的景象:所有的法国士兵都仿效自己的指挥者克勒曼那样,用腰刀、剑或刺刀挑着自己的帽子,一齐发出了巨大的喊声……这一声三千人的叫喊震响了整个山谷;它像是一片欢乐的叫声,但却奇特地拖延得老长,足足不下一刻钟之久;一声过去,他们用更大的音量又喊出一声,整个大地都因此而震动,这声音就是:"法兰西民族万岁!"

他公正地给了大革命中激进的资产阶级民主派雅各宾党人以高度的评价:

> 雅各宾党人并不就是法国大革命,但他们是这次革命的眼睛,监视着敌人的眼睛,他们是发出控诉的声音,是进行打击的臂膀。

他热情洋溢地讲述在1792年革命危急时刻保卫了祖国的志愿军：

请您把眼睛转向巴黎，如果您的眼光能够看到巴黎的全景，那么我还请您注视革命运动的那种不可思议的伟大。六千人自愿报名参加志愿军开赴前线。

和同时代的历史学家相比，米什莱的论著更多地具有文学散文的价值。他的历史著作绝非抽象的理论、枯燥的概述，而是充满了丰富生动的历史内容，包括了过去时代生活的各个方面和形形色色，不仅有政治、经济、军事、宗教的发展过程和重大事件，而且有文学艺术的概况、社会生活的风气习俗以及哥特式建筑的由来、咖啡的传入法国等历史生活的细节，它们既有历史材料的意义，也增添了知识和趣味。米什莱和梯叶里一样，也重视在历史描述中运用想象。他本人具有文学家的素质，想象力相当丰富，他在日记中曾叙述过自己阅读小说时的感受："读着读着，我就像身临小说中的境地，经历了那些主人公的命运。我与他们同在，一时热烈地爱，一时又极为痛苦。"他把这种禀赋运用于历史研究，在国家档案馆里，他似乎看见尘埃扬起，古人复活，又在对他讲述："我很快就感到，在档案库的这些长廊上，一片寂静之中，有着一种并未死亡的运动和细语……古人先生们，请你们不要急，大家按次序一个一个地讲。"由于这种丰富的想象，米什莱写事件、写过程，总使人看到非常具体的情景。如在《法国革命史》的巴士底狱的攻陷一节中，巴黎人民群众的怒吼似乎隐约可闻，在瓦尔米战役一节中，读者似乎亲临了硝烟迷漫的战场；在1794年牧月20日庆祝新信仰一节中，热烈的节日气氛也被描写得具体可感；在"热月政变"一节中，作者形象地展示了那个剑拔弩张的国民公会的会场。而米什莱写历史人物，又能让读者看到其形貌和气度，甚至了解其内心活动。如在《法国史》的亨利四世一节中，他以肖像描写的笔法,把这个历史人物的容貌和面部的意味无穷的表情,表现得极为生动;在宗教战争一章中,加尔文在日内瓦的感受和处境,也被写得很具体。更有意义的是,米什莱还在某种程度上把文学的典型化的手段用在历史描述中。米什莱接受了维科和库辛的影响,认为某个时代的历史内容和特点往往体现在伟大的历史人物身上,他们是自己时代的代表和象征,因此,他有意识地运用了他在《法国史概要》的前言中所宣称的方法:"把那些为数不多但经过反复挑选的历史事实,作为一些典型,用来表现其他所有的历史事件。"以这种方法写史,米什莱就不是平均地使用笔墨,而是突出具有代表性的人和事,加以细致的叙述和集中的描写。而且,米什莱还提倡在史论中贯注作者的感情,他说:"一个历史学家,如果他在论述的时候竭力排除自己的思想感情,取消自己的存在,那他就不是一个历史学家,当我们一步一步深入所研究的对象时,我们的兴趣就逐渐增加,一颗被感动的心就多具有一重眼光,就可以看出冷淡的人所看不出来的许多东西。"总之,以上这一系列指导思想和方法,使得米什莱的论著写得有声有色,充满了时代气氛和地方色彩,活跃着历史人物的生动形象,蕴含着作者自己某种情怀,具有浓厚的文学色彩,带有几分演义的性质,从文学角度来说,无疑是出色的散文。当然,从严格的历史学的要求来说,这一系列方法也就不可避免在史实和细节上带来不够精确的缺点,特别是他强调要把自己的感情注入历史叙述,更使他的论著带有明显的主观色彩。但如果更多地从文学的角度来看米什莱,他在严格的历史学方面的所失,正是他在文学方面的所得。

米什莱四部描写大自然的作品,在法国文学史上亦可称得上散文佳作。他以草木鱼虫、山川河海为描绘对象,但并不像布封那样是一位采用文艺形式的自然科学者,也不像拉封丹通过描写自然界的生物来表现某种哲理和寓意。自然界本身就引起了他的感情,他以一种欣喜的眼光来观察自然界,怀着一种泛爱的柔情把那些动物视为"人类的低级兄弟",这给他的描绘带来了浓厚的人情味和某种诗意,虽然这些作品写于他失意的晚年,但它们却显示了作者似乎还保持着青春的兴味和情趣。

米什莱的几部说理散文是他的社会思想、伦理思想的体现,也都具有一定的价值。特别是《人民》一书,更显示了他的民主主义思想。在书中,米什莱批评过去思想家的著作"不足以使人对人民有正确的理解;它们提供的是片面、虚假、狭隘的结论,造成了对人民的错误的理解",他不仅重申了人民是历史和革命的主人公的思想,而且声称:"我自己是从人民之中来的,我曾经与他们一起生活、一起劳动、一起受苦。"他对自己那个时代社会里劳动人民的苦难和不幸也表示了深刻的同情,因此,这部作品在某种意义上是米什莱本人生活经历的总结,也是他自己一直保持着的平民感情的结晶。

3. 基佐

在19世纪上半期的资产阶级历史学家中,基佐以其风格不同于梯叶里、米什莱的论著,而被认为是当时历史学中"哲理学派"的一个代表。

基佐(François Guizot,1787~1874)生于一个信奉新教的资产阶级家庭,他的父亲是尼姆地方法庭的律师,政治上是资产阶级自由主义者,雅各宾时期死于断头台。基佐一生作为一个温和派始终反对激烈的革命行动,无疑与此有关。他由母亲教养成人,早年的生活比较困苦,先在日内瓦钻研过加尔文教,后于1805年来到巴黎,出入当时资产阶级自由派的沙龙,在这里接受了18世纪启蒙思想余绪的影响。1812年,他受聘为巴黎大学文学院的历史教授。基佐很早就热衷于政治,1814年波旁王朝复辟后,他作为立宪党空论派的理论家颇为活跃,充当了温和派贵族和与复辟王朝某种妥协的那一部分资产阶级的代言人。他发表的政论影响甚大,当时和他同党派的一个活动家这样称赞他:"你没有我们参加就赢得了为我们的战斗。"19世纪20年代初,他曾在温和的立宪党的德卡兹(Décazes)内阁中任职。贝里公爵遇刺案件后,保王党反动倾向的加强导致了德卡兹内阁的垮台,基佐又回到巴黎大学任教。1822年,他因为积极反对极端保王党的维利勒(Villile)内阁而被解除教职,直到1828年才重新走上讲台。在这一时期,他致力于写作历史论著,如:《法国史论丛》(*Essais sur l'histoire de France*,1823)、《英国革命史》(*Histoire de la révolution d'Angleterre*,1826~1856)、《近代史讲义》(*Cours d'histoire moderne*,1828~1830)等。1830年七月王朝建立,他被任命为内政大臣,后又历任国民教育大臣、驻伦敦大使、外交大臣等职,他所奉行的保守政策,是导致1848年革命爆发的因素之一。1848年他的政治生涯终结后,他又回到学术工作中,并担任了好几个学院的成员,进行了广泛的学术活动。1830年以后直到他逝世,他的论著有:《欧洲文明史》(*Histoire générale de la civilisation en Europe*,1845)、《法国文明史》(*Histoire générale de la civilisation en France*,1845)、《作为我这时代历史的回忆录》(*Mémoires pour servir à l'histoire de mon temps*,1858~1868)、《讲给孙辈们听的法国史》(*L'Histoire de France racontée à mes petits-enfants*,1870~1874)。

基佐不论是在资产阶级与封建阶级斗争的时期,还是资产阶级巩固了自己统治秩序的时期,都是作为一个资产阶级温和派、保守派的思想家和政治家而活动的。中庸之道是他的信条,是他所认为的真理之所在,调和折中则是他常用的方法。他站在资产阶级立场上,承认法国历史中的阶级斗争,肯定法国大革命所缔造的资产阶级自由的正义性,同时又在两个阶级斗争面前,采取妥协的立场,主张也要尊重法国的"历史传统"。正如他自己所说:"我生来就是资产阶级和新教信奉者,我深深地忠于思想自由、法律面前人人平等以及我们的社会秩序中一切伟大的建树。但是,我对以上这些建树的信仰是充分的、平静的,我虽为自由平等的事业服务,我却并不认为自己必须把波旁王朝、法兰西贵族和教会视为仇敌。"在历史研究中,基佐一方面叙述了历史上阶级斗争的发展,表现了科学的唯物主义的倾向;另一方面,他又认为历史学不可能真正成为过去时代"完整而忠实的画幅",在他看来,"各个时代的历史都向我们展示了某些至高无上的观念,某些决定着连续好些代人的命运和特点的巨大的事件",因此,他在自己的论著中致力于从历史事件中总结某些"普遍观念",并把这些观念视为历史的真正内容,他之所以被过去的批评家称为"哲理学派",原因就在于此。那么,他所归纳出来的普遍观念又是什么呢?他认为是对秩序的追求和对自由的向往,而这两种观念并不是始于法国大革命:"我一直想要指出,我们这个时代为建立一种体现了各种自由和各种保证的制度而作的努力,并没有任何新奇之处。"它们早就表现在整个法国的历史发展过程中:"14个世纪以来,法兰西就一直经受着乱与治、幻想与失望之间的水火不容的斗争;她从未长期抛弃过秩序与自由。"

正因为基佐在历史论著中主要的目的是要总结某种观念,而不是给历史生活提供生动具体的描述,这就使他在写史的方法以及论著的风格上,不同于"想象学派"的历史学家,他重视的是分析,而不是想象,更不要求注入自己的感情、涂上自己的色彩,他不追求古代色彩、异国情调以收到文学效果,叙事简明准确,仅以说明自己的结论为目的。虽然有的批评家责备他是从历史中去求证自己的政治观念,但他的论著在材料的扎实与广泛上,毕竟是无可厚非的,他的《英国革命史》甚至在英国也是一部权威性的著作。

基佐进行过多方面的写作,除了诗歌,他几乎尝试过所有一切形式:哲学论文、文学批评、艺术评论、教育论文、历史哲学、政论、宗教与伦理学论文、传记、历史小说以及翻译、注释等等。他作为一个作家,在散文方面达到了一定的成就。

与基佐的特点相近，也被批评家划入"哲理学派"的历史学家还有德·托克维尔（De Tocqueville，1805~1859）和埃德加尔·基内（Edgar Quinet，1803~1875），前者著有《美国的民主》（*La Démocratie en Amérique*，1836~1839）和《旧制度与法国大革命》（*L'Ancien régime et la Révolution*），后者的论著有《意大利革命》（*Les Révolutions d'Italie*，1848~1852）与《法国大革命》（*La Révolution*，1865）。

4. 米涅

在19世纪资产阶级历史学家中，米涅是一位在反封建复辟斗争中非常活跃并发挥了重要作用的斗士，不论从他本身的活动还是从他的论著来说都是如此。恩格斯很赞赏这个来自民间的学者，曾经表示："在资产阶级历史学家中，我仍然比较喜欢米涅。"[①]

法朗索瓦·米涅（François Mignet，1796~1884）出身于下层人民，是埃克斯地方一个工匠的儿子。他很早开始攻读历史，1802年，他的史学论文第一次得到尼姆地方学院的嘉奖，1821年，题铭学院又授奖给他的另一研究成果。他与自己的朋友梯也尔先后来到巴黎，当过历史教授、律师和新闻政论家。一到巴黎，他就很快投身于党派斗争，大胆地置身于复辟王朝反对派的营垒，出入政界人士聚会的沙龙，并参加了资产阶级自由主义的《民族报》的编辑和撰稿工作。他在历史研究中十分自觉地抱着为现实的政治斗争服务的意图，在1823年写成的《法国大革命史》中，大力为资产阶级推翻复辟王朝的夺权斗争提供历史的根据。米涅作为一个政论家，在19世纪20年代反封建、反复辟的思潮中极为活跃，表现得很果敢，显示出了为捍卫自己的信念和权利而准备献身的精神，在当时发挥了一定的作用。他还曾参加当时反波旁王朝的革命组织的秘密活动，因此受到了法庭的审

[①] 恩格斯：1886年2月4日致斐迪南·多梅拉·纽文胡斯的信，《马克思恩格斯全集》第三十六卷，第427页。

讯。在1830年七月革命的日子里，他参加了街垒战。不论从哪一方面来说，他都是七月革命的缔造者之一。

米涅是一位真诚的资产阶级民主主义者、爱国主义者，他参加政治斗争并不以追逐自己的私利为目的，而表现了对国家前途和自由事业的关心。七月革命胜利后，他本来有资格在政府和统治集团中得到相当高的位置，但他并没有像他的朋友梯也尔那样爬进统治阶级的上层，在19世纪30年代以后的法国政治舞台上去扮演不光彩的角色，而只是为了他的历史研究工作接受了外交部历史档案馆的职务。这个岗位，对于一个野心家来说，简直就是放逐，而对他这样一个只立志做一个历史学家的学者，则是十分恰当的所在。从此，米涅把他全部的精力献给历史研究和著书立说，其成果有《历史回忆录》（*Mémoires historiques*，1836～1848）、《安东里奥·贝莱兹与菲利普二世》（*Antonio Perez et Philippe II*，1845）、《玛丽·斯图亚特》（*Marie Stuart*，1851）、《查理五世与他的逊位》（*Charles Quint et son abdication*，1854）、《弗朗索瓦一世与查理五世的对抗》（*Rivalité de François Ier et de Charles Quint*，1875）等。

米涅的历史研究主要集中在两个历史课题上，一个是宗教改革，另一个是法国大革命，而其代表作，则是他27岁时写成的《法国大革命史》。

在最初运用了阶级观点的19世纪那一批资产阶级历史学家中，米涅要算是较为杰出的一个。他在自己的历史论著中比较鲜明地贯彻了唯物主义的阶级论思想，把中世纪以来的法国历史描述为阶级斗争的历史。特别是他的《法国大革命史》一书，从一些主要的方面论述了这次社会变革的阶级内容。他认为，这次深刻的巨大的变革，是以一种"公道而更符合时代精神的秩序"来代替"中古时代的社会形态"和"无法无天的局面"，是社会发展的必然结果。在他看来，正因为这次革命是要改变不合理的社会形态和社会制度、取消"特权"

和"专横跋扈",它必然要触犯特权阶级的"切身利益","应该作出牺牲的人总是不肯牺牲,要别人作出牺牲的人总要强迫人家牺牲",于是,就必然产生反革命的暴力与革命的暴力,"两个敌对的阶级"必然要进行"国内战争与国外战争",法国革命就是按照这一条历史规律进行的。米涅以这种认识为基础来论述法国革命中的一连串历史事件,因而能够比较深刻地揭示这些事件的阶级动因,指出整个革命的过程就是构成"法兰西民族的几个阶级争夺政权"的过程。

米涅关于法国革命的历史论著带有鲜明的倾向性和党派性,他首先选择这个课题作为他研究的对象,本身就出于政治上的考虑。他在自己的论著里,对封建阶级在革命前、革命过程中,一直到复辟时期的反动本质,作了比较深刻的揭露和批判。他揭露革命前旧的社会形态的"弊端"、"令人难以忍受",封建统治者"专横暴虐",特权阶级"滥施淫威","第三等级既受宫廷压榨,又受贵族欺凌",从而说明了社会变革势在必行、"不可避免",论证了这次革命的正义性。对于封建阶级在革命过程中的反革命的挣扎,米涅的论著揭露得更为详尽深刻:在国内,"僧侣利用内乱来反对革命,贵族则发动欧洲来反对革命";在国外,欧洲的宫廷都对法国的反革命势力加以"庇护和支持",形成了国内外反革命势力的勾结和联合,米涅揭示了欧洲君主国联盟干涉法国革命的反动性质,明确地指出了这一联盟的中坚和后盾——沙皇俄国怀着谋求世界霸权的野心,从而说明了革命力量镇压反革命势力、进行国内战争,抗击君主国、保卫祖国的每一寸土地的正义性。总之,米涅的论著通过两种力量、两种制度的对立和斗争,否定了旧制度和旧阶级,高度赞扬推翻它们的斗争是"一代人所仅见的伟大革命",充分肯定了从这次革命中产生的新的社会制度。所有这些论述最后都落实到一个有现实意义的问题:明确地指出在已经经历过革命的法国,波旁王朝的复辟显然是一个"倒退"。这样,米涅就把他的学术研究紧密地和他在复辟时期所进行的思想政治斗争结合了起来，用他的历史论著为资产阶级夺回统治权服务。

米涅毕竟是资产阶级历史学家，他有自己的阶级局限性。他的阶级观点有明显的不足，他并没有从最根本的经济生活的原因充分说明法国社会阶级的产生，更重要的是，他的阶级斗争观点不可能很彻底，他虽把这一观点运用于资产阶级与封建阶级的关系上，却否认了资本主义秩序奠定以后无产阶级对资产阶级的矛盾和斗争，甚至认为不再存在阶级的区分和对立，说资产阶级革命"把一切都复归于一个等级、一个法律、一个民族"。与此同时，他对人民群众激烈的革命行动进行了某种程度的责难，对反映了早期无产阶级要求的巴贝夫的平均共产主义主张，也明确加以否定。

在文体方面，米涅的历史论著兼有说理、叙事和描绘之长。他说理透辟、简明扼要，如他评价拿破仑把新的资本主义关系带到整个欧洲的历史功绩时，只用了这样短短一段话：

> 拿破仑通过他的体系的悲惨结局，却给了欧洲大陆一个很大的推动，他的军队把法国的风尚、思想和较先进的文明带到欧洲各地。欧洲社会的陈旧的基础被彻底动摇。由于来往频繁，各国民族混杂起来；边界的河流上建起了桥梁，在阿尔卑斯、亚平宁、比利牛斯三大山区开辟了公路，使各个地域日趋接近。拿破仑使各个国家在物质方面发生了变化，就像法国革命使人们在精神方面起了变化一样。封锁政策补充了军事征服的推动力，由于封锁，大陆上的工业得到改进，从而取代了英国的工业；制造业生产代替了殖民地贸易。拿破仑就这样在扰乱各国人民的同时，促进了他们的文明。他对本国的专制统治使他成为反革命者；而他的征服欧洲的思想却使他成为欧洲的革新者。好几个欧洲国家在他到达以前毫无生气，在他到达以后却是生气勃勃。

他的叙述明快简洁,言必有据,如对其他史家花费过不少笔墨的有名的奥斯特里茨战役的复杂过程和战果,他用一段精炼准确的文字就作出了高度的概括:

一八〇五年十二月二日,拿破仑加冕周年纪念日,双方军队在奥斯特里茨平原展开战斗。俄军有九万五千人,法军八万。双方都拥有强大的炮兵。激战从黎明时分开始。双方出动的人数都很多,俄国的步兵敌不过我军的猛烈进攻和我军指挥官出奇制胜的战术。敌军左翼首先被切断,俄国的禁卫军企图恢复联系,仍被击溃。敌军中路遭到同样命运;到午后一点钟,又获得一次决定性胜利,结束了这次出色的战斗。第二天,拿破仑皇帝在战场上就地传令嘉奖全军,命令中说:"士兵们,我对你们很满意;你们以不朽的光辉装饰了你们的军旗。俄皇和奥皇的十万大军,不到四天就被你们切断击溃了,逃过你们的兵器的,随后也在湖泊中淹死。我军缴获了大旗四十面,还有许多俄国禁卫军的军旗,大炮一百二十门,俘虏了二十名将军和三万多名官兵,这就是这一场名扬后世的战役的战果。"

他对某些历史场面也不乏生动具体的描绘,虽然不及米什莱那样色彩浓烈,但也颇为有声有色。如写"热月政变"的场面:

罗伯斯庇尔曾多次企图发言,他走上讲坛台阶又从那里下来,他的声音总被"打倒暴政者"的喊声和议长杜里奥不断摇铃的声音压下去。借片刻的沉寂,罗伯斯庇尔作了最后一次努力,他喊道:"杀人凶手的议长,你能不能最后让我发一次言?"但是,杜里奥继续摇他的铃。罗伯斯庇尔向旁听席上看了几眼,那里的人毫无动静,便转向右方,喊道:"纯洁的人们,有道德的人们,我就靠你们了,杀人凶手们不准我发言,你们准许我发言吧?"没有回答,沉静到极点。于是,他垂头丧气地回到自己的座位,又疲劳又气愤;他颓然坐下,嘴吐白沫,嗓音沙哑。有一个山岳党人对他说:"倒霉鬼,丹东的血把你噎住了!"人们要求逮捕罗伯斯庇尔。会场上一致支持这项提议。这时,小罗伯斯庇尔站起来说:"我和我哥哥同样是有罪的,我分享了他的品德,我也要分担他的命运。"勒巴接着说:"我不愿意参加这项可耻决定的罪恶,我要求把我也逮捕起来。"大会一致决定逮捕罗伯斯庇尔兄弟、库东、勒巴和圣茹斯特。圣茹斯特面不改色地在讲坛上站立了许久,然后沉着地走下来,回到自己的座位上,他若无其事地承受了这一场长时间的风暴。三头联盟中的三头由宪兵押着,在一片欢呼声中被带走。罗伯斯庇尔走出会场时说:"共和国完了,强盗们胜利了!"这时是五点半钟,从五点半到七点,会议暂时休会。

他对历史人物有描绘、有刻画,也有分析评价,颇能全面呈现其形貌举止、性格风度以及作为具体人的全部复杂性,如对丹东:

丹东是一个革命的巨人。在他看来,只要用得着,任何手段都是无可非议的。他的见解是:敢作敢为,无事不成。丹东被人称为平民中的米拉波,因为他和这位上层阶级的民主派政论家十分相似。丹东其貌不扬,但声音洪亮,举动激烈,讲话时慷慨陈词,有着一个宽大突出的前额。两人的缺点也是相同的。不过,米拉波的缺点是贵族特权阶级的缺点,丹东的缺点却是平民阶级的缺点。米拉波的大胆设想在丹东身上也能找到,不同的是在革命中的表现形式,因为丹东是另一阶级和另一时代的人。他有热情,生活上放荡不羁,挥霍无度,因而负债累累;有时随心所欲，任性而为，有时一心一意为他的一党一派效力；当他要达到一个目的时，他所采取的策略具有可怕的力量，一旦达到目的，又顿时涣散。这位有力的政治煽动家有他的短处，也有他的长处，两者混在一起，形成对比。即使在他以后卖身投靠宫廷、行为堕落的时候，仍然保留着共和思想的高傲气概。他有除恶务尽的性格，但对于群众并不冷酷无情，甚至可以说待人宽厚。在他看来，革命就是一场赌博，必要的时候，胜者可以赢得败者的生命。在他的心目中，自己的党派利益高于法律，甚至高于人道。这就说明他为什么在八月十日以后做出了那种暴烈行动，而在他认为共和国已经巩固以后，却又表现得那样温和。

在历史研究方面和米涅有相似之处的作家是梯也尔（Adolphe Thiers，1797～1877）。他与米涅早年是同学，在复辟时期又同是反封建斗争的战友，他也著有一部《法国大革命史》（*Histoire de la Révolution*，1823～1827），还有其续篇《督政府时期与帝国时期史》（*Histoire du Consultat et de l'Empire*，1845～1862）；他的论著的风格与米涅相似，但在材料的扎实和论述的准确上，比米涅逊色，至于他的人格和政治上的所作所为，更不能与米涅相比。七月革命胜利后，他在资产阶级统治集团中平步青云，成为反动资产阶级在政治上的代表，巴黎公社时期，更充当了镇压无产阶级革命的可耻的刽子手。